青銅器銘文檢索

第五冊

總編　周　何
主編　季旭昇　汪中文
編輯　周聰俊　陳　韻
　　　方炫琛　盧心懋
協編　陳美蘭

文史哲出版社
印行

青銅器銘文檢索卷十三

糸 2094

0766	刀糸子__父癸鼎	[刀糸子cv]父癸
3555	糸厷爵	[糸厷](子糸到文)
3556	子糸爵	[子糸]
3934	糸父壬爵	[糸]父壬
6029	子糸觚	[子糸]

小計：共 5 筆

純 2095 0060屯字重見

1315	善鼎	余用丐純魯雩萬年
5805	中山王譽方壺	是又純德遺訓
7870	陳純釜	敦t4日陳純

小計：共 3 筆

經 2096 1854巠字重見

1163	齊陳__鼎蓋	肇勤經德
2955	齊陳曼匿一	肇勤(堇)經德
2956	齊陳曼匿二	肇勤(堇)經德
6790	虢季子白盤	經維四方
7069	者沇鐘一	q7亦虔秉不經悳
7070	者沇鐘二	女亦虔秉不經悳台克刺__光之于聿
7071	者沇鐘三	女亦虔秉不經悳
7072	者沇鐘四	女亦虔秉不經德
7073	者沇鐘五	女亦虔秉不經悳
7182	叔夷編鐘一	余經乃先且
7214	叔夷鎛	余經乃先且

小計：共 11 筆

織 2097 2041戠字重見

紀 2098 2366己字重見

7721	__劍	自之紀

小計：共 1 筆

納 2099 0861内字重見

絕 2100

5803	𪈵嗣好盗壺	世世母絕
5805	中山王譻方壺	以内絕邵公之業
		小計：共 2 筆

繼 2101

3095	拍乍祀彝（蓋）	㡭（繼）毋㞷
		小計：共 1 筆

紹 2102

3100	陳侯因𫋹錞	紹緟高且黃啻
6776	楚王酓忓盤	剛市紹夅差陳共為之
7550	十二年少令邯鄲戈	十二年尚命邯鄲□右庫工市□紹台倉造
7551	十二年尚令邯鄲戈	十二年尚命邯鄲□右庫工市□紹台倉造
		小計：共 4 筆

緼 2103

2843	沈子它𣪘	朕吾考令乃鴅沈子乍緼于周公宗
2843	沈子它𣪘	不敢不緼
		小計：共 2 筆

絅 2104 0876冋字重見

2803	師酉𣪘一	新易女赤市朱黃中絅、攸勒
2804	師酉𣪘二	新易女赤市朱黃中絅、攸勒
2804	師酉𣪘二	新易女赤市朱黃中絅、攸勒
2805	師酉𣪘三	新易女赤市朱黃中絅、攸勒
2806	師酉𣪘四	新易女赤市朱黃中絅、攸勒
2806.	師酉𣪘五	新易女赤市朱黃中絅、攸勒
		小計：共 6 筆

終 2105 1868冬字重見

0883	曾侯乙鼎	曾侯乙詐（乍）時甬（用）冬（終）
2853	不嫢𣪘二	永屯霝終
		小計：共 2 筆

絑 2106 0927朱字重見

纁 2107 0062熏字重見

綰 2108

1317	善夫山鼎	用旂丐釁壽綽綰
1318	晉姜鼎	晉姜用旂綽綰釁壽
2727	蔡姞乍尹弔毀	綽綰永令
6792	史墻盤	上帝司vu尢保受天子綰令厚福豐年
7159	瘋鐘二	龢綰猶（祓）祿屯魯
7868	商鞅方升	乃詔丞相狀綰
		小計：共 6 筆

紫 2109

J072	蔡侯𥁕殘鐘	紫
		小計：共 1 筆

繐 2110 1663惪字重見

綏 2111

6792	史墻盤	左右綏會剛鯀
		小計：共 1 筆

組 2112

1483	虢季氏子組鬲	虢季氏子綅（組）乍鬲
2553	虢季氏子組毀一	虢季氏子組乍毀
2554	虢季氏子組毀二	虢季氏子組乍毀
2555	虢季氏子組毀三	虢季氏子組乍毀
2826	師袁毀一	今余弗叚組
2826	師袁毀一	今余弗叚組
2827	師袁毀二	今余弗叚組
5748	虢季子組壺	虢季子組乍寶壺
		小計：共 8 筆

緟 2113 依形隸定為𩠐，為紳束之紳之初文（或申束之申之初文），與0660號𩠐、2204號𩠐（𩠐）同字，字不釋緟，姑依金文編字頭暫廁於此。

䜌 2113 金文編同緟，為紳束之紳之初文（或申束之申之初文），與0660號䜌、2204號𤔲（𤔲）同字

1315	善鼎	今余唯肇䜌先王令
1325	五祀衛鼎	厲有𤔲䜌季、慶癸、燹囗、荊人敢、井人𠈍屖
1327	克鼎	䜌季右善夫克入門立中廷、北卿
1327	克鼎	今余隹䜌京乃令
1332	毛公鼎	䜌圝（恪）大命
1332	毛公鼎	王曰：父厝、今余唯䜌先王命
1663	䜌五世孫矩甗	䜌（緟）五世孫矩乍其寶甗
2763	弔向父禹𣪘	用䜌（緟）圝奠保我邦我家
2798	師㝨𣪘一	今余唯䜌（緟）先王令女官司邑人師氏
2799	師㝨𣪘二	今余唯䜌（緟）先王令女官司邑人師氏
2800	伊𣪘	䜌（緟）季內、右伊立中廷北鄉
2817	師穎𣪘	今余隹肇䜌乃令
2830	三年師兌𣪘	今余隹䜌（緟）京乃令
2834	㝬𣪘	䜌（緟）圝皇帝大魯令
2838	師嫠𣪘一	今余唯䜌（緟）京乃令
2838	師嫠𣪘一	今余隹䜌（緟）京乃令
2839	師嫠𣪘二	今余唯䜌（緟）京乃令
2839	師嫠𣪘二	今余隹䜌（緟）京乃令
2840	番生𣪘	用䜌（緟）圝大令
2854	𧀑𣪘	今余隹䜌京乃令
2856	師𩛥𣪘	今余隹䜌京乃令
2857	牧𣪘	今余隹䜌京乃命
3088	師克旅盨一（蓋）	今余隹䜌（緟）京乃令
3089	師克旅盨二	今余隹䜌（緟）京乃令

小計：共 24 筆

縈 2114

2125	縈白乍旅𣪘	縈白乍旅𣪘
2394	己侯乍姜縈𣪘一	己侯乍姜縈𣪘
2784	申𣪘	賜女赤市縈黃
5459	縈弔卣	縈弔乍其為氒考宗彝
6767	齊縈姬之嬗盤	齊縈姬之嬗（姪）乍寶般

小計：共 5 筆

緘 2115

1332	毛公鼎	母（毋）折緘
7899	鄂君啟車節	裁（緘）尹逆、裁令阢

小計：共 2 筆

縢 2116

5804	齊侯壺	__伐陸寅其王馴執方__朕相
5824	孟朕姬賸缶	孟朕姬羼其吉金
		小計：共　2 筆

隹 2117 0598隹字重見

J072	蔡侯鏤鐘	（拓本未見）
6790	虢季子白盤	經維四方
		小計：共　2 筆

緐 2118

1211	庚兒鼎一	郐王之子庚兒自乍飤緐
1212	庚兒鼎二	郐王之子庚兒自乍飤緐
1241	蔡大師鼎	蔡大師賸鄦弔姬可母飤緐
1318	晉姜鼎	卑貫通引征緐湯𩁹
2763	弔向父禹毀	降余多福緐釐
2829	師虎毀	嗣ナ右戲緐荊（荊）
2829	師虎毀	嗣ナ右戲緐荊（荊）
2855	班毀一	秉緐、蜀、巢令
2855.	班毀二	秉緐蜀巢
2899	尹氏弔緐旅匡	吳王御士尹氏弔緐乍旅匡
6792	史墙盤	緐猶（髮）多釐
7112	者減鐘一	用祈釁壽緐釐
7113	者減鐘二	用祈釁壽緐釐
7682	緐陽之金劍	緐（繁）湯之金
7899	鄂君啟車節	適兔禾、適酉焚、適緐陽
		小計：共　15 筆

緐綧 2119

1332	毛公鼎	金車緐較、朱䩊函（鞃）靳、虎冟熏裏、右厄
2840	番生毀	車、電軫、桼綧（緐）較
		小計：共　2 筆

績 2120 1015責字重見

綏 2121 1990妥字重見

彝 2122

彝

0464	乍旅彝鼎	乍旅彝
0465	乍彝鼎一	v7乍彝
0466	乍彝鼎二	v7乍彝
0467	白乍彝鼎一	白乍彝
0468	白乍彝鼎二	白乍彝
0499	文方鼎	文彝[奘]
0596	彭母彝冎鼎一	彭母彝[冎]
0597	彭母彝冎鼎二	彭母彝[冎]
0599	戣白乍彝鼎	戣白乍彝
0629	__乍寶彝鼎	__乍寶彝
0630	白乍寶彝鼎一	白乍寶彝
0631	白乍寶彝鼎二	白乍寶彝
0632	白乍寶彝鼎三	白乍寶彝
0634	乍寶尊彝鼎	乍寶尊彝
0640	__乍寶彝鼎	tL乍寶彝
0649	白乍旅彝鼎	白乍旅彝
0661	季乍寶彝鼎	季乍寶彝
0671	乍父甲鼎	乍父甲尊彝
0677	乍父乙鼎	乍父乙尊彝
0690	雁公乍籉彝鼎一	雁公乍旅彝
0691	雁公乍籉彝鼎二	雁公乍旅彝
0696	䠙鼎	䠙乍寶尊彝
0697	遱鼎	遱乍寶尊彝
0698	丂隻鼎	丂隻乍尊彝
0702	椭仲乍旅鼎	椭中乍旅彝
0713	立鼎	立乍寶尊彝
0714	竟乍氒寶鼎	竟乍氒寶彝
0715	亩刂乍寶鼎	亩刂乍寶彝__
0716	小臣鼎	小臣乍尊彝
0724	䍜乍從旅鼎	[䍜]乍從旅彝
0725	□乍氒鼎	□乍氒尊彝
0735	叔乍寶尊鼎一	叔乍寶尊彝
0736	叔乍寶尊鼎二	叔乍寶尊彝
0741	乍□鼎	乍□寶尊彝
0742	己方鼎	己乍寶尊彝
0752	__乍且丁鼎	kL乍且丁盟彝
0759	天黿乍父戊方鼎	[天黽]乍父戊彝
0760	戣冊乍父己鼎	[戣冊]乍父己彝
0761	㴱韋乍父丁鼎	㴱韋乍父丁彝
0763	剌乍父庚鼎	剌乍父庚尊彝
0764	乍父辛方鼎	乍父辛寶尊彝
0768	堇白乍籉鼎	堇白乍旅尊彝
0769	______乍鼎	[abd2d3]乍彝
0772	白魚鼎	白魚乍寶尊彝
0773	雁公方鼎	雁公乍寶尊彝
0774	白卿鼎	白卿乍寶尊彝
0783	鮮父鼎	鮮父乍寶尊彝
0784	旂父鼎	旂父乍寶㴱彝
0785	才僎父鼎	才僎父乍尊彝
0789	田䢍鼎一	[田]䢍乍寶尊彝

0790	毌逘鼎二	[毌]逘乍寶尊彝
0794	𩰫姞鼎	𩰫姞乍寶尊彝
0795	大保_鼎一	i4乍尊彝大保
0796	大保_鼎二	i4乍尊彝大保
0797	大保_鼎三	i4乍尊彝大保
0799	䲨釼鼎	䲨釼乍寶尊彝
0800	㚸乍_婦方鼎	乍h4婦尊彝[㚸]
0808	安父鼎	安父乍寶尊彝
0810	臣穷乍父癸鼎	[臣]穷乍父癸彝
0811	田農鼎	田農乍寶尊彝
0818	外弔鼎	外弔乍寶尊彝
0820	王乍仲姬方鼎	王乍中姬寶彝
0823	_乍父癸方鼎	乍父癸尊彝[rr]
0824	隧白方鼎	隧白乍寶尊彝
0834	鳥壬侜鼎	鳥壬侜乍尊彝
0836	㠱女鼎	㠱女尊彝[亞㠱]
0837.	北子鼎	北子LJ乍車彝
0840	亞艅曆乍且己鼎	[亞俞]曆乍且己彝
0841	䐙乍且乙鼎	䐙乍且乙寶尊彝
0845	毌乍父癸鼎	[毌]乍父癸寶尊彝
0847	用貝乍母辛鼎	貝用乍母辛彝[ab]
0849	吹乍樠妊鼎	吹乍樠妊尊彝
0852	𠂤乍隁仲方鼎一	𠂤乍隁中寶尊彝
0853	𠂤乍隁仲方鼎二	𠂤乍隁中寶尊彝
0854	𠂤乍隁仲方鼎三	𠂤乍隁中寶尊彝
0855	𠂤乍隁仲方鼎四	𠂤乍隁中寶尊彝
0856	大保冊鼎	[冊]乍寶尊彝[大保]
0857	天黽婦姞鼎一	[天黽]乍婦姞𪊲彝
0858	天黽婦姞鼎二	[天黽]乍婦姞𪊲彝
0860	_鼎	ne乍尊彝、用匄永福
0863	弓𦎫乍公尊鼎	乍公尊彝[弜]
0877	召父鼎	召父乍𡚬父寶彝
0880	弔乍單公方鼎	弔乍單公寶尊彝
0886	亞䣄季乍兄己鼎	[亞䣄]季乍兄己尊彝
0887	㞷乍且丁鼎	㞷乍且丁尊彝永寶
0888	咸妹早乍且丁鼎	咸𢿭乍且丁尊彝
0889	伯戓方鼎	白戓乍𡚬父寶尊彝
0890	堇臨乍父乙鼎	堇臨乍父乙寶尊彝
0891	堇臨乍父乙方鼎	堇臨乍父乙寶尊彝
0893	亞牧乍父辛鼎	乍父辛寶尊彝[亞牧]
0894	_乍父癸鼎	sb季乍父癸寶尊彝
0897	㚸𡚤乍父癸鼎	𡚤乍父癸寶尊彝[㚸]
0899	弔具乍𡚬考鼎	弔具乍𡚬考寶尊彝
0903	毌湷白鼎	[毌]湷白□乍寶尊彝
0904	旅口戊乍長鼎	乍長寶尊彝
0908	宥乍父辛鼎	宥乍父辛尊彝[亞俞]
0910	亞亳乍父乙方鼎	[亞弘]亳乍父乙尊彝
0912	北子乍母癸方鼎	北子乍母癸寶尊彝
0913	大保乍宗室鼎	大保乍宗室寶尊彝
0914	汝乍𡚬姑日辛鼎	汝乍𡚬姑日辛尊彝

彝

彝

0915	亞叓弜乍父辛鼎	[亞叓弜]乍父辛尊彝
0917	游鼎	游乍氒文考寶尊彝
0924	䨴奪乍父丁鼎一	奪乍父丁寶尊彝[䨴]
0925	㽙乍且壬鼎	㽙乍且壬寶尊彝□金
0926	趠乍文父戊鼎	趠乍文父戊尊彝[䢅冊]
0927	若媯乍文嬖宗鼎	若媯乍文嬖宗尊〓彝
0932	木乍母辛鼎	乍母辛尊彝[木工冊]
0933	遂攸諆鼎	遂攸諆乍廟弔寶尊彝
0934	中斿父鼎	中斿父乍寶尊彝貞(鼎)[七五八]
0936	天黿敕黻乍丁侯鼎	敕黻乍丁侯尊彝[天黽]
0941	義仲方鼎	義中乍氒父周季尊彝
0948	辥侯戚乍父乙鼎	辥侯戚乍父乙鼎彝[史]
0950	羊甚諆臧鼎	甚諆臧聿乍父丁尊彝[羊]
0952	戈囧𢑽陶父辛鼎	戈囧𢑽陶乍父辛寶尊彝
0953	婦闖乍文姑日癸鼎	婦闖乍文姑日癸尊彝
0954	白__乍氒宗方鼎	白m0乍氒宗寶尊彝v8
0961	乙未鼎	用乍__彝
0965	曾侯仲子斿父鼎	曾侯中子游父自乍䵼彝
0967	㸚___乍文父甲鼎	p5u3用乍文父甲寶尊彝[㸚]
0981	德鼎	用乍寶尊彝
0983	羊庚鼎	La乍氒文考尸弔寶尊彝
0984	𢍰姛乍父乙鼎一	乍父乙彝
0985	𢍰姛乍父乙鼎二	乍父乙彝
0988	白矩鼎	白矩乍寶彝
0991	交鼎	王易貝、用乍寶彝
0997	__父鼎一	用乍氒寶尊彝
0998	__父鼎二	用乍氒寶尊彝
0999	__父鼎三	用乍氒寶尊彝
1011	彥乍父丁鼎	用乍父丁尊彝
1012	康丝鼎	La乍氒文考尸弔寶尊彝
1018	𩣡屯乍父己鼎一	用乍䵼彝、父己[𩣡]
1019	__屯乍父己鼎二	用乍䵼彝、父己[𩣡]
1032	旱乍父丁鼎	乙__□□__貝□用乍父丁彝、才六月
1033	榮子旅乍父戊鼎	榮子旅乍父戊寶尊彝
1037	乍冊䀠鼎	用乍寶彝
1046	圉方鼎	用乍寶尊彝
1047	䧹白鼎	䧹白乍寶尊彝
1058	復鼎	復用乍父乙寶尊彝[㸚]
1059	旂乍父戊鼎	旂用乍父戊寶尊彝
1067	雁公方鼎一	䧹公乍寶尊彝
1068	雁公方鼎二	䧹公乍寶尊彝
1069	雁公方鼎三	䧹公乍寶尊彝
1073	白鼎	乍帚寶鼎尊彝
1089	女䜌方鼎	用乍䜌尊彝
1092	小臣建鼎	用乍寶尊彝
1103	臣卿乍父乙鼎	用乍父乙寶彝
1117	豊乍父丁鼎	丁亥、豊用乍父乙齍彝[亞啚]
1119	曆方鼎	曆肇對元德考友隹井乍寶尊彝
1124	珥乍父庚鼎一	用乍父庚彝[天黽]
1125	珥乍父庚鼎二	用乍父庚彝[天黽]

1135	獻侯乍丁侯鼎	用乍丁侯尊彝[天黽]
1136	獻侯乍丁侯鼎二	用乍丁侯尊彝[天黽]
1137	匽侯旨鼎一	用乍姒(始)寶尊彝
1138	白陶乍父考宮弔鼎	白陶乍氒文考宮弔寶䵼彝 彝
1139	寓鼎	用乍尊彝
1143	曾子仲誨鼎	自乍䵼彝
1155	戜者乍旅鼎	用乍文考宮白寶尊彝
1157	禽鼎	禽用乍寶彝
1162	乃子克鼎	用乍父辛寶尊彝
1164	斿乍文父日乙鼎	斿用乍文父日乙寶尊彝[奘]
1172	征人乍父丁鼎	用乍父丁尊彝[天黽]
1173	羌乍文考鼎	羌對揚君令于彝
1173	羌乍文考鼎	用乍文考宮弔䵼彝
1178	宗婦鄁嬰鼎一	王子剌公之宗婦鄁嬰為宗彝䵼彝
1179	宗婦鄁嬰鼎二	王子剌公之宗婦鄁嬰為宗彝䵼彝
1180	宗婦鄁嬰鼎三	王子剌公之宗婦鄁嬰為宗彝䵼彝
1181	宗婦鄁嬰鼎四	王子剌公之宗婦鄁嬰為宗彝䵼彝
1182	宗婦鄁嬰鼎五	王子剌公之宗婦鄁嬰為宗彝䵼彝
1183	宗婦鄁嬰鼎六	王子剌公之宗婦鄁嬰為宗彝䵼彝
1184	德方鼎	用乍寶尊彝
1187	員乍父甲鼎	用乍父甲䵼彝[奘]
1193	新邑鼎	用乍寶彝
1198	姬䵼彝鼎	姬䵼彝
1208	乙亥乍父丁方鼎	用乍父丁彝
1216	貿鼎	用乍寶彝
1228	歔[illegible]方鼎	用乍己公寶尊彝
1233	__鼎	用乍寶尊彝
1234	旅鼎	旅用乍父尊彝
1235	不栺方鼎一	用乍寶䵼彝
1236	不栺方鼎甲二	用乍寶䵼彝
1249	害鼎	用乍召白父辛寶尊彝
1250	曾子斿鼎	用鑄vJ彝
1251	中先鼎一	[illegible]于寶彝
1252	中先鼎二	[illegible]于寶彝
1255	作冊大鼎一	用乍且丁寶尊彝[鳥冊]
1256	作冊大鼎二	用乍且丁寶尊彝[鳥冊]
1257	作冊大鼎三	用乍且丁寶尊彝[鳥冊]
1258	作冊大鼎四	用乍且丁寶尊彝[鳥冊]
1260	我方鼎	用乍父己寶尊彝
1261	我方鼎二	用乍父己寶尊彝
1270	小臣夌鼎	用乍季娟 (妘) 寶尊彝
1271	史獸鼎	用乍父庚永寶尊彝
1272	剌鼎	用乍黃公尊䵼彝
1273	師湯父鼎	乍朕文考毛叔䵼彝
1281	史頌鼎一	用乍䵼彝
1282	史頌鼎二	用乍䵼彝
1283	微䜌鼎	䜌乍朕皇考䵼彝尊鼎
1291	善夫克鼎一	克乍朕皇且釐季寶宗彝
1292	善夫克鼎二	克乍朕皇且釐季寶宗彝
1293	善夫克鼎三	克乍朕皇且釐季寶宗彝

彝

1294	善夫克鼎四	克乍朕皇且釐季寶宗彝
1295	善夫克鼎五	克乍朕皇且釐季寶宗彝
1296	善夫克鼎六	克乍朕皇且釐季寶宗彝
1297	善夫克鼎七	克乍朕皇且釐季寶宗彝
1298	師旂鼎	旂對氒賀(貿?)于尊彝
1304	王子午鼎	自乍鬻彝鬻鼎
1316	㦰方鼎	用乍文母日庚寶尊鬻彝
1327	克鼎	用乍朕文且師華父寶鬻彝
1354	乍尊彝鬲	乍尊彝
1355	乍寶彝鬲	乍寶彝
1357	弘乍彝鬲	[弘]乍彝
1358	弔乍彝鬲	[弔]乍彝
1366	北白鬲	北白乍彝
1368	兮_鬲	兮hm乍彝
1371	紷鬲	紷乍寶尊彝
1379	鼒鬲	鼒乍寶尊彝
1380	白_鬲	白uf乍尊彝
1401	大乍rL鬲	大乍rL寶尊彝
1409	乍寶彝鬲	乍寶彝
1412	倗乍義妣鬲	倗乍義妣寶尊彝
1413	戒乍葬宮鬲	戒乍葬官明尊彝
1415	𡚬鬲	[𡚬㓝]白乍父乙彝
1416	吾乍滕公鬲	吾乍滕公寶尊彝
1424	榮子鬲	榮子口乍父戊寶彝
1434	王乍親王姬_鬲一	王乍親王姬_鬻彝
1435	王乍親王姬_鬲二	王乍親王姬_鬻彝
1440	亞俞林𡚬鬲	林𡚬乍父辛寶尊彝[亞俞]
1442	王乍贊母鬲	王乍s5鬻贊母寶鬻彝
1447	弔䨻鬲	弔䨻乍己白父丁寶尊彝
1465	魯侯獄鬲	魯侯獄乍彝
1466	亞舲犛母辛鬲	用乍又(氒)母辛尊彝
1485	白矩鬲	用乍父戊尊彝
1503	御鬲	用乍父彝
1581	白乍彝甗一	白乍彝
1583	白乍彝甗二	白乍彝
1584	乍寶彝甗一	乍寶彝
1585	乍寶彝甗二	乍寶彝
1586	爻乍彝甗	爻乍彝
1596	命乍寶彝甗	命乍寶彝
1598	nG乍寶彝甗	nG乍寶彝
1599	門射乍寶彝甗	門射乍寶彝
1601	白乍寶甗	白乍寶彝
1602	仲乍䉾彝甗	中乍旅彝
1603	㒸彭女彝甗	彭母彝[㒸]
1604	乍戯尊彝甗	乍戯尊彝
1608	眹乍寶彝甗	眹乍寶彝
1609	雷甗	雷乍寶尊彝
1612	白䧹甗	白䧹乍尊彝
1613	㷭商婦甗	商婦乍彝[㷭]
1616	夨白乍旅甗	夨白乍旅彝

1617	鼎乍父乙甗	鼎乍父乙尊彝
1618	乍父庚寶甗	乍父庚寶彝[ac]
1619	毀乍母庚簋甗	毀乍母庚旅彝
1621	夆白甗	夆白命乍旅彝
1622	函弗生簋甗	函弗生乍旅彝
1623	寡史娥簋甗	寡史娥乍旅彝
1626	田農甗	田農乍寶尊彝
1628	何＿安甗	何＿安乍寶彝
1629	應監甗	雁監乍寶尊彝
1630	伯矩甗	白矩乍寶尊彝
1632	亞旛乍父□甗	[亞旛]乍父乙彝甗
1633	戣彊乍父乙甗	戣彊乍父乙尊彝
1634	䧹冊切乍母戊甗	[䧹冊]切乍母戊彝
1635	天黽乍婦姑甗	[天黽]乍毓姑諸彝
1636	弔嶲寶甗	弔嶲乍寶彝永用
1642	尹白乍且辛甗	尹白乍且辛寶尊彝
1643	亞䣄諸女甗	[亞䣄]者母乍大子尊彝
1644	大史友乍召公甗	大史友乍召公寶尊彝
1649	冊𡿨乃子乍父辛甗	乃子乍父辛寶尊彝[冊𡿨]
1650	榮子旅乍且乙甗	榮子旅乍且乙寶彝子孫永寶
1657	圉甗	用乍寶尊彝
1668	中甗	用乍父乙寶彝
1828	乍彝毁	乍彝
1903	白乍彝毁一	白乍彝
1904	白乍彝毁二	白乍彝
1905	白乍彝毁三	白乍彝
1906	乍寶彝毁一	乍寶彝
1907	乍寶彝毁二	乍寶彝
1908	乍寶彝毁五	乍寶彝
1909	乍寶彝毁三	乍寶彝
1910	乍寶彝毁四	乍寶彝
1911	乍隮彝毁一	乍尊彝
1912	乍隮彝毁二	乍尊彝
1913	乍隮彝毁三	乍尊彝
1914	乍旅彝毁一	乍旅彝
1915	乍旅彝毁二	乍旅彝
1916	乍從彝毁一	乍從彝
1917	乍從彝毁二	乍從彝
1928	白乍彝毁一	白乍彝
1929	白乍彝毁二	白乍彝
1930	白乍彝方座毁三	白乍彝
1931	乍寶彝毁一	乍寶彝
1932	乍寶彝毁二	乍寶彝
1933	乍寶彝毁三	乍寶彝
1934	乍寶彝毁四	乍寶彝
1935	乍寶彝毁	乍寶彝
1969	乍尊彝毁	乍尊彝
2013	鼏乍寶彝毁	[鼏]乍寶彝
2014	乍狽寶彝毁	乍狽寶彝
2017	乍母尊彝毁	乍母尊彝

2018	用乍寶彝設	用乍寶彝
2019	白乍寶彝設一	白乍寶彝
2020	白乍寶彝設二	白乍寶彝
2021	匄乍寶彝設一	匄乍寶彝
2022	弔乍寶彝設	弔乍寶彝
2023	沓乍旅彝設	沓乍旅彝
2024	甯乍旅彝設	甯乍旅彝(器、蓋)
2025	卲乍寶彝設	卲乍寶彝
2026	白乍旅彝設一	白乍旅彝
2027	白乍旅彝設二	白乍旅彝
2028	白乍旅彝設三	白乍旅彝
2029	光乍從彝設	[光]乍從彝
2030	豐乍從彝設	豐乍從彝
2043	乍寶隣彝設	乍寶尊彝
2044	乍寶隣彝設二	乍寶尊彝
2045	乍寶隣彝設三	乍寶尊彝
2046	乍寶隣彝設四	乍寶尊彝
2047	作寶隣彝設五	乍寶尊彝
2048	乍寶隣彝設六	乍寶尊彝
2051	彭女彝冉設	彭母彝[冉]
2065	白乍寶彝設	白乍寶彝
2066	戈乍旅彝設一	[戈]乍旅彝
2067	戈乍旅彝設二	[戈]乍旅彝
2072	乍寶隣彝設一	乍寶尊彝
2073	乍寶隣彝設二	乍寶尊彝
2079	殷乍寶彝設	殷乍寶彝
2087	魚乍父庚設	[魚]乍父庚彝
2089	白魚乍寶彝設	白魚乍寶彝
2090	団乍父辛設	団乍父辛彝
2091	縺乍父癸設	[縺]乍父癸彝
2093	弔乍寶隣彝設一	弔乍寶尊彝
2094	弔乍寶隣彝設二	弔乍寶尊彝
2096	王乍又鬻彝設	王乍父鬻彝
2097	雁公乍旅彝設一	雁公乍旅彝
2098	雁公乍旅彝設二	雁公乍旅彝
2099	牖白乍寶彝設	牖白乍寶彝
2100	事父乍隣彝設	吏父乍尊彝
2102	燮晾乍寶彝設	燮晾乍寶彝
2103	齍禾乍寶彝設	齍禾乍寶彝
2104	闌乍寶隣彝設	闌乍寶尊彝
2105	__乍寶隣彝設	nd乍寶尊彝
2106	从乍寶隣彝設	从乍寶尊彝
2107	戈凡乍旅彝設	凡乍旅彝[戈ab]
2108	__乍寶彝設	q8乍寶尊彝
2109	戣妄乍尊彝設	[戣]妄乍尊彝
2110	乍姬寶隣彝設	乍姬寶尊彝
2111	農乍寶隣彝設	農乍寶尊彝[皇]
2128	文乍寶隣彝設	文乍寶尊彝
2130	姜婦乍隣彝設	姜婦乍尊彝
2131	乍尊車寶彝設	乍尊車寶彝

2131	乍尊車寶彝𣪘	乍尊車寶彝
2133	御乍寶障彝𣪘	御乍寶尊彝
2134	白乍寶障彝𣪘一	白乍寶尊彝
2135	白乍寶障彝𣪘二	白乍寶尊彝
2136	白乍寶障彝𣪘三	白乍寶尊彝
2137	事父乍障彝𣪘	吏父乍尊彝
2140	㭒乍尊彝𣪘𣪘	㭒乍尊彝[𣪘]
2141	大万乍母彝𣪘	大币乍母彝
2144	乍豖咼彝𣪘	乍豖咼彝𣪘
2145	皿𤔲𣪘	皿𤔲乍尊彝
2149	口寶彝𣪘	口寶彝
2155	衍__乍父乙彝𣪘	衍__乍父乙彝
2157	子乍父乙寶𣪘	[子]乍父乙寶彝
2161	乍父丁寶旅𣪘	乍父丁寶旅彝
2162	畣乍父丁旅𣪘	畣乍父丁旅彝
2163	壽乍父戊𣪘	壽乍父戊尊彝
2165	乍父戊旅𣪘	乍父戊旅彝[中]
2166	__乍父己𣪘	[ef]乍父己尊彝
2167	㲋乍母庚旅𣪘	㲋乍父庚旅彝
2168	宰乍父辛𣪘	宰乍父辛寶彝
2169	埶乍父辛𣪘	埶乍父辛尊彝
2170	玬乍父辛𣪘	玬乍父辛隣彝
2171	____乍父辛𣪘	nh口乍父辛彝
2172	女母乍婦己𣪘	女母乍婦己彝
2173	敶乍父癸𣪘	[敶]乍父癸尊彝
2174	白魚乍寶障𣪘	白魚乍寶尊彝
2175	白矩乍寶障𣪘	白矩乍寶尊彝
2176	白__父乍𪊨𣪘	白L4父乍𪊨彝
2177	白艋乍寶𣪘	白艋乍寶尊彝
2178	白丙乍寶𣪘	白鬲乍寶尊彝
2181	季保乍寶障𣪘	季犀乍寶尊彝
2182	䣄娶𣪘	䣄娶乍寶尊彝
2183	羸季乍寶𣪘	羸季乍寶尊彝
2184	霸姞乍寶𣪘	霸姞乍寶尊彝
2185	安父乍寶𣪘	安父乍寶尊彝
2187	𩰫姒乍寶𣪘	𩰫始(姒)乍寶尊彝
2189	獎向乍𡖊障𣪘一	向乍𡖊尊彝[獎]
2190	獎向乍𡖊障𣪘二	向乍𡖊尊彝[獎]
2193	敍白乍寶𣪘	敍白乍寶尊彝
2195	白魚乍寶𣪘一	白魚乍寶尊彝
2196	白魚乍寶𣪘二	白魚乍寶尊彝
2197	白魚乍寶𣪘三	白魚乍寶尊彝
2198	白魚乍寶𣪘四	白魚乍寶尊彝
2199	白矩乍寶𣪘一	白矩乍寶尊彝
2200	白矩乍寶𣪘二	白矩乍寶尊彝
2218	密乍父辛寶𣪘	密乍父辛寶彝
2220	卜孟乍寶𣪘	卜孟乍寶尊彝
2221	田農乍寶𣪘	田農乍寶尊彝
2228	䣄弔乍寶𣪘	䣄弔乍寶尊彝
2229	__乍乙𣪘	__攷乍乙尊彝

彝

2232	㢑毁	㢑乍父辛尊彝
2233	櫑仲乍寶毁	櫑中乍寶尊彝
2235	隥白乍寶毁	隥白乍寶尊彝
2236	𠷎白乍寶毁	𠷎白乍寶尊彝
2237	利毁	利乍寶尊𨦫彝
2238	魚家毁	魚家乍丁父庚彝
2239	侢缶乍且癸毁	侢缶乍且癸尊彝
2240	用毁	用乍父乙尊彝
2241	天禾乍父乙毁	天禾乍父乙尊彝
2242	牢豕乍父丁𩚬毁	牢豕乍父丁𩚬彝
2244	__乍父戊寶毁	sw乍父戊寶尊彝
2246	山邥乍父乙毁	山邥乍父乙尊彝
2247	叀乍父戊寶旅毁	叀乍父戊寶旅彝
2248	延乍笒廿寶毁	延乍笒廿寶尊彝
2249	__乍𡉚考寶毁	__乍𡉚考寶尊彝
2250	八五一／堇白乍旅毁	堇白乍旅尊彝[八五一]
2251	比乍白婦__毁	比乍白婦tf尊彝
2252	伊生乍公女毁	伊生乍公女尊彝
2255	𠔁𡴀乍父乙毁	乍父乙寶彝[𠔁𡴀]
2256	弔乍父丁毁	弔乍父丁寶尊彝
2257	哦乍父辛毁	哦乍父辛寶尊彝
2260	𣏌𣪘乍父□毁	𣏌𣪘乍父□寶彝
2265	㫃乍寶毁	㫃乍寶尊彝用𩚬
2266	自乍隥仲寶毁	自乍隥中寶尊彝
2270	坃乍父戊寶毁	坃乍父戊寶尊彝
2271	陸婦乍高姑毁	陸婦乍高姑尊彝
2272	𢀛乍且丁寶毁	𢀛乍且丁寶𢑚彝
2273	衛乍父庚毁	衛乍父庚寶尊彝
2277	弔單毁	弔單乍義公尊彝
2278	冊亞品冊乍父戊毁	乍父戊彝[亞品𠕁]
2280	亞高亢乍父癸毁	亞高亢乍父癸尊彝
2282	史某䝿乍且辛毁	史某䝿(兄)乍且辛寶彝
2283	㜸□乍癸毁	㜸□乍且癸寶尊彝
2284	____乍父丁寶毁一	co乍父丁寶尊彝
2285	____乍父丁寶毁二	co乍父丁寶尊彝
2286	____乍父丁寶毁三	co乍父丁寶尊彝
2287	堇臨乍父乙毁	堇臨乍父乙寶尊彝
2288	圖田乍父己毁	田乍父己寶尊彝[品]
2289	弜__乍父癸宗毁	q2乍父癸宗尊彝[弜]
2290	__黃乍父癸毁	[dw]黃乍父癸寶尊彝戈
2291	㜸向乍父癸寶毁	向乍父癸寶尊彝[㜸]
2292	集咎乍父癸毁一	集咎乍父癸寶尊彝
2293	集咎乍父癸毁二	集咎乍父癸寶尊彝
2294	倗万乍義妣毁	倗万乍義妣寶尊彝
2295	𢦏者乍宮白毁	𢦏者乍宮白寶尊彝
2296	子令乍父癸寶毁	子令乍父癸寶尊彝
2297	奠𡨦原父戶寶毁	鄭𡨦原父寶彝
2298	戈厚乍兄日辛毁	[戈]厚乍兄日辛寶彝
2299	白乍𡉚謌子毁	白乍𡉚謌子寶尊彝
2301	□乍父癸寶毁	□乍父癸寶尊彝[旅]

2302	䵼季奄父㲃	䵼(㝬)季奄父乍寶尊彝
2308	子邟乍父己㲃	子邟乍父己寶尊彝
2311.	__父㲃	um父乍寶尊彝、父壬
2312	剨函乍且癸㲃	剨函乍且戊寶尊彝㦰(戠)
2313	䮊辨乍父己㲃一	辨乍文父己寶尊彝[䮊]
2314	䮊辨乍父己㲃二	辨乍文父己寶尊彝[䮊]
2315	䮊辨乍父己㲃三	辨乍文父己寶尊彝[䮊]
2316	宔父丁㲃	宔父丁尊彝[cc]
2317	趞子冉乍父庚㲃	趞子冉乍父庚寶尊彝
2318	玥凶冀乍父癸㲃	玥凶冀乍父癸寶尊彝
2319	嗣土嗣乍㽙考㲃	嗣土嗣乍㽙丂(考)寶尊彝
2322	庚姬乍𩰫女㲃	庚姬乍𩰫母寶尊彝[奘]
2327	弔寵乍日壬㲃	弔寵乍日壬寶尊彝[舟]
2331	栨冊__乍丁癸㲃	vovp乍丁癸尊彝[栨冊]
2333	妹弔昏㲃	義弔聞(昏)肇乍彝用鄉賓
2334	頌㲃	[龻奘]受冊令頌其寶彝
2335	告田乍且乙䳋侯弔尊㲃	乍且乙䳋侯弔尊彝[告田]
2336	冊戈䍺鄧乍父辛㲃	[戈䍺䎑]鄧乍父辛尊彝
2339	臤鳥乍且癸㲃	𠃬易鳥玉、用乍且癸彝[臤]
2341	仲乍寶㲃	中乍寶尊彝其萬年永用
2347	䊆䄵頁駒乍父乙㲃	䄵頁駒用乍父乙尊彝[䊆]
2348	仲爯㲃	中爯乍又寶彝用鄉王逆造
2349	翼乍㽙且㲃	翼乍㽙且寶尊彝[㫚㽀]
2363	保汝母旅㲃	用乍旅彝
2364	衜㲃	用乍寶尊彝
2365	中白㲃	中白乍亲姬䜌彝
2373	始休㲃	用乍隣寶彝
2388	大保乍父丁㲃	用乍父丁尊彝
2397	__乍父辛㲃	G3乍父辛皇母匕乙寶尊彝
2403	遽白還㲃	s4白睘乍寶尊彝
2404	效父㲃一	用乍㽙寶尊彝[五八六]
2405	效父㲃二	用乍㽙寶尊彝[五八六]
2406	五八六效父㲃三	用乍㽙寶尊彝[五八六]
2409	𠃬父丁㲃	𠃬用乍父丁尊彝
2410	遣小子䩭㲃	遣小子䩭目其友乍䍜男王姬𩰫彝
2412	賸虎乍㽙皇考㲃一	賸(賸)虎敢肇乍㽙皇考公命中寶尊彝
2413	賸虎乍㽙皇考㲃二	賸(賸賸)虎敢肇乍㽙皇考公命中寶尊彝
2414	賸虎乍㽙皇考㲃三	賸(賸)虎敢肇乍㽙皇考公命中寶尊彝
242.0	雁侯㲃	癕侯乍姬原母尊彝
2421	舟𡘋乍父乙㲃	用乍父乙寶尊彝[舟𡘋]
2446	亞古乍父己㲃	用乍父己尊彝[亞古]
2450	禾乍皇母孟姬㲃	禾肇乍皇母懿恭孟姬餗彝
2451	過白㲃	用乍宗室寶尊彝
2452	女䙴㲃	用作䙴尊彝
2453	亞𢿚乍且丁㲃	章用乍且丁彝
2508	攸㲃	攸用乍父戊寶尊彝
2510	臣卿乍父乙㲃	用乍父乙寶彝
2526	弔衜㲃	用乍寶尊彝
2543	𢦚敔㲃	用乍父戊寶尊彝[吳]
2544	亞𦈡乍父乙㲃	用乍父乙彝

彝

2545	季𩁹乍井弔𣪘	季𩁹肇乍氒文考井弔寶尊彝
2567.	戊寅𣪘	用乍父丁寶尊彝
2568	_玗乍父辛𣪘	用乍父辛尊彝[_]
2570	榮𣪘	用乍寶尊彝
2584	邗正衛𣪘	用乍父戊寶尊彝
2585	禽𣪘	禽用乍寶彝
2586	史䛠𣪘一	䛠古于彝
2587	史䛠𣪘二	䛠古于彝
2606	易_乍父丁𣪘一	對氒休、用乍父丁尊彝
2607	易_乍父丁𣪘二	用乍父丁尊彝
2611	𤰔湆𤔲土吳𣪘	湆司土吳眔啚乍氒考尊彝[𤰔]
2614	宗婦𨙶𡡉𣪘一	王子剌公之宗婦𨙶𡡉為宗彝𩰫彝
2615	宗婦𨙶𡡉𣪘二	王子剌公之宗婦𨙶𡡉為宗彝𩰫彝
2616	宗婦𨙶𡡉𣪘三	王子剌公之宗婦𨙶𡡉為宗彝𩰫彝
2617	宗婦𨙶𡡉𣪘四	王子剌公之宗婦𨙶𡡉為宗彝𩰫彝
2618	宗婦𨙶𡡉𣪘五	王子剌公之宗婦𨙶𡡉為宗彝𩰫彝
2619	宗婦𨙶𡡉𣪘六	王子剌公之宗婦𨙶𡡉為宗彝𩰫彝
2620	宗婦𨙶𡡉𣪘七	王子剌公之宗婦𨙶𡡉為宗彝𩰫彝
2626	奢乍父乙𣪘	用乍父乙寶彝
2627	伊𣪘	用乍父丁尊彝
2635	賢𣪘一	用乍寶彝
2636	賢𣪘二	用乍寶彝
2637	賢𣪘三	用乍寶彝
2638	賢𣪘四	用乍寶彝
2644	命𣪘	用乍寶彝
2654	𡗗乍文父丁𣪘	□□用乍文父丁尊彝
2655	小臣靜𣪘	用乍父丁寶尊彝
2661	競𣪘一	用乍父乙寶尊彝𣪘
2662	競𣪘二	用乍父乙寶尊彝𣪘
2667	𡋃仲𣪘	𡋃中乍朕皇考𧺝中𩰫彝尊𣪘
2670	𣐿侯𣪘	𣐿侯乍姜氏寶𩰫彝
2671	利𣪘	用乍旃公寶尊彝
2675	大保𣪘	用茲彝、對令
2676	旅肄乍父乙𣪘	用乍父乙寶彝
2687	敔𣪘	用乍文考父丙𩰫彝
2693	䵴𣪘	公易䵴宗彝一𦉢(肆)
2694	𢊁乍且考𣪘	用乍且考寶尊彝
2696	孟𣪘一	用宣茲彝乍
2697	孟𣪘二	用宣茲彝乍
2703	免乍旅𣪘	用乍旅𩰫彝
2705	君夫𣪘	用乍文父丁𩰫彝
2711.	乍冊般𣪘	用乍父丁寶尊彝
2727	𦎫姞乍尹弔𣪘	𦎫姞乍皇兄尹弔尊𩰫彝
2731	小臣宅𣪘	用乍乙公尊彝
2734	遹𣪘	用乍文考父乙尊彝
2752	史頌𣪘一	用乍𩰫彝
2753	史頌𣪘二	用乍𩰫彝
2754	史頌𣪘三	用乍𩰫彝
2755	史頌𣪘四	用乍𩰫彝
2756	史頌𣪘五	用乍𩰫彝

2757	史頌段六	用乍𩰫彝
2758	史頌段七	用乍𩰫彝
2759	史頌段八	用乍𩰫彝
2759	史頌段九	用乍𩰫彝
2760	小臣謎段一	用乍寶尊彝
2761	小臣謎段二	用乍寶尊彝
2764	筊段	乍周公彝
2774.	南宮弔段	用乍尊彝
2783	趞段	用乍季姜尊彝
2786	縣妃段	肄敢s0于彝曰
2800	伊段	伊用乍朕不顯文且皇考徲弔寶𩰫彝
2828	宜侯夨段	乍虞公父丁尊彝
2833	泰公段	乍𢑚宗彝
2834	㝬段	㝬乍𩰫彝寶段
2842	卯段	易女瓚章、瑴、宗彝一造、寶
2853.	__弔段	用乍且考寶尊彝
2853.	尹段	口口乍父口尊彝
2855	班段一	彝恋天令、故亡
2855.	班段二	彝恋(昧)天令
2965	曾侯乍弔姬賸器𩰫彝	曾侯乍弔姬邛嬭媵器𩰫彝
3095	拍乍祀彝(蓋)	拍乍朕配平姬章宮祀彝
3647	乍彝爵	乍彝
3990	右乍彝爵	右乍彝
3994	爵寶彝爵	[爵]寶彝
3995	__乍彝爵	[__]乍彝
4072	乍父乙彝爵	乍父乙彝
4105	走馬乍彝爵	走馬乍彝
4111	過白乍彝爵	過白乍彝
4128.	盉公爵	盉周公彝
4128.	登爵	登乍尊彝
4129	目乍且乙彝爵	目乍且乙彝
4146	□父癸尊彝爵一	□父癸尊彝
4147	□父癸尊彝爵二	□父癸尊彝
4153	聞乍寶障彝爵	聞(戱?)乍寶尊彝
4154	白詘乍寶彝爵	白詘乍寶彝
4155	白限乍寶彝爵	白限父乍寶彝
4156	剛乍寶障彝爵	剛乍寶尊彝
4157	𩰫黽婦__爵一	黽婦pd彝[奘]
4158	𩰫黽婦__爵一	黽婦pd彝[奘]
4159	__父乍寶彝爵	vn父乍寶彝
4160	□公乍簠彝爵	□公乍旅彝
4161	__隻乍簠彝爵	__隻乍旅彝
4162	車乍父寶彝爵	車乍父寶彝
4163	立乍寶障彝爵	立乍寶尊彝
4164	史舀乍寶彝爵	史舀(㫚)乍寶彝
4166.	黽婦__爵	黽婦pd彝[奘]
4167	__乍且乙爵	__乍且乙寶彝
4168	□乍且乙爵	□乍且乙寶彝
4169	乍甫丁爵	乍甫丁寶尊彝
4170	__乍且丁爵	wk乍且丁寶彝

彝

4171	亞乍且辛旅彝爵	亞乍且辛旅彝
4172	嗀中乍且辛爵	嗀中乍且辛彝
4173	獸乍父戊爵	獸乍父戊寶彝
4174	獸乍父戊爵二	獸乍父戊寶彝
4175	能乍父庚爵	能乍父庚尊彝
4181	__乍且己爵	fm乍且己尊寶彝
4182	父乙庚辰為爵	庚辰象乍彝、父乙
4185	玨徭乍父庚爵	玨遲父庚寶彝
4186	攸乍上父爵	攸乍上父寶尊彝
4187	效爵	效乍且戊寶尊彝
4188	又乍咢父爵	又乍咢父寶尊彝
4189	瘨乍父丁爵	瘨乍父丁乍尊彝
4190	牆乍父乙爵一	牆乍父乙寶尊彝
4191	牆乍父乙爵二	牆乍父乙寶尊彝
4191.	父丁爵	乍父丁寶尊彝[天ab]
4192	美乍咢且可公爵一	美乍咢且可公尊彝
4193	美乍咢且可公爵二	美乍咢且可公尊彝
4194	冊韋/乍父丁爵	乍父丁尊彝[冊韋(衛)]
4195	葬乍父辛爵	葬大乍父辛寶尊彝
4197	亞醜方爵	[亞醜]者(諸)始日大子尊彝
4197.	相爵	相乍父丁彝
4198	曌乍父甲爵	公易曌貝、用乍父甲寶彝
4199	龢乍白父辛爵	龢乍召白父辛寶尊彝
4200	呂仲僕乍毓子爵	呂中僕乍毓子寶尊彝或
4201	盟舟惠爵	盟舟綸__乍咢且乙寶宗彝
4202.	____爵	用乍尊彝
4203	御正良爵	用乍父辛尊彝[__]
4204	孟爵	用乍父寶尊彝
4237	史逨角	史逨乍寶尊彝
4238	索諆爵(角)	索(索)諆乍有羔日辛鬻彝
4239	天黽坒乍父癸角	用乍父癸尊彝[天黽]
4240	亞未乍父辛角	用乍父辛彝[亞吳]
4241	箙亞__乍父癸角	用乍父癸彝[蟬]
4242	膺冊宰桃乍父丁角	用乍父丁尊彝
4330	光乍從彝斝	[光]乍從彝
4333.	登乍尊彝斝	登(鄧)乍尊彝
4334	冓斝	冓乍寶尊彝
4336	宁狽乍父丁斝	[宁狽]乍父丁彝
4337	般乍兄癸斝	[般]乍兄癸尊彝
4338	般兄癸乍斝	[般]兄癸乍尊彝
4339	乍婦姑黽斝	乍婦姑黽尊彝
4340.	虎白斝	犬白乍父寶尊彝
4340.	__斝	__乍康公寶尊彝
4341	冊牽折乍父乙斝	折乍父乙寶尊彝[冊牽]
4342	㚸婦闆斝	婦闆乍文姑日癸尊彝[㚸]
4343	亞吳小臣邑斝	用乍母癸尊彝
4344	嘉仲父斝	自乍寶尊彝
4362	彝戈盉	彝[戈]
4390	亞夫乍從彝盉	亞夫、乍從彝
4394	㚔乍彝盉	[㚔]乍彝

4396	冄乍宗彝盉	[冄]乍宗彝
4399	此乍寶彝盉	此乍寶彝
4401	中乍從彝盉一	中乍從彝
4402	中乍從彝盉二	中乍從彝
4410	鬲父盉	鬲父乍寶彝
4411	白定盉	白定乍寶彝
4414	卿乍父乙盉	卿乍父乙尊彝
4415	戈__乍父丁盉	[戈]pc乍父丁彝
4416	戉中乍父丁盉	中乍彝父丁[戉]
4416	戉中乍父丁盉	中乍父丁彝
4418	白矩盉	白矩乍寶尊彝
4422	亞冔乍仲子辛盉	[亞冔]乍中子辛彝
4423	䧅白盉	䧅白乍寶尊彝
4423.	䧅白鎣	䧅白乍寶尊彝
4427	栿冊狀乍父乙盉一	狀乍父乙尊彝[栿冊]
4428	栿冊狀乍父乙盉二	狀乍父乙尊彝[栿冊]
4429	䀠矦乍𤔲考盉	[䀠]矦乍𤔲考寶尊彝
4432	白害乍召白父辛盉	白害乍召白父辛寶尊彝
4433	甲盉	甲乍寶尊彝
4438	亞㠱侯矦盉	乍父乙寶尊彝
4439	白衛父盉	白衛父乍嬴𩰫彝
4447	臣辰冊冊㚸乍冊父癸盉	用乍父癸寶尊彝
4448	長由盉	用肇乍尊彝
4556.	尊彝尊	尊彝
4624	乍旅彝尊	乍旅彝
4625	從乍彝尊	從乍彝
4626	乍寶彝尊一	乍寶彝
4627	乍寶彝尊二	乍寶彝
4628	乍寶彝尊三	乍寶彝
4629	乍寶彝尊四	乍寶彝
4630	乍寶彝尊五	乍寶彝
4639	饕餮鳥紋尊	乍寶彝
4672	辛乍寶彝尊	辛乍寶彝
4673	萁乍旅彝尊	萁乍旅彝
4675	㝠乍旅彝尊	㝠乍旅彝
4676	__乍旅彝尊	nm乍旅彝
4677	𤞷乍旅彝尊	𤞷乍旅彝
4678	白乍旅彝尊一	白乍旅彝
4679	白乍旅彝尊二	白乍旅彝
4680	白乍寶彝尊	白乍寶彝
4682	乍寶尊彝尊一	乍寶尊彝
4683	乍寶尊彝尊二	乍寶尊彝
4684	乍寶尊彝尊三	乍寶尊彝
4685	乍寶尊彝尊四	乍寶尊彝
4686	乍寶尊彝尊六	乍寶尊彝
4687	乍寶尊彝尊七	乍寶尊彝
4688	乍寶尊彝尊八	乍寶尊彝
4689	戈乍旅彝尊一	戈乍旅彝
4690	戈乍旅彝尊二	戈乍旅彝
4696	天黽乍從彝尊	[天黽]乍從彝

彝

4699	乍且丁尊	乍且丁尊彝
4701	魚乍父庚尊	魚乍父庚彝
4708	矢王尊	矢王乍寶彝
4709	乍龍母彝各尊	乍龍母彝[㫚]
4711	登乍從尊	登乍從彝[華]
4712	大史尊	大史乍尊彝
4713	矩尊一	矩乍寶尊彝
4714	矩尊二	矩乍寶尊彝
4715	事白尊	吏白乍旅彝
4716	__尊一	h7乍寶尊彝
4717	__尊二	h7乍寶尊彝
4718	戈口乍父丙尊	戈乍父丙彝
4719	翳赤尊	翳赤乍寶彝
4720	見尊	見乍寶尊彝
4721	吏乍小旅彝尊	吏乍小旅彝
4723	扠顯乍尊彝尊	顯乍尊彝[扠]
4724	舀尊	舀乍寶尊彝
4725	乍父乙尊	乍父乙寶彝
4727	乍且乙尊	乍且乙寶尊彝
4728	畜乍父丁旅尊	畜乍父丁旅彝
4729	乍父丁尊	乍父丁寶彝[哭]
4730	乍父丁尊	乍父丁寶彝尊
4731	乍父戊尊	乍父戊寶尊彝
4732	乍父辛尊	__乍父辛寶尊彝
4733	乍父己尊	乍父己寶彝[c8]
4735	__乍父辛尊	__乍父辛尊彝
4736	朕乍父癸尊	朕乍父癸尊彝
4737	口乍父辛尊	口乍父辛寶尊彝
4738	艅白尊	艅白乍寶尊彝
4739	白矩尊一	白矩乍寶尊彝
4740	白矩尊二	白矩乍寶尊彝
4741	白矩尊三	白矩乍寶尊彝
4742	白貉尊	白貉乍寶尊彝
4743	戒弔尊	戒弔乍寶尊彝
4744	白旛尊一	白旛乍寶尊彝
4745	白旛尊二	白旛乍寶尊彝
4746	白旛尊三	白旛乍寶尊彝
4747	嬴季尊	嬴季乍寶尊彝
4748	邢季㲋旅尊	邢季㲋乍旅彝
4749	員父尊	員父乍寶尊彝
4750	雁公旅尊	雁公乍旅彝
4751	雁公尊	雁公乍寶尊彝
4752	段金歸旅尊	段金歸乍旅彝
4753	傳匃乍從宗彝尊	傳匃乍從宗彝
4754	魯侯乍姜鬲形尊	魯侯乍姜亯彝
4755	榮子尊	榮子乍寶尊彝
4757	陵乍父乙旅尊	陵乍父乙旅彝
4758	潶白尊	潶白乍寶彝尊
4759	陵白尊	陵白乍寶尊彝
4760	亞耳乍且丁尊	亞耳乍且丁尊彝

4761	乍且己尊	乍且己寶尊彝[舟]
4762	竟乍且癸尊	竟乍且癸寶尊彝
4763	辟東乍父乙尊	辟東乍父乙尊彝
4765	對乍父乙尊	對乍父乙[亞夫]寶尊彝
4766	乍父丁尊	乍父丁[𩢲]寶尊彝
4767	乍父丁尊	乍父丁寶尊彝[𩢲]
4768	戈車乍父己尊	戈車乍父丁寶尊彝
4769	逆乍父丁尊	逆乍父丁寶尊彝
4770	□子乍父丁尊	□子乍父丁尊彝
4771	乍父丁尊	乍父丁寶尊彝[aw]
4772	𩣡秖乍乍父丁尊	[𩣡]秖乍父丁尊彝
4773	魚乍父己尊	魚乍父乙寶尊彝
4775	史見尊	史見乍父甲尊彝
4776	此尊	此乍父辛寶尊彝
4777	𢿢乍父辛尊	𢿢乍父辛寶尊彝
4778	𧶠乍父辛尊	𧶠乍父辛寶尊彝
4779	詠乍夙尊彝日戊尊	詠乍J4尊彝、日戊
4780	北白滅尊一	北白滅乍寶尊彝
4781	北白滅尊二	北白滅乍寶尊彝
4782	北白滅尊三	北白滅乍寶尊彝
4785	卿乍𠫑考尊	卿乍𠫑考寶尊彝
4787	烏矢乍辛尊	烏矢乍父辛寶彝
4788	亞醜酉乍父乙尊	[亞醜]酉乍父乙尊彝
4791	屯乍兄辛尊	屯乍兄辛寶尊彝[𩢲]
4792	史伏乍父乙旅尊	史伏乍父乙寶旅彝
4793	隹乍父己尊	隹乍父己寶彝[戚箙]
4794	䰩乍且乙尊	䰩乍且乙寶彝[子廙]
4795	𢽾乍父戊尊	𢽾乍父戊寶尊彝[𧧒]
4796	𪊨乍父庚尊	𪊨乍父庚寶尊彝[弓]
4797	□□乍父庚尊	□□乍父庚寶尊彝
4798	厥子乍父辛尊	𠫑子乍父辛寶尊彝
4799	___乍父癸尊	貍乍父癸寶尊彝[單]
4800	宿父乍父癸尊	宿父乍父癸寶尊彝
4801	單異乍父癸尊	單異乍父癸寶尊彝
4802	_尊	_乍父乙寶尊彝[夛]
4804	衛乍季衛父尊	衛乍季衛父寶尊彝
4805	□乍𠫑皇考尊	_乍𠫑皇考寶尊彝
4806	亞醜方尊	[亞醜]者姤以大子尊彝
4807	王子啟疆尊	王子啟疆自乍酉彝
4808	亞㠱吴𧞤乍母辛尊	[亞㠱吴]𧞤乍母辛寶彝
4810	子㚤乍母辛尊	子㚤乍母辛尊彝[𩣡]
4811	盩嗣土幽乍且辛旅尊	盩司土幽乍且辛旅彝
4812	冊𢓊乍父乙尊	冊𢓊乍父乙寶尊彝[𡚸]
4813	周__旁乍父丁尊	[周uG]旁乍父丁宗寶彝
4814	𠈇乍父癸尊	𠈇乍父癸寶尊彝用旅
4815	白飞薛乍日癸尊	[白飞]薛乍日癸公寶尊彝
4816	亞__傳乍父戊尊	傳乍父戊寶尊彝[亞Jc]
4818	季盀尊	季盀乍寶尊彝用枼__
4819	述乍兄日乙尊	述乍兄日乙寶尊彝[𨚕]
4820	__何乍兄日壬尊	qn乍兄日壬寶尊彝[dk]

彝

彝

4822	㕘尊	㕘乍□考宗彝其永寶
4822.	𤔲𠬝尊	𤔲𠬝乍父辛彝尊[亞𢍰]
4823	㥨季遽父尊	㥨季遽父乍豐姬寶尊彝
4824	引為䖒𪇨尊	引為䖒𪇨寶尊彝用永孝
4825	𢍰者君乍父乙尊	𢍰者君乍父乙寶尊彝[cu]
4826	呂仲僕尊	呂仲僕乍毓子寶尊彝[或]
4830	犀肇其乍父己尊	犀肇乍父己寶尊彝[𩁹_]
4831	倗乍𠬝考尊	倗乍𠬝考寶尊彝用萬年吏
4832	眲濬白逘尊一	[眲]濬白逘乍𠬝彝考寶旅尊
4833	眲濬白逘尊二	[眲]濬白逘乍𠬝彝考寶旅尊
4834	白乍𠬝文考尊	白乍𠬝文考尊彝其子孫永寶
4835	鄦仲尊	鄦中_乍𠬝文考寶尊彝、日辛
4836	_䍟乍父乙尊	䍟䍣吏□用乍父乙旅尊彝[冊ap]
4837	鬲乍父甲尊	鬲易貝于王、用乍父甲寶尊彝
4838	執乍父□尊	易聿乳用乍父□尊彝
4839	史喪尊	事喪乍丁公寶彝
4840	𢍰䖒方尊	𢍰䖒易貝于王始用乍寶尊彝
4842	啟乍文父辛尊	用乍文父辛尊彝[𡚬]
4843	𠂤員父壬尊	員乍父壬寶尊彝
4844	□乍父癸尊	□□父癸寶尊彝
4845	服方尊	乍文考日辛寶尊彝
4846	禁尊	用乍宗彝
4847	小子夫尊	用乍父己尊彝[𢑥]
4848	𠂤𡶌𢍰乍父乙尊	用乍父乙寶尊彝[𠂤𡶌]
4849	鄁啟方尊	𨥛(鄁)啟乍父庚尊彝
4850	犅劫尊	用乍□□且缶尊彝
4851	黃尊	黃肇乍文考宋白旅尊彝
4852	□□乍其為𠬝考尊	□□乍其為𠬝考宗彝
4853	復尊	用乍父乙寶尊彝[𡚬]
4854	_車㚘乍公日辛尊	用乍公日辛寶彝[st]
4855	𢍰爽父乍𪊲白尊	𢍰爽父乍文考𪊲白尊彝
4856	季受尊	用乍考_父尊彝
4857	乍文考日己尊	乍文考日己寶尊宗彝
4858	𡿺眲尊	自乍寶彝
4859	戉箙啟尊	乍且丁旅寶彝
4860	魯侯尊	用乍旅彝
4861	噭士卿尊	用乍父戊尊彝
4862	𡚬能匋尊	能匋用乍文父日乙寶尊彝[𡚬]
4863	䙴乍父乙尊	用乍父乙寶尊彝
4864	乍冊𠟭尊	用乍父乙寶尊彝
4865	𠬝方尊	乍𠬝穆文且考寶尊彝
4868	趞乍姞尊	用乍姞寶彝
4869	次尊	用乍寶彝
4870	𡚬商尊	用乍文辟日丁寶尊彝[𡚬]
4871	𦔻𡴑豐尊	用乍父辛寶尊彝
4872	古白尊	古白日p7卲乍尊彝
4872	古白尊	日古白子日p7v2𠬝父彝
4873	臣辰冊𡰥冊乍父癸尊	用乍父寶尊彝
4876	保尊	用乍文父癸宗寶尊彝
4877	小子生尊	用乍𣪘寶尊彝

4878	召尊	用乍團宮旅彝
4879	彔刻尊	用乍文考乙公寶尊彝
4880	免尊	用乍尊彝
4881	躧方尊	用乍辛公寶尊彝
4882	匽乍文考日丁尊	用乍文考日丁寶彝
4883	耳尊	肇乍京公寶尊彝
4884	臤尊	用乍父乙寶尊彝
4885	效尊	效對公休、用乍寶尊彝
4886	趩尊	趩蔑曆、用乍寶尊彝
4887	蔡侯𤔲尊	用詐(乍)大孟姬媵彝＿
4888	盠駒尊一	余用乍朕文考大中寶尊彝
4890	盠方尊	用乍朕文祖益公寶尊彝
4891	何尊	用乍叀公寶尊彝
4892	麥尊	麥揚、用乍寶尊彝
4893	矢令尊	用乍父丁寶尊彝、敢追明公賞于父丁[鳥冊]
4913	＿乍父丁觥	h7乍父丁寶彝
4914	亯引觥	[亯引]乍尊彝
4915	舟父辛觥	[舟]父辛寶尊彝
4916	乍母戊觥(蓋)	乍母戊寶尊彝
4917	旂觥	乍父乙寶尊彝[旂]
4918	牵猒乍父辛觥	[猒]乍父辛寶尊彝[牵]
4919	亞醜者姛觥一	[亞醜 }者姛大子尊彝
4920	亞醜者姛觥二	[亞醜 }者姛大子尊彝
4921	子螢乍父乙觥	乍文父乙彝
4923	守宮乍父辛觥	守宮乍父辛尊彝其永寶
4924	㚸婦闢乍文姑日癸觥	[㚸]婦闢乍文姑日癸尊彝
4925	臤仲子引觥	中子曩引乍文父丁尊彝[鑊]
4926	吳鈦馭觥(蓋)	用乍父戊寶尊彝
4927	乍文考日己觥	乍文考日己寶尊宗彝
4954	般缶彝方彝	[般缶]彝
4956	白豐乍旅方彝一	白豐乍旅彝
4957	白豐乍旅方彝二	白豐乍旅彝
4960	仲追父乍宗彝	中追父乍宗彝
4961	榮子方彝	榮子乍寶尊彝
4965	牵猒乍父辛方彝一	牵猒乍父辛寶尊彝
4966	牵猒乍父辛方彝二(器)	牵猒乍父辛寶尊彝
4967	弔龜方彝	用乍寶尊彝
4968	㪤方彝一	㪤啟乍父庚尊彝
4969	㪤方彝二	㪤啟乍父庚尊彝
4970	乍冊宅方彝	[亞㚔宣箙箙𢼄]乍冊宅乍彝
4971	＿乍父癸方彝(蓋)	用乍父癸寶彝
4972	過从父彝	過从父乍＿白尊彝
4973	乍文考日工夫方彝	乍文考日己寶尊宗彝
4974	＿方彝	用乍高文考父癸寶尊彝
4975	麥方彝	用乍尊彝
4977	師遽方彝	用乍文且它公寶尊彝
4978	吳方彝	用乍青尹寶尊彝
4979	盠方彝一	用乍朕文祖益公寶尊彝
4980	盠方彝二	用乍朕文祖益公寶尊彝
4981	鳥冊令方彝	用乍父丁寶尊彝

5093	旅彝卣	旅彝
5186	__乍彝卣（ 器蓋各三字 ）	[aL]乍彝[aL]乍彝
5187	㓞母彝卣	[㓞]母彝
5188	帚女彝卣一	帚女彝
5189	帚女彝卣二	帚女彝
5190	乍寶彝卣一	乍寶彝
5191	乍寶彝卣二	乍寶彝
5192	乍宗彝卣	乍宗彝
5193	乍旅彝卣一	乍旅彝
5194	乍旅彝卣二	乍旅彝
5195	乍車彝卣	乍旅彝
5196	乍旅彝卣	乍旅彝
5197	乍從彝卣	乍從彝
5200	從乍彝卣	從乍彝
5212	公乍彝卣	公乍彝
5214	公卣	公乍彝
5249	弔乍寶彝卣	弔乍寶彝
5250	闌乍尊彝卣	闌乍尊彝
5251	乍戲尊彝卣	乍戲尊彝
5253	弔乍旅卣	弔乍旅彝
5254	__□從彝卣	[eq]乍從彝
5255	獸卣一	獸乍旅彝
5256	獸卣二	獸乍車彝
5257	乍車寶彝卣一	乍車寶彝
5258	乍車寶彝卣二	乍車寶彝
5259	戈乍旅彝卣	[戈]乍旅彝
5260	冉乍旅彝卣	乍旅彝[冉]
5261	乍從彝卣	乍從彝
5262	戈乍從卣	[戈]乍從彝
5263	乍寶尊彝卣一	乍寶尊彝
5264	乍寶尊彝卣二	乍寶尊彝
5265	乍寶尊彝卣三	乍寶尊彝
5266	乍寶尊彝卣四	乍寶尊彝
5267	乍寶尊彝卣五	乍寶尊彝
5268	乍寶尊彝卣六	乍寶尊彝
5269	乍寶尊彝卣七	乍寶尊彝
5270	乍寶尊彝卣八	乍寶尊彝
5271	乍寶尊彝卣九	乍寶尊彝
5272	乍寶尊彝卣十	乍寶尊彝
5273	乍寶尊彝卣十一	乍寶尊彝
5274	乍寶尊彝卣十二	乍寶尊彝
5275	乍寶尊彝卣十三	乍寶尊彝
5283	駛乍旅彝卣	駛乍旅彝
5285	乍宗寶彝卣	乍宗寶彝
5286	白乍尊彝卣	白乍尊彝
5287	白乍尊彝卣	白乍尊彝
5288	登乍尊彝卣	登乍尊彝
5292	契乍父乙卣	[契]乍父乙彝
5294	关乍父己彝卣	乍父己彝[关]
5299	契叔父辛卣	[契叔]父辛彝

5301	仲卣(蓋)	中乍寶尊彝
5305	__乍寶尊彝卣	h7乍寶尊彝
5306	頦卣	頦乍寶尊彝
5307	韛卣	[韛]乍寶尊彝
5308	廣娍乍從彝卣	[廣]娍乍從彝
5309	豐乍從寶彝卣	豐乍從寶彝
5310	皇__乍尊彝卣 (蓋)	[皇r8]乍尊彝
5311	弔乍寶尊彝卣	弔乍寶尊彝
5312	師隻卣(蓋)	師隻乍尊彝
5315	舀卣(蓋)	舀乍寶尊彝
5316	漁季卣	漁季乍寶旅彝
5317	大舟乍父乙卣	[大舟]乍父乙彝
5321	戻乍父乙卣	乍父乙寶彝[戻]
5322	戠乍父戊旅卣	[戠]乍父戊旅彝
5323	考乍父辛卣	考乍父辛尊彝
5324	艅白卣	艅白乍寶尊彝
5325	__乍父辛卣	__乍父辛彝
5326	乍父癸卣	乍父癸尊彝[集]
5327	壴乍父丁卣	壴乍父辛寶彝
5328	仲僘卣	仲僘乍寶彝
5329	汪白卣	汪白乍寶旅彝
5330	諭白卣	諭白乍寶尊彝
5331	白魚卣	白魚乍寶尊彝
5332	竟卣	[竟]乍氒寶尊彝
5333	白矩卣一(蓋)	白矩乍寶尊彝
5334	白矩卣二	白矩乍寶尊彝
5335	白矩卣三	白矩乍寶尊彝
5336	白矩卣四	白矩乍寶尊彝
5337	白貉卣	白貉乍寶尊彝
5338	仲蠍卣	中蠍乍寶尊彝
5339	弔執卣	弔執乍寶尊彝
5340	井季㚔旅卣	井季㚔乍旅彝
5341	竅季卣	竅季乍寶尊彝
5342	衛父卣	衛父乍寶尊彝
5343	__鬾父乍旅卣	鬾父乍旅彝[eb]
5344	卿乍氒考卣一	卿乍氒考尊彝
5345	卿乍氒考卣二	卿乍氒考尊彝
5346	奘向卣	向氒乍尊彝[奘]
5347	軀卣	軀乍寶尊彝[冈]
5348	鼎嗌卣	鼎嗌乍寶尊彝
5349	戩乍從彝卣	[戩(戎)]乍從彝
5350	買王罘尊彝卣	買王罘尊彝
5351	鍪懋卣	懋乍□寶尊彝[奘]
5352	㷀子旅卣	㷀子旅乍旅彝
5353	乍公尊彝卣	乍公尊彝[彊]
5354	仲自父乍旅彝卣	中自父乍旅彝
5356	乍父庚卣	乍父庚尊彝[cf]
5357	乍父丁寶旅彝卣	乍父丁寶旅彝
5359	夆萁父卣	夆萁父乍寶彝
5360	亞古乍父己卣	[亞古]乍父己彝

彝

5361	隥白卣一	隥白乍寶尊彝
5362	漞白卣一	漞白乍寶尊彝
5363	漞白卣二	漞白乍寶尊彝
5364	亞吳禹乍車彝卣	禹乍車彝[亞吳]
5366	齊乍父乙尊彝卣	齊乍父乙尊彝
5367	亞其吳乍母辛卣一	[亞其吳]母辛彝
5368	亞其吳乍母辛卣二	[亞其吳]母辛彝
5369	亞其吳乍母辛卣三	[亞其吳]母辛彝
5370	遺乍且乙卣	遺乍且乙寶尊彝
5371	_乍且丁卣	h5乍且丁寶尊彝
5373	史見乍父甲卣	史見乍父甲尊彝
5374	羊乍父乙卣	羊乍父乙寶尊彝
5375	天乍父乙卣	乍父乙寶尊彝[天]
5376	亞束無憂乍父丁卣	[亞束]無憂乍父丁彝
5377	車乍父丁卣	車乍父丁寶尊彝
5378	叀乍父戊旅卣二	叀乍父戊寶尊彝
5379	叀乍父戊旅卣一	叀乍父戊寶旅彝
5380	狽人乍父戊卣	[狽]亢乍父戊尊彝
5380	狽人乍父戊卣	[狽]亢乍父戊尊彝
5381	䀠人乍父己卣	[䀠]人乍父己尊彝
5382	_乍父己卣	[dm]乍寶父彝己
5383	獎父己卣	[獎]父己乍寶尊彝
5384	賁乍父辛卣	賁乍父辛寶尊彝
5385	簪乍父辛卣	簪乍父辛寶尊彝
5386	____乍父辛卣	[uutt]乍父辛尊彝
5387	亞_夾乍父辛卣	夾乍父辛尊彝[亞b3]
5388	亞艅寠乍父辛卣	寠乍父辛尊彝[亞俞]
5389	矢白隻乍父癸卣	矢白隻乍父癸彝
5390	北白殺卣	北白殺乍寶尊彝
5391	闕乍宄白卣	闕乍宄白寶尊彝
5392	散白乍_父卣一	散白乍ot父尊彝
5392	散白乍_父卣一	散白乍ot父尊彝
5393	散白乍_父卣二	散白乍ot父尊彝
5394	史戍乍父壬卣	史戍乍父壬尊彝
5395	戣弔卣	戣弔乍季寶尊彝
5396	季卣	季乍父辛寶尊彝
5397	弔夫冊卣	弔夫父冊乍寶彝
5399	子_乍父丁卣	子_用乍父丁彝
5400	_犛乍匕癸卣	犛乍父癸尊彝[fn]
5401	_乍父丁卣	[ep]乍父丁寶尊彝
5402	邇乍且乙卣	邇乍且乙寶尊彝
5403	_解乍父乙卣	解乍父乙尊彝[_]
5404	小臣乍父乙卣	小臣乍父乙寶彝
5405	_矢乍父辛卣	_矢乍父辛寶彝
5406	衛卣	衛乍季衛父寶尊彝
5407	單盨乍父甲卣	盨乍父甲寶尊彝[單]
5408	亯丞乍文父丁卣	亯丞乍文父丁尊彝[■]
5409	晶_乍且癸卣	_乍且癸寶尊彝[晶]
5410	枚家乍父戊卣	枚家乍父戊寶尊彝
5411	䚽䪬乍父戊卣	䪬乍父戊寶尊彝[䚽]

5412	虢屯乍兄辛卣	屯乍兄辛寶尊彝[虢]
5413	魚犹白罰卣	犹白罰乍尊彝[魚]
5414	飲乍父戊卣	飲乍父戊尊彝[戈]
5415	白乍文公旅卣	白乍文公寶尊旅彝
5415	白乍文公旅卣	白乍文公寶尊旅彝
5416	關卣	關乍皇陽日辛尊彝
5417	白睘卣一	白睘乍氒室寶尊彝
5418	白睘卣二	白睘乍氒室寶尊彝
5418	白睘卣二	白睘乍室尊寶彝[网]
5419	_高卣	王易_高■、用乍彝
5420	鼉侯弟曆季旅卣	鼉侯弟曆季乍旅彝
5421	亞_對乍父乙卣	對乍父乙寶尊彝[亞b2]
5422	盩嗣土幽旅卣	盩司土幽乍且辛旅彝
5423	亞_中_乍父丁卣	va乍父丁尊彝[亞bt中]
5424	束乍父辛卣	公賞束、用乍父辛于彝
5425	何乍兄日壬卣	qn乍兄日壬寶尊彝[dk]
5426	亞㫃剌乍兄日辛卣	剌乍兄日辛尊彝[亞㫃]
5427	偖乍父癸卣	偖乍父癸寶尊彝、用旅
5428	___乍父考癸卣	uv乍文考癸寶尊彝[ev]
5429	仲乍好旅卣一	中乍好旅彝
5430	仲乍好旅卣二	中乍好旅彝
5431	白_乍西宮白卣	白rz乍西宮白寶尊彝
5432	乡乍甲考宗彝卣	乡乍甲考宗彝其永寶
5433	㚔亞束竅斅乍父癸卣	[亞束]竅斅乍父癸寶尊彝[㚔]
5434	亞集舁乍文考父丁卣	亞集乍文老父丁寶尊彝
5435	婦闟㚔乍文姑日癸卣一	婦闟乍文姑日癸尊彝[㚔]
5436	婦闟㚔乍文姑日癸卣二	婦闟乍文姑日癸尊彝[㚔]
5437	㚔女子小臣兒乍己卣	女子{ 小臣 }兒乍己尊彝[㚔]
5438	敫乍旅彝卣	敫乍旅彝
5439	小臣豐乍父乙卣	用乍父乙彝
5440	_白日_乍父丙卣	ha白日m4乍父丙寶尊彝
5441	㦛季遽父卣一	㦛季遽父乍豐姬寶尊彝
5442	㦛季遽父卣二	㦛季遽父乍豐姬寶尊彝
5443	亞㠱侯矣䜴卣	䜴易孝用乍且丁彝[亞㠱侯矣]
5444	守宮卣	守宮乍父辛尊彝
5445	廝㝢卣	用乍凡彝[廝]
5448	天黿䵼乍父癸卣	子易䵼用乍父癸尊彝[天黽]
5449	倗乍氒考卣	倗乍氒考寶尊彝
5450	天黿盄乍父辛卣	用乍父辛尊彝[天黽]
5451	鄦仲奔乍文考日辛卣	鄦中奔乍氒文考寶尊彝、日辛
5452	豚乍父庚卣	豚乍父庚宗彝
5453	_卣	用乍母乙彝
5454	孛卣	孛乍寶尊彝
5455	㪤乍丁師卣	㪤粟用乍丁師彝
5456	𦣞子乍婦㛸卣	子乍婦㛸彝
5459	縈弔卣	縈弔乍其為氒考宗彝
5460	𩰫御乍父己卣	用乍父己尊彝
5460	𩰫御乍父己卣	用乍父己尊彝
5461	寓乍幽尹卣	用乍幽尹寶尊彝
5462	㝉白乍父乙卣一	用乍父乙寶尊彝

彝

彝

5463	宗白乍父乙卣二	用乍父乙寶尊彝
5464	刀耳乍父乙卣	用乍父乙寶尊彝[刀]
5465	員卣	員孚金、用乍旅彝
5466	顯乍母辛卣一	顯乍母辛尊彝
5467	顯乍母辛卣二	顯乍母辛尊彝
5469	白ns卣	用乍寶尊彝
5470	__盂乍父丁卣	用乍父丁寶尊彝[fk]
5471	奘小子省乍父己卣	用乍父己寶彝[奘]
5471	奘小子省乍父己卣	用乍父己寶彝[奘]
5473	同乍父戊卣	用乍父戊寶尊彝
5474	谿卣	用乍父乙寶尊彝
5474	谿卣	用乍父乙寶尊彝
5475	六祀卲其卣	用乍且癸尊彝
5476	趞乍姞寶卣	用乍姞寶彝
5477	單光壴乍父癸旅卣	文考日癸乃__子壴乍父癸旅宗尊彝
5478	次卣	用乍寶彝
5479	奘商乍文辟日丁卣	商用乍文辟日丁寶尊彝[奘]
5480	冊촹冊豐卣	用乍父辛寶尊彝[冊촹]
5480	冊촹冊豐卣	用乍父辛寶尊彝[冊촹]
5481	叔卣一	用乍寶尊彝
5482	叔卣二	用乍寶尊彝
5483	周乎卣	周乎鑄旅寶彝
5483	周乎卣	周乎鑄旅寶彝
5485	貉子卣一	用乍寶尊彝
5486	貉子卣二	用乍寶尊彝
5487	靜卣	用乍宗彝
5488	靜卣二	用乍宗彝
5489	戉箙啟卣	乍且丁寶旅尊彝
5490	戉穃卣	用乍文考日乙寶尊彝
5490	戉穃卣	用乍文考日乙寶尊彝
5493	召乍__宮旅卣	用乍枤宮旅彝
5494	奘䜌乍母辛卣	䜌用乍母辛彝
5495	保卣	用乍文父癸宗寶尊彝
5495	保卣	用乍文父癸宗寶尊彝
5496	召卣	用乍團宮旅彝
5497	農卣	敢對揚王休、從乍寶彝
5498	彔豖卣	用乍文考乙公寶尊彝
5499	彔豖卣二	用乍文考乙公寶尊彝
5500	免卣	用乍尊彝
5501	臣辰冊冊夕卣一	用乍父癸寶尊彝[臣辰冊冊夕]
5502	臣辰冊冊夕卣二	用乍父癸寶尊彝[臣辰冊冊夕]
5503	競卣	用乍父乙寶尊彝
5504	庚贏卣一	用乍厗文姑寶尊彝
5505	庚贏卣二	用乍厗文姑寶尊彝
5507	乍冊虩卣	用乍日己旅尊彝
5508	弔趩父卣一	余兄為女兹小鬱彝
5508	弔趩父卣一	兹小彝妹吹
5509	麸卣	高對乍父丙寶尊彝
5510	乍冊嗌卣	不敢____兄鑄彝
5511	效卣一	用乍寶尊彝

5550	__毌罍	[__毌]乍彝
5555	竟乍𢍰彝罍	[竟]乍𢍰彝
5561	白罍	白乍𢍰寶尊彝
5562	皿父己罍	[皿]乍父己尊彝
5563	再乍日父丁罍	[再]乍日父丁尊彝
5568	亞醜者姛方罍一	[亞醜]者姛(始)以大子尊彝
5569	亞醜者姛方罍二	[亞醜]者姛(始)以大子尊彝
5574	女姬罍	女姬乍𢍰姑夕母(妼?)寶尊彝
5575	𢦚婦闢乍文姑日癸罍	婦闢文姑日癸尊彝[𢦚]
5578	戈囍乍且乙罍	囍乍且己尊彝
5597	次罏	用乍寶彝
5637	乍從彝壺	乍從彝
5639	乍旅彝壺	乍旅彝
5645	夾乍彝壺	夾乍彝、㿝
5648	梁乍寶彝壺	梁乍寶彝
5649	亞乍旅彝壺	亞__乍旅彝
5652	__乍寶彝壺	G9乍寶彝
5664	__乍尊彝壺	[dJ]乍尊彝
5671	槆侯旅壺	槆侯乍旅彝
5673	白戜乍旅彝壺	白戜乍旅彝
5675	雁公壺	雁公乍寶尊彝
5676	伯矩壺一	白矩乍寶尊彝
5677	伯矩壺二	白矩乍寶尊彝
5684	栿__沃父乙壺	沃父乙彝[栿冊]
5685	㚸匕乍父己壺	[㚸]匕乍父己尊彝
5690	白到方壺	白到乍寶尊彝
5695	內白攸乍攏公壺	內白攸乍攏公尊彝
5696	廌冊冊叡乍父辛壺	叡乍父辛彝[廌冊]
5699	𦥑奪乍父丁壺	奪乍父丁寶尊彝[𦥑]
5708	__何乍兄日壬壺	qn乍兄日壬寶尊彝[dk]
5762	呂行壺	用乍寶尊彝
5770	宗婦鄁嬰壺一	王子剌公之宗婦鄁嬰為宗彝𩰫彝
5771	宗婦鄁嬰壺二	王子剌公之宗婦鄁嬰為宗彝𩰫彝
5781	曾姬無卹壺一	甬(用)乍宗彝尊壺
5782	曾姬無卹壺二	甬(用)乍宗彝尊壺
5805	中山王嚳方壺	鑄為彝壺
6189	弔乍彝觚	弔乍彝
6190	夭乍彝觚一	[夭]乍彝
6191	夭乍彝觚二	[夭]乍彝
6192	乍從彝觚一	乍從彝
6193	乍從彝觚二	乍從彝
6244	辛乍從彝觚	辛乍從彝
6249	登觚	登乍尊彝
6251	匽王眔尊彝觚一	匽王眔尊彝
6252	匽王眔尊彝觚二	匽王眔尊彝
6255	大且乙觚	大且乙乍彝
6258	賁引乍尊彝觚	賁引乍尊彝
6259	亞夫乍寶從彝觚一	[亞夫]乍寶從彝
6260	亞夫乍寶從彝觚一	[亞夫]乍寶從彝
6261	亞醜婦__觚	婦__乍彝[亞醜]

彝

6262	亞旛妏_觚	[亞旛]妏e6尊彝
6263	亞_皿觚	[亞覊犬]皿白乍尊彝
6264	卿乍父乙觚	[鄉]乍父乙寶尊彝
6266	史見乍父甲觚	史見乍父甲彝
6267	王子聑乍父丁觚	王子聑乍父丁彝
6268	亞乍父乙觚一	亞乍父乙尊寶彝
6269	亞乍父乙觚二	亞乍父乙寶尊彝
6270	兟敐乍父戊觚一	[兟]敐乍父戊尊彝
6271	兟敐乍父戊觚二	[兟]敐乍父戊尊彝
6272	犅妏乍乙公觚	妏乍乙公寶彝[犅]
6273	_乍且己觚	[夙]乍且己尊彝[ar]
6274	叏亥召乍父辛觚	叏亥召乍父辛彝
6275	埶戉埶乍且癸旬觚	[埶戉埶]乍且癸[旬]寶彝
6276	犾趞乍日癸觚	趞乍日癸寶尊彝[犾]
6277	貝隹乍父乙觚	貝鳥易用乍父乙尊彝[天黽]
6278	敃夙用_日義觚	用乍pd日乙尊彝[敃]
6281	天口逐攸宁觚	天口逐攸宁用乍父辛寶尊彝
6282	召乍父戊觚	召乍氒文考父戊寶尊彝
6394	旅彝觶	旅彝
6525	天尊彝觶	[天]尊彝
6528	乍姞彝觶	乍姞彝
6529	_乍彝觶一	[rv]乍彝
6530	_乍彝觶二	[rv]乍彝
6531	白乍彝觶	白乍彝
6540	白乍彝觶	白乍彝
6581	逨乍寶彝觶	逨乍寶彝
6583	員乍旅彝觶一	[員]乍旅彝
6584	員乍旅彝觶二	[員]乍旅彝
6585	办乍旅彝觶	[办]乍旅彝
6586	耒乍寶彝觶	[耒]乍寶彝
6594	高乍父乙觶	高乍父乙彝
6599	亘觶	亘_戈乍彝
6600	邑觶	邑乍寶尊彝
6603	夌白觶	夌白乍寶彝
6604	尚乍父乙觶	尚乍父乙彝[鳥]
6607	丰乍父乙觶	tJ乍父乙尊彝
6608	舟孜乍父癸觶	孜乍父癸彝[舟]
6609	田疑_觶	疑乍寶尊彝[田]
6610	乍父丙觶	乍父丙尊彝
6614	句乍父丁觶	[句]乍父丁尊彝
6616	者兒觶	者兒乍寶尊彝
6617	中亞址乍匕己觶	乍匕己彝[中亞址]
6618	犾豩_乍且辛觶	[犾豩vr]乍且辛彝
6619	子徒乍兄日辛觶	子徒乍兄日辛彝
6620	亞示乍父己觶	[亞示]乍父己尊彝
6621	冊木工乍母甲觶	[冊杠]乍母甲尊彝
6622	吉偖乍氒觶	吉偖乍氒寶尊彝
6623	白乍氒且觶	白乍氒且寶尊彝
6625	弔_乍楕公觶	弔om乍楕公寶彝
6627	鼓䉼乍父辛觶	[鼓䉼]乍父辛寶尊彝

6628	鳥冊何般貝宁父乙觶	[何般貝宁]用乍父乙寶尊彝[鳥]
6629	齊史疑乍且辛觶	齊史疑乍且辛寶彝
6631	小臣單觶一	用乍寶尊彝
6632	白乍蔡姬觶	白乍蔡姬宗彝
6633	斱乍文考觶	用乍文考尊彝、永寶
6635	中觶	用乍父乙寶尊彝
6687	乍從彝盤	乍從彝
6691	乍俎從彝盤	乍俎从彝
6692	□乍從彝盤	□乍從彝
6696	曆盤	曆乍寶尊彝
6699	𨟭父盤	𨟭父乍寶尊彝
6704	榮子盤	榮子乍寶尊彝
6705	征乍周公盤	征乍周公尊彝
6709	癸白矩盤	癸白矩乍寶尊彝
6711	毌遽乍𠂤考盤	[毌]遽乍𠂤考寶尊彝
6713	亞㠱侯乍父丁盤	乍父丁寶旅彝[亞㠱侯]
6716	京隣仲__盤	[京]隣中wb乍父辛寶尊彝
6722	彭生盤	彭生乍𠂤文考辛寶尊彝[冊光自尹]
6732	陶子盤	用乍寶尊彝
6771	宗婦鄁嬰盤	王子剌公之宗婦鄁嬰為宗彝𪒠彝
6775	__仲乍父丁盤	用乍父丁寶尊彝
6788	蔡侯𩰫盤	用詐大孟姬賸彝盤
6792	史墙盤	用乍寶尊彝
6811	乍父乙匜	乍父乙寶尊彝[𠙵]
6820	冊𢿦匜	𢿦乍父乙寶尊彝[冊竌]
6840	__子匜	k8子乍行彝
6897	永盂	永乍寶尊彝[oc]
6899	__乍康公盂	__乍康公寶尊彝
6900	乍父丁盂	其萬年永寶用享宗彝
7017	楚王酓章鐘一	楚王酓章乍曾侯乙宗彝
7018	楚王酓章鐘二	乍曾侯宗彝
7201	楚王酓章乍曾侯乙鎛	楚王酓章乍曾侯乙宗彝
7996	陶範二	央乍父乙寶尊彝
M030	剛劫卣	用乍□䇂□且缶尊彝
M126	圂卣	用乍寶尊彝
M143	𩔲壺	𩔲乍母辛尊彝
M148	夨王壺	夨王乍寶彝
M151	北子宋盤	北子宋乍文父乙寶尊彝
M158	曆季尊	匽侯弟曆季乍寶彝
M171	小臣靜卣	用乍父□寶尊彝
M191	繁卣	易宗彝一𦨖(套)
M191	繁卣	用乍文考辛公寶尊彝
M252	免簠	用乍旅𪒠彝
M282	師𩛥尊	用乍𠂤文考寶彝
M339	魯侯盉蓋	魯侯乍姜享彝

小計：共 1294 筆

彝 裁

裁 2123

7184	叔夷編鐘三	余命女裁差正卿
7214	叔夷鎛	余命女裁差卿
7899	鄂君啟車節	裁(緘)尹逆、裁令阢
7900	鄂君啟舟節	裁尹逆、裁令阢
		小計：共 4 筆

燹 2124

J072	蔡侯䴴殘鐘	(拓本未見)
		小計：共 1 筆

緉 2124+

2484	伯緉父殷	白緉父乍周羌尊殷
		小計：共 1 筆

素 2125

2797	輔師嫠殷	易女韋市素黃、䜌旂
3088	師克旅盨一(蓋)	馬四匹、攸勒、素戉
3089	師克旅盨二	馬四匹、攸勒、素戉
		小計：共 3 筆

䋎 2126

1317	善夫山鼎	用旂匄覺壽䋎(綽)綰
2727	蔡姞乍尹弔殷	䋎(綽)永令
7159	瘐鐘二	䋎綰猶(祓)祿屯魯
		小計：共 3 筆

紷 2127

1323	師訊鼎	紷辟前王吏余一人
1371	紷鬲	紷乍寶尊彝
2834	㝬殷	用紷保我家
3088	師克旅盨一(蓋)	克紷臣先王
3089	師克旅盨二	克紷臣先王
7174	秦公鐘	秦公其畯紷才立
7178	秦公及王姬編鐘二	秦公其畯紷才立
7209	秦公及王姬鎛	秦公其畯紷才立
7210	秦公及王姬鎛二	秦公其畯紷才立
7211	秦公及王姬鎛三	秦公其畯紷才立
7213	紷鎛	躋中之子紷乍子中姜寶鎛
7213	紷鎛	紷保其身
7213	紷鎛	鮑子紷曰

			小計：共 13 筆
𦆯	2128		
	6792	史墻盤	𦆯圉武王
			小計：共 1 筆
絲	2129	0643丝字重見	
	1162	乃子克鼎	宧絲五十爰
	1330	曶鼎	旨（曶）用絲金乍朕文孝弈白𪔁牛鼎
	1330	曶鼎	用匹馬束絲限𢒼曰
	1330	曶鼎	效□則卑復𠦪絲束
	1330	曶鼎	用賸徙賣（贖）絲五夫、用百寽
	1330	曶鼎	受絲五夫
	1330	曶鼎	絲三寽
	1330	曶鼎	用致絲人
	1330	曶鼎	用絲四夫
	6785	守宮盤	易守宮絲束、蘆𦃃五、蘆㠯二
			小計：共 10 筆
轡	2130		
	1216	貿鼎	弔氏事貸安㠱白賓貿馬轡乘
	1322	九年裘衛鼎	夋𠂂輮、帛轡乘、金應鑾
			小計：共 2 筆
率	2131		
	1090	十三年梁上官鼎	十三年、梁陰命率上官＿子疾冶乘鑄
	1167	＿父鼎一	隹女率我友以事
	1168	＿父鼎二	隹女率我友以事
	1316	㦸方鼎	王用肇事乃子㦸率虎臣禦淮戎
	1324	禹鼎	亦唯噩侯馭方率南淮尸、東尸
	1324	禹鼎	肆武公迺遣禹率公戎車百乘
	1328	盂鼎	率肄于酉（酒）
	1331	中山王𰯲鼎	亡不逹（率）从
	1331	中山王𰯲鼎	親逹（率）參（三）軍之眾
	1332	毛公鼎	率懷不廷方
	2791.	史密𣪕	師俗率齊㠯、述人左
	2791.	史密𣪕	率族人、釐白、僰、眉
	2820	師袁𣪕一	今余肇令女逹（率）齊帀
	2826	師袁𣪕一	今余肇令女逹（率）齊帀
	2827	師袁𣪕二	今余肇令女逹（率）齊帀
	2856	師訇𣪕	率以乃友干吾王身
	5803	𠫑嗣好蚉壺	率師征郾
	5804	齊侯壺	庚率二百乘舟

6910	師永盂	孫孫子子永其率寶用
7221	＿郢鐸	＿郢率鐸
7636	郾王戎人矛一	郾王戎人乍百巨率矛
7868	商鞅方升	齊率卿大夫眾來聘
		小計：共 22 筆

虫 2132

0812	虫智乍旅鼎	虫智乍寶旅鼎
2057	天黽亞虫毀一	[亞虫天黽]
2058	天黽亞虫毀二	[亞虫天黽]
3128	魚鼎匕	出斿(游)水虫
3499	甲虫爵	甲[虫]
		小計：共 5 筆

蛸 2133

2732	曾仲大父蛸蚊毀	曾中大父蛸迺用吉攸𠬝鋚金
2732	曾仲大父蛸蚊毀	蛸其用追孝于其皇考
3128	魚鼎匕	參之蛸蚘命
		小計：共 3 筆

雖 2134

1331	中山王譽鼎	隹(雖)有死辠
2833	秦公毀	余雖{ 小子 }
7212	秦公鎛	曰余雖小子
7886	新郪虎符	雖毋會符
7887	杜虎符	雖毋會符
		小計：共 5 筆

蠆 2135 萬字重見

蜀 2136

2855	班毀一	秉緐、蜀、巢令
2855.	班毀二	秉緐蜀巢
7342	蜀堊戈	蜀堊
7547	廿六年蜀守武戈	武、廿六年蜀守武造東工師宦丞耒工黨
		小計：共 4 筆

蠻 2137 0355䜌字重見

2833	秦公毀	虩吏䜌(蠻)夏
6925	晉邦盦	□□百蠻

	7537	汈白戈	印鬼方蠻攻旁
			小計：共　3 筆
蚘	2138		
	3128	魚鼎匕	參之蚰蚘命
			小計：共　1 筆
蚔	2139		
	4151	戲爵	戲乍父癸蚔
			小計：共　1 筆
蚉	2140		
	5803	胤嗣好蚉壺	胤嗣好蚉敢明易(揚)告
	7770.1	中山侯鉞	中山侯蚉乍玆軍釛
			小計：共　2 筆
螸	2141		
	1264	螸鼎	螸來遘于妊氏
	1264	螸鼎	妊氏令螸
	1264	螸鼎	螸拜韻首、曰
			小計：共　3 筆
蠠	2142		
	0705	蠠姜乍旅鼎	蠠姜乍旅鼎
	2236	蠠白乍寶段	蠠白乍寶尊彝
			小計：共　2 筆
蛸	2143		
	0870	蛸所__鼎	蛸所__貞貞(鼎)安膴
	1231	楚王酓忓鼎一	但工帀吏秦差(佐)苛蛸為之
	6657	但吏勺一	但吏秦苛蛸為之
	6658	但吏勺二	但吏秦苛蛸為之
			小計：共　4 筆
蚳	2143+		
	7552	__生戈	郾侯庫乍戎__蚳生不祗□無□□□自洹來

蠻蚘蚔蚉螸蠠蛸蚳

			小計：共 1 筆
蚰	2144		
	3128	魚鼎匕	延又匕蚰
	6847	蚰_匜	隹蚰si__其乍__鼎其匜
			小計：共 2 筆
蝨	2145		
	0297	亞蚊鼎	[亞蚊(蝨)]
			小計：共 1 筆
蠽	2146		
	5448	天黿蠽乍父癸卣	子易蠽用乍父癸尊彝[天黽]
	7027	邾公釛鐘	陸蠽之孫邾公釛乍氒禾鐘
	7159	瘐鐘二	蠽妥厚多福
	7165	瘐鐘八	蠽妥厚多福
			小計：共 4 筆
蝨	2146+		
	1484	江叔鬲	江弔蝨乍其尊鬲
			小計：共 1 筆
它	2147	也字重見	
	0805	取它人善鼎	取它人之善貞(鼎)
	2689	白康段一	它它受兹永命
	2690	白康段二	它它受兹永命
	2841	茾白段	異自它邦
	2843	沈子它段	它曰：拜韻首
	2843	沈子它段	其孔哀乃沈子它唯福
	2843	沈子它段	它用褱㚤我多弟子我孫
	3096	齊侯乍孟姜善𦎧	它它熙熙、男女無期
	3191	它爵	[它]
	3192	它爵	[它]
	4922	亞它𠃨觥	[亞它]𠃨乍𨛉逆王望器[冊]
	4977	師遽方彝	用乍文且它公寶尊彝
	6763	句它盤	隹句它弔乍寶般
	6779	齊侯盤	它它熙熙
	6781	夆弔盤	它它熙熙
	6803	自乍吳姬賸匜	自乍吳姬賸它(匜)
	6804	乍中姬匜	□□乍中姬□它

6805	甹弔乍旅匜	甹弔乍旅它
6817	匽白聖匜	匽白聖乍正它、永用
6818	弔侯父匜	弔侯父乍姜□寶它
6821	樊夫人匜	樊夫人龏贏自乍行它（匜）
6822	奠義白乍季姜匜	奠義白乍季姜寶它（匜）用
6823	長湯匜	長湯白18乍它、永用之
6826	員白寍父匜	員白寍父朕姜無顋它
6829	黃仲匜	黃中自乍賸它
6830	召樂父匜	召樂父乍媬改寶它、永寶用
6831	杞白每亡匜	杞白每亡□寶它
6832	保弔黑㚤匜	保弔黑姬乍寶它
6834	__周匜	[__]周窐乍救姜寶它
6839	函皇父乍周娟匜	函皇父乍周妘它
6841	魯白愈父匜	魯白愉父乍鼄（邾）姬仁朕顋它
6842	王婦員孟姜旅匜	王婦員孟姜乍旅它
6843	白吉父乍京姬匜	白吉父乍京姬它
6845	弔__父乍師姬匜	弔__父乍睘自姬寶它
6846	白正父旅它	白正父乍旅它
6850	弔高父匜一	弔高父乍中姺它
6851	弔高父匜二	弔高父乍中姺它
6853	取膚__商它	取膚s6商鑄它
6854	辭馬南弔匜	辭馬南弔乍𡢁姬賸它
6856	番仲㷉匜	唯番中up自乍寶它
6859	白者君匜一	隹番hJ白者尹自乍寶它
6863	白君黃生匜	唯有白君堇生自乍它
6866	齊侯乍虢孟姬匜	齊侯乍虢孟姬良女寶它
6867	弔男父乍為霍姬匜	弔男父乍為霍姬賸旅它
6869	浮公之孫公父宅匜	浮公之孫公父宅鑄其行它
6872	魯大嗣徒子仲白匜	魯大嗣徒子中白其庶女厲孟姬賸它
6873	齊侯乍孟姜盥匜	它它熙熙
6876	夆弔乍季妃盥盤(匜)	它它熙熙
7322	鼎𨙵戈	[鼎𨙵]、[鼎它]
7563	卅一年奠令戈	卅一年奠命㮄司寇尚它里庫工币冶肴敀
7663	卅二年奠令槍□矛	卅二年奠命槍□司寇趙它
7739	卅三年奠令□□劍	卅三年奠命□□司寇趙它
M799	卅二年平安君鼎	卅三年單父上官宰喜所受平安君石它（器二）

小計：共　53 筆

鼅　2148

0252	弔鼅鼎	[弔鼅]
0361	鼅父丙鼎	[鼅]父丙
2117	弔鼅乍父丙𣪘一	[弔鼅]乍父丙
2118	弔鼅乍父丙𣪘二	[弔鼅]乍父丙
4024	鼅父丁爵	[鼅]父丁
4296	弔鼅斝	[弔鼅]
6042	弔鼅觚	[弔鼅]
6123	鼅且乙觚	[鼅]且乙
6216	鼅且癸觚	[弔鼅]且癸

龜
黽

6335	弔龜觶一	[弔龜]
6548	弔龜且癸觶	[弔龜]且癸
7320	弔龜戈	[弔龜]
7757	弔黽形斧	[弔龜]

小計：共 13 筆

黽 2149

0253	天黿鼎	[天黽]
0369	黽父丁鼎一	[黽]父丁
0370	黽父丁鼎二	[黽]父丁
0556	天黿父乙鼎一	[天黽]父乙
0557	天黿父乙鼎二	[天黽]父乙
0558	天黿父乙鼎三	[天黽]父乙
0559	天黿父乙鼎四	[天黽]父乙
0585	天黿父癸鼎一	[天黽]父癸
0586	天黿父癸鼎二	[天黽]父癸
0645	天黿婦于未鼎一	[天黽]婦于未
0646	天黿婦于未鼎二	[天黽]婦于未
0647	天黿帚＿鼎	[天黽]帚o5
0759	天黿乍父戊方鼎	[天黽]乍父戊彝
0857	天黿婦姑鼎一	[天黽]乍婦姑䵼彝
0858	天黿婦姑鼎二	[天黽]乍婦姑䵼彝
0936	天黿敕獻乍丁侯鼎	敕獻乍丁侯尊彝[天黽]
1124	玥乍父庚鼎一	用乍父庚彝[天黽]
1125	玥乍父庚鼎二	用乍父庚彝[天黽]
1135	獻侯乍丁侯鼎	用乍丁侯尊彝[天黽]
1136	獻侯乍丁侯鼎二	用乍丁侯尊彝[天黽]
1172	征人乍父丁鼎	用乍父丁尊彝[天黽]
1275	師同鼎	判用1z王羞于黽
1594	黽乍父辛甗	黽乍父辛
1635	天黿乍婦姑甗	[天黽]乍毓姑䵼彝
1817	天黽毀	[天黽]
1988	天黽父乙毀一	[天黽]父乙
1989	天黽父乙毀二	[天黽]父乙
1990	天黽父乙毀三	[天黽]父乙
1996	天黽父丁毀	[天黽]父丁
2057	天黽亞虫毀一	[亞虫天黽]
2058	天黽亞虫毀二	[亞虫天黽]
3190	黽爵	[黽]
3581	天黿爵	[天黽]
3613	弔黽爵一	[弔黽]
3614	弔黽爵二	[弔黽]
3615	弔黽爵三	[弔黽]
3616	弔黽爵四	[弔黽]
3617	弔黽爵五	[弔黽]
3926	黽父辛爵	[黽]父辛
4091	天黽父癸爵	[天黽]父戊
4104	天黽母庚爵	母庚[天黽]

4183	貝隹易爵一	貝隹易、[天黽]父乙
4184	貝隹易爵二	貝隹易、[天黽]父乙
4229	天黽父乙角一	[天黽]父乙
4230	天黽父乙角二	[天黽]父乙
4239	天黿坒乍父癸角	用乍父癸尊彝[天黽]
4326	天黽父乙斝	[天黽]父乙
4339	乍婦姑黽斝	乍婦姑黽尊彝
4355	天黽盉	[天黽]
4397	天黽父戊盉	[天黽]父戊
4655	天黽父乙尊	[天黽]父乙
4662	天黽父辛尊	[天黽]父辛
4666	天黽父癸尊	[天黽]父癸
4671	天黽父□尊	[天黽]父□
4696	天黽乍從彝尊	[天黽]乍從彝
5071	天黿卣一	[天黽]
5072	天黿卣二	[天黽]
5170	父辛黽卣	父辛[黽]
5227	天黿父乙卣一	[天黽]父乙
5228	天黿父乙卣二	[天黽]父乙
5229	天黿父乙卣三	[天黽]父乙
5241	天黿父戊卣	[天黽]父戊
5247	天黿父癸卣	[天黽]父癸
5278	天黿父辛卣	[天黽]父辛
5448	天黿韓乍父癸卣	子易韓用乍父癸尊彝[天黽]
5450	天黿盥乍父辛卣	用乍父辛尊彝[天黽]
6037	天黿觚	[天黽]
6219	天黿父乙觚一	[天黽]父乙
6220	天黿父乙觚二	[天黽]父乙
6235	天黿父辛觚	[天黽]父辛
6239	天黿父癸觚	[天黽]父癸
6250	天黿且丁觚	[天黽獸]且丁
6277	貝隹乍父乙觚	貝鳥易用乍父乙尊彝[天黽]
6469	黽父己觶	[黽]父己
6552	天黿父乙觶一	[天黽]父乙
6553	天黿父乙觶二	[天黽]父乙
6690	天黿父乙盤	[天黽]父乙
6801	天黿父乙匜	[天黽]父乙
6802	天黿父癸匜	[天黽]父癸
7319	天黿戈	[天黽]
7899	鄂君啟車節	毋載金革黽箭、女馬、女牛、女特

小計：共 81 筆

鼉 2150

7136	郘鐘一	玉鐈鼉鼓
7137	郘鐘二	玉鐈鼉鼓
7138	郘鐘三	玉鐈鼉鼓
7139	郘鐘四	玉鐈鼉鼓
7140	郘鐘五	玉鐈鼉鼓

7141	邵鐘六	玉鑃鼉鼓
7142	邵鐘七	玉鑃鼉鼓
7143	邵鐘八	玉鑃鼉鼓
7144	邵鐘九	玉鑃鼉鼓
7145	邵鐘十	玉鑃鼉鼓
7146	邵鐘十一	玉鑃鼉鼓
7147	邵鐘十二	玉鑃鼉鼓
7148	邵鐘十三	玉鑃鼉鼓
7149	邵鐘十四	玉鑃鼉鼓

小計：共 14 筆

鼄 2151

0992	鼄討鼎	鼄試為其鼎
1054	杞白每亡鼎一	杞白每亡乍鼄婞(曹)寶貞(鼎)
1055	杞白每亡鼎二	杞白每亡乍鼄婞(曹)寶貞(鼎)
1071	鼄白御戎鼎	鼄白御戎乍滕姬寶貞(鼎)
1142	杞白每亡鼎	杞白每亡乍鼄曹寶鼎
1148	鼄姜白鼎一	鼄姜白乍此羸尊鼎
1149	鼄姜白鼎二	鼄姜白乍此羸尊鼎
1461	鼄來隹鼎	鼄來隹乍貞(鼎)
1471	魯白愈父鬲一	魯白愈乍鼄姬仁朕(賸)羞鬲
1472	魯白愈父鬲二	魯白愈父乍鼄姬仁賸(賸)羞鬲
1473	魯白愈父鬲三	魯白愈父乍鼄姬仁賸(賸)羞鬲
1474	魯白愈父鬲四	魯白愈父乍鼄姬仁賸(賸)羞鬲
1475	魯白愈父鬲五	魯白愈父乍鼄姬仁賸(賸)羞鬲
1476	鼄白乍朕鬲	鼄白乍塍(賸)鬲
1498	鼄友父鬲	鼄友父媵其子𡠀婞(曹)寶鬲
2488	杞白每亡𣪕一	杞白每亡乍鼄婞(曹)寶𣪕
2489	杞白每亡𣪕二	杞白每亡乍鼄婞(曹)寶𣪕
2490	杞白每亡𣪕三	杞白每亡乍鼄婞(曹)寶𣪕
2491	杞白每亡𣪕四	杞白每亡乍鼄婞(曹)寶𣪕
2492	杞白每亡𣪕五	杞白每亡乍鼄婞(曹)寶𣪕
2980	鼄大宰𧭈𠥻一	鼄大宰欉子𦍽鑄其𧭈𠥻
2981	鼄大宰𧭈𠥻二	鼄大宰欉子𦍽鑄其𧭈𠥻
5764	杞白每亡壺一	杞白母亡乍鼄婞(曹)寶壺
5765	杞白每亡壺二	杞白每亡乍鼄婞(曹)寶壺
6736	魯白愈父盤一	魯白俞(愈)父乍鼄姬仁朕𩕢般
6737	魯白愈父盤二	魯白俞(愈)父乍鼄姬仁朕𩕢般
6738	魯白愈父盤三	魯白俞(愈)父乍鼄姬仁朕𩕢般
6841	魯白愈父匜	魯白愉父乍鼄(邾)姬仁朕𩕢它
6926	杞白每亡盆	杞白每亡乍鼄婞(曹)寶盆
7000	邾君鐘	鼄君求吉金
7019	邾太宰鐘	鼄大宰欉子懿自乍其御鐘
7026	邾弔鐘	鼄(邾)弔(叔)止白□羅孚吉金用乍其龢鐘
7058	邾公孫班鐘	鼄公孫班羅其吉金
7084	邾公牼鐘一	鼄(邾)公牼羅孚吉金
7085	邾公牼鐘二	鼄(邾)公牼羅孚吉金
7086	邾公牼鐘三	鼄(邾)公牼羅孚吉金

7087	邾公牼鐘四	鼄(邾)公牼睪氒吉金
7157	邾公華鐘一	鼄(邾)公華睪氒吉金
7157	邾公華鐘一	鼄(邾)邦是保
		小計：共　39 筆

竈 2152

2684	竈乎𣪘	竈乎乍寶𣪘
		小計：共　1 筆

鼉 2153

2693	鼉𣪘	鼉啎造公
2693	鼉𣪘	公易鼉宗彝一𨻰(肆)
2693	鼉𣪘	鼉對揚公休
		小計：共　3 筆

䵶 2154

4881	䵶方尊	公令䵶從__
4881	䵶方尊	____䵶__既告
		小計：共　2 筆

二 2155

0658	巨荓十二鼎	巨荓十二
1002	二年寧鼎	二年寧__子得治__為__四分__
1089	女䜌方鼎	癸日、商䜌貝二朋
1112	十一年庫嗇夫尚不兹鼎	庫嗇夫尚丕兹賙人夫__所為空二斗
1117	豊乍父丁鼎	乙未、王商宗庚豊貝二朋
1139	寓鼎	隹二月既生霸丁丑
1161	白吉父鼎	隹十又二月初吉
1170	信安君鼎	十二年再九益
1170	信安君鼎	十二年再二益六釿
1192	亞□伐__乍父乙鼎	王賞戍kx貝二朋
1207	眉__鼎	鼎二𣪘二
1209	嬰方鼎	才穆、朋二百
1210	寧__鼎	才二月
1216	貿鼎	隹十又二月初吉壬午
1228	鼢厥方鼎	隹二月初吉庚寅
1247	函皇父鼎	自豕鼎降十又二、𣪘八、兩罍、兩壺
1248	庚贏鼎	隹廿又二年四月既望己酉
1253	平安君鼎	卅二年
1260	我方鼎	祉礿縈二女、咸
1260	我方鼎	䒤遣福二
1261	我方鼎二	祉礿縈二女、咸

	1261	我方鼎二	茲遣福二
	1264	𪇯鼎	因付𠂤且僕二家
	1273	師𩛥父鼎	隹十又二月初吉丙午
二	1301	大鼎一	王召走馬雁令取k3𩥮卅二匹易大
	1302	大鼎二	王召走馬雁令取k3𩥮卅二匹易大
	1303	大鼎三	王召走馬雁令取k3𩥮卅二匹易大
	1312	此鼎一	隹十又七年十又二月既生霸乙卯
	1313	此鼎二	隹十又七年十又二月既生霸乙卯
	1314	此鼎三	隹十又七年十又二月既生霸乙卯
	1322	九年裘衛鼎	舍盠冒□羝皮二、𡎺（從）皮二
	1322	九年裘衛鼎	鑋㟂俑皮二
	1322	九年裘衛鼎	𠂤吴喜皮二
	1322	九年裘衛鼎	顏下皮二
	1324	禹鼎	斯馭二百
	1325	五祀衛鼎	逆榮（營）二川、日：余舍女田五田
	1326	多友鼎	凡目公車折首二百又□又五人
	1326	多友鼎	執訊廿又二人
	1326	多友鼎	執訊二人
	1328	盂鼎	若玟王令二、三正
	1329	小字盂鼎	隻聝四千八百□二聝
	1329	小字盂鼎	孚聝二百卅七聝
	1330	曶鼎	迺或即曶（曶）用田二
	1332	毛公鼎	馬四匹、攸勒、金𠤳、金雁（膺）、朱旂二鈴
	1527	𪇯先父鬲	隹十又二月初吉
	1528	公姞鬲鼎	隹十二月既生霸
	1978	吳方彝	隹王二祀
	2515	小子𠭯乍父丁𣪘	乙未卿旋易小子𠭯貝二百
	2525	𡨦敄𣪘	賞𡨦敄□貝二朋
	2546	聖𣪘	易貝二朋
	2603	白吉父𣪘	唯十又二月
	2645	周客𣪘	鼎二、𣪘二
	2678	函皇父𣪘一	自豕鼎降十又二
	2679	函皇父𣪘二	自豕鼎降十又二
	2680	函皇父𣪘三	自豕鼎降十又二
	2680.	函皇父𣪘四	自豕鼎降十又二
	2684	二寵乎𣪘	隹正二月既死霸壬戌
	2693	𧊒𣪘	易鼎二、易貝五朋
	2706	䣄公敄人𣪘	隹䣄正二月初吉乙丑
	2710	𦘔自乍寶器一	唯十又二月既生霸丁亥
	2711	𦘔自乍寶器二	唯十又二月既生霸丁亥
	2762	免𣪘	隹十又二月初吉
	2765	𣪕𣪘	隹二月初吉
	2766	三兒𣪘	隹王二年□月初吉丁巳
	2767	𧇡𣪘一	隹十又二年
	2776	走𣪘	隹王十又二年三月既望庚寅
	2783	趞𣪘	唯二月、王才宗周、戊寅
	2785	王臣𣪘	隹二年三月初吉庚寅
	2786	縣妃𣪘	隹十又二月既望辰才壬午
	2789	同𣪘一	隹十又二月初吉丁丑
	2790	同𣪘二	隹十又二月初吉丁丑

二

2791	豆閉毁	唯王二月既眚霸
2791.	史密毁	隹十又二月
2798	師瘨毁一	隹二月初吉戊寅
2799	師瘨毁二	隹二月初吉戊寅
2807	䣄毁一	隹二年正月初吉
2808	䣄毁二	隹二年正月初吉
2809	䣄毁三	隹二年正月初吉
2812	大毁一	隹十又二年三月既生霸丁亥
2813	大毁二	隹十又二年三月既生霸丁亥
2818	此毁一	隹十又七年十又二月既生霸乙卯
2819	此毁二	隹十又七年十又二月既生霸乙卯
2820	此毁三	隹十又七年十又二月既生霸乙卯
2821	此毁四	隹十又七年十又二月既生霸乙卯
2822	此毁五	隹十又七年十又二月既生霸乙卯
2823	此毁六	隹十又七年十又二月既生霸乙卯
2824	此毁七	隹十又七年十又二月既生霸乙卯
2825	此毁八	隹十又七年十又二月既生霸乙卯
2830	三年師兌毁	隹三年二月初吉丁亥
2833	秦公毁	十又二公
2834	㝬毁	隹王十又二祀
2836	㦰毁	執訊二夫
2840	番生毁	朱旂旜、金芜二鈴
2841	芾白毁	二月、眉敖至
2843	沈子它毁	陟二公
2853.	尹毁	隹二月
2856	師訇毁	隹元年二月既望庚寅
3055	虢仲旅盨	丝盨友十又二
3083	瘨毁（盨）一	隹四年二月既生霸戊戌
3084	瘨毁（盨）二	隹四年二月既生霸戊戌
3086	善夫克旅盨	隹十又八年十又二月初吉庚寅
3087	鬲从盨	其邑复＿言二邑。畀鬲比复氒小宮tu鬲比田
3087	鬲从盨	瀘二邑
4847	小子夫尊	〓賚小子夫貝二朋
4856	季受尊	受貝二朋
4869	次尊	隹二月初吉丁卯
4876	保尊	才二月既望
4882	匡乍文考日丁尊	匡甫象＿二
4886	趩尊	隹王二祀
4892	麥尊	于若二月
4892	麥尊	巳夕、侯易者〓臣二百家
4893	夨令尊	迺令日、今我唯令女二人
4978	吳方彝	隹二月初吉丁亥
4981	鳥冊令方彝	今我唯令女二人、亢眔夨
5478	次卣	隹二月初吉丁卯
5491	亞㠱二祀切其卣	隹王二祀
5493	召乍＿宮旅卣	隹十又二月初吉丁卯
5494	㚸〓乍母辛卣	子光商〓貝二朋
5494	㚸〓乍母辛卣	才十月二
5495	保卣	才二月既望
5495	保卣	才二月既望

	5507	乍冊魆卣	十二月既望乙亥
	5509	嫠卣	隹十又二月
	5597	次卣	隹二月初吉丁卯
二	5727	廿九年東周左自歆壺	廿九年十二月
	5741	左歆壺一	左歆世二
	5742	左歆壺二	左歆世二
	5754	__氏扁壺	今三斗二升少半升
	5801	洹子孟姜壺一	于南宮子用璧二備
	5801	洹子孟姜壺一	玉二嗣（ 笥 ）
	5802	洹子孟姜壺二	于南宮子用璧二備
	5802	洹子孟姜壺二	玉二嗣
	5804	齊侯壺	庚率二百乘舟
	5807	緻__君鈃	酉、炑、緻qm君刀鈃二ta
	6785	守宮盤	易守宮絲束、蘆幕五、蘆冟二
	6790	虢季子白盤	隹十又二年正月初吉丁亥
	6793	矢人盤	以陟、二封
	6793	矢人盤	降棫、二封
	6855	貯子匜	隹王二月
	6874	鄭大內史弔上匜	隹十又二月初吉乙巳
	6887	我陵君王子申鑑	__襄、冢三朱二圣朱四□（ 盤外底 ）
	6910	師永盂	隹十又二年初吉丁卯
	7038	應侯見工鐘一	隹正二月初吉
	7084	邾公牼鐘一	鑄辝龢鐘二堵
	7085	邾公牼鐘二	鑄辝龢鐘二堵
	7086	邾公牼鐘三	鑄辝龢鐘二堵
	7087	邾公牼鐘四	鑄辝龢鐘二堵
	7212	秦公鎛	十又二公不家才下
	7213	𬎼鎛	侯氏易之邑二百又九十又九邑
	7507	二年寺工䜌戈	寺工、二年寺工䜌金角
	7515	二年右貫府戈	二年
	7521	廿二年臨汾守戈	廿二年臨汾守曋庫系工歍造
	7528	王二年奠令戈	王二年奠命韓□右庫工帀__慶
	7550	十二年少令邯鄲戈	十二年尚命邯鄲□右庫工帀□紹台倉造
	7551	十二年尚令邯鄲戈	十二年尚命邯鄲□右庫工帀□紹台倉造
	7555	二年戈	二年
	7631	廿二年左斿矛	廿二年左斿
	7654	十二年邦司寇野矛	十二年邦司寇野□
	7663	卅二年奠令槍□矛	卅二年奠命槍□司寇趙它
	7668	二年奠令槍□矛	二年奠命槍□司寇芋慶
	7712	十二年右庫劍	十二年□右庫五十五
	7724	二年春平侯劍	二年相邦春平侯
	7866	少府小器	少府pq二鎰
	7868	商鞅方升	冬十二月乙酉
	7879	麗山鍾	麗山𩰫容十二斗三升
	7879	麗山鍾	重二鈞十三斤八兩
	7975	中山王墓兆域圖	王后堂方二百乇
	7975	中山王墓兆域圖	王堂方二百乇
	M508	虞侯政壺	隹王二月初吉壬戌
	M799	卅二年平安君鼎	卅二年平安邦鑄客㾓四分齍
	M799	卅二年平安君鼎	上官（ 蓋二 ）

M799	卅二年平安君鼎	卅三年單父上官𡩜喜所受平安君石它(器二)
M898	魏公𦉜	魏公鈃、三斗二升取
		小計：共 173 筆

亟 2156

1304	王子午鼎	命尹子庚殹民之所亟
1318	晉姜鼎	乍疐為亟(極)
1332	毛公鼎	命女亟一方
2855	班段一	粤王立、乍四方亟
2855.	班段二	乍四方亟
3075	白汈其旅盨一	畯臣天子、萬年唯亟(極)
3076	白汈其旅盨二	畯臣天子、萬年唯亟(極)
6792	史墻盤	亟獄逭(趄)慕
6920	曾大保旅盆	曾大保uq譽𢘅亟用其吉金
7670	六年安陽令斷矛	六年安陽命韓亟司陽□□□
		小計：共 10 筆

恆 2157

1127	𤔲鼎	王初□恆于成周
2728	恆段一	王曰：恆
2728	恆段一	恆拜䭫首
2729	恆段二	王曰：恆
2729	恆段二	恆拜䭫首
5680	恆乍且辛壺	恆乍且辛壺[戉]
		小計：共 6 筆

亙 2157+

0962	亙乍寶鼎	亙乍寶鼎子子孫永寶用
5509	𩰫卣	尹其亙(恆)萬年受𠂹永魯
		小計：共 2 筆

亘 2158

4075	__亘父丁爵	父丁[em亘]
6598	姞亘母觶	姞亘母乍寶
6599	亘觶	亘__戈乍彝
M740	曾侯乙編鐘中三・一	亘鐘之宮
M740	曾侯乙編鐘中三・一	亘鐘之才晋為六墉
		小計：共 5 筆

亟 2159

5805	中山王嚳方壺	不亟(忌)者侯
		小計：共 1 筆

凡 2160

1326	多友鼎	凡吕公車折首二百又□又五人
1329	小字盂鼎	凡區□品
1330	曶鼎	凡用即曶(曶)田七田、人五夫
2107	戈凡乍旅彝毁	凡乍旅彝[戈ab]
2777	天亡毁	王凡三方
2836	䬕毁	凡百又卅又五款
3087	鬲从盨	凡復友復友鬲比田十又三邑
3992	亞䵼凡爵	[亞䵼凡]
5445	膚寯卣	用乍凡彝[膚]
6793	矢人盤	凡十又五夫正履
6793	矢人盤	凡散有嗣十夫
7860	凡盉	[凡]
7886	新郪虎符	凡興士被甲
7887	杜虎符	凡興士被甲
		小計：共 14 筆

土 2161

J0568	吳王孫無土鼎	吳王孫無土之脰鼎
1156	亳鼎	公侯易亳杞土、v0土、__禾、vk禾
1274	哀成弔鼎	死于下土
1279	中方鼎	王令大吏兄褱土
1279	中方鼎	今兄畀女褱土
1312	此鼎一	嗣土毛弔右此入門、立中廷
1313	此鼎二	嗣土毛弔右此入門、立中廷
1314	此鼎三	嗣土毛弔右此入門、立中廷
1325	五祀衛鼎	迺令參有嗣嗣土邑人趙
1326	多友鼎	易女土田
1328	盂鼎	雩我其遹省先王受民受彊土
1328	盂鼎	人鬲千又五十夫徵nx𨒅自氒土、王曰
1513	睽土父乍㜮妃鬲	睽士土父乍㜮改尊鬲
2304	旇嗣土□毁	旇嗣土□乍寶尊毁
2319	嗣土嗣乍氒考毁	嗣土嗣乍氒丂(考)寶尊彝
2611	畾湁嗣土㠱毁	湁司土㠱眔啚乍氒考尊彝[畾]
2675	大保毁	易休余土
2703	免乍旅毁	今免乍嗣(辭司)土
2726	㽙毁	乍嗣土
2770	𢦏毁	王曰：𢦏、令女乍嗣土
2774.	南宮弔毁	吏靜安辟土
2791.	史密毁	齊𠂤、族土(徒)、述人
2801	五年召白虎毁	余老止公僕庸土田多諫

2817	師顯𣪘	才先王既令女乍嗣土
2818	此𣪘一	司土毛弔右此入門、立中廷
2819	此𣪘二	司土毛弔右此入門、立中廷
2820	此𣪘三	司土毛弔右此入門、立中廷
2821	此𣪘四	司土毛弔右此入門、立中廷
2822	此𣪘五	司土毛弔右此入門、立中廷
2823	此𣪘六	司土毛弔右此入門、立中廷
2824	此𣪘七	司土毛弔右此入門、立中廷
2825	此𣪘八	司土毛弔右此入門、立中廷
2828	宜侯夨𣪘	王立于宜、入土（社）南鄉
2828	宜侯夨𣪘	易土、厥川三百□
2855	班𣪘一	王令毛公以邦冢君、土（徒）馭、𢦏人
2855.	班𣪘二	王令毛公以邦冢君土
2857	牧𣪘	牧、昔先王既令女乍嗣土
4449	裘衛盉	單白迺令參有司;嗣土散邑
4811	盠嗣土幽乍且辛旅尊	盠司土幽乍且辛旅彝
4875	忻折尊	令乍冊忻（折）兄望土于相侯
4890	盠方尊	嗣土、嗣馬、嗣工
4928	折觥	令乍冊忻（折）兄望土于相侯
4976	折方彝	令乍冊忻（折）兄望土于相侯
4979	盠方彝一	嗣土、嗣馬、嗣工
4980	盠方彝二	嗣土
5422	盠嗣土幽旅卣	盠司土幽乍且辛旅彝
5493	召乍＿宮旅卣	賞畢土方五十里
5681	土匀鎛壺	土匀□四斗鎛
5780	公孫綰壺	公子土斧乍子中姜Lw之盤壺
5791	十三年瘐壺一	王才成周嗣土虎宮
5792	十三年瘐壺一	王才成周嗣土虎宮
5798	曶壺	更乃且考乍冢嗣土于成周八自
5803	胤嗣好蚉壺	于皮（彼）新土
6793	夨人盤	嗣土qhJz、嗣馬單邦
6909	逋盂	命逋吏于述土
7116	南宮乎鐘	嗣土南宮乎乍大𪔅𪔏鐘
7176	㝬鐘	王肇遹省文武堇疆土
7176	㝬鐘	南或𠬝子敢陷虐我土
M252	免簠	令免乍司土
		小計：共　59 筆

地　2162

5803	胤嗣好蚉壺	敬命新墜（地）
		小計：共　1 筆

墜　2162

2834	㝬𣪘	墜于四方
5803	胤嗣好蚉壺	敬命新墜（地）
7571	八年奠令戈	八年奠命＿幽司寇史墜右庫工帀易高治尹＿□

堣
鷸
坡
坪

		小計：共 3 筆

堣鷸 2163

1281	史頌鼎一	師鷸(堣)敎于成周
1282	史頌鼎二	師鷸(堣)敎于成周
2752	史頌段一	師堣盩于成周
2753	史頌段二	師堣盩于成周
2754	史頌段三	師堣盩于成周
2755	史頌段四	師堣盩于成周
2756	史頌段五	師堣盩于成周
2757	史頌段六	師堣盩于成周
2758	史頌段七	師堣盩于成周
2759	史頌段八	師堣盩于成周
2759.1	史頌段九	師堣盩于成周
		小計：共 11 筆

坡 2164

7975	中山王墓兆域圖	丌坡卌乇
7975	中山王墓兆域圖	丌坡卌乇
7975	中山王墓兆域圖	丌坡五十乇
7975	中山王墓兆域圖	丌坡五十乇
7975	中山王墓兆域圖	丌坡五十乇
7975	中山王墓兆域圖	丌坡卌乇
7975	中山王墓兆域圖	丌坡卌乇
7975	中山王墓兆域圖	丌坡五十乇
7975	中山王墓兆域圖	丌坡五十乇
7975	中山王墓兆域圖	丌坡卌乇
		小計：共 10 筆

坪 2165

1169	平安邦鼎	廿八年坪安邦斪客戝{四分}齍
1169	平安邦鼎	卅三年單父上官{冢子}喜所受坪安君者也(蓋)
1169	平安邦鼎	卅三年單父上官{冢子}喜所受坪安君者也(器)
1253	平安君鼎	單父上官宰喜所受坪安君者也
1253	平安君鼎	坪安邦司客
7028	臧孫鐘	坪之子臧孫
7029	臧孫鐘二	坪之子臧孫
7030	臧孫鐘三	坪之子臧孫
7031	臧孫鐘四	坪之子臧孫
7032	臧孫鐘五	坪之子臧孫
7033	臧孫鐘六	坪之子臧孫
7034	臧孫鐘七	坪之子臧孫
7035	臧孫鐘八	坪之子臧孫
7036	臧孫鐘九	坪之子臧孫

M705	曾侯乙編鐘下一・一	濁坪皇之商
M705	曾侯乙編鐘下一・一	濁坪皇之渣商
M706	曾侯乙編鐘下一・二	妥賓之才楚號為坪皇
M707	曾侯乙編鐘下一・三	坪皇之羽
M707	曾侯乙編鐘下一・三	為坪皇變商
M708	曾侯乙編鐘下二・一	坪皇之羽
M710	曾侯乙編鐘下二・三	坪皇之變徵
M711	曾侯乙編鐘下二・四	妥賓之才楚號為坪皇
M712	曾侯乙編鐘下二・五	為坪皇變商
M713	曾侯乙編鐘下二・七	為坪皇徵角
M714	曾侯乙編鐘下二・八	坪皇之羽
M715	曾侯乙編鐘下二・九	坪皇之商
M715	曾侯乙編鐘下二・九	濁坪皇之徵
M716	曾侯乙編鐘下二・十	坪皇之宮
M716	曾侯乙編鐘下二・十	濁坪皇之下角
M719	曾侯乙編鐘中一・三	坪皇之巽反
M719	曾侯乙編鐘中一・三	濁坪皇之鴃
M720	曾侯乙編鐘中一・四	坪皇之冬反
M720	曾侯乙編鐘中一・四	濁坪皇之鴃
M721	曾侯乙編鐘中一・五	坪皇之少商
M722	曾侯乙編鐘中一・六	坪皇之巽
M722	曾侯乙編鐘中一・六	濁坪皇之鴃
M723	曾侯乙編鐘中一・七	濁坪皇之商
M723	曾侯乙編鐘中一・七	濁坪皇之少商
M724	曾侯乙編鐘中一・八	坪皇之冬
M724	曾侯乙編鐘中一・八	濁坪皇之宮
M724	曾侯乙編鐘中一・八	濁坪皇之巽
M725	曾侯乙編鐘中一・九	坪皇之喜
M726	曾侯乙編鐘中一・十	坪皇之商
M726	曾侯乙編鐘中一・十	濁坪皇之冬
M727	曾侯乙編鐘中一・十一	坪皇之宮
M727	曾侯乙編鐘中一・十一	濁坪皇之下角
M730	曾侯乙編鐘中二・三	曾侯乙乍時，少商，羽曾，坪皇之巽反，
M730	曾侯乙編鐘中二・三	濁坪皇之鴃
M731	曾侯乙編鐘中二・四	坪皇之冬反
M732	曾侯乙編鐘中二・五	坪皇之少商
M733	曾侯乙編鐘中二・六	坪皇之巽
M733	曾侯乙編鐘中二・六	濁坪皇之鴃
M734	曾侯乙編鐘中二・七	濁坪皇之商
M734	曾侯乙編鐘中二・七	濁坪皇之少商
M735	曾侯乙編鐘中二・八	坪皇之冬
M735	曾侯乙編鐘中二・八	濁坪皇之宮
M735	曾侯乙編鐘中二・八	濁坪皇之巽
M736	曾侯乙編鐘中二・九	坪皇之喜
M737	曾侯乙編鐘中二・十	坪皇之商
M737	曾侯乙編鐘中二・十	濁坪皇之冬
M739	曾侯乙編鐘中二・十二	坪皇之宮
M739	曾侯乙編鐘中二・十二	濁坪皇之下角
M740	曾侯乙編鐘中三・一	坪皇之冬
M743	曾侯乙編鐘中三・四	坪皇之徵曾

M745	曾侯乙編鐘中三・六	為坪皇之羽顧下角
M746	曾侯乙編鐘中三・七	妥賓之才楚號為坪皇
M747	曾侯乙編鐘中三・八	為坪皇變商
M748	曾侯乙編鐘中三・九	為坪皇徵角
M749	曾侯乙編鐘中三・十	坪皇之羽
		小計：共 69 筆

均 2166

7125	蔡侯𨞪紐鐘一	定均庶邦
7125	蔡侯𨞪紐鐘一	均子大夫
7126	蔡侯𨞪紐鐘二	定均庶邦
7126	蔡侯𨞪紐鐘二	均子大夫
7132	蔡侯𨞪紐鐘八	定均庶邦
7132	蔡侯𨞪紐鐘八	均子大夫
7133	蔡侯𨞪紐鐘九	定均庶邦
7133	蔡侯𨞪紐鐘九	均子大夫
7134	蔡侯𨞪甬鐘	定均庶邦
7134	蔡侯𨞪甬鐘	均子大夫
7205	蔡侯𨞪編鎛一	定均庶邦
7205	蔡侯𨞪編鎛一	均子大夫
7206	蔡侯𨞪編鎛二	定均庶邦
7206	蔡侯𨞪編鎛二	均子大夫
7207	蔡侯𨞪編鎛三	定均庶邦
7207	蔡侯𨞪編鎛三	均子大夫
7208	蔡侯𨞪編鎛四	定均庶邦
7208	蔡侯𨞪編鎛四	均子大夫
		小計：共 18 筆

賸 2167

1134	敶侯鼎	敶侯乍朕媯四母賸（ 賸 ）鼎
1476	鼄白乍朕鬲	鼄白乍賸（ 賸 ）鬲
2935	鑄侯乍弔姬寺賸匿	鑄侯乍弔姬寺賸（ 賸 ）匿
2961	敶侯乍賸匿一	敶侯乍王中媯𢑀賸（ 賸 ）匿
2962	敶侯乍賸匿二	敶侯乍王中媯𢑀賸（ 賸 ）匿
6750	白侯父盤	白侯父賸弔媯㝨母槃（ 盤 ）
6770	齊白盤	齊白賸（ 賸 ）贏尹母
J3547	曹公賸孟姬悆母盤	（ 拓本未見 ）
6860	敶白元匜	陳白vm之子白元乍西孟媯婤母賸匜
6871	敶子匜	陳子子乍庠孟媯穀母賸匜
		小計：共 10 筆

基 2168

7051	子璋鐘一	其眉壽無基
7052	子璋鐘二	其眉壽無基

7053	子璋鐘三	其贙壽無基
7054	子璋鐘四	其贙壽無基
7055	子璋鐘五	其贙壽無基
7056	子璋鐘六	其贙壽無基
7057	子璋鐘八	其贙壽無基

小計：共 7 筆

垣 2169

7975	中山王墓兆域圖	閔、內宮垣
7975	中山王墓兆域圖	內宮垣
7975	中山王墓兆域圖	內宮垣
7975	中山王墓兆域圖	內宮垣
7975	中山王墓兆域圖	內宮垣
7975	中山王墓兆域圖	內宮垣
7975	中山王墓兆域圖	閔、中宮垣
7975	中山王墓兆域圖	中宮垣
7975	中山王墓兆域圖	中宮垣
7975	中山王墓兆域圖	中宮垣
7975	中山王墓兆域圖	中宮垣
7975	中山王墓兆域圖	中宮垣
7975	中山王墓兆域圖	中宮垣

小計：共 13 筆

堵 2170

1215	麥鼎	用鄉多堵(諸)友
7084	邾公牼鐘一	鑄辝龢鐘二堵
7085	邾公牼鐘二	鑄辝龢鐘二堵
7086	邾公牼鐘三	鑄辝龢鐘二堵
7087	邾公牼鐘四	鑄辝龢鐘二堵
7136	郘鐘一	其竈四堵
7137	郘鐘二	其竈四堵
7138	郘鐘三	其竈四堵
7139	郘鐘四	其竈四堵
7140	郘鐘五	其竈四堵
7141	郘鐘六	其竈四堵
7142	郘鐘七	其竈四堵
7143	郘鐘八	其竈四堵
7144	郘鐘九	其竈四堵
7145	郘鐘十	其竈四堵
7146	郘鐘十一	其竈四堵
7147	郘鐘十二	其竈四堵
7148	郘鐘十三	其竈四堵
7149	郘鐘十四	其竈四堵
7186	叔夷編鐘五	處禹之堵
7193	叔夷編鐘十二	處禹之堵
7214	叔夷鎛	處禹之堵

小計：共 22 筆

堂 2171

1285	𢦏方鼎	隹九月既望乙丑、才𡱝（堂、鄿）自
2836	𢦏𣪕	隹六月初吉乙酉、才堂（𡱝）自
7899	鄂君啟車節	屯十台堂一車
7899	鄂君啟車節	廿擔台堂一車
7975	中山王墓兆域圖	兩堂間八十七乇（尺）
7975	中山王墓兆域圖	□堂□□□乇（尺）
7975	中山王墓兆域圖	兩堂間百乇（尺）
7975	中山王墓兆域圖	王后堂方二百乇
7975	中山王墓兆域圖	兩堂間百乇（尺）
7975	中山王墓兆域圖	王堂方二百乇
7975	中山王墓兆域圖	兩堂間八十乇（尺）
7975	中山王墓兆域圖	夫人堂方百五十乇

小計：共 12 筆

在 2172 0972才字重見

0961	乙未鼎	乙未王賞貝始□□□在𥃤
1219	戍嗣子鼎	在闌宰
1251	中先鼎一	王应在□□□山
1252	中先鼎二	王应在□□□山
1326	多友鼎	丁酉、武公在獻宮
1328	盂鼎	在珷王嗣玟乍邦
1328	盂鼎	在雩御事
1331	中山王礜鼎	于𢦔（在）𠭯邦
1332	毛公鼎	死（尸）母（毋）童（動）余一人在立（位）
1332	毛公鼎	女母（毋）敢豕在乃福
1668	中甗	𤔲应在𠀠（曾）
1668	中甗	在𦒱自𩚨(次)
2641	伯䞵𧇡𣪕一	畯在立
2642	伯䞵𧇡𣪕二	畯在立
2777	天亡𣪕	文王□在上
2784	申𣪕	王在周康宮
4846	𥟖尊	王在魯
4859	戍箙啟尊	iG山谷才（在）㵒水上
5507	乍冊𩲃卣	公大史在豐
5509	𤼈卣	唯還在周
5781	曾姬無卹壺一	職在王室
5782	曾姬無卹壺二	職在王室
5784	𣏟氏壺	𤐫在我車
5805	中山王礜方壺	使得賢在良佐賈
5805	中山王礜方壺	賈顧從在｛大夫｝
7135	逆鐘	弔氏在大廟
M252	免簠	王在周
M423.	趞鼎	王在周康卲宮

小計：共 28 筆

坒 2173

J1256	王乍臣坒𣪕	王乍臣𩏂(坒)彝
4239	天黿坒乍父癸角	甲寅、子易坒貝
5448	坒卣	子易𩏂(坒)用乍父癸尊彝[天黽]

小計：共 3 筆

封 2174 0981丰字重見

1331	中山王譽鼎	闢啟封彊
2800	伊𣪕	王乎命尹封冊命伊
2802	六年召白虎𣪕	余典勿敢封
4314.	封父庚斝	[封]父庚
4328	封父庚斝	[封]父庚
4488	__方尊	[夘封]
4896	__方觥	[夘封]
4934	夘封方彝	[夘封]
5104.	田封卣	[田封]
5805	中山王譽方壺	刃闢封彊
6409	且乙封觶	且乙[封]
6772	魯少司寇封孫宅盤	魯少𤔲寇封孫宅乍其子孟姬嬰朕般也(匜)
6793	矢人盤	一封
6793	矢人盤	以陟、二封
6793	矢人盤	封于__城桂木
6793	矢人盤	封于芻逨
6793	矢人盤	封于芻道
6793	矢人盤	封剳桁、𨻰陵、剛桁
6793	矢人盤	封于單道、封于原道、封于周道
6793	矢人盤	以東封于mk東彊右
6793	矢人盤	還、封于履道
6793	矢人盤	以南封于qx逨道
6793	矢人盤	自根木道左至于井邑封
6793	矢人盤	道以東、一封
6793	矢人盤	還、以西一封
6793	矢人盤	陟剛、三封
6793	矢人盤	降以南封于同道
6793	矢人盤	降棫、二封

小計：共 28 筆

型 2175

1331	中山王譽鼎	考宅隹型
1331	中山王譽鼎	天其有型
1332	毛公鼎	女母(毋)弗帥用先王乍明井(型)
5803	𠑹嗣好盗壺	大去型(刑)罰

2833	秦公毁	才帝之坏
5503	競卣	正月既生霸辛丑、才坏
		小計：共　3 筆

堋 2181

7219	冉鉦鋮（南疆征）	萬枼之外子子孫孫□堋作台□□
		小計：共　1 筆

墜 2182

2834	㝬毁	墜于四方
5803	胤嗣好蚉壺	敬命新墜（地）
7571	八年奠令戈	八年奠命＿幽司寇史墜右庫工帀易高冶尹＿□
		小計：共　3 筆

圭 2183

1326	多友鼎	易女圭璹一湯
1332	毛公鼎	易女䰜鬯一卣、鄭（祼）圭璹（瓚？）寶
2801	五年召白虎毁	琱生則堇圭
2837	敔毁一	吏尹氏受楚敔圭璹
2856	師訇毁	易女䰜鬯一卣、圭璹
4977	師遽方彝	王乎宰利易師遽瑚圭一、環章四
		小計：共　6 筆

圣 2184

6660	但□圣勺一	但□圣陳共為之
6661	但□圣勺二	但□圣陳共為之
6776	楚王酓忓盤	剛帀紹圣差陳共為之
6887	掷陵君王子申鑑	冢十＿四＿圣朱
6887	掷陵君王子申鑑	＿襄、冢三朱二圣朱四□（盤外底）
		小計：共　5 筆

坂 2185

M712	曾侯乙編鐘下二・五	其坂（反）為宣鐘
		小計：共　1 筆

呈 2186

3095	拍乍祀彝（蓋）	㡭（繼）毋呈

小計：共 1 筆

曌 2187

1242	曌方鼎	公賞曌貝百朋
1454	曌肇家鬲	曌肇家鑄乍鬲
3090	曌盨（器）	曌
3090	曌盨（器）	曌拜韻首

小計：共 4 筆

蟲 2188

1323	師訊鼎	白亦克豩古先且蟲孫子一䵼皇辟懿德
6523	子癸蟲觶	［子］癸［蟲］

小計：共 2 筆

堯 2188+

4436	堯盉	堯敢乍姜盉
4436	堯盉	用楚匋（保）眔叔堯
5638	才乍壺	堯乍壺
6734	才盤	堯敢乍姜盤
6734	才盤	用萬年用楚保眔弔堯

小計：共 5 筆

堇 2189

0768	堇白乍䵼鼎	堇白乍旅尊彝
0890	堇臨乍父乙鼎	堇臨乍父乙寶尊彝
0891	堇臨乍父乙方鼎	堇臨乍父乙寶尊彝
1089	女䜌方鼎	女䜌堇于王
1191	堇乍大子癸鼎	匽侯令堇飴大保于宗周
1191	堇乍大子癸鼎	庚申、大保賞堇貝
1317	善夫山鼎	反入堇章
1319	頌鼎一	反、入堇章
1320	頌鼎二	反、入堇章
1321	頌鼎三	反、入堇章
1332	毛公鼎	Jq堇大命
J750	蒖鼎	（拓本未見）
J797	帥鼎	帥仕懋兄念王母堇匄
2250	八五一／堇白乍旅毁	堇白乍旅尊彝［八五一］
2287	堇臨乍父乙毁	堇臨乍父乙寶尊彝
2452	女䜌毁	母䜌堇干王、癸日
2735	㕟敖毁	㕟敖堇用囗弔于吏孟
2801	五年召白虎毁	琱生則堇圭
2844	頌毁一	反、入堇章
2845	頌毁二	反、入堇章

2845	頌𣪘二	反、入堇章
2846	頌𣪘三	反、入堇章
2847	頌𣪘四	反、入堇章
2848	頌𣪘五	反、入堇章
2849	頌𣪘六	反、入堇章
2850	頌𣪘七	反、入堇章
2851	頌𣪘八	反、入堇章
2856	師訇𣪘	堇大令
2955	齊陳__𠤳一	肇勤(堇)經德
2956	齊陳曼𠤳二	肇勤(堇)經德
3085	駒父旅盨(蓋)	堇夷俗
4449	裘衛盉	矩白庶人取堇(瑾)章于裘衛
5489	戉箙啟卣	啟從征、堇(謹)不夒
5494	獎𡨦乍母辛卣	乙巳、子令{ 小子 }先以人于堇
5799	頌壺一	反入堇章
5800	頌壺二	反入堇章
5801	洹子孟姜壺一	堇(瑾)nz(寰)無用從爾大樂
5802	洹子孟姜壺二	堇(瑾)nz(寰)無用從爾大樂
6863	白君黃生匜	唯有白君堇生自乍它
7176	𤔲鐘	王肇遹省文武堇疆土
7186	叔夷編鐘五	堇勞其政事
7193	叔夷編鐘十二	堇勞其政事
7214	叔夷鎛	堇勞其政事

小計：共 43 筆

艱 2190

1332	毛公鼎	圂湛于艱
1332	毛公鼎	俗(欲)女弗目乃辟圅于艱
2852	不㠱𣪘一	女休、弗目我車圅(陷)于艱
2853	不㠱𣪘一	女休、弗目我車圅(陷)于艱
2856	師訇𣪘	欲女弗以乃辟圅于艱
7184	叔夷編鐘三	女專余于艱卹
7192	叔夷編鐘十一	女專余于艱卹
7214	叔夷鎛	女專余于艱卹

小計：共 8 筆

里 2191

0637	今永里者鼎	今永里者
0727	三斗鼎	__里三斗料鼎
1281	史頌鼎一	灋友里君、百生
1282	史頌鼎二	灋友里君、百生
1308	白晨鼎	亘表、里幽、攸勒、旅五旅
1322	九年裘衛鼎	迺舍裘衛林孴里
1322	九年裘衛鼎	付裘衛林孴里
1331	中山王嚳鼎	方𠷎(數)百里
2743	䚄𣪘	命女𤔲(辭)成周里人

里
釐

2752	史頌毁一	11穌潿友里君百生
2753	史頌毁二	11穌潿友里君百生
2754	史頌毁三	11穌潿友里君百生
2755	史頌毁四	11穌潿友里君百生
2756	史頌毁五	11穌潿友里君百生
2757	史頌毁六	11穌潿友里君百生
2758	史頌毁七	11穌潿友里君百生
2759	史頌毁八	11穌潿友里君百生
2759	史頌毁九	11穌潿友里君百生
2812	大毁一	易趣睽里
2812	大毁一	余既易大乃里
2812	大毁一	豖目睽履大易里
2813	大毁二	易趣睽里
2813	大毁二	余既易大乃里
2813	大毁二	豖目睽履大易里
4893	矢令尊	眔里君
4981	𠭯冊令方彝	眔里君、眔百工
5493	召乍__宮旅卣	賞畢土方五十里
5803	胤嗣好蚉壺	枋（方）䜌（數）百里
7445	平陽高馬里戈	平陽高馬里戈
7446	成陽辛城里戈	成陽辛城里戈
7875	右里啟鉌一	右里啟盌__
7876	右里啟鉌二	右里啟__
7881	白君權	白君西里__右

小計：共 33 筆

釐 2192

0706	釐乍寶鼎	釐乍寶盤鼎
1159	辛鼎一	剌多友釐辛
1160	辛鼎二	剌多友釐辛
1262	㝐鼎	用乍朕文考釐弔尊鼎
1280	康鼎	用乍朕文考釐白寶尊鼎
1291	善夫克鼎一	克乍朕皇且釐季寶宗彝
1292	善夫克鼎二	克乍朕皇且釐季寶宗彝
1293	善夫克鼎三	克乍朕皇且釐季寶宗彝
1294	善夫克鼎四	克乍朕皇且釐季寶宗彝
1295	善夫克鼎五	克乍朕皇且釐季寶宗彝
1296	善夫克鼎六	克乍朕皇且釐季寶宗彝
1297	善夫克鼎七	克乍朕皇且釐季寶宗彝
1299	噩侯鼎一	敢____天子不顯休釐
1327	克鼎	易釐無彊
1527	釐先父鬲	釐先父乍姜姬尊鬲
2210	屖乍釐白寶毁	屖乍釐白寶毁
2698	陳肪毁	釐弔和子
2739	無曩毁一	無（鄦）曩用乍朕皇且釐季尊毁

2740	無㠱殷二	無（鄦）㠱用乍朕皇且釐季尊殷
2741	無㠱殷三	無（鄦）㠱用乍朕皇且釐季尊殷
2742	無㠱殷四	無（鄦）㠱用乍朕皇且釐季尊殷
2742.1	無㠱殷	無（鄦）㠱用乍朕皇且釐季尊殷
2763	弔向父禹殷	降余多福緐釐
2791	豆閉殷	用乍朕文考釐弔寶殷
2791.	史密殷	率族人、釐白、僰、屆
2803	師酉殷一	公族琱釐入
2804	師酉殷二	公族琱釐入
2804	師酉殷二	公族琱釐入
2805	師酉殷三	公族琱釐入
2806	師酉殷四	公族琱釐入
2806.	師酉殷五	公族琱釐入
2816	彔白㦰殷	用乍朕皇考釐王寶尊殷
2833	秦公殷	㠯受屯魯多釐
2838	師嫠殷一	釐叔市巩（恐）告于王
2839	師嫠殷二	釐叔市巩（恐）告于王
2855	班殷一	受京宗懿釐
2855.	班殷二	受京宗懿釐
4855	弔爽父乍釐白尊	弔爽父乍文考釐白尊彝
5509	僰卣	釐尹易臣
5695	內白攸乍釐公壺	內白攸乍釐公尊彝
5798	曶壺	用乍朕文考釐公尊壺
5804	齊侯壺	齊三軍圍釐
6785	守宮盤	守宮對揚周師釐
6792	史墻盤	緐猶（髮）多釐
7023	虘鐘三	用乍朕文考釐白龢䔲鐘
7112	者減鐘一	用祈釁壽緐釐
7113	者減鐘二	用祈釁壽緐釐
7174	秦公鐘	屯魯多釐
7178	秦公及王姬編鐘二	屯魯多釐
7183	叔夷編鐘二	余易女釐都____
7183	叔夷編鐘二	余命女辝釐𨛫
7185	叔夷編鐘四	釐僕三百又五十家
7191	叔夷編鐘十	余易女釐都__
7209	秦公及王姬鎛	屯魯多釐
7210	秦公及王姬鎛二	屯魯多釐
7211	秦公及王姬鎛三	屯魯多釐
7212	秦公鎛	以受屯魯多釐
7214	叔夷鎛	余易女釐都____
7214	叔夷鎛	余命女辝釐𨛫
7214	叔夷鎛	釐僕三百又五十家
M299	白大師釐盨	白大師釐乍旅盨

小計：共　61 筆

埜野　2193

1231	楚王酓忓鼎一	剛工師盤野佐秦忓為之
1232	楚王酓忓鼎二	剛工師盤野佐秦忓為之

野埜田

1327	克鼎	易女田于埜
6659	但盤勺一	但盤埜(野)桼忑為之
6662	但盤勺	但盤野桼忑為之
7500	邗王是埜戈	邗王是野乍為元用
7654	十二年邦司寇野矛	十二年邦司寇野□

小計：共 7 筆

田 2194

0282	告田鼎	[告田]
0418	田父辛方鼎	[田]父辛
0767	田告乍母辛方鼎	田告乍母辛尊
0811	田農鼎	田農乍寶尊彝
1028	央_鼎	央_姬昌乍孟田用___鼎
1029	𤔲乍且乙鼎	用乍且乙尊[田告亞]
1206	旟鼎	王姜易旟田三于待劋
1210	𥦓_鼎	庚午王命𥦓_省北田四品
1262	㝔鼎	趞中令㝔𣪘嗣鄭田
1288	令鼎一	王大耤農于諆田
1288	令鼎一	王歸自諆田
1289	令鼎二	王大耤農于諆田、餳
1289	令鼎二	王歸自諆田
1310	鬲攸從鼎	曰：女受我田、牧
1310	鬲攸從鼎	其且射、分田邑
1325	五祀衛鼎	逆榮(營)二川、曰：余舍女田五田
1325	五祀衛鼎	女寀賈田不
1325	五祀衛鼎	余審賈田五田
1325	五祀衛鼎	帥履裘衛厲田四田
1325	五祀衛鼎	氒逆彊眔厲田
1325	五祀衛鼎	氒東彊眔散田
1325	五祀衛鼎	氒南彊眔散田
1325	五祀衛鼎	眔政父田
1325	五祀衛鼎	氒西彊眔厲田
1325	五祀衛鼎	邦君厲眔付裘衛田
1326	多友鼎	易女土田
1327	克鼎	易女田于埜
1327	克鼎	易女田于渒
1327	克鼎	易女井家r5田于𣪘
1327	克鼎	易女田于康
1327	克鼎	易女于田于匽
1327	克鼎	易女田于陴原
1327	克鼎	易女田于寒山
1328	盂鼎	隹殷邊侯田雩殷正百辟
1329	小字盂鼎	□白告咸盂目□侯眔侯田□□□□盂征
1330	曶鼎	曰、弋尚卑處氒邑、田氒田
1330	曶鼎	用五田、用眔一夫曰嗌
1330	曶鼎	迺或即曶(曶)用田二
1330	曶鼎	凡用即曶(曶)田七田、人五夫

1626	田農甗	田農乍寶尊彝
1850	田父甲段	[田]父甲
1998	田告父丁段	[田告]父丁
2221	田農乍寶段	田農乍寶尊彝
2288	闌田乍父己段	田乍父己寶尊彝[品]
2335	告田乍且乙黼侯弔尊段	乍且乙黼侯弔尊彝[告田]
2518	白田父段	白田父乍井r1寶段
2770	㦸段	官嗣耤田
2778	格白段一	氒賈卅田
2778	格白段一	鑄保段、用典格白田
2778	格白段一	氒賈卅田
2778	格白段一	鑄保段、用典格白田
2779	格白段二	氒賈卅田
2779	格白段二	鑄保段、用典格白田
2780	格白段三	氒賈卅田
2780	格白段三	鑄保段、用典格白田
2781	格白段四	氒賈卅田
2781	格白段四	鑄保段、用典格白田
2782	格白段五	氒賈卅田
2782	格白段五	鑄保段、用典格白田
2782.	格白段六	氒賈卅田
2782.	格白段六	鑄保段、用典格白田
2801	五年召白虎段	余老止公僕庸土田多諫
2810	揚段一	官司𥎦田甸、眔司应
2811	揚段二	官司𥎦田甸、眔司应
2837	敔段一	易田于敜五十田、于早五十田
2842	卯段	易于乍一田
2842	卯段	易于nn一田
2842	卯段	易于隊一田
2842	卯段	易于䣢一田
2852	不嬰段一	臣五家、田十田
2853	不嬰段二	臣五家、田十田
3086	善夫克旅盨	王令尹氏友、史趛典善夫克田人
3087	鬲从盨	才永師田宮
3087	鬲从盨	𦣻氒jo夫tu鬲比田
3087	鬲从盨	复友鬲比其田
3087	鬲从盨	其邑复＿言二邑。畀鬲比复氒小宮tu鬲比田
3087	鬲从盨	復限余鬲比田
3087	鬲从盨	凡復友復友鬲比田十又三邑
3278	田爵	[田]
3761	田父甲爵	[田]父甲
3879	田父己爵	[田]父己
4285	宎田斝	[宎田]
4310	田父甲斝	[田]父甲
4321	氒田干斝	[氒田干]
4449	裘衛盉	氒賈(價)其舍田十田
4449	裘衛盉	其舍田三田
4449	裘衛盉	嗣馬單旅、司工邑人服眔受田燹趞
4828	＿㚔乍父丁尊一	王占攸田㲋乍父丁尊[qw]
4829	＿㚔乍父丁尊二	王占攸田㲋乍父丁尊[qw]

	4829	__㚔乍父丁尊二	王占攸田㹅乍父丁尊[qw]
	4869	次尊	公姞令次嗣田人
	4893	矢令尊	眔者侯、侯、田、男
田	4981	鳥冊令方彝	眔者侯：侯、田、男
畮	5117	田父甲卣	[田]父甲
	5207	力田舌卣	[力田舌]
	5221	田告父乙卣	[田告]父乙
	5319	__父乙母告田卣	[亞㠱]父乙、[鳥]父乙母[告田]
	5447	王占卣	王占攸田㹅
	5478	次卣	公姞令次嗣田人
	5491	亞獏二祀𠨘其卣	丙辰、王令𠨘其兄wG于夆田
	5497	農卣	母又田
	5506	小臣傳卣	令師田父殷成周年
	5506	小臣傳卣	師田父令小臣傳非余傳□朕考kz
	5506	小臣傳卣	師田父令□□余官
	5533	田告罍	[田告]
	5540	田父甲罍	[田]父甲
	5577	__㚔乍父丁罍	王占攸田㹅乍父丁尊[qw]
	5597	次䣉	公姞令次嗣田
	5803	𤔲嗣好蚉壺	茅蒐田獵
	6390	告田觶二	[告田]
	6391	告田觶一	[告田]
	6561	告田父丁觶	[告田]父丁
	6793	矢人盤	迺即散用田履
	6793	矢人盤	履井邑田
	6793	矢人盤	矢人有嗣履田
	6793	矢人盤	矢舍散田
	6793	矢人盤	散人小子履田戎
	6793	矢人盤	我既付散氏田器
	6793	矢人盤	我既付散氏溼(隰)田、畛田
	6910	師永盂	易畀師永氒田
	6910	師永盂	眔師俗父田
	6910	師永盂	付永氒田
	7253	田戈一	[田]
	7254	田戈二	[田]
	7401	𨛜之田戈	𨛜之田戈
	7405	___戈	__弋田__
	7566	十三年相邦義戈	咸陽工師田公大人耆工□
	7721	__劍	自之田
			小計：共　128 筆
畮	2195		
	2635	賢𣪘一	公命吏畮
	2635	賢𣪘一	賢百畮、𩜁
	2636	賢𣪘二	公命吏畮
	2636	賢𣪘二	賢百畮、𩜁
	2637	賢𣪘三	公命吏畮
	2637	賢𣪘三	賢百畮、𩜁

2638	賢毁四	公命吏晦
2638	賢毁四	賢百晦、𩜦
6791	兮甲盤	淮夷舊我貟晦人

小計：共 9 筆

甸 2196

2778	格白毁一	𩁹妊彶佗𠂤從格白安彶甸
2778	格白毁一	𩁹妊彶佗𠂤從格白安彶甸
2780	格白毁三	𩁹妊彶佗𠂤從格白安彶甸
2781	格白毁四	𩁹妊彶佗𠂤從格白安彶甸
2782	格白毁五	𩁹妊彶佗𠂤從格白安彶甸
2782.	格白毁六	𩁹妊彶佗𠂤從格白安彶甸
2810	揚毁一	官司量田甸、眔司应
2811	揚毁二	官司量田甸、眔司应
7657	九年鄭令向甸矛	九年奠命向甸司寇□商

小計：共 9 筆

當 2197

7722	吳王光劍	台當戒人
7899	鄂君啟車節	屯十台堂（當）一車

小計：共 2 筆

畯 2198

1312	此鼎一	畯（允）臣天子需冬
1313	此鼎二	畯（允）臣天子需冬
1314	此鼎三	畯（允）臣天子需冬
1318	晉姜鼎	畯（允）保其孫子
1319	頌鼎一	畯（允）臣天子、需冬
1320	頌鼎二	畯（允）臣天子、需冬
1321	頌鼎三	畯（允）臣天子、需冬
1327	克鼎	畯（允）尹四方
1328	盂鼎	畯（允）正𠂤民
2641	伯椃虘毁一	畯在立
2642	伯椃虘毁二	畯在立
2746	追毁一	畯（允）臣天子需冬
2747	追毁二	畯（允）臣天子需冬
2748	追毁三	畯（允）臣天子需冬
2749	追毁四	畯（允）臣天子需冬
2750	追毁五	畯（允）臣天子需冬
2751	追毁六	畯（允）臣天子需冬
6792	史墙盤	達殷畯民
7116	南宮乎鐘	畯永保四方、配皇天
7174	秦公鐘	秦公其畯𩁹才立
7176	㝬鐘	畯保四或

7178	秦公及王姬編鐘二	秦公其畯紷才立
7209	秦公及王姬鎛	秦公其畯紷才立
7210	秦公及王姬鎛二	秦公其畯紷才立
7211	秦公及王姬鎛三	秦公其畯紷才立
7212	秦公鎛	畯疐才立高引又慶
		小計：共　26 筆

畂　2198

2644.	伯椃虘毀	畂□立
2792	師俞毀	畂才位
2818	此毀一	畂臣天子靁冬
2819	此毀二	畂臣天子靁冬
2820	此毀三	畂臣天子靁冬
2821	此毀四	畂臣天子靁冬
2822	此毀五	畂臣天子靁冬
2823	此毀六	畂臣天子靁冬
2824	此毀七	畂臣天子靁冬
2825	此毀八	畂臣天子靁冬
2833	秦公毀	畂疐才天
2834	㝬毀	畂才立、乍疐才下
2844	頌毀一	畂臣天子靁冬
2845	頌毀二	畂臣天子靁冬
2845	頌毀二	畂臣天子靁冬
2846	頌毀三	畂臣天子靁冬
2847	頌毀四	畂臣天子靁冬
2848	頌毀五	畂臣天子靁冬
2849	頌毀六	畂臣天子靁冬
2850	頌毀七	畂臣天子靁冬
2851	頌毀八	畂臣天子靁冬
3075	白汈其旅盨一	畂臣天子、萬年唯極
3076	白汈其旅盨二	畂臣天子、萬年唯極
3086	善夫克旅盨	畂臣天子
5799	頌壺一	畂臣子靁冬
5800	頌壺二	畂臣子靁冬
		小計：共　26 筆

留　2199

6971	留鐘	留為弔鑴禾鐘
M423.	趞鼎	史留受王令書
		小計：共　2 筆

畜　2200

2833	秦公毀	咸畜胤士
5825	䜌書缶	余畜孫書巳羼其吉金

6925	晉邦盦	余咸畜胤士
7174	秦公鐘	咸畜左右
7177	秦公及王姬編鐘一	咸畜左右
7209	秦公及王姬鎛	咸畜左右
7210	秦公及王姬鎛二	咸畜左右
7211	秦公及王姬鎛三	咸畜左右
7212	秦公鎛	咸畜百辟胤士
		小計：共 9 筆

留 2201

2980	龜大宰鍾匿一	龜大宰欉子留鑄其鍾匿
2981	龜大宰鍾匿二	龜大宰欉子留鑄其鍾匿
3122	__君之孫盧(者旨留盤)	n8君之孫郐命尹者旨留
6754.	徐令尹者旨留爐盤	n8君之孫郐令尹者旨留羼其吉金
6990	留篙鐘	隹留篙屈栾
		小計：共 5 筆

畱 2202

6793	夨人盤	我既付散氏溼(隰)田，畱田
		小計：共 1 筆

䂮 2203

6792	史墻盤	農嗇戉䂮
		小計：共 1 筆

劉䣆 2204

4410	䣆父盉	䣆父乍寶彝
4424	白䣆乍旅盉	白䣆乍母rd旅盉
4864	乍冊劉尊	劉易公休
4974	__方彝	用劉文考剌
5474	劉卣	公易乍冊劉鬯、貝
5474	劉卣	劉易公休
5474	劉卣	公易乍冊劉鬯、貝
5474	劉卣	劉易公休
6699	劉父盤	劉父乍寶尊彝
		小計：共 9 筆

畕 2205

1120	深白鼎	其萬年無畕(疆)

小計：共 1 筆

畺 2206 金文作畺，經典作疆

1120	㝬白鼎	其萬年無疆
1126	弔夜鼎	用旂饗壽無疆
1245	仲師父鼎一	用易饗壽無疆
1246	仲師父鼎二	用易饗壽無疆
1283	微䜌鼎	其萬年無疆
1665	王孫壽甗甗	其饗壽無疆、萬年無諆（期）
3058	曼龏父盨一	其萬年無疆子子孫孫永寶用
3064	曩白子窋父征盨一	割饗壽無疆、慶其以臧
3064	曩白子窋父征盨一	割饗壽無疆、慶其以臧
3065	曩白子窋父征盨二	割饗壽無疆、慶其以臧
3065	曩白子窋父征盨二	割饗壽無疆、慶其以臧
3066	曩白子窋父征盨三	割饗壽無疆、慶其以臧
3066	曩白子窋父征盨三	割饗壽無疆、慶其以臧
3067	曩白子窋父征盨四	割饗壽無疆、慶其以臧
3067	曩白子窋父征盨四	割饗壽無疆、慶其以臧
4807	王子啟疆尊	王子啟疆自乍酉彝
5803	𢼸嗣好蚉壺	竹oz亡疆
6746	齊侯乍孟姬盤	其萬年饗壽無疆
6751	䢅白𩊚盤	其萬年疆無
6755	毛叔盤	其萬年饗壽無疆
6991	眉壽鐘一	年無疆
6992	眉壽鐘二	年無疆
7007	梁其鐘	其萬年無疆
7016	楚王鐘	其饗壽無疆
7157	邾公華鐘一	其萬年無疆
7176	㝬鐘	王肇遹省文武堇疆土
7212	秦公鎛	饗壽無疆
7218	邻諧尹征城	饗壽無疆
7219	冉鉦鋮（南疆征）	余處此南疆

小計：共 29 筆

黄 2207

1075	黄季乍季嬴鼎	黄季乍季嬴寶鼎
1154	黄孫子𫑞君弔單鼎	唯黄孫子𫑞君弔單自乍鼎
1230	師器父鼎	用旂饗壽黄句（耇）吉康
1272	剌鼎	用乍黄公尊䵼彝
1274	哀成弔鼎	乍鑄飤器黄鑊
1277	七年趞曹鼎	易趞曹載市、冋黄、䜌
1280	康鼎	令女幽黄、鋚革
1300	南宮柳鼎	易女赤市、幽黄、攸勒
1305	師奎父鼎	易載市冋黄、玄衣黹屯、戈琱䣓、旂
1305	師奎父鼎	用匄饗壽黄耇吉康
1309	寰鼎	易寰玄衣、黹屯、赤市、朱黄、䜌旂、攸勒、
1312	此鼎一	易女玄衣黹屯、赤市朱黄、䜌旂

1313	此鼎二	易女玄衣黹屯、赤市、朱黃、鑾旂
1314	此鼎三	易女玄衣黹屯、赤市、朱黃、鑾旂
1317	善夫山鼎	易女玄衣黹屯、赤市朱黃、鑾旂
1319	頌鼎一	易女玄衣黹屯、赤市朱黃、鑾旂攸勒、用事
1320	頌鼎二	易女玄衣黹屯、赤市朱黃、鑾旂攸勒、用事
1321	頌鼎三	易女玄衣黹屯、赤市朱黃、鑾旂攸勒、用事
1323	師訊鼎	易女玄袞䘸屯、赤市朱黃、鑾旂、大師金雁
1332	毛公鼎	朱市悤黃、玉環、玉琭
1444	黃虎㭉鬲	唯黃虎㭉用吉金乍鬲
2290	＿黃乍父癸𣪘	[dw]黃乍父癸寶尊彝戈
2604	黃君𣪘	黃君乍季嬴vz媵𣪘
2604	黃君𣪘	用易釁壽黃耇萬年
2625	曾白文𣪘	用易釁壽黃耇
2673	口弔買𣪘	用易黃耇釁壽
2683	白家父𣪘	用易害(丐)釁壽黃耇
2721	㒼𣪘	自黃賓㒼章(璋)一、馬兩
2732	曾仲大父蝕𣪘	用易釁壽黃耇霝冬
2773	即𣪘	王乎命女赤市朱黃
2775	裘衛𣪘	王乎內史易衛䵼市、朱黃、䜌
2775.	害𣪘一	朱黃
2775.	害𣪘二	易女桒、朱黃
2784	申𣪘	賜女赤市縈黃
2785	王臣𣪘	易女朱黃、桒親
2786	縣妃𣪘	黃𠛬
2792	師俞𣪘	易赤市、朱黃、旂
2792	師俞𣪘	天子其萬年釁壽黃耇
2793	元年師旋𣪘一	易女赤市冋黃、麗般(鞶)
2794	元年師旋𣪘二	易女赤市冋黃、麗般(鞶)
2795	元年師旋𣪘三	易女赤市冋黃、麗般(鞶)
2797	輔師嫠𣪘	易女韋市素黃、鑾旂
2797	輔師嫠𣪘	赤市朱黃、戈彤沙琱㦰
2800	伊𣪘	易女赤市幽黃
2803	師酉𣪘一	新易女赤市朱黃中絅、攸勒
2804	師酉𣪘二	新易女赤市朱黃中絅、攸勒
2804	師酉𣪘二	新易女赤市朱黃中絅、攸勒
2805	師酉𣪘三	新易女赤市朱黃中絅、攸勒
2806	師酉𣪘四	新易女赤市朱黃中絅、攸勒
2806.	師酉𣪘五	新易女赤市朱黃中絅、攸勒
2807	鄎𣪘一	易女赤市冋黃、鑾旂、用吏
2808	鄎𣪘二	易女赤市冋黃、鑾旂、用吏
2809	鄎𣪘三	易女赤市冋黃、鑾旂、用吏
2817	師穎𣪘	易女赤市朱黃、鑾旂攸勒、用事
2818	此𣪘一	赤市朱黃、鑾旂
2819	此𣪘二	赤市朱黃、鑾旂
2820	此𣪘三	赤市朱黃、鑾旂
2821	此𣪘四	赤市朱黃、鑾旂
2822	此𣪘五	赤市朱黃、鑾旂
2823	此𣪘六	赤市朱黃、鑾旂
2824	此𣪘七	赤市朱黃、鑾旂
2825	此𣪘八	赤市朱黃、鑾旂

黃

2831	元年師兌𣪘一	易女乃且巿、五黃、赤舄
2832	元年師兌𣪘二	易女乃且巿、五黃、赤舄
2835	訇𣪘	易女玄衣黹屯、韍巿冋黃
2838	師𣪘一	易女弔巿金黃、赤舄攸勒、用吏
2838	師𣪘一	易女弔巿金黃、赤舄攸勒、用吏
2839	師𣪘二	易女弔巿金黃、赤舄攸勒、用吏
2839	師𣪘二	易女弔巿金黃、赤舄攸勒、用吏
2840	番生𣪘	易朱巿悤黃、鞞鞛、玉睘、玉瑹
2844	頌𣪘一	赤巿朱黃
2845	頌𣪘二	赤巿朱黃
2845	頌𣪘二	赤巿朱黃
2846	頌𣪘三	赤巿朱黃
2847	頌𣪘四	赤巿朱黃
2848	頌𣪘五	赤巿朱黃
2849	頌𣪘六	赤巿朱黃
2850	頌𣪘七	赤巿朱黃
2851	頌𣪘八	赤巿朱黃
2965	曾侯乍弔姬賸器鬻彝	弔姬霝乍黃邦
2983	弭仲簠	其𩜁其幺其黃
2984	伯公父簠	亦幺亦黃
2984	伯公父簠	亦幺亦黃
2986	曾白𥻺旅匿一	余𦋞其吉金黃鑪
2986	曾白𥻺旅匿一	曾白𥻺叚不黃耇萬年
2987	曾白𥻺旅匿二	余𦋞其吉金黃鑪
2987	曾白𥻺旅匿二	曾白𥻺叚不黃耇萬年
3088	師克旅盨一（蓋）	易𩰫鬯一卣、赤巿五黃、赤舄
3089	師克旅盨二	易𩰫鬯一卣、赤巿五黃、赤舄
3100	陳侯因𬯀錞	紹緟高且黃啻
4851	黃尊	黃肇乍文考宋白旅尊彝
4878	召尊	白懋父易召白馬每黃猶（髮）微
4880	免尊	令史懋易免韍巿冋黃
4883	耳尊	侯萬年壽考黃耇
4886	趩尊	易趩戠衣、韍巿冋黃、旂
5496	召卣	每黃髮敚
5500	免卣	令史懋易免韍巿冋黃
5501	臣辰冊冊𡖊卣一	王令士上眔史黃殷于成周
5502	臣辰冊冊𡖊卣二	王令士上眔史黃殷于成周
5759	趙孟壺	禺邗王于黃池
5798	曶壺	赤巿幽黃、赤舄
5799	頌壺一	易女玄衣黹屯、赤巿朱黃
5800	頌壺二	易女玄衣黹屯、赤巿朱黃
5816.	伯亞臣鑘	黃孫馬pr子白亞臣自乍鑘
6766	黃韋艅父盤	黃韋俞父自乍飤器
6780	黃大子白克盤	黃大子白□乍中19□賸盤
6787	走馬休盤	赤巿朱黃
6789	寰盤	赤巿朱黃、䜌旂攸勒
6792	史墻盤	髮彔、黃耇彌生
6829	黃仲匜	黃中自乍賸它
7062	柞鐘	易韍朱黃䜌
7063	柞鐘二	易韍朱黃䜌

7064	柞鐘三	易载朱黃䜌
7065	柞鐘四	易载朱黃䜌
7066	柞鐘五	易载朱黃䜌
7107	曾侯乙甬鐘	妥賓之冬、黃鐘、羽
7511	囗克戈	武克氏楚罷其黃鎦鑄
M423.	趞鼎	赤市朱黃
M706	曾侯乙編鐘下一・二	黃鐘之商角
M711	曾侯乙編鐘下二・四	黃鐘之商角
M712	曾侯乙編鐘下二・五	黃鐘之鍴
M712	曾侯乙編鐘下二・五	為黃鐘徵
M714	曾侯乙編鐘下二・八	黃鐘之徵角
M714	曾侯乙編鐘下二・八	為黃鐘徵曾
M743	曾侯乙編鐘中三・四	為黃鐘鼓
M744	曾侯乙編鐘中三・五	黃鐘之羽角
M747	曾侯乙編鐘中三・八	為黃鐘徵
M749	曾侯乙編鐘中三・十	為黃鐘徵曾
M761	曾侯乙編鐘上二・六	商、羽曾，黃鐘之宮，
		小計：共 129 筆

䵂 2208

2972	弔家父乍仲姬匿	孫子之䵂
		小計：共 1 筆

男 2209

2410	遣小子䩛毀	遣小子䩛㠯其友乍𩰫男王姬䵼彝
2826	師㝨毀一	余用乍朕後男巤尊毀
2826	師㝨毀一	余用乍朕後男巤尊毀
2827	師㝨毀二	余用乍朕後男巤尊毀
2935	奩侯乍弔姬寺男媵匿	奩侯乍弔姬寺男媵匿
3081	翏生旅盨一	其百男百女千孫
3082	翏生旅盨二	其百男百女千孫
3082	翏生旅盨二	其百男百女千孫
3096	齊侯乍孟姜善𦉢	它它熙熙、男女無期
4893	夨令尊	眔者侯、侯、田、男
4981	矗冊令方彝	眔者侯：侯、田、男
6779	齊侯盤	男女無期
6867	弔男父乍為霍姬匜	弔男父乍為霍姬賸旅它
6873	齊侯乍孟姜盥匜	男女無期
6875	慶弔匜	男女無期
7188	叔夷編鐘七	卑百斯男而埶斯字
7189	叔夷編鐘八	斯男而埶斯字
7214	叔夷鎛	卑百斯男而埶斯字
M466	鄦男鼎	鄦男乍成姜䞣母賸尊鼎
		小計：共 19 筆

力 2210

1331	中山王嚳鼎	嘉其力
5207	力田舌卣	[力田舌]
6230	力冊父丁觚	[力冊]父丁
7092	𠫑羌鐘一	武侄寺力
7093	𠫑羌鐘二	武侄寺力
7094	𠫑羌鐘三	武侄寺力
7095	𠫑羌鐘四	武侄寺力
7096	𠫑羌鐘五	武侄寺力
7186	叔夷編鐘五	靈力若虎
7214	叔夷鎛	靈力若虎

小計：共 10 筆

勳勛 2211

5805	中山王嚳方壺	天子不忘其有勛

小計：共 1 筆

功 2212

1226	師𩛥鼎	王夜功
1331	中山王嚳鼎	庸其工(功)
1331	中山王嚳鼎	克有工(功)
2843	沈子它設	迺妹克衣告剌成功
7183	叔夷編鐘二	女肇敏于戎功
7214	叔夷鎛	女肇敏于戎功
M282	師𩛥尊	師𩛥从王□功

小計：共 7 筆

務 2213

5805	中山王嚳方壺	夫古之聖王務才得賢

小計：共 1 筆

動 2214

1332	毛公鼎	死(尸)母(毋)童(動)余一人在立(位)

小計：共 1 筆

勞 2215

1331	中山王嚳鼎	以憂勞邦家

2815	師𣪕𣪘	師𠭯、乃且考又Jq（勞?）于我家
2816	彔白𢦚𣪘	又Jq（勞?）于周邦
7183	叔夷編鐘二	女巩勞朕行師
7186	叔夷編鐘五	堇勞其政事
7193	叔夷編鐘十二	堇勞其政事
7213	𬺰鎛	勞于齊邦
7214	叔夷鎛	女巩勞朕行師
7214	叔夷鎛	堇勞其政事

小計：共 9 筆

勤 2216

1163	齊陳_鼎蓋	肇勤經德
1331	中山王𰯌鼎	身勤社稷
2955	齊陳_匝一	肇勤（堇）經德
2956	齊陳曼匝二	肇勤（堇）經德
5805	中山王𰯌方壺	外之則將使上勤於天子之廟
7020	單伯鐘	Jq勤大令

小計：共 6 筆

加 2217

4082	加乍父戊爵一	加乍父戊
4083	加乍父戊爵二	加乍父戊
7453	蔡公子加戈	蔡公子加之用
7454	蔡加子之用戈	蔡公子加之用

小計：共 4 筆

勇 2218

7655	中央勇矛	中央勇生安空五年之後曰冊
7655	中央勇矛	中央勇□生安空三年之後曰冊

小計：共 2 筆

戒 2218+

1074	奠戒句父鬲	奠戒句父自乍飤鎡
7714	攻敔王劍	台□戒人
7722	吳王光劍	台當戒人

小計：共 3 筆

劫 2218+

4850	犅劫尊	易犅劫貝朋
M030	剛劫卣	易岡劫貝朋

小計：共 2 筆

勅 2219

勅
助
劦

0936	天黿敕𪨊乍丁侯鼎	勅𪨊乍丁侯尊彝[天黽]
1332	毛公鼎	畫縛畫輴、金甬、錯衡、金踵、金豙、勅𧄹

小計：共 2 筆

助 2220

2777	天亡𣪕	亡助𤔲復𩁹

小計：共 1 筆

劦 2221

2676	旅肄乍父乙𣪕	才十月一、隹王廿祀劦日
2982.	甲午𠥓	祀于劦室

小計：共 2 筆

第十三卷總計：共 2883 筆

青銅器銘文檢索卷十四

金 2222

0925	𣄨乍且壬鼎	𣄨乍且壬寶尊彝□金
1006	鐈鼎	□□□__其吉金
1008	虎嗣君鼎	虎嗣君常羼其吉金
1009	緐侯簟鼎	孚（俘）厥金
1077	曾仲子__鼎	曾中子__用其吉金自乍寶鼎
1103	臣卿乍父乙鼎	臣卿易金
1143	曾子仲誨鼎	用其吉金
1145	舍父鼎	辛宮易舍父帛金
1146	□者生鼎一	□者生□辰用吉金乍寶鼎
1147	□者生鼎二	□者生□辰用吉金乍寶鼎
1157	禽鼎	王易金百寽
1174	易乍旅鼎	㝱白于成周休賜小臣金
1190	內史鼎	易金一勻
1194	郐王𦡱鼎	郐王𦡱用其良金
1215	麥鼎	麥易赤金
1218	寬兒鼎	蘇公之孫寬兒羼其吉金
1220	鄦公鼎	鄦公湯用其吉金
1222	寂鼎一	其父蔑寂曆、易金
1223	寂鼎二	其父蔑寂曆、易金
1224	王子吳鼎	王子吳羼其吉金
1226	師𩛥鼎	易師𩛥金
1238	曾子仲宣鼎	曾子中宣__用其吉金
1243	仲__父鼎	孚金
1249	𡨦鼎	侯易𡨦貝、金
1250	曾子斿鼎	曾子斿羼其吉金
1275	師同鼎	孚戎金oa卅
1281	史頌鼎一	穌賓章、馬四匹、吉金
1282	史頌鼎二	穌賓章、馬四匹、吉金
1304	王子午鼎	王子午羼其吉金
1318	晉姜鼎	取厥吉金
1322	九年裘衛鼎	金𦨡𩋷、帛轡乘、金鹿𩌏
1322	九年裘衛鼎	朏帛、金一反
1323	師𩵦鼎	易女玄袞䵂屯、赤市朱黃、䜌旂、大師金雁
1330	曶鼎	井弔易㫚（曶）赤金鈞
1330	曶鼎	㫚（曶）用絲金乍朕文孝𦡱白䵼牛鼎
1330	曶鼎	迺𧽊又𧦝眔𩵦金
1332	毛公鼎	金車𩊖較、朱𩏂𩊄（鞃）靳、虎冟熏裏、右厄
1332	毛公鼎	畫𨍭畫𨏖、金甬、錯衡、金踵、金豙、敕𩌏
1332	毛公鼎	馬四匹、攸勒、金𠯑、金雁（膺）、朱旂二鈴
1444	黃虎棆鬲	唯黃虎棆用吉金乍鬲
1660	曾子仲訌旅甗	隹曾子中訌用其吉金
1664	邕子良人𠇗甗	邕子良人羼其吉金自乍飤獻（甗）
1665	王孫壽飤甗	王孫壽羼其吉金
1666	遹乍旅甗	侯蔑遹曆、易遹金
2191	段金𣄨乍旅毀一	段金𣄨乍旅毀
2192	段金𣄨乍旅毀二	段金𣄨乍旅毀

金

2388	大保乍父丁設	大保易氒臣樋金
2451	過白設	過白從王伐反荊、孚金
2510	臣卿乍父乙設	臣卿易金
2583	鄁公設	鄁公白盄用吉金
2585	禽設	王易金百守
2627	伊設	伊＿賞辛吏桼金
2633	相侯設	易帛金、殳揚侯休
2633.	食生走馬谷設	唯食生走馬谷自乍吉金用尊設
2659	郾侯庫設	乍焦金壴
2660	彔乍辛公設	蔑彔曆、易赤金
2661	競設一	白犀父蔑御史競曆、賞金
2662	競設二	白犀父蔑御史競曆、賞金
2671	利設	易又吏利金
2681	鄦侯設	r9趣吉金
2683	白家父設	迺用吉金
2690.	相侯設	易帛金
2698	陳財設	敹罤吉金
2699	公臣設一	鐘五、金、用吏
2700	公臣設二	鐘五、金、用吏
2701	公臣設三	鐘五、金、用吏
2702	公臣設四	鐘五、金、用吏
2707	小臣守設一	賓馬兩、金十鈞
2708	小臣守設二	賓馬兩、金十鈞
2709	小臣守設三	賓馬兩、金十鈞
2730	獻設	楕白令氒臣獻金車
2731	小臣宅設	易金
2732	曾仲大父蛕蚑設	曾中大父蛕迺用吉攸馭鋚金
2735	屪敖設	戎獻金于子牙父百車
2735	屪敖設	而易魯屪敖金十鈞
2752	史頌設一	穌賓章、馬四匹、吉金
2753	史頌設二	穌賓章、馬四匹、吉金
2754	史頌設三	穌賓章、馬四匹、吉金
2755	史頌設四	穌賓章、馬四匹、吉金
2756	史頌設五	穌賓章、馬四匹、吉金
2757	史頌設六	穌賓章、馬四匹、吉金
2758	史頌設七	穌賓章、馬四匹、吉金
2759	史頌設八	穌賓章、馬四匹、吉金
2759	史頌設九	穌賓章、馬四匹、吉金
2766	三兒設	其□又之□□鈹氒吉金用乍□寶設
2769	師耤設	金亢、赤舄、戈琱胾、彤沙
2798	師瘨設一	易女金勒
2799	師瘨設二	易女金勒
2815	師斁設	五金
2816	彔白𢦚設	金車、桒𠷎較桒䡇(宏)、朱虢靳
2816	彔白𢦚設	虎冟朱裏、金甬、畫聞(輴)
2816	彔白𢦚設	金厄畫轉、馬四匹、鋚勒
2826	師寰設一	毆孚士女羊牛、孚吉金
2826	師寰設一	毆孚士女羊牛、孚吉金
2827	師寰設二	毆孚士女羊牛、孚吉金
2830	三年師兌設	金車桒較

2830	三年師兌毀	金甬
2838	師嫠毀一	易女弔市金黃、赤舄攸勒、用吏
2838	師嫠毀一	易女弔市金黃、赤舄攸勒、用吏
2839	師嫠毀二	易女弔市金黃、赤舄攸勒、用吏
2839	師嫠毀二	易女弔市金黃、赤舄攸勒、用吏
2840	番生毀	畫轉畫轄、金童金豙
2840	番生毀	金簟彌、魚葡
2840	番生毀	朱旂旜、金芫二鈴
2857	牧毀	易女秬鬯一卣、金車、桒較、畫輯
2908	楚王酓肯匿一	楚王酓肯（朏）乍鑄金匿
2909	楚王酓肯匿二	楚王酓肯（朏）乍鑄金匿
2910	楚王酓肯匿三	楚王酓肯（朏）乍鑄金匿
2945	□仲虎匿	隹□中虎羼其吉金
2957	子季匿	子季□子羼其吉金
2964	曾□□餗匿	曾□□□羼其吉金自乍餗匿
2974	上鄀府匿	上鄀府羼其吉金
2975	無子妝匿	瞴子妝羼其吉金
2976	盨公匿	盨（許）公買羼氒吉金
2977	□孫弔左餗匿	□孫弔左羼其吉金
2978	樂子敬豧俶匿	樂子敬豧羼其吉金
2979	弔朕自乍薦匿	弔朕羼其吉金
2979.	弔朕自乍薦匿二	弔朕羼其吉金
2982	長子□臣乍媵匿	長子o7臣羼其吉金
2982	長子□臣乍媵匿	長子o7臣羼其吉金
2982.	甲午匿	__金孔__
2983	弭仲簠匿	羼之金、鏷鈗鏷鑪
2984	伯公父盨	羼之金
2984	伯公父盨	其金孔吉
2984	伯公父盨	羼之金
2984	伯公父盨	其金孔吉
2985	陳逆匿一	羼氒吉金
2985.	陳逆匿二	羼氒吉金
2985.	陳逆匿三	羼氒吉金
2985.	陳逆匿四	羼氒吉金
2985.	陳逆匿五	羼氒吉金
2985.	陳逆匿六	羼氒吉金
2985.	陳逆匿七	羼氒吉金
2985.	陳逆匿八	羼氒吉金
2985.	陳逆匿九	羼氒吉金
2985.	陳逆匿十	羼氒吉金
2986	曾白霥旅匿一	金道錫行
2986	曾白霥旅匿一	余羼其吉金黃鑪
2987	曾白霥旅匿二	金道錫行
2987	曾白霥旅匿二	余羼其吉金黃鑪
3077	弔専父乍奠季盨一	弔専父乍奠季寶鐘六、金尊盨四、鼎十
3078	弔専父乍奠季盨二	弔専父乍奠季寶鐘六、金尊盨四、鼎十
3079	弔専父乍奠季盨三	弔専父乍奠季寶鐘六、金尊盨四、鼎十
3080	弔専父乍奠季盨四	弔専父乍奠季寶鐘六、金尊盨四、鼎十
3081	翏生旅盨一	孚戎器、孚金
3082	翏生旅盨二	孚戎器、孚金

金

3082	翏生旅盨二	孚戎器、孚金
3088	師克旅盨一（蓋）	虎冟、熏裏、畫轉、畫輯、金甬、朱旂
3089	師克旅盨二	虎冟、熏裏、畫轉、畫輯、金甬、朱旂
3090	𦥑盨（器）	畫轉、金甬
3097	陳侯午錞錞一	陳侯午台群者侯獻金
3098	陳侯午錞錞二	陳侯午台群者侯獻金
3099	十年陳侯午錞（器）	者侯𠷎台吉金
3100	陳侯因𬶞錞	者侯𠷎薦吉金
3122	__君之孫盧（者旨𦸼盤）	罍其吉金自乍盧盤
4344	嘉仲父罍	嘉中父罍其吉金
4446	麥盉	侯易麥金、乍盉
4752	段金𦅫旅尊	段金𦅫乍旅彝
4858	𠚤田尊	隹𠚤田𠂤□金
4871	𣪘牽豐尊	大矩易豐金、貝
4875	𣁋折尊	易金、易貝
4877	小子生尊	小子生易金、鬱鬯
4884	𠋫尊	𠋫蔑曆、中競父易金
4892	麥尊	金__、冂、衣、市、舄
4892	麥尊	乍冊麥易金于辟侯
4893	夨令尊	明公易亢師鬯、金、牛
4893	夨令尊	易令鬯、金、牛
4928	折觥	易金、易臣
4975	麥方彝	鬲（𠵊）于麥宄、易金
4976	折方彝	易金、易貝、揚王休
4978	吳方彝	𤔲旃眔叔金
4978	吳方彝	金車、桒圅（靳）、朱虢靳
4978	吳方彝	桒較、畫轉、金甬
4981	𤔲冊令方彝	明公易亢師鬯、金、牛
4981	𤔲冊令方彝	易令鬯、金、牛
5465	員卣	員孚金、用乍旅彝
5473	同乍父戊卣	夨王易同金車弓矢
5480	冊牽冊豐卣	大矩易豐金、貝
5480	冊牽冊豐卣	大矩易豐金、貝
5481	叔卣一	賞叔鬱鬯、白金、hx牛
5482	叔卣二	賞叔鬱鬯、白金、hx牛
5511	效卣一	中金
5576	重金方罍	百卌八重金____一周鑄
5718	曾仲斿父壺	曾中斿父用吉金
5718	曾仲斿父壺	曾中斿父用吉金
5728	樊夫人壺	樊夫人__姬罍其吉金
5759	趙孟壺	邗王之惕金
5783	曾白陭壺	隹曾白陭迺用吉金鐈鋚
5784	𡛷氏壺	可是金契
5793	幾父壺一	僕四家、金十鈞
5794	幾父壺二	僕四家、金十鈞
5804	齊侯壺	__王之孫右帀之子武弔曰庚罍其吉金
5805	中山王譻方壺	中山王譻命相邦貫罍郾吉金
5824	孟縢姬賸缶	孟縢姬罍其吉金
5825	𢇛書缶	余畜孫書巳罍其吉金
6634	郐王義楚祭耑	仔郐王義楚罍余吉金

金

6663	白公父金勺一	白公父乍金爵
6724	周棘生盤	金用□邦
6725	鄦王義楚盤	徐王義楚羼其吉金自乍朕盤
6730	仲孔盤	中u2臣tiu7i0目金
6732	陶子盤	陶子武易＿＿金一鈞
6735	虢金氐孫盤	虢金氏孫乍寶盤
6754.	徐令尹者旨遛爐盤	n8君之孫鄦令尹者旨遛羼其吉金
6756	番君白𩏂盤	佳番君白𩏂用其赤金自鑄盤
6760	中子化盤	用羼其吉金
6774	＿右盤	唯qe右自乍用其吉金寶盤
6782	者尚余卑盤	者尚余卑□永既羼其吉金
6837	虢金氐孫匜	虢金氏孫乍寶匜
6864	番＿匜	唯番hhvi用士（ 吉 ）金乍自寶匜
6877	𠑇乍旅盉	牧牛辭誓成、‘罰金
6885	吳王夫差御鑑一	攻吳王大差羼氐吉金
6886	吳王夫差御鑑二	吳王夫差羼氐吉金
6887	𨙵陵君王子申鑑	造金監
6888	吳王光鑑一	吳王光羼其吉金
6889	吳王光鑑二	吳王光羼其吉金
6916	樊君夔盆	樊君C5用其吉金自乍寶盆
6920	曾大保旅盆	曾大保uq𧗿弔亟用其吉金
6921	鄧子仲盆	彭子中羼其吉金
7000	邾君鐘	鼄君求吉金
7019	邾太宰鐘	□□吉金膚呂
7026	邾弔鐘	邾叔止白□羼氐吉金用乍其龢鐘
7028	臧孫鐘	羼氐吉金
7029	臧孫鐘二	羼氐吉金
7030	臧孫鐘三	羼氐吉金
7031	臧孫鐘四	羼氐吉金
7032	臧孫鐘五	羼氐吉金
7033	臧孫鐘六	羼氐吉金
7034	臧孫鐘七	羼氐吉金
7035	臧孫鐘八	羼氐吉金
7036	臧孫鐘九	羼氐吉金
7051	子璋鐘一	羼其吉金
7052	子璋鐘二	羼其吉金
7053	子璋鐘三	羼其吉金
7054	子璋鐘四	羼其吉金
7055	子璋鐘五	羼其吉金
7056	子璋鐘六	羼其吉金
7057	子璋鐘八	羼其吉金
7058	邾公孫班鐘	鼄公孫班羼其吉金
7082	齊鞄氏鐘	齊鞄氏孫大羼其吉金
7084	邾公牼鐘一	鼄(邾)公牼羼氐吉金
7085	邾公牼鐘二	鼄(邾)公牼羼氐吉金
7086	邾公牼鐘三	鼄(邾)公牼羼氐吉金
7087	邾公牼鐘四	鼄(邾)公牼羼氐吉金
7112	者減鐘一	工𠭯王皮然之子者減睪其吉金
7113	者減鐘二	工𠭯王皮然之子者減睪其吉金
7117	鄦𪒠兒鐘一	得吉金鎛鋁

金
錫
銅

7119	郐讆兒鐘三	余mqiv兒得吉金鎛鋁
7121	郐王子旃鐘	郐王子旃羼其吉金
7124	沇兒鐘	羼其吉金
7157	邾公華鐘一	鼄(邾)公華羼鸟吉金
7175	王孫遺者鐘	王孫遺者羼其吉金
7186	叔夷鎛鐘五	趞武靈公易尸吉金
7214	叔夷鎛	__羼吉金鈇鎬鏴鋁
7215	其次勾鑃一	其次羼其吉金
7216	其次勾鑃二	其次羼其吉金
7217	姑馮勾鑃	姑wd昏同之子羼鸟吉金
7219	冉鉦鋮(南疆征)	□□其之子□□□吉金□作鉦□
7222	□外卒鐸	重金容
7399	陳金造戈	陳金造戈
7494	方寅戈一	方寅用鍛金乍吉用
7495	方寅戈二	方寅用鍛金乍吉用
7507	二年寺工讋戈	寺工、二年寺工讋金角
7649	帝降矛	帝降棘余子之貳金
7675	從金劍	從金賜鐘
7682	繁陽之金劍	繁湯之金
7723	__公劍	L7公自羼吉和金
7761	郘大叔斧一	郘大叔以新金為貣車之斧十
7867.	龍__	鑄廾金龍(篝)以賹
7899	鄂君啟車節	為鄂君啟之賡商(賡?)鑄金節
7899	鄂君啟車節	毋載金革黽箭、女馬、女牛、女特
7899	鄂君啟車節	見其金節則毋政
7899	鄂君啟車節	不見其金節則政
7900	鄂君啟舟節	為鄂君啟之賡商鑄金節
7900	鄂君啟舟節	見其金節則毋征
7900	鄂君啟舟節	不見其金節則征
7954	皮氏銅牌	皮氏命□金
M282	師賸尊	易師賸金
M545	配兒勾鑃	余羼鸟吉金
M553	越王者旨於賜鐘	戉王者旨於賜羼鸟吉金
M612	無子鐘	無子__目羼其吉金
M616	番休伯者君盤	隹番休伯者君用其吉金
M695	曾伯宮父鬲	隹曾伯宮父穆迺用吉金
M900	梁十九年鼎	羼吉金鑄鬲(齍)、小料

小計：共 283 筆

錫 2223 1594易字重見

2986	曾白霥旅匿一	金道錫行
2987	曾白霥旅匿二	金道錫行
7135	逆鐘	錫戈彤冞(緌)

小計：共 3 筆

銅 2224

1231	楚王酓忓鼎一	楚王酓忓戰隻銅
1232	楚王酓忓鼎二	楚王酓忓戰隻銅
4445	長陵盉	銅要銅錄乍𠮦緒父盉欒__一升
5801	洹子孟姜壺一	用鑄爾羞銅
5802	洹子孟姜壺二	用鑄爾羞銅
6776	楚王酓忎盤	楚王酓忎戰隻兵銅
		小計：共 6 筆

鋚 2225 0529攸字重見

1280	康鼎	令女幽黃、鋚革
1326	多友鼎	鐈鋚百匀
2816	彔白𢦚毀	金厄畫轉、馬四匹、鋚勒
2844	頌毀一	䜌旂鋚勒、用吏
2845	頌毀二	䜌旂鋚勒、用吏
2845	頌毀二	䜌旂鋚勒、用吏
2846	頌毀三	䜌旂鋚勒、用吏
2847	頌毀四	䜌旂鋚勒、用吏
2848	頌毀五	䜌旂鋚勒、用吏
2849	頌毀六	䜌旂鋚勒、用吏
2850	頌毀七	䜌旂鋚勒、用吏
2851	頌毀八	䜌旂鋚勒、用吏
3090	𡢁𦅫（器）	鋚勒
5783	曾白陭壺	隹曾白陭迺用吉金鐈鋚
		小計：共 14 筆

鑄 2226

0457	大保方鼎	大保鑄
0492	客鑄盟鼎一	客鑄盟
0493	客鑄盟鼎二	客鑄盟
0494	客鑄盟鼎三	客鑄盟
0495	客鑄盟鼎四	客鑄盟
0721	鑄脒鼎	鑄脒一斗料
0731	鑄客鼎	鑄客為集脰、集脰
0871	鑄客為集醋鼎	鑄客為集糌為之
0872	鑄客為集醋鼎	鑄客為集醋為之
0873	鑄客為集脰鼎一	鑄客為集脰為之
0874	鑄客為集脰鼎二	鑄客為集脰為之
0886.	喬夫人鋳鼎	喬夫人鑄其鋳鼎
0937	内公乍鑄從鼎一	內（芮）公乍鑄從鼎永寶用
0938	内公乍鑄從鼎二	内公乍鑄從鼎永寶用
0939	内公乍鑄從鼎三	内公乍鑄從鼎永寶用
0945	鑄客為大后脰官鼎	鑄客為大句（后）脰官為之
0946	鑄客為王后七府鼎	鑄客為王句（后）七府為之
0971	内大子鼎一	内大子乍鑄鼎
0972	内大子鼎二	内大子乍鑄鼎
0995	内公飤鼎	内公乍鑄飤鼎

鑄

1003	楚王酓肯鉈鼎	楚王酓肯（朏）鑄鉈（匜）鼎
1004	鑄客鼎	鑄客為集膴、仲膴、睘豚膴為之
1005	楚王酓肯喬鼎	楚王酓朏吏鑄喬鼎
1020	鄭毗原父鼎	鄭毗邍（原）父鑄鼎
1043	卅年鼎	卅年、康＿＿事＿冶巡鑄
1070	鄲孝子鼎	命鑄飤鼎鬲
1085	曾者子乍鬻鼎	曾者子鑄用乍鬻鼎
1087	鑄子弔黑臣鼎	鑄子弔黑臣肇乍寶貞（鼎）
1090	十三年梁上官鼎	十三年、梁陰命率上官＿子疾冶乘鑄、
1111	□魯宰鼎	□魯宰鑄𤔲其□媵寶鼎
1114	廿七年大梁司寇肖無智鼎二	大梁司寇肖亡智鑄新量
1115	楚王酓肯喬鼎	楚王酓朏乍鑄喬鼎
1126	弔夜鼎	弔夜鑄其𩰫鼎
1194	郐王𢽃鼎	鑄其𩱧鼎
1205	公朱左𠂤鼎	左𠂤＿大夫林𠂤□夫＿鑄鼎
1231	楚王酓忓鼎一	室鑄鐈鼎
1232	楚王酓忓鼎二	室鑄鐈鼎
1250	曾子旂鼎	用鑄vJ彝
1255	作冊大鼎一	公束鑄武王成王異鼎
1256	作冊大鼎二	公束鑄武王成王異鼎
1257	作冊大鼎三	公束鑄武王成王異鼎
1258	作冊大鼎四	公束鑄武王成王異鼎
1274	哀成弔鼎	乍鑄飤器黃鑊
1275	師同鼎	用鑄絃尊鼎
1432	兒始□母鑄羞鬲	兒始lr母鑄其羞鬲
1454	塱肇家鬵	塱肇家鑄乍鬲
1455	滎白鬲	滎白鑄鬲于qa
1510	內公鑄弔姬鬲一	內公乍鑄京氏婦弔姬媵
1511	內公鑄弔姬鬲二	內公乍鑄京氏婦弔姬朕鬲
1524	□大嗣攻鬲	□大□□嗣攻單□□鑄其鬲
1662	寶甗	王人vy輔歸讙鑄其寶
1958	庚午鑄段	庚午鑄
2329	內公段	內公乍鑄從用段永寶
2505.	井姜大宰段	井姜大宰己鑄其寶段
2535	仲殷父段一	中殷父鑄段
2536	仲殷父段二	中殷父鑄段
2537	仲殷父段三	中殷父鑄段
2537	仲殷父段四	中殷父鑄段
2538	仲殷父段五	中殷父鑄段
2539	仲殷父段六	中殷父鑄段
2540	仲殷父段六	中殷父鑄段
2541	仲殷父段七	中殷父鑄段
2541.	仲段父段七	中段父鑄段
2541.	仲段父段八	中段父鑄段
2666	鑄弔皮父段	乍鑄弔皮父尊段
2677	居＿敔段	余以鑄此𠤳兒
2677.	居＿敔段二	余以鑄此＿兒
2682	陳侯午段	陳侯午台群者侯□鑄乍皇妣□大妃祭器
2707	小臣守段一	用乍鑄引中寶段
2708	小臣守段二	用乍鑄引中寶段

2709	小臣守毁三	用乍鑄引中寶毁
2778	格白毁一	鑄保毁、用典格白田
2778	格白毁一	鑄保毁、用典格白田
2779	格白毁二	鑄保毁、用典格白田
2780	格白毁三	鑄保毁、用典格白田
2781	格白毁四	鑄保毁、用典格白田
2782	格白毁五	鑄保毁、用典格白田
2782.	格白毁六	鑄保毁、用典格白田
2858	鑄匿	[鑄]
2870	巿_匿	巿mc鑄其寶匿
2880	鑄客匿一	鑄客為王后六室為之
2881	鑄客匿二	鑄客為王后六室為之
2882	鑄客匿三	鑄客為王后六室為之
2883	鑄客匿四	鑄客為王后六室為之
2884	鑄客匿五	鑄客為王后六室為之
2885	鑄客匿六	鑄客為王后六室為之
2886	鑄客匿七	鑄客為王后六室為之、八
2908	楚王酓肯匿一	楚王酓肯(胐)乍鑄金匿
2909	楚王酓肯匿二	楚王酓肯(胐)乍鑄金匿
2910	楚王酓肯匿三	楚王酓肯(胐)乍鑄金匿
2911	奢虎匿一	鼴山奢虎鑄其寶匿
2912	奢虎匿二	鼴山奢虎鑄其寶匿
2913	旅虎匿一	鼴_旅虎鑄其寶匿
2914	旅虎匿二	鼴_旅虎鑄其寶匿
2915	旅虎匿三	鼴_旅虎鑄其寶匿
2919	鑄弔乍巤氏匿	鑄弔乍巤氏寶匿
2931	鑄子弔黑叵匿一	鑄子弔黑叵肇乍寶匿
2932	鑄子弔黑叵匿二	鑄子弔黑叵肇乍寶匿
2933	鑄子弔黑叵匿三	鑄子弔黑叵肇乍寶匿
2934	曾子遽彝匿	曾子遽魯為孟姬酈鑄賸匿
2942	楚子_飤匿一	楚子o4鑄其飤匿
2943	楚子_飤匿二	楚子o4鑄其飤匿
2944	楚子_飤匿三	楚子o4鑄其飤匿
2959	鑄公乍朕匿一	鑄公乍孟妊東母朕匿
2960	鑄公乍朕匿二	鑄公乍孟妊東母朕匿
2974	上鄀府匿	鑄其鬻匿
2975	鄦子妝匿	用鑄其匿
2980	鼄大宰鐘匿一	鼄大宰欉子沓鑄其鐘匿
2981	鼄大宰鐘匿二	鼄大宰欉子沓鑄其鐘匿
2985	陳逆匿一	鑄兹寶簠
2985.	陳逆匿二	鑄兹寶簠
2985.	陳逆匿三	鑄兹寶簠
2985.	陳逆匿四	鑄兹寶簠
2985.	陳逆匿五	鑄兹寶簠
2985.	陳逆匿六	鑄兹寶簠
2985.	陳逆匿七	鑄兹寶簠
2985.	陳逆匿八	鑄兹寶簠
2985.	陳逆匿九	鑄兹寶簠
2985.	陳逆匿十	鑄兹寶簠
2995	彔盨一	彔乍鑄盨朗

鑄

2996	彔盨二	彔乍鑄盨匓
2997	彔盨三	彔乍鑄盨匓
2998	彔盨四	彔乍鑄盨匓
3027	仲𩀁旅盨	中𩀁□作鑄旅盨（顉）
3028	虢弔行盨	虢弔鑄行盨
3034	白孝_旅盨	白孝kd鑄旅盨（須）
3034	白孝_旅盨	永其萬年子子孫孫寶用白孝kd鑄旅盨（須）
3046	筍白大父寶盨	筍白大父乍嬴改鑄匋（寶）盨
3048	鑄子弔黑臣盨	鑄子弔黑臣肇乍寶盨
3094	□公克錞	隓公克鑄其𨦈錞
3105	鑄客豆一	鑄客為王后六室為之
3106	鑄客豆二	鑄客為王后六室為之
3107	鑄客豆三	鑄客為王后六室為之
3108	鑄客豆四	鑄客為王后六室為之
3121.	鑄客鑪	鑄客為集豆_為之
4441	卅五年_盉	治_鑄
4444.	卅五年盉	治明鑄
4445	長陵盉	匽鑄_
4874	萬諆尊	萬諆乍茲鑄
5199	大保鳥形卣	大保鑄
5483	周乎卣	周乎鑄旅寶彝
5483	周乎卣	周乎鑄旅寶彝
5510	乍冊嗌卣	不敢____兄鑄彝
5571	鑄客罍一	鑄客為王后六室為之
5572	鑄客罍二	鑄客為王后六室為之
5576	重金方罍	百卌八重金____一周鑄
5674	王七祀王鑄壺蓋	王七祀王鑄
5693	鑄大□之筩壺	鑄大__之筩
5703	内公鑄從壺一	内公乍鑄從壺永寶用
5704	内公鑄從壺二	内公乍鑄從壺永寶用
5705	内公鑄從壺三	内公乍鑄從壺永寶用
5735	内大子白壺	内大子白乍鑄寶壺
5735	内大子白壺	内大子白乍鑄寶壺、永享
5758	匽君壺	匽君茲旅者其成公鑄子孟改媵盥壺
5778	番匊生鑄媵壺	番匊生鑄媵壺
5789	命瓜君厚子壺一	命瓜君厚子乍鑄尊壺
5801	洹子孟姜壺一	用鑄爾羞銅
5802	洹子孟姜壺二	用鑄爾羞銅
5804	齊侯壺	台鑄其滕（媵）壺
5805	中山王譽方壺	鑄為彝壺
5825	𢇍書缶	以乍鑄缶
5826	國差𦉜	攻師何鑄西郭寶𦉜四秉
6707	鑄客為集脰盤	鑄客為集脰為之
6723	楚王酓肯盤	楚王酓肯乍為鑄盤
6752	取膚子商盤	取膚s6商鑄般
6756	番君白𪓐盤	隹番君白𪓐用其赤金自鑄盤
6773	_湯弔盤	林匋湯弔obG1鑄其尊
6776	楚王酓忎盤	𡪞（室）鑄少盤
6782	者尚余卑盤	自乍鑄其般
6814	鑄客為御𡪞匜	鑄客為御𡪞（室）為之

6853	取膚__商它	取膚s6商鑄它
6865	楚嬴匜	楚嬴鑄其匜
6869	浮公之孫公父宅匜	浮公之孫公父宅鑄其行它
6884	鑄客鑑	鑄客為王句(后)六室為之
6908	郐宜同歙盂	郐王季㮚之孫宜桐乍鑄歙盂
6923	庚午盞	□□子季□□□自乍鑄__
6994	楚公冢鐘一	楚公冢自鑄錫鐘
6998	楚公冢鐘五	楚公冢自鑄錫鐘
7002	鑄侯求鐘	鑄侯求乍季姜朕鐘
7084	邾公牼鐘一	鑄辝龢鐘二堵
7085	邾公牼鐘二	鑄辝龢鐘二堵
7086	邾公牼鐘三	鑄辝龢鐘二堵
7087	邾公牼鐘四	鑄辝龢鐘二堵
7108	𥫩弔之仲子平編鐘一	筥弔之中子平自乍鑄游鐘
7108	𥫩弔之仲子平編鐘一	中平善弘敟考鑄其游鐘
7109	𥫩弔之仲子平編鐘二	筥弔之中子平自乍鑄游鐘
7109	𥫩弔之仲子平編鐘二	中平善弘敟考鑄其游鐘
7110	𥫩弔之仲子平編鐘三	筥弔之中子平自乍鑄游鐘
7110	𥫩弔之仲子平編鐘三	中平善弘敟考鑄其游鐘
7111	𥫩弔之仲子平編鐘四	筥弔之中子平自乍鑄游鐘
7111	𥫩弔之仲子平編鐘四	中平善弘敟考鑄其游鐘
7117	郐𢿱兒鐘一	台鑄龢鐘
7119	郐儔兒鐘三	台以鑄龢鐘
7157	邾公華鐘一	用鑄氒龢鐘
7157	邾公華鐘一	鑄其龢鐘
7187	叔夷編鐘六	尸用乍鑄其寶鐘
7214	叔夷鎛	用乍鑄其寶鎛
7215	其次勾鑃一	鑄句鑃
7216	其次勾鑃二	鑄句鑃
7219	冉鉦鋮(南疆征)	羕子孫余冉鑄此鉦□
7227	內公鐘一	內公乍鑄從鐘之句
7228	內公鐘二	內公乍鑄從鐘之句
7511	□克戈	武克氏楚羼其黃鏐鑄
7558	十四年奠令戈	工帀鑄章冶□
7610	__鑄矛	__鑄
7657	九年鄭令向甸矛	武庫工帀鑄章冶造
7676	陳劍	陳鑄趙□鐱
7711	楚王酓章劍	楚王酓章為從士鑄
7737	十五年劍	邦左庫工帀代讙工帀長鑄冶執齊齊
7865	衛量	衛師親鑄
7867.	龍__	鑄廾金龍(箾)以賹
7899	鄂君啟車節	為鄂君啟之㢸商(㢸?)鑄金節
7900	鄂君啟舟節	為鄂君啟之㢸商鑄金節
7947	鑄客銅器一	鑄客為集脰為之
7948	鑄客銅器二	鑄客為王后六室為之
7949	鑄客銅器三	鑄客為王后六室為之
M160	□貯𣪘	□□賈䍙子鼓𦊀鑄旅𣪘
M349	己侯壺	己侯乍鑄壺
M478	大宰巳𣪘	井姜大宰巳鑄其寶𣪘
M685	曾子伯__鼎	曾子伯__鑄行器

鑄 鈃 鍾 鑑 鐈 鑊

	M798	廿八年平安君鼎	廿八年平安邦鑄客軷四分甕
	M798	廿八年平安君鼎	廿八年平安邦鑄客軷四分甕
	M799	卅二年平安君鼎	平安邦鑄客𢉜四分甕(蓋一)
	M799	卅二年平安君鼎	卅二年平安邦鑄客𢉜四分甕
	M900	梁十九年鼎	羼吉金鑄鼒(甕)、小料
			小計：共 225 筆
鈃	2227		
	5806	蔡侯𨱔鈃	蔡侯𨱔之鈃
	5807	緻_君鈃	酉、㶣、緻qm君丌鈃二ta
	5808	孟城行鈃	若公孟城乍為行鉼(鈃)
	5809	弘乍旅鈃	樂大嗣徒子𦥛之子引乍旅鈃
	5810	𧮫鈃	𪓐史賞自乍鈃
	M898	魏公𤭯	魏公鈃、三斗二升取
			小計：共 6 筆
鍾	2228	2244鐘字重見	
	7832	左鍾𠭰銅器	左鍾尹
			小計：共 1 筆
鑑	2229	1381監字重見	
	6880	智君子之弄鑑一	智君子之弄鑑
	6881	智君子之弄鑑二	智君子之弄鑑
	6888	吳王光鑑一	台乍𢂇姬寺吁宗_薦鑑
	6889	吳王光鑑二	台乍𢂇姬寺吁宗_薦鑑
			小計：共 4 筆
鐈	2230	1678喬字重見	
	1006	鐈鼎	□□□鐈
	1231	楚王酓忓鼎一	室鑄鐈鼎
	1232	楚王酓忓鼎二	室鑄鐈鼎
	1326	多友鼎	鐈鋚百勻
	2984	伯公父盤	隹鐈隹鑪
	2984	伯公父盤	隹鐈隹鑪
	5783	曾白陭壺	隹曾白陭迺用吉金鐈鋚
	M773	鄧子午鼎	鄧子午之飤鐈
			小計：共 8 筆
鑊	2231		
	0565	臤父丁鑊鼎	[臤]父丁鑊

0892 䲨夒弔作文父丁鼎 弔作文父丁[夒䲨鑊]
1274 哀成弔鼎 乍鑄飤器黃鑊
4809 強白匄井姬羊形尊 強白匄井姬用盂鑊
4925 䲨仲子弔觥 中子𧱕弔作文父丁尊彝[鑊]

小計：共 5 筆

鎬 2232

7187 叔夷編鐘六 鈇鎬
7214 叔夷鎛 __羅吉金鈇鎬鍺鋁
7932 集脰大子鎬 集脰大子之鎬
7933 大府鎬 立府為王一僧晉鎬集脰

小計：共 4 筆

鎣 2233

1330 曶鼎 井弔易曶(曶)赤金鎣
4409 㚸乍公__䓪盉 乍公uc䓪(鎣)[㚸]
4430 白百父乍孟姬朕鎣 白百父乍孟姬朕鎣
M360 強伯鎣 強白自乍般鎣

小計：共 4 筆

錍 2234

5681 土勻錍壺 土勻□四斗錍

小計：共 1 筆

鈦 2235

7692 郾王喜劍一 郾王喜乍畢旅鈦
7693 郾王喜劍二 郾王喜乍畢旅鈦
7694 郾王喜劍三 郾王喜乍畢旅鈦
7695 郾王喜劍四 郾王喜乍畢旅鈦

小計：共 4 筆

鋸 2236

7479 郾王職乍__萃鋸一 郾王職乍__萃鋸
7480 郾王職乍__萃鋸二 郾王職乍__御萃鋸
7481 郾王職乍𢦏鋸 郾王職作𢦏鋸
7482 郾王職乍巨__鋸 郾王職乍巨𢦏鋸
7483 王職乍萃鋸 王職乍□萃鋸
7484 郾侯職乍巾萃句 郾侯職乍巾萃鋸
7485 郾王詈乍巨__鋸一 郾王詈乍巨𢦏鋸
7486 郾王詈乍五__鋸二 郾王職乍巨𢦏鋸

	7487	郾王詈乍巨＿鋸三	郾王職作巨鈙鋸
	7488	郾王詈乍五＿鋸四	郾王職乍巨鈙鋸
	7489	郾王喜乍五＿鋸一	郾王喜乍巨鈙鋸
鋸	7490	郾王喜乍五＿鋸二	郾王喜乍巨鈙鋸
鑪	M875	郾王職戟一	郾王戠乍御晬鋸
	M876	郾王職戟二	郾王戠乍鈙鋸
	M877	郾王戎人戟	郾王戎人乍鈙鋸
			小計：共 15 筆

鑪	2237	0788盧字重見	
	2677	居＿叡𣪘	君舍余三鑪
	2677	居＿叡𣪘二	君舍余三鑪
	2983	弭仲簠匿	羼之金、鏷鈗鏷鑪
	2984	伯公父盤	隹鐈隹鑪
	2984	伯公父盤	隹鐈隹鑪
	2986	曾白霥旅匿一	余羼其吉金黃鑪
	2987	曾白霥旅匿二	余羼其吉金黃鑪
	7108	旛弔之仲子平編鐘一	幺鏐鋿鑪
	7109	旛弔之仲子平編鐘二	幺鏐鋿鑪
	7110	旛弔之仲子平編鐘三	幺鏐鋿鑪
	7111	旛弔之仲子平編鐘四	幺鏐鋿鑪
	7117	斜𪒠兒鐘一	得吉金鎛（ 鑪 ）鋁
	7118	斜𪒠兒鐘二	得吉金鎛（ 鑪 ）鋁
	7136	郘𪒠鐘一	玄鏐鑪鋁
	7137	郘鐘二	玄鏐鑪鋁
	7138	郘鐘三	玄鏐鑪鋁
	7139	郘鐘四	玄鏐鑪鋁
	7140	郘鐘五	玄鏐鑪鋁
	7141	郘鐘六	玄鏐鑪鋁
	7142	郘鐘七	玄鏐鑪鋁
	7143	郘鐘八	玄鏐鑪鋁
	7144	郘鐘九	玄鏐鑪鋁
	7145	郘鐘十	玄鏐鑪鋁
	7146	郘鐘十一	玄鏐鑪鋁
	7147	郘鐘十二	玄鏐鑪鋁
	7148	郘鐘十三	玄鏐鑪鋁
	7149	郘鐘十四	玄鏐鑪鋁
	7157	邾公華鐘一	玄鏐赤鑪
	M545	配兒勾鑃	鈜鏐鑪（ 鏞 ）鋁
			小計：共 29 筆

2238 0658寽字重見

2239 1517勻字重見

1330	曶鼎	井弔易曶(曶)赤金鈞
2707	小臣守殷一	賓馬兩、金十鈞
2708	小臣守殷二	賓馬兩、金十鈞
2709	小臣守殷三	賓馬兩、金十鈞
2735	𢊁敖殷	而易魯𢊁敖金十鈞
5717	旻成侯鍾	重{ 十勻(鈞)}十八益(鎰)十八益
5793	幾父壺一	僕四家、金十鈞
5794	幾父壺二	僕四家、金十鈞
6732	陶子盤	陶子武易____金一鈞
7871	子禾子釜一	贖以半鈞
7879	麗山鍾	重二鈞十三斤八兩

小計：共 11 筆

2240

1332	毛公鼎	馬四匹、攸勒、金嚨、金雁(膺)、朱旂二鈴
2826	師𩛥殷一	曰冉、曰䙹、曰鈴、曰達
2826	師𩛥殷一	曰冉、曰䙹、曰鈴、曰達
2827	師𩛥殷二	曰冉、曰䙹、曰鈴、曰達
2840	番生殷	朱旂旜、金芃二鈴
2855	班殷一	易鈴、鋚、咸
2855.	班殷二	令易鈴勒
7000	邾君鐘	用自乍其龢鐘鈴
7004	楚王頷鐘	楚王頷自乍鈴鐘
7226	王成周鈴	王成周令(鈴)
M612	無子鐘	自乍鈴鐘

小計：共 11 筆

2241

7219	冉鉦鍼(南疆征)	□□其之子□□□吉金□作鉦□
7219	冉鉦鍼(南疆征)	羕子孫余冉鑄此鉦□

小計：共 2 筆

2242

鐸
鑮
鐘

	1008	𪒠嗣君鼎	𪒠詞（佋）君𪒠鐸（斁）其吉金
	1331	中山王嚳鼎	㪔（奮）桴振鐸
	7107	曾侯乙甬鐘	呂其反宣鐘之羽角無鐸之徵曾
	7221	＿郢鐸	＿郢𦰩鐸
	7222	□外卒鐸	□外卒鐸
	7223	迺𡨦鐸	迺𡨦乍寶鐸
	M706	曾侯乙編鐘下一・二	無鐸之宮曾
			小計：共 7 筆
鑮	2243	2245鎛字重見	
鐘	2244	2228鍾字重見	
	1165	大師鐘白乍石𠃊	大師鐘白侵自乍𥓓𠃊
	1326	多友鼎	鐘一造
	1327	克鼎	霝龠鼓鐘
	2699	公臣𣪘一	鐘五、金、用吏
	2700	公臣𣪘二	鐘五、金、用吏
	2701	公臣𣪘三	鐘五、金、用吏
	2702	公臣𣪘四	鐘五、金、用吏
	2815	師𣪕𣪘	十五鍚鐘
	2838	師嫠𣪘一	令女嗣（司）乃且舊官小輔鼓鐘
	2838	師嫠𣪘一	令女嗣乃且舊官小輔眔鼓鐘
	2839	師嫠𣪘二	令女嗣（司）乃且舊官小輔鼓鐘
	2839	師嫠𣪘二	令女嗣乃且舊官小輔眔鼓鐘
	3077	弔專父乍奠季盨一	弔專父乍奠季寶鐘六、金尊盨四、鼎十
	3078	弔專父乍奠季盨二	弔專父乍奠季寶鐘六、金尊盨四、鼎十
	3079	弔專父乍奠季盨三	弔專父乍奠季寶鐘六、金尊盨四、鼎十
	3080	弔專父乍奠季盨四	弔專父乍奠季寶鐘六、金尊盨四、鼎十
	5801	洹子孟姜壺一	鼓鐘一肆
	5802	洹子孟姜壺二	鼔（鼓）鐘一肆
	6968	自乍其走鐘	自乍其走鐘
	6970	紀侯鐘	己侯虓乍寶鐘
	6971	留鐘	留為弔䲹禾鐘
	6972	宋公鐘	宋公戌之訶鐘
	6973	益公鐘	益公為楚氏龢鐘
	6974	嬰侯鐘	嬰侯自乍龢鐘用
	6975	魯邍鐘	魯邍乍龢鐘用亯考
	6977	旨賞鐘	者賞□□＿之鐘
	6978	鄭井弔鐘	鄭井弔乍霝龢鐘用妥賓
	6979	鄭井弔鐘二	鄭井弔乍霝龢鐘用妥賓
	6980	內公鐘	內公乍從鐘
	6981	中義鐘一	中義乍龢鐘
	6982	中義鐘二	中義乍龢鐘
	6983	中義鐘三	中義乍龢鐘
	6984	中義鐘四	中義乍龢鐘
	6985	中義鐘五	中義乍龢鐘
	6986	中義鐘六	中義乍龢鐘
	6987	中義鐘七	中義乍龢鐘

6988	中義鐘八	中義乍龢鐘
6994	楚公冢鐘一	楚公冢自鑄錫鐘
6995	楚公冢鐘二	楚公冢自乍寶大禁鐘
6996	楚公冢鐘三	楚公冢自乍寶大禁鐘
6997	楚公冢鐘四	楚公自乍寶大禁鐘
6998	楚公冢鐘五	楚公冢自鑄錫鐘
6999	昆疕王鐘	昆疕王用貝乍龢鐘
7000	邾君鐘	用自乍其龢鐘鈴
7002	鑄侯求鐘	鑄侯求乍季姜朕鐘
7004	楚王領鐘	楚王領自乍鈴鐘
7009	兮仲鐘一	兮中乍大禁鐘
7010	兮仲鐘二	兮中乍大禁鐘
7011	兮仲鐘三	兮中乍大禁鐘
7012	兮仲鐘四	兮中乍大禁鐘
7013	兮仲鐘五	兮中乍大禁鐘
7014	兮仲鐘六	兮中乍大禁鐘
7015	兮仲鐘七	兮中乍大禁鐘
7016	楚王鐘	楚王賸邛中嬭南龢鐘
7019	邾太宰鐘	鼄大宰欉子懿自乍其御鐘
7021	虘鐘一	虘乍寶鐘
7022	虘鐘二	虘乍寶鐘
7023	虘鐘三	虘乍寶鐘
7026	邾弔鐘	邾叔止白囗羅睪吉金用乍其龢鐘
7027	邾公釛鐘	陸𨺅之孫邾公釛乍氒禾鐘
7028	臧孫鐘	自乍龢鐘
7029	臧孫鐘二	自乍龢鐘
7030	臧孫鐘三	自乍龢鐘
7031	臧孫鐘四	自乍龢鐘
7032	臧孫鐘五	自乍龢鐘
7033	臧孫鐘六	自乍龢鐘
7034	臧孫鐘七	自乍龢鐘
7035	臧孫鐘八	自乍龢鐘
7036	臧孫鐘九	自乍龢鐘
7037	遲父鐘	遲父乍姬齊姜龢禁鐘
7039	應侯見工鐘二	用乍朕皇且雁侯大禁鐘
7043	克鐘四	用乍朕皇且考白寶禁鐘
7044	克鐘五	用乍朕皇且考白寶禁鐘
7049	井人鐘三	宗室、𦙶安乍龢父大禁鐘
7050	井人鐘四	𦙶安乍龢父大禁鐘
7051	子璋鐘一	自乍龢鐘
7052	子璋鐘二	自乍龢鐘
7053	子璋鐘三	自乍龢鐘
7054	子璋鐘四	自乍龢鐘
7055	子璋鐘五	自乍龢鐘
7056	子璋鐘六	自乍龢鐘
7057	子璋鐘八	自乍龢鐘
7059	師臾鐘	朕皇考德弔大禁鐘
7060	昊生鐘一	斁生用乍_公大禁鐘
7062	柞鐘	用乍大禁鐘
7063	柞鐘二	用乍大禁鐘

鐘

7064	柞鐘三	用乍大䵼鐘
7065	柞鐘四	用乍大䵼鐘
7082	齊鞄氏鐘	自乍龢鐘
7083	鮮鐘	用乍朕皇考䵼鐘
7084	邾公牼鐘一	自乍龢鐘
7084	邾公牼鐘一	鑄辝龢鐘二堵
7085	邾公牼鐘二	自乍龢鐘
7085	邾公牼鐘二	鑄辝龢鐘二堵
7086	邾公牼鐘三	自乍龢鐘
7086	邾公牼鐘三	鑄辝龢鐘二堵
7087	邾公牼鐘四	自乍龢鐘
7087	邾公牼鐘四	鑄辝龢鐘二堵
7088	士父鐘一	□□□□□乍朕皇考弔氏寶䵼鐘
7089	士父鐘二	□□□□□乍朕皇考弔氏寶䵼鐘
7090	士父鐘三	□□□□□乍朕皇考弔氏寶䵼鐘
7091	士父鐘四	□□□□□乍朕皇考弔氏寶䵼鐘
7098	鬳氏鐘一	鬳氏之鐘
7099	鬳氏鐘二	鬳氏之鐘
7100	鬳氏鐘三	鬳氏之鐘
7101	鬳氏鐘四	鬳氏之鐘
7102	鬳氏鐘五	鬳氏之鐘
7103	鬳氏鐘六	鬳氏之鐘
7104	鬳氏鐘七	鬳氏之鐘
7105	鬳氏鐘八	鬳氏之鐘
7106	鬳氏鐘九	鬳氏之鐘
7107	曾侯乙甬鐘	妥賓之冬、黃鐘、羽
7107	曾侯乙甬鐘	割肄之才楚號為呂鐘
7107	曾侯乙甬鐘	其反為亘鐘
7107	曾侯乙甬鐘	新鐘之變徵
7107	曾侯乙甬鐘	呂其反宣鐘之羽角無鐸之徵曾
7108	簷弔之仲子平編鐘一	筥弔之中子平自乍鑄游鐘
7108	簷弔之仲子平編鐘一	中平善弜叡考鑄其游鐘
7109	簷弔之仲子平編鐘二	筥弔之中子平自乍鑄游鐘
7109	簷弔之仲子平編鐘二	中平善弜叡考鑄其游鐘
7110	簷弔之仲子平編鐘三	筥弔之中子平自乍鑄游鐘
7110	簷弔之仲子平編鐘三	中平善弜叡考鑄其游鐘
7111	簷弔之仲子平編鐘四	筥弔之中子平自乍鑄游鐘
7111	簷弔之仲子平編鐘四	中平善弜叡考鑄其游鐘
7112	者減鐘一	自乍__鐘
7113	者減鐘二	自乍__鐘
7114	者減鐘三	工盧王皮然之子者減自乍__鐘
7115	者減鐘四	工盧王皮然之子者減自乍__鐘
7116	南宮乎鐘	嗣土南宮乎乍大䵼𦢊鐘
7116	南宮乎鐘	玆名曰無斁鐘
7117	斜𪇖兒鐘一	台鑄龢鐘
7119	斜儔兒鐘三	台以鑄龢鐘
7121	郐王子旃鐘	自乍龢鐘
7122	梁其鐘一	用乍朕皇且考龢鐘
7124	沇兒鐘	自乍龢鐘
7125	蔡侯𪒠鐘一	自乍訶鐘

7126	蔡侯[illegible]紐鐘二	自乍訶鐘
7127	蔡侯[illegible]紐鐘三	蔡侯[illegible]之行鐘
7128	蔡侯[illegible]紐鐘四	蔡侯[illegible]之行鐘
7130	蔡侯[illegible]紐鐘六	之行鐘
7131	蔡侯[illegible]紐鐘七	自乍訶鐘
7132	蔡侯[illegible]紐鐘八	自乍訶鐘
7133	蔡侯[illegible]紐鐘九	自乍訶鐘
7134	蔡侯[illegible]甬鐘	自乍訶鐘
7136	郘鐘一	大鐘既縣
7136	郘鐘一	乍為余鐘
7136	郘鐘一	大鐘
7137	郘鐘二	乍為余鐘
7137	郘鐘二	大鐘八聿
7137	郘鐘二	大鐘既縣
7138	郘鐘三	乍為余鐘
7138	郘鐘三	大鐘八聿
7138	郘鐘三	大鐘既縣
7139	郘鐘四	乍為余鐘
7139	郘鐘四	大鐘八聿
7139	郘鐘四	大鐘既縣
7140	郘鐘五	乍為余鐘
7140	郘鐘五	大鐘八聿
7140	郘鐘五	大鐘既縣
7141	郘鐘六	乍為余鐘
7141	郘鐘六	大鐘八聿
7141	郘鐘六	大鐘既縣
7142	郘鐘七	乍為余鐘
7142	郘鐘七	大鐘八聿
7142	郘鐘七	大鐘既縣
7143	郘鐘八	乍為余鐘
7143	郘鐘八	大鐘八聿
7143	郘鐘八	大鐘既縣
7144	郘鐘九	乍為余鐘
7144	郘鐘九	大鐘八聿
7144	郘鐘九	大鐘既縣
7145	郘鐘十	乍為余鐘
7145	郘鐘十	大鐘八聿
7145	郘鐘十	大鐘既縣
7146	郘鐘十一	乍為余鐘
7146	郘鐘十一	大鐘八聿
7146	郘鐘十一	大鐘既縣
7147	郘鐘十二	乍為余鐘
7147	郘鐘十二	大鐘八聿
7147	郘鐘十二	大鐘既縣
7148	郘鐘十三	乍為余鐘
7148	郘鐘十三	大鐘八聿
7148	郘鐘十三	大鐘既縣
7149	郘鐘十四	乍為余鐘
7149	郘鐘十四	大鐘八聿
7149	郘鐘十四	大鐘既縣

鐘

7150	虢叔旅鐘一	用乍朕皇考叀弔大薔龢鐘
7151	虢叔旅鐘二	用乍朕皇考叀弔大薔龢鐘
7152	虢叔旅鐘三	用乍朕皇考叀弔大薔龢鐘
7153	虢叔旅鐘四	用乍朕皇考叀弔大薔龢鐘
7156	虢叔旅鐘七	朕皇考叀弔大薔龢鐘
7157	邾公華鐘一	用鑄氒龢鐘
7157	邾公華鐘一	鑄其龢鐘
7158	瘭鐘一	敢乍文人大寶𧾷龢鐘
7159	瘭鐘二	皇考丁公龢薔鐘
7160	瘭鐘三	敢乍文人大寶𧾷龢鐘
7161	瘭鐘四	敢乍文人大寶𧾷龢鐘
7162	瘭鐘五	敢乍文人大寶𧾷龢鐘
7164	瘭鐘七	肇乍龢林鐘用
7169	瘭鐘十二	瘭乍𧾷鐘
7170	瘭鐘十三	瘭乍𧾷鐘
7171	瘭鐘十四	瘭乍𧾷鐘
7174	秦公鐘	乍氒龢鐘
7175	王孫遺者鐘	自乍龢鐘
7175	王孫遺者鐘	闌闌龢鐘
7176	㝬鐘	王對乍宗周寶鐘
7178	秦公及王姬編鐘二	乍氒龢鐘
7181	秦公及王姬編鐘六	乍氒龢鐘
7187	叔夷編鐘六	尸用乍鑄其寶鐘
7187	叔夷編鐘六	卑若鐘鼓
7194	叔夷編鐘十三	卑若鐘鼓
7195	宋公戌鎛一	宋公戌之訶鐘
7196	宋公戌鎛二	宋公戌之訶鐘
7197	宋公戌鎛三	宋公戌之訶鐘
7198	宋公戌鎛四	宋公戌之訶鐘
7199	宋公戌鎛五	宋公戌之訶鐘
7200	宋公戌鎛六	宋公戌之訶鐘
7204	克鎛	用乍朕皇且考白寶薔鐘
7205	蔡侯𦡞編鎛一	自乍訶鐘
7206	蔡侯𦡞編鎛二	自乍訶鐘
7207	蔡侯𦡞編鎛三	自乍訶鐘
7208	蔡侯𦡞編鎛四	自乍訶鐘
7209	秦公及王姬鎛	乍氒龢鐘
7210	秦公及王姬鎛二	乍氒龢鐘
7211	秦公及王姬鎛三	乍氒龢鐘
7214	叔夷鎛	卑若鐘鼓
7227	內公鐘一	內公乍鑄從鐘之句
7228	內公鐘二	內公乍鑄從鐘之句
7557	楚屈弔沱戈	楚王之元右王鐘
7675	從金劍	從金賜鐘
M612	𨛭子鐘	自乍鈴鐘
M612	𨛭子鐘	穆穆龢鐘
M705	曾侯乙編鐘下一・一	獸鐘之濬鐊
M705	曾侯乙編鐘下一・一	穆鐘之濬商
M705	曾侯乙編鐘下一・一	濁新鐘之徵
M705	曾侯乙編鐘下一・一	獸鐘之濬徵

M705	曾侯乙編鐘下一・一	新鐘之渚羽
M706	曾侯乙編鐘下一・二	黃鐘之商角
M706	曾侯乙編鐘下一・二	為槃鐘徵
M707	曾侯乙編鐘下一・三	為獸鐘徵顧下角
M707	曾侯乙編鐘下一・三	新鐘之羽
M708	曾侯乙編鐘下二・一	鄘鐘之變宮
M708	曾侯乙編鐘下二・一	為獸鐘曾
M708	曾侯乙編鐘下二・一	為獸鐘之徵顧下角
M709	曾侯乙編鐘下二・二	贏孠之才楚號為新鐘
M709	曾侯乙編鐘下二・二	穆音之才楚為穆鐘
M709	曾侯乙編鐘下二・二	其反才晉為槃鐘
M710	曾侯乙編鐘下二・三	鄘音之才楚為獸鐘
M711	曾侯乙編鐘下二・四	黃鐘之商角
M711	曾侯乙編鐘下二・四	為槃鐘曾
M712	曾侯乙編鐘下二・五	割肆之才楚號為呂鐘
M712	曾侯乙編鐘下二・五	其坂(反)為宣鐘
M712	曾侯乙編鐘下二・五	宣鐘之才晉號為六墉
M712	曾侯乙編鐘下二・五	黃鐘之鑄
M712	曾侯乙編鐘下二・五	新鐘之羽
M712	曾侯乙編鐘下二・五	為黃鐘徵
M713	曾侯乙編鐘下二・七	新鐘之徵曾
M713	曾侯乙編鐘下二・七	為槃鐘徵曾
M713	曾侯乙編鐘下二・七	為獸鐘之羽顧下角
M714	曾侯乙編鐘下二・八	新鐘之變商
M714	曾侯乙編鐘下二・八	黃鐘之徵角
M714	曾侯乙編鐘下二・八	宣鐘珈徵
M714	曾侯乙編鐘下二・八	為獸鐘徵顧下角
M714	曾侯乙編鐘下二・八	為黃鐘徵曾
M715	曾侯乙編鐘下二・九	新鐘之商曾
M715	曾侯乙編鐘下二・九	濁獸鐘之羽
M715	曾侯乙編鐘下二・九	獸鐘之宮
M715	曾侯乙編鐘下二・九	新鐘之渚商
M715	曾侯乙編鐘下二・九	新鐘之商
M716	曾侯乙編鐘下二・十	穆鐘之角
M716	曾侯乙編鐘下二・十	新鐘之宮曾
M716	曾侯乙編鐘下二・十	濁獸鐘之徵
M716	曾侯乙編鐘下二・十	獸鐘之羽
M716	曾侯乙編鐘下二・十	穆鐘之徵
M716	曾侯乙編鐘下二・十	濁新鐘之宮
M716	曾侯乙編鐘下二・十	新鐘之徵顧
M719	曾侯乙編鐘中一・三	獸鐘之壴反
M719	曾侯乙編鐘中一・三	濁新鐘之巽反
M719	曾侯乙編鐘中一・三	穆鐘之冬反
M720	曾侯乙編鐘中一・四	獸鐘之喜
M720	曾侯乙編鐘中一・四	新鐘之徵顧
M720	曾侯乙編鐘中一・四	新鐘之商顧
M720	曾侯乙編鐘中一・四	濁新鐘之冬
M721	曾侯乙編鐘中一・五	濁穆鐘之冬
M721	曾侯乙編鐘中一・五	穆鐘之壴
M721	曾侯乙編鐘中一・五	濁新鐘之商

鐘

M721	曾侯乙編鐘中一・五	新鐘之羽⿰甫頁
M721	曾侯乙編鐘中一・五	濁獸鐘之巽
M722	曾侯乙編鐘中一・六	穆鐘之下角
M722	曾侯乙編鐘中一・六	濁獸鐘之冬
M722	曾侯乙編鐘中一・六	獸鐘之壴
M722	曾侯乙編鐘中一・六	新鐘之少徵⿰甫頁
M722	曾侯乙編鐘中一・六	穆鐘之冬
M722	曾侯乙編鐘中一・六	濁新鐘之巽
M723	曾侯乙編鐘中一・七	獸鐘之下角
M723	曾侯乙編鐘中一・七	穆鐘之商
M723	曾侯乙編鐘中一・七	濁獸鐘之冬
M723	曾侯乙編鐘中一・七	新鐘之羽
M723	曾侯乙編鐘中一・七	獸鐘之徵
M724	曾侯乙編鐘中一・八	新鐘之徵曾
M724	曾侯乙編鐘中一・八	濁新鐘之下角
M724	曾侯乙編鐘中一・八	新鐘之徵
M724	曾侯乙編鐘中一・八	新鐘之冬
M725	曾侯乙編鐘中一・九	穆鐘之羽
M725	曾侯乙編鐘中一・九	新鐘之羽⿰甫頁
M725	曾侯乙編鐘中一・九	濁獸鐘之宮
M725	曾侯乙編鐘中一・九	濁獸鐘之下角
M725	曾侯乙編鐘中一・九	新鐘之羽曾
M725	曾侯乙編鐘中一・九	濁穆鐘之商
M726	曾侯乙編鐘中一・十	新鐘之商曾
M726	曾侯乙編鐘中一・十	濁獸鐘之羽
M726	曾侯乙編鐘中一・十	新鐘之商
M726	曾侯乙編鐘中一・十	獸鐘之宮
M726	曾侯乙編鐘中一・十	新鐘之商
M727	曾侯乙編鐘中一・十一	穆鐘之角
M727	曾侯乙編鐘中一・十一	新鐘之宮曾
M727	曾侯乙編鐘中一・十一	濁獸鐘之徵
M727	曾侯乙編鐘中一・十一	獸鐘之羽
M727	曾侯乙編鐘中一・十一	穆鐘之徵
M727	曾侯乙編鐘中一・十一	濁新鐘之宮
M727	曾侯乙編鐘中一・十一	新鐘之徵⿰甫頁
M728	曾侯乙編鐘中二・一	獸鐘之鴃
M729	曾侯乙編鐘中二・二	濁獸鐘之喜
M729	曾侯乙編鐘中二・二	穆鐘之喜反
M729	曾侯乙編鐘中二・二	濁獸鐘之巽
M729	曾侯乙編鐘中二・二	濁新鐘之少商
M730	曾侯乙編鐘中二・三	獸鐘之喜反
M730	曾侯乙編鐘中二・三	濁新鐘之巽反
M730	曾侯乙編鐘中二・三	穆鐘之冬反
M731	曾侯乙編鐘中二・四	濁新鐘之鴃
M731	曾侯乙編鐘中二・四	獸鐘之鴃
M731	曾侯乙編鐘中二・四	穆鐘之少商
M731	曾侯乙編鐘中二・四	新鐘之商⿰甫頁
M731	曾侯乙編鐘中二・四	濁新鐘之冬
M732	曾侯乙編鐘中二・五	濁穆鐘之冬
M732	曾侯乙編鐘中二・五	穆鐘之喜

M732	曾侯乙編鐘中二・五	濁新鐘之商
M732	曾侯乙編鐘中二・五	新鐘之羽顧
M732	曾侯乙編鐘中二・五	濁獸鐘之巽
M733	曾侯乙編鐘中二・六	穆鐘之下角
M733	曾侯乙編鐘中二・六	濁獸鐘之冬
M733	曾侯乙編鐘中二・六	獸鐘之喜
M733	曾侯乙編鐘中二・六	新鐘之少徵顧
M733	曾侯乙編鐘中二・六	穆鐘之冬
M733	曾侯乙編鐘中二・六	濁新鐘之巽
M734	曾侯乙編鐘中二・七	獸鐘之下角
M734	曾侯乙編鐘中二・七	穆鐘之商
M734	曾侯乙編鐘中二・七	濁新鐘之冬
M734	曾侯乙編鐘中二・七	新鐘之羽
M734	曾侯乙編鐘中二・七	獸鐘之徵
M735	曾侯乙編鐘中二・八	新鐘之徵曾
M735	曾侯乙編鐘中二・八	濁新鐘之下角
M735	曾侯乙編鐘中二・八	新鐘之徵
M735	曾侯乙編鐘中二・八	新鐘之冬
M736	曾侯乙編鐘中二・九	穆鐘之羽
M736	曾侯乙編鐘中二・九	新鐘之羽顧
M736	曾侯乙編鐘中二・九	濁獸鐘之宮
M736	曾侯乙編鐘中二・九	濁哭鐘之下角
M736	曾侯乙編鐘中二・九	新鐘之羽曾
M736	曾侯乙編鐘中二・九	濁穆鐘之商
M737	曾侯乙編鐘中二・十	新鐘之商曾
M737	曾侯乙編鐘中二・十	濁獸鐘之羽
M737	曾侯乙編鐘中二・十	新鐘之商
M737	曾侯乙編鐘中二・十	獸鐘之宮
M737	曾侯乙編鐘中二・十	新鐘之商
M738	曾侯乙編鐘中二・十一	贏孠之才楚為新鐘
M738	曾侯乙編鐘中二・十一	其反才晉為槃鐘
M738	曾侯乙編鐘中二・十一	穆音之才楚為穆鐘
M739	曾侯乙編鐘中二・十二	穆鐘之角
M739	曾侯乙編鐘中二・十二	新鐘之宮曾
M739	曾侯乙編鐘中二・十二	濁獸鐘之徵
M739	曾侯乙編鐘中二・十二	獸鐘之羽
M739	曾侯乙編鐘中二・十二	穆鐘之徵
M739	曾侯乙編鐘中二・十二	濁新鐘之宮
M739	曾侯乙編鐘中二・十二	新鐘之徵顧
M740	曾侯乙編鐘中三・一	獸鐘之羽角
M740	曾侯乙編鐘中三・一	割肄之才楚為呂鐘
M740	曾侯乙編鐘中三・一	亘鐘之宮
M740	曾侯乙編鐘中三・一	亘鐘之才晉為六墉
M741	曾侯乙編鐘中三・二	贏孠之才楚號為新鐘
M741	曾侯乙編鐘中三・二	丌才晉號為槃鐘
M741	曾侯乙編鐘中三・二	穆立楚號為穆鐘
M742	曾侯乙編鐘中三・三	新鐘之羽角
M743	曾侯乙編鐘中三・四	為黃鐘鼓
M744	曾侯乙編鐘中三・五	黃鐘之羽角
M744	曾侯乙編鐘中三・五	割肄之才楚號為呂鐘

鐘鏄鎗鍯鈗鉈

M744	曾侯乙編鐘中三・五	其反為亘鐘
M744	曾侯乙編鐘中三・五	新鐘之變徵
M745	曾侯乙編鐘中三・六	郙鐘之徵角
M745	曾侯乙編鐘中三・六	為槃鐘羽
M746	曾侯乙編鐘中三・七	為槃鐘曾
M747	曾侯乙編鐘中三・八	割肄之才楚號為呂鐘
M747	曾侯乙編鐘中三・八	其反為亘鐘
M747	曾侯乙編鐘中三・八	亘鐘之才晉為六墉
M747	曾侯乙編鐘中三・八	為黃鐘徵
M747	曾侯乙編鐘中三・八	新鐘之羽
M748	曾侯乙編鐘中三・九	新鐘之徵
M748	曾侯乙編鐘中三・九	新鐘之徵曾
M748	曾侯乙編鐘中三・九	為獸鐘之羽顧下角
M748	曾侯乙編鐘中三・九	為槃鐘徵曾
M749	曾侯乙編鐘中三・十	新鐘之變商
M749	曾侯乙編鐘中三・十	獸鐘之徵角
M749	曾侯乙編鐘中三・十	為獸鐘之徵顧下角
M749	曾侯乙編鐘中三・十	為黃鐘徵曾
M761	曾侯乙編鐘上二・六	商、羽曾，黃鐘之宮，

小計：共　405 筆

鏄　2245

7058	邾公孫班鐘	為其龢鏄
7117	郐𪒠兒鐘一	得吉金鏄鋁
7119	郐儔兒鐘三	余mqiv兒得吉金鏄鋁
7202	楚公逆鏄	楚公逆自乍夜雨䨻（雷）鏄
7213	𬲜鏄	躋中之子𬲜乍子中姜寶鏄
7214	叔夷鏄	用作鑄其寶鏄
7351	鏾鏄戈	鏾鏄
M708	曾侯乙編鐘下二・一	割肄鄗陊鏄
M708	曾侯乙編鐘下二・一	曾侯乙乍時，鄗陊鏄、徵角，
M710	曾侯乙編鐘下二・三	割肄之中鏄

小計：共　10 筆

鎗　2246　0859倉字重見

鍯　2247　1663悤字重見

鈗　2247+

2983	弭仲寶匿	擇之金、鏷鈗鏷鑪

小計：共　1 筆

鉈　2248　2068匜字重見

1003	楚王酓肯鉈鼎	楚王酓肯（朏）鑄鉈（匜）鼎
6308	蔡侯𦔻盥匜	蔡侯𦔻之盥鉈（匜）

6836	史頌匜	史頌乍鉈(匜)
6844	中友父匜	中友父乍鉈(匜)
6852	衛邑戋白匜	隹衛邑戋白自乍寶鉈(匜)
6860	陳白元匜	陳(陳)白vm之子白元乍西孟嬀姛母塍鉈(匜)
6871	陳子匜	陳(陳)子子乍廝孟嬀穀母塍鉈(匜)
6875	慶弔匜	慶弔作朕子孟姜盥鉈(匜)
		小計:共 8 筆

錞 2249

3094	□公克錞	陸公克鑄其餗錞
3097	陳侯午鐏錞一	乍皇妣孝大妃祭器sk鐏(錞)台登台嘗
3098	陳侯午鐏錞二	乍皇妣孝大妃祭器sk鐏(錞)台登台嘗
3099	十年陳侯午辜(器)	用乍平壽造器辜(錞)
3100	陳侯因資錞	用乍孝武趄公祭器錞
		小計:共 5 筆

鏐 2250

7084	邾公牼鐘一	幺鏐膚呂
7085	邾公牼鐘二	幺鏐膚呂
7086	邾公牼鐘三	幺鏐膚呂
7087	邾公牼鐘四	幺鏐膚呂
7108	鷹弔之仲子平編鐘一	幺鏐鏞鑪
7109	鷹弔之仲子平編鐘二	幺鏐鏞鑪
7110	鷹弔之仲子平編鐘三	幺鏐鏞鑪
7111	鷹弔之仲子平編鐘四	幺鏐鏞鑪
7136	邵鐘一	玄鏐鑪鋁
7137	邵鐘二	玄鏐鑪鋁
7138	邵鐘三	玄鏐鑪鋁
7139	邵鐘四	玄鏐鑪鋁
7140	邵鐘五	玄鏐鑪鋁
7141	邵鐘六	玄鏐鑪鋁
7142	邵鐘七	玄鏐鑪鋁
7143	邵鐘八	玄鏐鑪鋁
7144	邵鐘九	玄鏐鑪鋁
7145	邵鐘十	玄鏐鑪鋁
7146	邵鐘十一	玄鏐鑪鋁
7147	邵鐘十二	玄鏐鑪鋁
7148	邵鐘十三	玄鏐鑪鋁
7149	邵鐘十四	玄鏐鑪鋁
7157	邾公華鐘一	玄鏐赤鏞
7187	叔夷編鐘六	玄鏐錛鋁
7323	玄翏戈	玄翏(鏐)
7340	玄鏐戈	玄翏(鏐)
7735	少虡劍一	玄鏐鈇呂
7736	少虡劍二	乍為元用玄鏐鈇呂
7976	之利殘片	利玄鏐之□

	M545	配兒勾鑃	鉉鏐鏞(鏞)鋁
			小計：共 30 筆
鑾	2251	0355緣字重見	
	0829	尹小弔乍鑾鼎	尹小弔乍鑾鼎
			小計：共 1 筆
鐊	2252	1579昜字重見	
鋪	2253		
	1275	師同鼎	戎鼎廿、鋪五十、劍廿
	7735	少虡劍一	玄鏐鋪呂
	7736	少虡劍二	玄鏐鋪呂
			小計：共 3 筆
銘	2254		
	1331	中山王礐鼎	隹十四年中山王礐詐(乍、作)鼎、于銘曰
	7092	𠫤羌鐘一	用明則之于銘
	7093	𠫤羌鐘二	用明則之于銘
	7094	𠫤羌鐘三	用明則之于銘
	7095	𠫤羌鐘四	用明則之于銘
	7096	𠫤羌鐘五	用明則之于銘
			小計：共 6 筆
鈖	2255		
	7027	邾公鈖鐘	陸𩡧之孫邾公鈖乍𤔲禾鐘
	M883	中山侯鉞	中山侯＿乍丝軍鈖
			小計：共 2 筆
釬	2256		
	M883	中山侯鉞	中山侯蚉乍丝軍釬
			小計：共 1 筆
鈷	2257	2072匠字重見	
	2878	西替匠	西替乍其妹喜尊鈷(匠)
			小計：共 1 筆
鈼	2258		

J3864	吳王夫差矛	自乍用鈼
		小計：共　1 筆

2259

7466	郾侯脮殘戈	□侯脮乍萃鍨鉘
7497	郾侯脮乍師巾萃鍨鉘	郾侯脮乍師巾萃鍨鉘
		小計：共　2 筆

2260

7996.	上官登	富子之上官隻之畫sp□鈇十
7996.	上官登	台為大𧶠之從鈇登□□
		小計：共　2 筆

2261

6888	吳王光鑑一	玄銑白銑
6889	吳王光鑑二	玄銑白銑
		小計：共　2 筆

鉌 2262

7871	子禾子釜一	關鉌節于稟料
7872	左關之鉌	左關之鉌
7873	哀成弔鉌	哀成弔乍鉌
7874	蔡太史鉌	蔡大史秦乍其鉌
		小計：共　4 筆

2263

2862	劃白鉊	劃白乍孟姬鉊
7117	郐𪒠兒鐘一	得吉金鎛鉊
7118	郐儕兒鐘二	余mqiv兒得吉金鎛鉊
7136	郘鐘一	玄鏐鑪鉊
7137	郘鐘二	玄鏐鑪鉊
7138	郘鐘三	玄鏐鑪鉊
7139	郘鐘四	玄鏐鑪鉊
7140	郘鐘五	玄鏐鑪鉊
7141	郘鐘六	玄鏐鑪鉊
7142	郘鐘七	玄鏐鑪鉊
7143	郘鐘八	玄鏐鑪鉊
7144	郘鐘九	玄鏐鑪鉊
7145	郘鐘十	玄鏐鑪鉊
7146	郘鐘十一	玄鏐鑪鉊

鋁
鏞
鋘
鍨
鑃
鐴

7147	郘鐘十二	玄鏐鏞鋁
7148	郘鐘十三	玄鏐鏞鋁
7149	郘鐘十四	玄鏐鏞鋁
7187	叔夷編鐘六	玄鏐鏞鋁
7214	叔夷鎛	__羼吉金鈇鎬鏞鋁
M545	配兒勾鑃	鉉鏐鏞(鏞)鋁
		小計：共 20 筆

鏞 2264

7108	簷弔之仲子平編鐘一	幺鏐鏞鏞
7109	簷弔之仲子平編鐘二	幺鏐鏞鏞
7110	簷弔之仲子平編鐘三	幺鏐鏞鏞
7111	簷弔之仲子平編鐘四	幺鏐鏞鏞
		小計：共 4 筆

鋘 2265

2833	秦公段	鋘靜不廷
7212	秦公鎛	鋘靜不廷
		小計：共 2 筆

鍨 2266

7466	郾侯脮殘戈	□侯脮乍萃鍨鋸
7497	郾侯脮乍師巾萃鍨鋸	郾侯脮乍師巾萃鍨鋸
7498	郾王詈戈	郾王詈乍行議鍨
7536	郾王詈戈一	郾王詈作行議鍨
7555	二年戈	許__丹鍨____弃
7622	行__鍨	行__鍨
		小計：共 6 筆

鑃 2267

7215	其次勾鑃一	鑄句鑃
7216	其次勾鑃二	鑄句鑃
7217	姑馮勾鑃	自乍商句鑃
M545	配兒勾鑃	自乍勹鑃
		小計：共 4 筆

鐴 2268

7351	鐴鎛戈	鐴鎛
		小計：共 1 筆

2269

7928	仲乍旅鑵	中乍旅鑵
		小計：共 1 筆

2270

7136	郘鐘一	玉鐳鼉鼓
7137	郘鐘二	玉鐳鼉鼓
7138	郘鐘三	玉鐳鼉鼓
7139	郘鐘四	玉鐳鼉鼓
7140	郘鐘五	玉鐳鼉鼓
7141	郘鐘六	玉鐳鼉鼓
7142	郘鐘七	玉鐳鼉鼓
7143	郘鐘八	玉鐳鼉鼓
7144	郘鐘九	玉鐳鼉鼓
7145	郘鐘十	玉鐳鼉鼓
7146	郘鐘十一	玉鐳鼉鼓
7147	郘鐘十二	玉鐳鼉鼓
7148	郘鐘十三	玉鐳鼉鼓
7149	郘鐘十四	玉鐳鼉鼓
		小計：共 14 筆

2270+

2983	弭仲簠匧	羼之金、鏷鈗鏷鑪
		小計：共 1 筆

鑵
鐳
鏷

処	2271	同處	
	5472	乍毓且丁卣	歸福于我多高処山易䇳
			小計：共　1 筆
處	2271	同処	
	1330	曶鼎	曰、弋尚卑處氒邑、田氒田
	2774	臣諫毁	祉令臣諫旨□□亞旅處于軧
	3128	魚鼎匕	毋處其所
	5803	胤嗣妤蚉壺	不能寧處
	5803	胤嗣妤蚉壺	不敢寧處
	6792	史墻盤	才observed霝處
	6792	史墻盤	武王則令周公舍圖于周卑處
	7000	邾君鐘	用處大政
	7047	井人鐘	妄寍寍聖䙉、疐處
	7048	井人鐘二	妄寍寍聖䙉、疐處
	7050	井人鐘四	處宗室
	7164	㾓鐘七	武王則令周公舍寓以五十頌處
	7176	㝬鐘	南或𠬝子敢臽（陷）處我土
	7186	叔夷編鐘五	處禹之堵
	7193	叔夷編鐘十二	處禹之堵
	7214	叔夷鎛	處禹之堵
	7219	冉鉦鋮（南疆征）	余處此南疆
	7744	工𫊸太子劍	余處江之陽
	7899	鄂君啟車節王居	処（處）於莪郢之遊宮
	7900	鄂君啟舟節王居	処（處）於莪郢之遊宮
			小計：共　20 筆
且	2272		
	0194	且乙鼎一	且乙
	0195	且乙鼎二	且乙
	0196	且戊鼎	且戊
	0330	嬰且丁鼎	［嬰］且丁
	0331	象且辛鼎	［象］且辛
	0332	戈且辛鼎	［戈］且辛
	0333	戈且癸鼎一	［戈］且癸
	0334	戈且癸鼎二	［戈］且癸
	0335	得且庚鼎	得且庚
	0510	戈且己鼎	［戈］且己
	0551	_乍且戊鼎	［am］乍且戊
	0552	且丁癸□鼎	且丁癸□
	0553	且己父癸鼎	且己父癸
	0554	亞且癸鼎	［亞］且癸
	0669	王且甲方鼎	［狂］且甲
	0670	盜且庚父辛鼎	［盜］且庚父辛
	0752	_乍且丁鼎	kL乍且丁盟彝

0753	犬且辛且癸鼎	犬且辛且癸[亯]
0815	𠈹且辛禹方鼎一	[𠈹]且辛禹[bn]
0816	𠈹且辛禹方鼎二	[𠈹]且辛禹[bn]
0840	亞䣍曆乍且己鼎	[亞俞]曆乍且己彝
0841	𩁹乍且乙鼎	𩁹乍且乙寶尊彝
0887	𨑓乍且丁鼎	𨑓乍且丁尊彝永寶
0888	咸妹早乍且丁鼎	咸𢿚乍且丁尊彝
0922	𥂴婦方鼎	[cm]己且丁父癸𥂴婦尊
0925	𡭴乍且壬鼎	𡭴乍且壬寶尊彝□金
0943	亞父庚且辛鼎	[亞俞fw]父父庚保且辛
0966	匸宁乃孫乍且己鼎	乃孫乍且己宗寶㪤𩰫[匸宁]
0986	中乍且癸鼎	用乍且癸寶鼎
1029	𦉢乍且乙鼎	用乍且乙尊[田告亞]
1041	且方鼎	鄧父中曼□□且
1085	曾者子乍𩰫鼎	用享于且、子子孫永壽
1175	白鮮乍旅鼎一	用亯孝于文且
1176	白鮮乍旅鼎二	用亯孝于文且
1177	白鮮乍旅鼎三	用亯孝于文且
1188	旂弔樊乍易姚鼎	用亯孝于朕文且
1199	虢宣公子白鼎	用孝亯于皇且考
1244	瘨鼎	用乍皇且文考盂鼎
1245	仲師父鼎一	其用亯用考于皇且帝考
1246	仲師父鼎二	其用亯用考于皇且帝考
1255	作冊大鼎一	用乍且丁寶尊彝[鳥冊]
1256	作冊大鼎二	用乍且丁寶尊彝[鳥冊]
1257	作冊大鼎三	用乍且丁寶尊彝[鳥冊]
1258	作冊大鼎四	用乍且丁寶尊彝[鳥冊]
1259	都公諴鼎	用追亯丂于皇且考
1260	我方鼎	我乍禦Gx且乙、匕乙、且己、匕癸
1261	我方鼎二	我乍禦Gx且乙、匕乙、且己、匕癸
1264	螢鼎	因付氒且僕二家
1265	𣪕弔鼎	其用享于文且考
1266	都公平侯鼎一	用追孝于氒皇且晨公
1267	都公平侯鼎二	用追孝于氒皇且晨公
1268	梁其鼎一	用亯孝于皇且考
1269	梁其鼎二	用亯孝于皇且考
1285	㦰方鼎一	其用夙夜享孝于氒文且乙公
1291	善夫克鼎一	克乍朕皇且釐季寶宗彝
1292	善夫克鼎二	克乍朕皇且釐季寶宗彝
1293	善夫克鼎三	克乍朕皇且釐季寶宗彝
1294	善夫克鼎四	克乍朕皇且釐季寶宗彝
1295	善夫克鼎五	克乍朕皇且釐季寶宗彝
1296	善夫克鼎六	克乍朕皇且釐季寶宗彝
1297	善夫克鼎七	克乍朕皇且釐季寶宗彝
1304	土子午鼎	用享以考于我皇且文考
1308	白晨鼎	似乃且考侯于䡈
1310	鬲攸從鼎	其且射、分田邑
1310	鬲攸從鼎	从乍朕皇且丁公皇考叀公尊鼎
1311	師晨鼎	用乍朕文且辛公尊鼎
1315	善鼎	易女乃且旂、用事

	1323	師訊鼎	用井乃聖且考隣明
	1323	師訊鼎	小子夙夕尃古先且剌德
	1323	師訊鼎	白亦克麸古先且壘孫子一䪼皇辟懿德
且	1323	師訊鼎	用氒剌且介德
	1324	禹鼎	禹曰:不顯趄趄皇且穆公
	1324	禹鼎	肆武公亦弗叚望朕聖且考幽大弔、懿弔
	1324	禹鼎	命禹oo朕且考政于井邦
	1327	克鼎	克曰：穆穆朕文且師華父悤hv氒心
	1327	克鼎	巠念氒聖保且師華父
	1327	克鼎	用乍朕文且師華父寶䵼彝
	1328	盂鼎	令女盂井乃嗣且南公
	1328	盂鼎	易乃且南公旂
	1330	曶鼎	□若曰：𦥑(曶)、令女更乃且考嗣卜事
	1410	朿且辛父甲鬲	[朿]且辛父甲征
	1529	仲柟父鬲一	用敢卿(饗)孝于皇且丂
	1530	仲柟父鬲二	用敢卿(饗)孝于皇且丂
	1531	仲柟父鬲三	用敢卿(饗)孝于皇且丂
	1532	仲柟父鬲四	用敢卿(饗)孝于皇且丂
	1570	且丁旅甗	且丁[旅]
	1638	㽙_夫乍且丁甗	Ln夫乍且丁[㽙]
	1642	尹白乍且辛甗	尹白乍且辛寶尊彝
	1650	榮子旅乍且乙甗	榮子旅乍且乙寶彝子孫永寶
	1808	且辛毁	且辛
	1827	且乙毁	且乙
	1845	𠨘且丁毁	[𠨘]且丁
	1846	門且丁毁	[門]且丁
	1847	嬰且丁毁	[嬰]且丁
	1847.	𠨘刀且己毁	[𠨘刀]且己
	1848	且辛_毁	且辛_
	1849	象且辛毁	[象]且辛
	1987	且癸父丁毁	且癸父丁
	2081	䚡𤔲且乙毁	[䚡𤔲]且乙
	2082	䚡𤔲且乙毁	[䚡𤔲]且己
	2152	𢦏乍且戊寶毁一	乍且戊寶毁[𢦏]
	2153	𢦏乍且戊寶毁二	乍且戊寶毁[𢦏]
	2239	㑏缶乍且癸毁	㑏缶乍且癸尊彝
	2272	𣏟乍且丁寶毁	𣏟乍且丁寶𩰫彝
	2282	史某𠑹乍且辛毁	史某𠑹(兄)乍且辛寶彝
	2283	㽙□乍癸毁	㽙□乍且癸寶尊彝
	2312	剳亩乍且癸毁	剳亩乍且戊寶尊彝𢦔(戰)
	2335	告田乍且乙𩁹侯弔尊毁	乍且乙𩁹侯弔尊彝[告田]
	2339	㪟鳥乍且癸毁	𡛥易鳥玉、用乍且癸彝[㪟]
	2349	翼乍氒且毁	翼乍氒且寶尊彝[𦥑亞]
	2422	舟洹秦乍且乙毁	洹秦乍且乙寶毁
	2423	亘_戜毁	用團辝其皇且癸文考
	2453	亞䋣乍且丁毁	章用乍且丁彝
	2486	□□且辛毁	□□且辛寶毁
	2525	甯敄毁	用乍且癸寶尊
	2560	吳彭父毁一	吳彭父乍皇且考庚孟尊毁
	2561	吳彭父毁二	吳彭父乍皇且考庚孟尊毁

2562	吳彭父毁三	吳彭父乍皇且考庚孟尊毁	
2563	德克乍文且考毁	德克乍朕文且考尊毁	
2564	𩁹且日庚乃孫毁一	且日庚乃孫乍寶毁	
2565	且日庚乃孫毁二	且日庚乃孫乍寶毁	且
2580	羽乍北子毁	用ue𠂤且父日乙	
2622	𤦃伐父毁一	用亯于皇且文考	
2623	𤦃伐父毁二	用亯于皇且文考	
2623.	𤦃伐父毁	用亯于皇且文考	
2623.	𤦃伐父毁	用亯于皇且文考	
2624	𤦃伐父毁三	用亯于皇且文考	
2628	畢鮮毁	畢鮮乍皇且益公尊毁	
2632	陳逆毁	乍為皇且大宗毁	
2646	仲辛父毁	中辛父乍朕皇且日丁	
2651	內白多父毁	用亯于皇且文考	
2652	__毁	p6乍文且考尊寶毁	
2660	彔乍辛公毁	用乍文且辛公寶𩰫毁	
2673	口弔買毁	其用追孝于朕皇且啻考	
2684	__寵乎毁	用亯孝皇且文考	
2685	仲枏父毁一	用敢鄉考于皇且丂	
2686	仲枏父毁二	用敢鄉考子皇且	
2694	虘乍且考毁	用乍且考寶尊彝	
2695	𩰫兌毁	𩰫兌乍朕文且乙公	
2706	𨜴公敄人毁	用亯孝于𠂤皇且、于𠂤皇丂	
2713	𤼈毁一	𤼈曰：㬎皇且考𤔲(司辭)威義	
2713	𤼈毁一	乍且考毁	
2714	𤼈毁二	𤼈曰：㬎皇且考𤔲(司辭)威義	
2714	𤼈毁二	乍且考毁	
2715	𤼈毁三	𤼈曰：㬎皇且考𤔲(司辭)威義	
2715	𤼈毁三	乍且考毁	
2716	𤼈毁四	𤼈曰：㬎皇且考𤔲(司辭)威義	
2716	𤼈毁四	乍且考毁	
2717	𤼈毁五	𤼈曰：㬎皇且考𤔲(司辭)威義	
2717	𤼈毁五	乍且考毁	
2718	𤼈毁六	𤼈曰：㬎皇且考𤔲(司辭)威義	
2718	𤼈毁六	乍且考毁	
2719	𤼈毁七	𤼈曰：㬎皇且考𤔲(司辭)威義	
2719	𤼈毁七	乍且考毁	
2720	𤼈毁八	𤼈曰：㬎皇且考𤔲(司辭)威義	
2720	𤼈毁八	乍且考毁	
2723	𧷤毁	升于𠂤文且考	
2726	曶毁	曰：用嗣乃且考吏	
2738	衛毁	用乍朕文且考寶尊毁	
2739	無㠱毁一	無㠱用乍朕皇且釐季尊毁	
2740	無㠱毁二	無㠱用乍朕皇且釐季尊毁	
2741	無㠱毁三	無㠱用乍朕皇且釐季尊毁	
2742	無㠱毁四	無㠱用乍朕皇且釐季尊毁	
2742.	無㠱毁五	無㠱用乍朕皇且釐季尊毁	
2742.	無㠱毁五	無㠱用乍朕皇且釐季尊毁	
2746	追毁一	用乍朕皇且考尊毁	
2747	追毁二	用乍朕皇且考尊毁	

且

2748	追𣪕三	用乍朕皇且考尊𣪕
2749	追𣪕四	用乍朕皇且考尊𣪕
2750	追𣪕五	用乍朕皇且考尊𣪕
2751	追𣪕六	用乍朕皇且考尊𣪕
2763	弔向父禹𣪕	肇帥井先文且
2763	弔向父禹𣪕	乍朕皇且幽大弔尊𣪕
2771	弭弔師求𣪕一	用乍朕文且寶𣪕
2772	弭弔師求𣪕二	用乍朕文且寶𣪕
2775	裘衛𣪕	用乍朕文且考寶𣪕
2775.	害𣪕一	用_乃且考
2775.	害𣪕二	用_乃且考
2784	申𣪕	王命尹冊命申更乃且考
2787	望𣪕	用乍朕皇且白廿tx父寶𣪕
2787	望𣪕	用乍朕皇且白甲父寶𣪕
2791	豆閉𣪕	用俟乃且考吏
2793	元年師旋𣪕一	用乍朕文且益中尊𣪕
2794	元年師旋𣪕二	用乍朕文且益中尊𣪕
2795	元年師旋𣪕三	用乍朕文且益中尊𣪕
2797	輔師嫠𣪕	更乃且考司輔載
2800	伊𣪕	伊用乍朕不顯文且皇考徲弔寶𪔉彝
2802	六年召白虎𣪕	用乍朕剌且召公嘗𣪕
2803	師酉𣪕一	嗣乃且啻官邑人、虎臣
2804	師酉𣪕二	嗣乃且啻官邑人、虎臣
2804	師酉𣪕二	嗣乃且啻官邑人、虎臣
2805	師酉𣪕三	嗣乃且啻官邑人、虎臣
2806	師酉𣪕四	嗣乃且啻官邑人、虎臣
2806.	師酉𣪕五	嗣乃且啻官邑人、虎臣
2815	師𩛥𣪕	師𩛥、乃且考又Jq(勞?)于我家
2816	彔白𢦚𣪕	繇自乃且考
2831	元年師兌𣪕一	易女乃且巿、五黃、赤舃
2831	元年師兌𣪕一	用乍皇且城公𪔉𣪕
2832	元年師兌𣪕二	易女乃且巿、五黃、赤舃
2832	元年師兌𣪕二	用乍皇且城公𪔉𣪕
2833	秦公𣪕	秦公曰：不顯朕皇且受天命
2833	秦公𣪕	目卲皇且
2834	㝬𣪕	用康惠朕皇文剌且考
2835	訇𣪕	則乃且奠周邦
2835	訇𣪕	用乍文且乙白同姬尊𣪕
2838	師嫠𣪕一	既令女更乃且考嗣(司)
2838	師嫠𣪕一	令女嗣(司)乃且舊官小輔鼓鐘
2838	師嫠𣪕一	既令女更乃且考嗣(司)小輔
2838	師嫠𣪕一	令女嗣乃且舊官小輔眔鼓鐘
2839	師嫠𣪕二	既令女更乃且考嗣(司)
2839	師嫠𣪕二	令女嗣(司)乃且舊官小輔鼓鐘
2839	師嫠𣪕二	既令女更乃且考嗣(司)小輔
2839	師嫠𣪕二	令女嗣乃且舊官小輔眔鼓鐘
2840	番生𣪕	不顯皇且考
2840	番生𣪕	番生不敢弗帥井皇且考不杯元德
2841	茾白𣪕	朕不顯且玟珷
2841	茾白𣪕	乃且克桒先王

2842	卯毁	飘乃先且考死嗣（司）榮公室
2842	卯毁	昔乃且亦既令乃父死（司）葊人
2852	不嬰毁一	用乍朕皇且公白孟姬尊毁
2853	不嬰毁二	用作朕皇且公白孟姬尊毁
2853.	__弔毁	用乍且考寶尊彝
2856	師訇毁	亦則於女乃聖且考克左右先王
2856	師訇毁	用乍朕剌且乙白咸益姬寶毁
3057	仲自父鎮（盨）	其用亯用孝于皇且文考
3070	杜白盨一	其用亯孝于皇申且考、于好倗友
3071	杜白盨二	其用亯孝于皇申且考、于好倗友
3072	杜白盨三	其用亯孝于皇申且考、于好倗友
3073	杜白盨四	其用亯孝于皇申且考、于好倗友
3074	杜白盨五	其用亯孝于皇申且考、于好倗友
3086	善夫克旅盨	克其用朝夕亯于皇且考
3086	善夫克旅盨	皇且考其數數鑾鑾
3087	鬲从盨	鬲比乍朕皇且丁公、 文考惠公盨
3088	師克旅盨一（蓋）	則隹乃先且考又Jr于周邦
3088	師克旅盨一（蓋）	余隹巠乃先且考
3088	師克旅盨一（蓋）	令女更乃且考
3089	師克旅盨二	則緜隹乃先且考又Jr于周邦
3089	師克旅盨二	余隹巠乃先且考
3089	師克旅盨二	令女更乃且考
3100	陳侯因資錞	紹緟高且黃啻
3111	大師虘豆	用卲洛朕文且考
3405	且甲爵一	且甲
3406	且甲爵二	且甲
3407	且乙爵一	且乙
3408	且乙爵二	且乙
3409	且乙爵三	且乙
3410	且乙爵四	且乙
3411	且丁爵	且丁
3412	且戊爵一	且戊
3413	且戊爵二	且戊
3414	且戊爵三	且戊
3415	且戊爵四	且戊
3416	且己爵一	且己
3417	且己爵二	且己
3418	且庚爵	且庚
3419	且辛爵	且辛
3420	且辛爵	且辛
3421	且壬爵	且壬
3422	且癸爵一	且癸
3423	且癸爵二	且癸
3424	且癸爵三	且癸
3425	且癸爵	且癸
3595.	木且爵	[木]且
3634	且__爵	[且f5]
3711	辛且爵	辛且
3726	㝑且乙爵	且乙[㝑]
3727	舟且乙爵一	[舟]且乙

且

3728	舟且乙爵二	[舟]且乙
3729	併且乙爵	[併]且乙
3730	舟且乙爵	[舟]且乙
3730.	心且乙爵	[心]且乙
3731	舟且丙爵	[舟]且丙
3732	鍪且丙爵	[鍪]且丙
3733	邾且丙爵	[邾]且丙
3734	車且丁爵	[車]且丁
3735	亞且丁爵	[亞]且丁
3736	㫃且丁爵	且丁[㫃]
3737	山且丁爵	[山]且丁
3738	嬰且丁爵	[嬰]且丁
3738.	旻且丁爵	[旻]且丁
3739	戈且戊爵	[戈]且戊
3740	丫且己爵一	[丫]且己
3741	丫且己爵二	[丫]且己
3742	敘且己爵	[敘]且己
3743	鍪且己爵	[鍪]且己
3744	戈且己爵一	[戈]且己
3745	戈且己爵二	[戈]且己
3746	__且戊爵	[di]且戊
3747	子且辛爵	[子]且辛
3748	齊且辛爵	[齊]且辛
3749	句且辛爵	[句]且辛
3751	且辛__爵一	且辛[__]
3752	且辛__爵二	且辛[__]
3752.	人且辛爵	[人]且辛
3753	山且壬爵	[山]且壬
3754	木且辛爵	[木]且辛
3755	且辛壴爵	且辛[壴]
3756	屬且壬爵	[屬]且壬
3757	鍪且癸爵	[鍪]且癸
3758	止且癸爵	[止]且癸
3759	㝮且癸爵	[㝮]且癸
3760	卬且癸爵	[卬]且癸
3996	且辛壴爵	且辛[壴]
4000	敘且壬爵	[敘]且壬
4001	田且癸爵	[田]卜且癸
4049	亞木且己爵	[亞木]且己
4050	卬且辛爵	[卬]且辛
4057	唐子且乙爵一	唐子且乙
4058	唐子且乙爵二	唐子且乙
4059	唐子且乙爵三	唐子且乙
4060	唐子且乙爵四	唐子且乙
4061	丙丁且丁爵	丙丁且丁
4062	弓衛且己爵	[弓衛]且一己
4113	矢且____爵一	矢且____
4114	矢且____爵二	矢且____
4115	亼句毌且辛爵	[亼句毌]且辛
4128.	目__且壬爵	目tm且壬

4129	目乍且乙彝爵	目乍且乙彝
4132	丙且丁父乙爵	[丙]且丁父乙
4167	__乍且乙爵	__乍且乙寶彝
4168	□乍且乙爵	□乍且乙寶彝
4168.	師遽爵	師遽乍且乙[𠫑]
4170	__乍且丁爵	wk乍且丁寶彝
4171	對乍且辛旅彝爵	對乍且辛旅彝
4172	毀中乍且辛爵	毀中乍且辛彝
4181	__乍且己爵	fm乍且己尊寶彝
4187	效爵.	效乍且戊寶尊彝
4192	美乍厥且可公爵一	美乍厥且可公尊彝
4193	美乍厥且可公爵二	美乍厥且可公尊彝
4201	盟舟惠爵	盟舟輪__乍厥且乙寶宗彝
4212	獎且己角	[獎]且己
4212.	𠫑且庚角	[𠫑]且庚
4214	嬰且癸角一	[嬰]且癸
4215	嬰且癸角二	[嬰]且癸
4226	__丁且乙角	__丁且乙
4228	□竹且癸角	□竹且癸
4306	飞且己斝	[飞]且己
4307	顯且丁斝	[顯]且丁
4308	爻且丁斝	[爻]且丁
4308.	冊且丁斝	[冊]且丁
4365	子且壬盉	[子]且壬
4517	且戊尊	且戊
4549	且壬尊	且壬
4554	且辛尊	且辛
4556.	鳥且犧尊	[鳥]且
4558	𢦏且丁尊	[𢦏]且丁
4559	己且乙尊	己且乙
4560	𠫑且丁尊	[𠫑]且丁
4561	__且丁尊	[cv]且丁
4562	乍且庚尊一	乍且庚
4563	乍且庚尊二	乍且庚
4564	獎且癸尊	[獎]且癸
4567	𠫑且辛尊	[𠫑]且辛
4638	爵且丙尊	爵且丙
4649	子且辛步尊	[子]且辛[步]
4650	__受且丁尊	[du受]且丁
4699	乍且丁尊	乍且丁尊彝
4706	受父辛尊	受父辛且乙
4727	乍且乙尊	乍且乙寶尊彝
4760	亞耳乍且丁尊	亞耳乍且丁尊彝
4761	乍且己尊	乍且己寶尊彝[𠫑]
4762	竟乍且癸尊	竟乍且癸寶尊彝
4794	魁乍且乙尊	魁乍且乙寶彝[子廟]
4811	盩嗣土幽乍且辛旅尊	盩司土幽乍且辛旅彝
4850	犅劫尊	用乍□□且缶尊彝
4859	戉箙啟尊	乍且丁旅寶彝
4865	厥方尊	乍厥穆文且考寶尊彝

	4866	小臣艅尊	丁巳、王省夒且
	4886	趩尊	王乎内史冊令趩更氒且考服
	4977	師遽方彝	用乍文且它公寶尊彝
且	5106	鳥且甲卣	[鳥且甲]
	5107	竟且辛卣	[竟]且辛
	5108	㫃且乙卣	[㫃且乙]
	5109	子且丁卣(蓋)	[子]且丁
	5110	__且戊卣	[fx]且戊
	5111	子且己卣	[子]且己
	5112	鳶且辛卣	[鳶]且辛
	5113	子且壬卣	[子]且壬
	5115	且癸ㄖ卣	且癸[ㄖ]
	5116	𡚸且癸卣	[𡚸]且癸
	5224	戚箙且乙卣	[戚箙]且乙
	5281	且丁父己卣	且丁父己
	5289	會且己父辛卣	且己父辛[會]
	5318	亞共且乙父己卣	[亞共且乙父己]
	5355	犬且辛且癸享卣	[犬]且辛、且癸[享]
	5358	亞__𡚸且辛禹卣	[𡚸]且辛禹[亞bn]
	5370	遣乍且乙卣	遣乍且乙寶尊彝
	5371	__乍且丁卣	h5乍且丁寶尊彝
	5372	盚且丁父癸卣	[盚cm己]且丁父癸
	5402	遡乍且乙卣	遡乍且乙寶尊彝
	5409	晶__乍且癸卣	__乍且癸寶尊彝[晶]
	5422	盩嗣土幽旅卣	盩司土幽乍且辛旅彝
	5443	亞㠱侯吴𡚸卣	𡚸易孝用乍且丁彝[亞㠱侯吴]
	5457	小臣系乍且乙卣一	用乍且乙尊
	5458	小臣系乍且乙卣二	用乍且乙尊
	5464	刀耳乍父乙卣	耳休、弗敢且
	5472	乍毓且丁卣	用乍毓且丁尊[ㄖ]
	5472	乍毓且丁卣	用乍毓且丁尊[ㄖ]
	5475	六祀邲其卣	用乍且癸尊彝
	5489	戉箙啟卣	乍且丁寶旅尊彝
	5510	乍冊嗌卣	用乍大禦于氒且考父母多申
	5513	且方彝	[且]
	5557	𡚸且辛禹罍	且辛禹[bn𡚸]
	5573	盚__己且丁方罍	[亞盚]且丁cm己父癸
	5578	戈䋣乍且乙罍	䋣乍且己尊彝
	5579	乃孫乍且甲罍	乃孫__乍且甲罍
	5629	__且己壺蓋	[ac]且己
	5680	恆乍且辛壺	恆乍且辛壺[戉]
	5787	汈其壺一	用享考于皇且考
	5788	汈其壺二	用享考于皇且考
	5796	三年㾓壺一	用乍皇且文考尊壺
	5797	三年㾓壺二	用乍皇且文考尊壺
	5798	曶壺	更乃且考乍冢嗣土于成周八自
	6008	且辛觚一	且辛
	6009	且辛觚二	且辛
	6123	龜且乙觚	[龜]且乙
	6124	戈且丁觚	[戈]且丁

6125	丫且己觚	[丫]且己
6126	山且庚觚	[山]且庚
6195	犾且丙觚	[犾]且丙
6196	戈且辛觚	[戈]且辛
6211	且丁父乙觚	且丁父乙
6212	_戉且戊觚	[_戉]且戊
6213	且辛戉刀觚	且辛[戉刀]
6216	龜且癸觚	[弔龜]且癸
6221	犾_己且觚	[ej]己且[犾]
6222	且己觚	[大中]且己
6250	天黿且丁觚	[天黽獸]且丁
6255	大且乙觚	大且乙乍彝
6273	_乍且己觚	[夙]乍且己尊彝[ar]
6275	執戉執乍且癸句觚	[執戉執]乍且癸[句]寶彝
6344	且甲觶	且甲
6345	且丁觶	且丁
6346	且辛觶	且辛
6409	且乙封觶	且乙[封]
6410	史且乙觶	[史]且乙
6411	安且丙觶	[安]且丙
6412	鑋且丙觶	[鑋]且丙
6413	舟且丁觶	[舟]且丁
6414	戉且丁觶	[戉]且丁
6415	_且丁觶	_且丁
6416	丫且戊觶	[丫]且戊
6417	戈且己觶	[戈]且己
6418	亞且辛觶	[亞卯]且辛
6526	征中且觶	[征且中]
6544	唐子且乙觶	[唐子]且乙
6545	且戊其_觶	[且戊其_][其皿]
6546	口宫且己觶	[口宫]且己
6547	鳥兀且乙觶	[鳥兀]且乙
6548	弔龜且癸觶	[弔龜]且癸
6610	且壬觚	且壬
6618	姎𩛥_乍且辛觶	[姎𩛥vr]乍且辛彝
6623	白乍𠭯且觶	白乍𠭯且寶尊彝
6629	齊史疑乍且辛觶	齊史疑乍且辛寶彝
6785	守宮盤	用乍且乙尊
6792	史墻盤	青幽高且
6792	史墻盤	敚史剌且迺來見武王
6792	史墻盤	kx叀乙且
6792	史墻盤	亞且且辛
6792	史墻盤	剌且文考弋寶(休)
6793	矢人盤	鮮、且、敚、 武父、西宮襄
6793	矢人盤	矢卑、鮮、且、Jm
6793	矢人盤	鮮、且、Jm、旅則誓
6909	遡盂	用乍文且己公尊盂
6925	晉邦盦	晉公曰：我皇且唐公
7005	郘公鐘	皇且哀公、皇考晨公
7020	單伯鐘	不顯皇且剌考

且

7020	單伯鐘	余小子肇帥井朕皇且考懿德
7026	邾弔鐘	以乍其乍其皇且皇考
7039	應侯見工鐘二	用乍朕皇且雁侯大𩁹鐘
7043	克鐘四	用乍朕皇且考白寶𩁹鐘
7044	克鐘五	用乍朕皇且考白寶𩁹鐘
7047	井人鐘	覭盄文且皇考
7047	井人鐘	妄不敢弗帥用文且皇考穆穆秉德
7048	井人鐘二	覭盄文且皇考
7048	井人鐘二	妄不敢弗帥用文且皇考穆穆秉德
7058	邾公孫班鐘	用喜于其皇且
7059	師臾鐘	師臾肁乍朕剌且虢季宄公幽弔
7082	齊鞄氏鐘	于台皇且文考
7112	者減鐘一	于其皇且皇考
7113	者減鐘二	于其皇且皇考
7116	南宮乎鐘	先且南公
7116	南宮乎鐘	亞且宮中
7116	南宮乎鐘	用乍朕皇且南公
7116	南宮乎鐘	亞且公中
7117	郐𠭯兒鐘一	台追孝先且
7119	郐𠭯兒鐘三	台追孝先且
7122	梁其鐘一	汈其肇帥井皇且考秉明德
7122	梁其鐘一	用乍朕皇且考龢鐘
7123	梁其鐘二	汈其肇帥井皇且考秉明德
7135	逆鐘	乃且考□政于公室
7136	郘鐘一	我以享孝樂我先且
7137	郘鐘二	我以享孝樂我先且
7138	郘鐘三	我以享孝樂我先且
7139	郘鐘四	我以享孝樂我先且
7140	郘鐘五	我以享孝樂我先且
7141	郘鐘六	我以享孝樂我先且
7142	郘鐘七	我以享孝樂我先且
7143	郘鐘八	我以享孝樂我先且
7144	郘鐘九	我以享孝樂我先且
7145	郘鐘十	我以享孝樂我先且
7146	郘鐘十一	我以享孝樂我先且
7147	郘鐘十二	我以享孝樂我先且
7148	郘鐘十三	我以享孝樂我先且
7149	郘鐘十四	我以享孝樂我先且
7157	邾公華鐘一	台乍其皇且考
7158	瘨鐘一	不顯高且亞且文考
7158	瘨鐘一	瘨不敢弗帥且考
7159	瘨鐘二	追孝于高且辛公
7159	瘨鐘二	文且乙公
7159	瘨鐘二	弋皇且考高對爾烈
7160	瘨鐘三	不顯高且亞且文考
7160	瘨鐘三	瘨不敢弗帥且考
7161	瘨鐘四	不顯高且亞且文考
7161	瘨鐘四	瘨不敢弗帥且考
7162	瘨鐘五	不顯高且亞且文考
7162	瘨鐘五	瘨不敢弗帥且考

7164	𤼈鐘七	且來見武王
7174	秦公鐘	秦公曰：我先且受天令
7175	王孫遺者鐘	于我皇且文考
7176	㝬鐘	用卲各不顯且考先王
7177	秦公及王姬編鐘一	秦公曰：我先且受天令
7179	秦公及王姬編鐘四	秦公曰：我先且受天令
7180	秦公及王姬編鐘五	秦公曰：我先且受天令
7182	叔夷編鐘一	余經乃先且
7204	克鎛	用乍朕皇且考白寶龢鐘
7209	秦公及王姬鎛	秦公曰：我先且受天令
7210	秦公及王姬鎛二	秦公曰：我先且受天令
7211	秦公及王姬鎛三	秦公曰：我先且受天令
7212	秦公鎛	秦公曰：不顯朕皇且受天命
7214	叔夷鎛	余經乃先且
7439	且乙戈	且乙、且己、且丁
7573	大且日己戈	大且日己
7573	大且日己戈	且日丁
7573	大且日己戈	且日乙
7573	大且日己戈	且日庚
7573	大且日己戈	且日丁
7573	大且日己戈	且日己
7573	大且日己戈	且日己
7575	且日乙戈	且日乙
M030	剛劫卣	用乍□斎□且缶尊彝
M177.	䟒𣪘	䟒乍且庚尊𣪘
M457	鄭虢仲悆鼎	鄭虢中悆肇用乍皇且文考寶鼎
M612	鄦子鐘	元鳴且煌
補3	㝬且己爵	[㝬]且己
		小計：共 545 筆

俎 2273

2814	鳥冊夨令𣪘一	乍冊夨令尊俎于王姜
2814.	夨令𣪘二	乍冊夨令尊俎于王姜
3629	庚俎爵	[庚俎]
3637	俎矢爵	[俎矢]
5796	三年𤼈壺一	乎虢弔召𤼈、易羔俎
5796	三年𤼈壺一	乎師壽召𤼈易彘俎
5797	三年𤼈壺二	乎虢弔召𤼈、易羔俎
5797	三年𤼈壺二	乎師壽召𤼈易彘俎
		小計：共 8 筆

斤 2274

1152	私官鼎	一斗半正十三斤八兩十四朱
1172	征人乍父丁鼎	丙午天君鄉Gz酉才斤
1172	征人乍父丁鼎	天君賞氒征人斤貝
3623	戈𦋺	[戈斤𦋺]

斤斧斯斳所

4444	卲宮盉	官四斗少半斗廿三斤十
4444	卲宮盉	五十兩廿三斤十兩十五和工工感卲官和
5754	__氏扁壺	重十六斤
7407	匋斤徒戈	匋斤徒戈
7879	麗山鍾	重二鈞十三斤八兩

小計：共 9 筆

斧 2275

2677	居__𣪘毀	城貣余一斧
2677	居__𣪘毀	才鍚貣余一斧
2677	居__𣪘毀	p2貣余一斧__舍余一斧
2677.	居__𣪘毀二	城貣余一斧
2677.	居__𣪘毀二	才鍚貣余一斧
2677.	居__𣪘毀二	p2貣余一斧__舍余一斧
5780	公孫窹壺	公子土斧乍子中姜Lw之盤壺
7761	邵大叔斧一	邵大叔以新金為貣車之斧十
7762	邵大叔斧二	邵大叔____貣車之斧
7763	邵大叔斧三	邵大叔____貣車之斧
7870	陳純釜	敕成左關之斧節于稟斧
7871	子禾子釜一	左關斧節于稟斧
7871	子禾子釜一	關人築桿rw斧、閉□

小計：共 13 筆

斯 2276

7051	子璋鐘一	群孫斯子子璋
7052	子璋鐘二	群孫斯子子璋
7053	子璋鐘三	群孫斯子子璋
7054	子璋鐘四	群孫斯子子璋
7055	子璋鐘五	群孫斯子子璋
7056	子璋鐘六	群孫斯子子璋
7057	子璋鐘八	群孫斯子子璋

小計：共 7 筆

斳 2277

7677	富鄭劍	富奠（鄭）之斳鐱

小計：共 1 筆

所 2278

0870	螨所__鼎	螨所__貞貞（鼎）安臘
1112	十一年庫嗇夫尚不兹鼎	庫嗇夫尚丕兹賙人夫__所為空二斗
1169	平安邦鼎	卅三年單父上官{冢子}喜所受坪安君者也(蓋)
1169	平安邦鼎	卅三年單父上官{冢子}喜所受坪安君者也(器)

1253	平安君鼎	單父上官宰喜所受坪安君者也
1304	王子午鼎	命尹子庚殹民之所亟
2659	郾侯庫設	教父所
2837	敔設一	畐于榮白之所
3128	魚鼎匕	毋處其所
5804	齊侯壺	執者獻于靈公之所
5804	齊侯壺	執車馬獻之于莊公之所
5805	中山王譽方壺	因載所美
5805	中山王譽方壺	用隹朕所放
6887	我陵君王子申鑑	郢_膺 所造
6914	辭料盆一	辭料東所寺
7185	叔夷編鐘四	又敢才帝所
7186	叔夷編鐘五	是辟于齊侯之所
7186	叔夷編鐘五	又共于趄武靈公之所
7214	叔夷鎛	又敢才帝所
7214	叔夷鎛	是辟于齊侯之所
7214	叔夷鎛	又共于公所
7438	鼬王戈	鼬王其所馬
7513	宋公差戈	宋公差之所造不陽族戈
7514	宋公差戈	宋公差之所造柳族戈
7539	伺戈	郳陲公伺之自所造
M798	廿八年平安君鼎	六益料新之冢（ 器一 ）卅三年單父上官宰喜所受
M799	卅二年平安君鼎	卅三年單父上官宰喜所受平安君石它（ 器二 ）

小計：共 27 筆

斯 2279

1324	禹鼎	斯馭二百
7117	郐儆兒鐘一	余达斯于之孫
7118	郐儔兒鐘二	余达斯于之孫
7188	叔夷編鐘七	卑百斯男而埶斯字
7189	叔夷編鐘八	斯男而埶斯字
7214	叔夷鎛	卑百斯男而埶斯字

小計：共 6 筆

斷 2280

2483	量侯設	子子孫萬年永寶、斷勿喪

小計：共 1 筆

新 2281

1080	華仲義父鼎一	中義父乍新寶鼎
1081	華仲義父鼎二	中義父乍新寶鼎
1082	華仲義父鼎三	中義父乍新寶鼎
1083	華仲義父鼎四	中義父乍新寶鼎
1084	華仲義父鼎五	中義父乍新寶鼎

	1103	臣卿乍父乙鼎	公違省自東、才新邑
	1113	梁廿七年鼎一	大梁司寇肖亡智新為量
	1114	廿七年大梁司寇肖無智鼎二	大梁司寇肖亡智鑄新量
新	1193	新邑鼎	癸卯王來奠新邑
	1193	新邑鼎	□自新邑于柬
	1273	師湯父鼎	王才周新宮
	1278	十五年趞曹鼎	龏王才周新宮
	1319	頌鼎一	王曰：頌、令女官嗣成周賈廿家、監嗣新寤
	1320	頌鼎二	王曰：頌、令女官嗣成周賈廿家、監嗣新寤
	1321	頌鼎三	王曰：頌、令女官嗣成周、賈廿家、監嗣新寤
	1329	小字盂鼎	□趞白□□皒旛薗目新□從、咸
	2146	新__乍餗殷	新te乍餗殷
	2510	臣卿乍父乙殷	公違眚自東、才新邑
	2556	復公子白舍殷一	毆新乍我姑鄣(鄧)孟媿媵殷
	2557	復公子白舍殷二	毆新乍我姑鄣(鄧)孟媿媵殷
	2558	復公子白舍殷三	毆新乍我姑鄣(鄧)孟媿媵殷
	2736	師遽殷	王才周、客新宮
	2787	望殷	王才周康宮新宮
	2787	望殷	王才周康宮新宮
	2803	師酉殷一	新易女赤市朱黃中絅、攸勒
	2804	師酉殷二	新易女赤市朱黃中絅、攸勒
	2804	師酉殷二	新易女赤市朱黃中絅、攸勒
	2805	師酉殷三	新易女赤市朱黃中絅、攸勒
	2806	師酉殷四	新易女赤市朱黃中絅、攸勒
	2806.	師酉殷五	新易女赤市朱黃中絅、攸勒
	2835	訇殷	師笭側新□華尸、甾rx尸
	2844	頌殷一	監嗣(司)新寤(造)賈用宮御
	2845	頌殷二	監嗣(司)新寤(造)賈用宮御
	2845	頌殷二	監嗣(司)新寤(造)賈用宮御
	2846	頌殷三	監嗣(司)新寤(造)賈用宮御
	2847	頌殷四	監嗣(司)新寤(造)賈用宮御
	2848	頌殷五	監嗣(司)新寤(造)賈用宮御
	2849	頌殷六	監嗣(司)新寤(造)賈用宮御
	2850	頌殷七	監嗣(司)新寤(造)賈用宮御
	2851	頌殷八	監嗣(司)新寤(造)賈用宮御
	4861	噉士卿尊	丁巳、王才新邑初wa
	J2857	衛宋譖尊	(拓本未見)
	5799	頌壺一	監嗣新造賈用宮御
	5800	頌壺二	監嗣新造賈用宮御
	5803	胤嗣妤蚉壺	于皮(彼)新土
	5803	胤嗣妤蚉壺	敬命新墜(地)
	5805	中山王譽方壺	新君子之
	6793	夨人盤	夨王于豆新宮東廷
	6925	晉邦盦	__新百辮
	7107	曾侯乙甬鐘	新鐘之變徵
	7402	邦之新郜戈	邦之新造
	7463	新弨戈	新弨自命弗戟
	7761	郘大叔斧一	郘大叔以新金為貣車之斧十
	7886	新郪虎符	左才新郪
	M705	曾侯乙編鐘下一・一	濁新鐘之徵

M705	曾侯乙編鐘下一・一	新鐘之渚羽
M707	曾侯乙編鐘下一・三	新鐘之羽
M709	曾侯乙編鐘下二・二	𪁪孠之才楚號為新鐘
M712	曾侯乙編鐘下二・五	新鐘之羽
M713	曾侯乙編鐘下二・七	新鐘之徵曾
M714	曾侯乙編鐘下二・八	新鐘之變商
M715	曾侯乙編鐘下二・九	新鐘之商曾
M715	曾侯乙編鐘下二・九	新鐘之渚商
M715	曾侯乙編鐘下二・九	新鐘之商
M716	曾侯乙編鐘下二・十	新鐘之宮曾
M716	曾侯乙編鐘下二・十	濁新鐘之宮
M716	曾侯乙編鐘下二・十	新鐘之徵顧
M719	曾侯乙編鐘中一・三	濁新鐘之巽反
M720	曾侯乙編鐘中一・四	濁新之壴
M720	曾侯乙編鐘中一・四	新鐘之徵顧
M720	曾侯乙編鐘中一・四	新鐘之商顧
M720	曾侯乙編鐘中一・四	濁新鐘之冬
M721	曾侯乙編鐘中一・五	濁新鐘之商
M721	曾侯乙編鐘中一・五	新鐘之羽顧
M722	曾侯乙編鐘中一・六	新鐘之少徵顧
M722	曾侯乙編鐘中一・六	濁新鐘之巽
M723	曾侯乙編鐘中一・七	新鐘之羽
M724	曾侯乙編鐘中一・八	新鐘之徵曾
M724	曾侯乙編鐘中一・八	濁新鐘之下角
M724	曾侯乙編鐘中一・八	新鐘之徵
M724	曾侯乙編鐘中一・八	新鐘之冬
M725	曾侯乙編鐘中一・九	新鐘之羽顧
M725	曾侯乙編鐘中一・九	新鐘之羽曾
M726	曾侯乙編鐘中一・十	新鐘之商曾
M726	曾侯乙編鐘中一・十	新鐘之商
M726	曾侯乙編鐘中一・十	新鐘之商
M727	曾侯乙編鐘中一・十一	新鐘之宮曾
M727	曾侯乙編鐘中一・十一	濁新鐘之宮
M727	曾侯乙編鐘中一・十一	新鐘之徵顧
M729	曾侯乙編鐘中二・二	濁新鐘之少商
M730	曾侯乙編鐘中二・三	濁新鐘之巽反
M731	曾侯乙編鐘中二・四	濁新鐘之馱
M731	曾侯乙編鐘中二・四	新鐘之商顧
M731	曾侯乙編鐘中二・四	濁新鐘之冬
M732	曾侯乙編鐘中二・五	濁新鐘之商
M732	曾侯乙編鐘中二・五	新鐘之羽顧
M733	曾侯乙編鐘中二・六	新鐘之少徵顧
M733	曾侯乙編鐘中二・六	濁新鐘之巽
M734	曾侯乙編鐘中二・七	濁新鐘之冬
M734	曾侯乙編鐘中二・七	新鐘之羽
M735	曾侯乙編鐘中二・八	新鐘之徵曾
M735	曾侯乙編鐘中二・八	濁新鐘之下角
M735	曾侯乙編鐘中二・八	新鐘之徵
M735	曾侯乙編鐘中二・八	新鐘之冬
M736	曾侯乙編鐘中二・九	新鐘之羽顧

M736	曾侯乙編鐘中二・九	新鐘之羽曾
M737	曾侯乙編鐘中二・十	新鐘之商曾
M737	曾侯乙編鐘中二・十	新鐘之商
M737	曾侯乙編鐘中二・十	新鐘之商
M738	曾侯乙編鐘中二・十一	贏孠之才楚為新鐘
M739	曾侯乙編鐘中二・十二	新鐘之宮曾
M739	曾侯乙編鐘中二・十二	濁新鐘之宮
M739	曾侯乙編鐘中二・十二	新鐘之徵顧
M741	曾侯乙編鐘中三・二	贏孠之才楚號為新鐘
M742	曾侯乙編鐘中三・三	新鐘之羽角
M744	曾侯乙編鐘中三・五	新鐘之變徵
M747	曾侯乙編鐘中三・八	新鐘之羽
M748	曾侯乙編鐘中三・九	新鐘之徵
M748	曾侯乙編鐘中三・九	新鐘之徵曾
M749	曾侯乙編鐘中三・十	新鐘之變商

小計：共　120 筆

斳　2282

2878	西替鈷	西替乍其妹斳尊鈷（匿）

小計：共　1 筆

𣂼　2283

2826	師寰段一	即𣂼氒邦圖
2826	師寰段一	即𣂼氒邦圖
2827	師寰段二	即𣂼氒邦圖

小計：共　3 筆

斗　2284

0529	半斗鼎	半斗、半斗、四
0721	鑄脒鼎	鑄脒一斗料
0722	右脒鼎	右脒三料斗
0727	三斗鼎	__里三斗料鼎
0833	中敃鼎	中敃貞鼎六斗
0835	咸陽鼎	咸陽一斗三升、ム官
1112	十一年庫嗇夫肖不茲鼎	庫嗇夫肖不茲瞗人夫__所為空二斗
1114	廿七年大梁司寇肖無智鼎二	府半斗齍、下官
1152	私官鼎	一斗半正十三斤八兩十四朱
2833	秦公段	西、元器一斗七升、__段
2833	秦公段	西、一斗七升大半升、蓋
4441	卅五年__盉	容半斗____奭口
4444	卲宮盉	官四斗少半斗廿三斤十
4444	卲宮盉	官四斗
4444	卲宮盉	少四半斗
4444.	卅五年盉	容半斗 __（ __ ）__奭口

4445	長陵盉	長陵斗一升
5681	土勻錍壺	土勻□四斗錍
5717	旻成侯鍾	旻成侯we容半斗
5754	__氏扁壺	__氏、三斗少半
5754	__氏扁壺	今三斗二升少半升
5779	安邑下官鍾	十三斗一升
5779	安邑下官鍾	府嗇夫__冶事左__止大斛斗一益少半益
7823	距末二	廿年尚上長斗乘四其我__攻書
7869	廿五年銅量器	一斗八升
7879	麗山鍾	麗山圜容十二斗三升
M898	魏公𦉥	魏公鈃、三斗二升取
		小計：共 27 筆

2285

1205	公朱左自鼎	容一斛
5779	安邑下官鍾	府嗇夫__冶事左__止大斛斗一益少半益
		小計：共 2 筆

2286

1682	斝毁	[斝]
		小計：共 1 筆

2287

6914	嗣料盆一	辭料東所寺
6915	嗣料盆二	辭料棗__寺
		小計：共 2 筆

斛 2288

7864	半斗小量	斛(斞)料关
		小計：共 1 筆

2289

0721	鑄胅鼎	鑄胅一斗料
0722	右胅鼎	右胅三料斗
0726	中私官鼎	中厶官𢊁料
0727	三斗鼎	__里三斗料鼎
0869	料鼎	萬□□□□料𢊁料□□
1090	十三年梁上官鼎	梁陰命率上官__子疾冶乘鑄、𢊁(容)料
1114	廿七年大梁司寇肖無智鼎二	𢊁料盜、下官
1169	平安邦鼎	一益十釿料釿四分釿{之重}

斗 斛 斝 料 斞 料 斛

1169	平安邦鼎	六益料釿{之重}
1170	信安君鼎	詢(信)安君{ ム官 }、容料
1170	信安君鼎	下官容料(器)詢(信)安君{ ム官 }、容料
1170	信安君鼎	下官容料(器)
1253	平安君鼎	容四分齍五益六釿料釿四分釿
4441	卅五年__盉	容料____奭□
5717	郹成侯鍾	重{ 十勻(鈞)}十八益(鎰)十八益
7864	半斗小量	斛料关
7871	子禾子釜一	關釽節于禀料
7882	公芻權	公芻料石
M798	廿八年平安君鼎	一益七釿料釿四分釿之冢(蓋一)
M798	廿八年平安君鼎	六益料釿之冢(器一)卅三年單父上官辛喜所受
M799	卅二年平安君鼎	五益六釿料釿四分釿之冢(器一)
M900	梁十九年鼎	羼吉金鑄鬲(齍)、小料
		小計：共 22 筆

升 2290

0835	咸陽鼎	咸陽一斗三升、ム官
J0456	連迁鼎	連迁之升鼎
2723	沓𣪘	升于氒文且考
2833	秦公𣪘	西、元器一斗七升、__𣪘
2833	秦公𣪘	西、一斗七升大半升、蓋
4445	長陵盉	銅要銅錄乍氒緒父盉樂__一升
4445	長陵盉	長陵斗一升
5737	左__壺	四升__客四受十五__
5754	__氏扁壺	今三斗二升少半升
5779	安邑下官鍾	十三斗一升
7218	鈢鰡尹征城	次hp升孫
7734	四年春平侯劍	四年□□春升平侯□左庫工帀丘□________
7868	商鞅方升	爰積十六尊五分尊壹為升
7869	廿五年銅量器	一斗八升
7879	麗山鍾	麗山圜容十二斗三升
M898	魏公𤇾	魏公鈃、三斗二升取
		小計：共 16 筆

矛 2291

0178	亞__鼎	[亞醜皿矛]
1308	白晨鼎	矛、戈、臷(皋)冑
1361	亞__母鬲	[亞醜皿矛]母
2836	或𣪘	孚戎兵盾、矛、戈、弓、備、矢、裨、冑
3589	亞醜皿矛爵一	[亞醜皿矛]
3590	亞醜皿矛爵二	[亞醜皿矛]
4065	亞醜皿矛父乙爵	[亞醜皿矛]父乙
6408	亞皿觶	[亞醜皿矛]
6950	__矛鐃	[a7矛]
7273	矛从戈	[矛从]

7624	越王矛	越王矛
7632	奠生庫矛	奠生庫矛刺
7635	郾王喜矛	郾王喜□□釱矛
7636	郾王戎人矛一	郾王戎人乍百巨率矛
7637	郾王戎人矛二	郾王戎人乍巨釱矛
7639	郾王職矛二	郾王職巨釱矛
7640	郾王職矛三	郾王職乍釱矛
7641	郾王職矛四	郾王職乍□矛
7642	郾王詈矛一	郾王詈乍巨釱矛
7643	郾王詈矛二	郾王詈□□萃矛
7646	郾王職矛二	郾王職乍釱矛
7650	越王州勾矛	越王州句自乍用矛
M561	越王大子□鬭矛	乍元用矛

小計：共　23 筆

2292

7218	叙𨟻尹征城	次hp升𥎦

小計：共　1 筆

2293

0122	車鼎	[車]
0358	乙丁車鼎	乙丁[車]
0398	父己車鼎	父己[車]
0617	車乍寶鼎	車乍寶鼎
0837.	北子鼎	北子LJ乍車彝
1045	專車季鼎	專車季乍寶鼎
1124	玨乍父庚鼎一	車弔賞揚馬
1125	玨乍父庚鼎二	車弔賞揚馬
1125.	郳季宿車鼎	郳季宿車自乍行鼎子子孫孫永寶萬年無疆用
1171	魯白車鼎	魯白車自乍文考造靜鼎
1171	魯白車鼎	車其萬年譽壽
1200	散白車父鼎一	椒白車父乍䢵姞尊鼎
1201	椒白車父鼎二	椒白車父　乍䢵姞尊鼎
1202	椒白車父鼎三	椒白車父乍䢵姞尊鼎
1203	椒白車父鼎四	椒白車父乍䢵姞尊鼎
1216	貿鼎	弔氏事貸安曩白賓貿馬車乘
1275	師同鼎	孚車馬五乘
1275	師同鼎	大車廿、羊百
1308	白晨鼎	駒車
1322	九年裘衛鼎	矩取眚車較桒、㔲虎冟、㯊幃、畫轉
1324	禹鼎	肆武公廼遣禹率公戎車百乘
1326	多友鼎	武公命多友達公車羞追于京自
1326	多友鼎	凡目公車折首二百又□又五人
1326	多友鼎	孚戎車百乘一十又七乘
1326	多友鼎	孚車十乘

矛
𥎦
車

車

1326	多友鼎	公車折首百又十又五人
1326	多友鼎	唯孚車不克㠯、卒焚
1328	盂鼎	易女鬯一卣、冋衣、市、舄、車馬
1329	小字盂鼎	孚車卅兩
1329	小字盂鼎	孚車百□兩
1332	毛公鼎	金車賁較、朱䩛圅（ 靳 ）靳、虎冟熏裏、右厄
1776	車□人面紋段	車□
1953	車父己段	[車]父己
2101	切父乍車段	切父乍車登
2131	乍尊車寶彝段	乍尊車寶彝
2435	散車父段一	散車父乍皇陾姞朵（ 餗 ）段
2436	散車父段二	散車父乍皇陾姞餗段
2437	散車父段三	散車父乍皇陾姞餗段
2438	散車父段四	散車父乍皇陾姞餗段
2438.	散車父段五	散車父乍皇陾姞餗段
2438.	椒車父乍皇陾姞餗段	散車父乍皇陾姞餗段
2438.	椒車父乍皇陾姞餗段二	散車父乍皇陾姞餗段
2730	獻段	楠白令季臣獻金車
2731	小臣宅段	車馬兩
2735	屑敖段	戎獻金于子牙父百車
2816	彔白㦰段	金車、朵䡅較朵圅（ 宏 ）、朱虢靳
2830	三年師兌段	金車朵較
2840	番生段	車、電軫、朵緐較
2852	不嬰段一	女以我車宕伐厰允于高陵
2852	不嬰段一	女休、弗㠯我車圅（ 陷 ）于鄭
2853	不嬰段二	女以我車宕伐厰㕣于高陶
2853	不嬰段二	女休、弗以我車圅于囏
2857	牧段	易女秬鬯一卣、金車、朵較、畫轐
2959	鑄公乍朕匿一	鑄公乍孟妊車母朕匿
2960	鑄公乍朕匿二	鑄公乍孟妊車母朕匿
3022	白車父旅盨（ 器 ）一	白車父乍旅盨
3023	白車父旅盨（ 器 ）二	白車父乍旅盨
3088	師克旅盨一（ 蓋 ）	牙僰、駒車、朵較、朱虢、圅靳
3089	師克旅盨二	牙僰、駒車、朵較、朱虢、圅靳
3090	𨸏盨（ 器 ）	乃父市、赤舄、駒車、朵較、朱虢、圅靳
3103	車雞父丁豆	[車雞]父丁
3651	弔車爵	[弔車]
3651.	弔車爵	[弔車]
3689	車買爵一	[車買]
3690	車買爵二	[車買]
3712.	貝車爵	[貝車]
3734	車且丁爵	[車]且丁
3763	車父甲爵	[車]父甲
3827	車父丁爵	[車]父丁
3989	禁乍車爵	[禁]乍車
4014	羊_車爵	[羊_車]
4162	車乍父寶彝爵	車乍父寶彝
4298	車_斝	[車_]
4545	買車尊	[買車]
4693	車父辛尊	夫車父辛

車

4768	戈車乍父己尊	戈車乍父丁寶尊彝
4892	麥尊	劑用王乘車馬
4937	車方彝	[車]
4978	吳方彝	金車、桒亩(鞃)、朱虢靳
5096	買車卣	買車
5256	䍙卣二	䍙乍車彝
5257	乍車寶彝卣一	乍車寶彝
5258	乍車寶彝卣二	乍車寶彝
5364	亞昊禼乍車彝卣	禼乍車彝[亞昊]
5377	車乍父丁卣	車乍父丁寶尊彝
5473	同乍父戊卣	夨王易同金車弓矢
5537	車__罍	[車a6]
5538	亞__罍	[亞車丙ㄗ]
5710	賓車父壺一	賓車父乍寶壺永用享(器蓋)
5711	賓車父壺二	賓車父乍寶壺永用享(器蓋)
5755	散氏車父壺一	氏車父乍ro姜□尊壺
5774	楙車父壺	楙車父乍皇母ro姜寶壺
5774	楙車父壺	白車父其萬年子子孫孫永寶
5784	𡖊氏壺	𤑔在我車
5803	廟孱𡛵蚉壺	十三業、左史車
5804	齊侯壺	商之台邑嗣衣裘車馬
5804	齊侯壺	商之台兵執車馬
5804	齊侯壺	執車馬獻之于莊公之所
5853	車觚一	[車]
5854	車觚二	[車]
5855	車觚三	[車]
6061	弔車觚	[弔車]
6062	涉車觚	[涉車]
6066	車戺觚	[車戺]
6076	弔車觚	[弔車]
6077	買車觚	[買車]
6203	羊貝車觚	[羊貝車]
6324	車觶	[車]
6595	雞步登父丁觶	[雞步登車]父丁
6746.	郳季宿車盤	郳季宿車自乍行盤子子孫孫永寶用之
6791	兮甲盤	王易兮甲馬四匹、駒車
6849.	郳季宿車匜	郳季宿車自乍行匜子子孫孫永寶用之
6849.	郳季宿車匜	郳季宿車自乍行匜子子孫孫永寶用之
6849.	郳季宿車匜	郳季宿車自乍行匜子子孫孫永寶用之
6919.	郳季宿車盆	郳季宿車自乍行盆子子孫孫永寶用之
7040	克鐘一	易克佃、車馬乘
7041	克鐘二	易克佃、車馬
7185	叔夷編鐘四	余易女馬車戎兵
7204	克鎛	易克佃車馬乘
7214	叔夷鎛	余易女車馬戎兵
7501	齊成右戈	齊成右造車戟、冶綱
7612	亦車矛	[亦、車]
7613	亦車矛	[亦、車]
7761	郘大叔斧一	郘大叔以新金為貣車之斧十
7762	郘大叔斧二	郘大叔____貣車之斧

車輅較軫輯

7763	邵大叔斧三	邵大叔___貣車之斧
7871	子禾子釜一	而車人制之
7899	鄂君啟車節	車五十乘、歲翼(代)返
7899	鄂君啟車節	屯十台堂一車
7899	鄂君啟車節	廿擔台堂一車
7905	嬭妊車軎	嬭妊乍安車
7919	晉公車器一	晉公之車
7920	晉公車器二	晉公之車
M191	繁卣	車、馬兩

小計：共　134 筆

輅　2294

7538	邗令戈	四年邗命輅庶長
J3851	智弔子戟	(拓本未見)
7740	四年春平相邦劍	右庫工巿𩰗輅__冶臣成執齊

小計：共　3 筆

較　2295

1308	白晨鼎	畫hd、幬較、虎幃
1322	九年衛鼎	矩取眚車較桒、圅虎冟、蔡幃、畫轉
1332	毛公鼎	金車𩠁較、朱𩏂圅(鞃)靳、虎冟熏裏、右厄
2816	彔白𢦚殷	金車、桒𠷎較桒圅(宏)、朱虢靳
2830	三年師兌殷	金車桒較，朱虢、圅靳、虎冟熏▒
2857	牧殷	易女䰍鬯一卣(卣)、金車、桒較、畫輯，
2840	番生殷	車、電軫、桒繴較
3088	師克旅盨一(蓋)	牙僰、駒車、桒較、朱虢、圅靳
3089	師克旅盨二	牙僰、駒車、桒較、朱虢、圅靳
3090	㝨盨(器)	乃父巿、赤舄、駒車、桒較、朱虢、圅靳
4978	吳方彝	桒較、畫轉、金甬
7572	十七年𠤞令戈	十七年𠤞命𠤷尚司寇奐__右庫工巿□較冶□□

小計：共　12 筆

軫　2296

2840	番生殷	車、電軫、桒繴較

小計：共　1 筆

輯　2297

2816	彔白𢦚殷	虎冟朱裏、金甬、畫聞(輯)
2857	牧殷	易女䰍鬯一卣、金車、桒較、畫輯
3088	師克旅盨一(蓋)	虎冟、熏裏、畫轉、畫輯、金甬、朱旂
3089	師克旅盨二	虎冟、熏裏、畫轉、畫輯、金甬、朱旂

小計：共　4 筆

2297

1332	毛公鼎	畫縛畫輡、金甬、錯衡、金踵、金豙、勅䖍
2830	三年師兌𣪘	畫輡
2840	番生𣪘	畫轉畫輡、金童金豙

小計：共　3 筆

2298

2774	臣諫𣪘	隹戎大出于軝
2774	臣諫𣪘	征令臣諫目□□亞旅處于軝
5508	弔趬父卣一	女其用鄉乃辟軝侯逆造出內事人

小計：共　3 筆

2299

1124	珥乍父庚鼎一	軎弔賞揚馬
1125	珥乍父庚鼎二	軎弔賞揚馬
2676	旅𨽍乍父乙𣪘	戊辰、弜師易𨽍軎、q1𧶠貝

小計：共　3 筆

2300　1903戹字重見

2301

0866	__夜君鼎	sd夜君戊之載鼎
1008	虎嗣君鼎	自乍載鼾
2659	郾侯庫𣪘	郾侯庫（載）畏夜怒人哉
2829	師虎𣪘	載先王既令乃祖考吏啻官
5805	中山王䜌方壺	因載所美
5805	中山王䜌方壺	載之笲（簡）筞（策）
7899	鄂君啟車節	母載金革黽箭、女馬、女牛、女特
7900	鄂君啟舟節	女載馬、牛、羊台出內關
M798	廿八年平安君鼎	廿八年平安邦鑄客載四分齍
M798	廿八年平安君鼎	廿八年平安邦鑄客載四分齍
M873	郾侯載戟	右軍戟、郾侯庫（載）乍

小計：共　12 筆

2302

1331	中山王䜌鼎	親逵（率）參（三）軍之眾
5804	齊侯壺	齊三軍圍𨟭
7182	叔夷編鐘一	余命女政于朕三軍
7183	叔夷編鐘二	軍徒旃

軍 轉 軌 輂 輔

7214	叔夷鎛	余命女政于朕三軍
7214	叔夷鎛	戮龢三軍徒旃
7525	廿四年左軍戈	廿四年左軍_____
7623	郾右軍矛	郾右軍
7627	東周矛	東周左軍
7633	郾侯庫乍軍矛	郾侯庫乍左軍
M873	郾侯載戟	右軍戟、郾侯庫(載)乍
M883	中山侯鉞	中山侯_乍兹軍釛

小計：共 12 筆

轉 2303

6695	轉乍寶盤	轉乍寶盤

小計：共 1 筆

軌 2304

1774	軌段	[軌]

小計：共 1 筆

輂 2305

5307	輂卣	[輂]乍寶尊彝
5400	_輂乍匕癸卣	輂乍父癸尊彝[fn]

小計：共 2 筆

輔 2306

1060	輔白雁父鼎	輔白雁父乍豐孟妘賸鼎
1662	寶甗	王人vy輔歸雚鑄其寶
2797	輔師嫠段	榮白入、右輔師嫠
2797	輔師嫠段	更乃且考司輔載
2838	師嫠段一	令女嗣(司)乃且舊官小輔鼓鐘
2838	師嫠段一	用乍朕皇考輔白尊段
2838	師嫠段一	既令女更乃且考嗣(司)小輔
2838	師嫠段一	令女嗣乃且舊官小輔眔鼓鐘
2838	師嫠段一	用乍朕皇考輔白尊段
2839	師嫠段二	令女嗣(司)乃且舊官小輔鼓鐘
2839	師嫠段二	用乍朕皇考輔白尊段
2839	師嫠段二	既令女更乃且考嗣(司)小輔
2839	師嫠段二	令女嗣乃且舊官小輔眔鼓鐘
2839	師嫠段二	用乍朕皇考輔白尊段
3090	塱盨(器)	則隹輔天降喪不□唯死
5805	中山王礐方壺	以輔相氒身
7186	叔夷編鐘五	伊少臣隹輔
7214	叔夷鎛	伊少臣隹輔

小計：共 18 筆

2307

1322	九年裘衛鼎	䡰車軐㚇

小計：共 1 筆

2308

1735	䡱𣪘	[䡱]
3684	䡱爵	[䡱]
5937	䡱觚一	[䡱]
5937	䡱觚二	[䡱]
7295	䡱戈	[䡱]

小計：共 5 筆

2309

7917	右較車器	右較

小計：共 1 筆

2310

3088	師克旅盨一（ 蓋 ）	虎冟、熏裏、畫轉、畫輯、金甬、朱旂
3089	師克旅盨二	虎冟、熏裏、畫轉、畫輯、金甬、朱旂
3090	曌盨（ 器 ）	畫轉、金甬
4978	吳方彝	㮚較、畫轉、金甬

小計：共 4 筆

2311	䡴弔子戟	（ 銘文未見 ）

2312

0642	公朱右𠂤鼎	公朱右𠂤
0694	仲𠂤父乍鼐	中𠂤父乍盄
0852	𠂤乍陻仲方鼎一	𠂤乍陻中寶尊彝
0853	𠂤乍陻仲方鼎二	𠂤乍陻中寶尊彝
0854	𠂤乍陻仲方鼎三	𠂤乍陻中寶尊彝
0855	𠂤乍陻仲方鼎四	𠂤乍陻中寶尊彝
0861	亞受丁斿若癸鼎	[亞受丁斿若癸止乙𠂤乙]
0862	亞受丁斿若癸鼎二	[亞受丁斿若癸止乙𠂤乙]
1037	乍冊峀鼎	康侯才歹𠂤易乍冊峀貝
1073	白鼎	隹白殷□八𠂤寇年
1205	公朱左𠂤鼎	公朱左𠂤十一年十一月
1205	公朱左𠂤鼎	左𠂤＿大夫林𠂤□夫＿鑄鼎
1234	旅鼎	公才盩𠂤

自

1285	㦰方鼎一	隹九月既望乙丑、才𩁹自
1291	善夫克鼎一	王命善夫克舍令于成周遹正八自之年
1292	善夫克鼎二	王命善夫克舍令于成周遹正八自之年
1293	善夫克鼎三	王命善夫克舍令于成周遹正八自之年
1294	善夫克鼎四	王命善夫克舍令于成周遹正八自之年
1295	善夫克鼎五	王命善夫克舍令于成周遹正八自之年
1296	善夫克鼎六	王命善夫克舍令于成周遹正八自之年
1297	善夫克鼎七	王命善夫克舍令于成周遹正八自之年
1300	南宮柳鼎	王乎乍冊尹冊令柳𤔲六自牧、陽、大□
1318	晉姜鼎	魯覃京自
1324	禹鼎	王迺命西六自、殷八自曰
1324	禹鼎	肆自彌怵匌匡
1324	禹鼎	惠西六自、殷六自
1326	多友鼎	廣伐京自
1326	多友鼎	命武公遣乃元士羞追于京自
1326	多友鼎	武公命多友逹公車羞追于京自
1326	多友鼎	復奪京自之孚
1326	多友鼎	女既靜京自、䝬女
1326	多友鼎	多禽、女靜京自
1328	盂鼎	古喪自
1666	遹乍旅甗	師雝父戍才古自
1668	中甗	在耂自陳(次)
2204	仲自父乍旅毁	中自父乍旅毁
2266	自乍隉仲寶毁	自乍隉中寶尊彝
2281	亞受丁斿若癸毁	[亞若癸自乙受丁斿乙]
2325	同自乍旅毁	同自乍旅毁其萬年用
2351	仲自父乍好旅毁一	中自父乍好旅毁其用萬年
2352	仲自父乍好旅毁二	中自父乍好旅毁其用萬年
2520	大自事良父毁	大自吏良父乍寶毁
2654	𢦏乍文父丁毁	才□自
2669	__妊小毁	白芀父吏____尹人于齊自
2671	利毁	王才闌自
2672	伯芀父毁	白芀父吏____尹人于齊自
2704	穆公毁	迺自商自復還至于周□
2721	𦼡毁	自黃賓𦼡章(璋)一、馬兩
2760	小臣謎毁一	白懋父目毁八自征東尸(夷)
2760	小臣謎毁一	遣自𦊰自
2760	小臣謎毁一	雩氒復歸、才牧自
2760	小臣謎毁一	白懋父承王令易自逹征自五齵貝
2761	小臣謎毁二	白懋父目毁八自征東尸(夷)
2761	小臣謎毁二	遣自𦊰自
2761	小臣謎毁二	雩氒復歸、才牧自
2761	小臣謎毁二	白懋父承王令易自逹征自五齵貝
2783	趞毁	命女乍𤼈自家𤔲馬
2788	靜毁	䣄𤼈𢆶自、邦周射于大池
2791.	史密毁	齊自、族土(徒)、述人
2791.	史密毁	師俗率齊自、述人左
2836	㦰毁	隹六月初吉乙酉、才堂(𩁹)自
2855	班毁一	以乃自右从毛父
2855	班毁一	以乃自右从毛父

2855.	班毀二	以乃自右从毛父
2855.	班毀二	以乃自右从毛父
3057	仲自父鎵（盨）	中自父乍季恭□寶尊盨
4419	仲自父乍旅盉	中自父乍旅盉
4789	亞受丁旃若癸尊一	[亞受旃丁乙止若自癸乙]
4790	亞受丁旃若癸尊二	[亞受旃乙止若自癸乙]
4878	召尊	隹九月才炎自、甲午
4879	彔𢦚尊	女其以成周師氏戍于古自
4884	㲃尊	㲃从師雝父戍于古自之年
4890	盠方尊	曰：用𤔲六自
4890	盠方尊	䜌𤔲六自眔八自埶
4979	盠方彝一	曰：用𤔲六自
4979	盠方彝一	䜌𤔲六自眔八自埶
4980	盠方彝二	曰：用𤔲六自
4980	盠方彝二	䜌𤔲六自眔八自埶
5354	仲自父乍旅彝卣	中自父乍旅彝
5490	戉稽卣	稽從師雝父戍于古自
5490	戉稽卣	稽從師雝父戍于古自
5496	召卣	唯九月才炎自、甲午
5498	彔𢦚卣	女其以成周師氏戍于古自
5499	彔𢦚卣二	女其以成周師氏戍于古自
5503	競卣	隹白屖父以成自即東
5727	廿九年東周左自歓壺	為東周左自歓壺
5736	□自父壺	□自父乍□壺
5741	左歓壺一	徝公左自
5742	左歓壺二	徝公左自
5798	曶壺	更乃且考乍冢𤔲土于成周八自
6279	亞受丁若癸觚一	亞受旃若癸丁乙止自乙
6280	亞受丁若癸觚二	亞受旃若癸丁乙止自乙
6631	小臣單觶一	王後J6克商、才成自
6722	彭生盤	彭生乍氒文考辛寶尊彝[冊光自尹]
6845	弔＿父乍師姬匜	弔＿父乍瞏自姬寶它
6925	晉邦盦	□宅京自
7040	克鐘一	王親令克遹涇東至于京自
7041	克鐘二	王親令克遹涇東至于京自
7204	克鎛	至于京自
7987	受旃容器	受旃若丁乙自乙
M160	□貯毀	隹巢來攸王令東宮追目六自之年

小計：共　101 筆

官　2313

0528	ㄙ官　鼎	ㄙ官＿
0530	國子鼎	大國、ㄙ官、國子
0726	中私官鼎	中ㄙ官𢊁料
0747	梁上官鼎	梁上官𢊁參分
0835	咸陽鼎	咸陽一斗三升、ㄙ官
0884	右官鼎	右官公＿官＿鎖（鼎）
0945	鑄客為大后脰官鼎	鑄客為大句（后）脰官為之

官

1090	十三年梁上官鼎	十三年、梁陰命率上官__子疾冶乘鑄
1114	廿七年大梁司寇肖無智鼎二	膺半斗盇、下官
1152	私官鼎	ㄙ官
1169	平安邦鼎	卅三年單父上官{冢子}喜所受坪安君者也(蓋)
1169	平安邦鼎	卅三年單父上官{冢子}喜所受坪安君者也(器)
1170	信安君鼎	詢(信)安君{ ㄙ官 }、容料
1170	信安君鼎	下官容料(器)詢(信)安君{ ㄙ官 }、容料
1170	信安君鼎	下官容料(器)
1173	羌乍文考鼎	□令羌死嗣□官
1253	平安君鼎	單父上官宰喜所受坪安君者也
1253	平安君鼎	上官
1305	師奎父鼎	用嗣乃父官友
1306	無叀鼎	王乎史翏冊令無叀曰：官嗣Lk王lJ側虎臣
1311	師晨鼎	佳小臣善夫、守□、官犬、眔奠人、善夫、官
1317	善夫山鼎	王曰：山、令女官嗣歙獻人于晃
1319	頌鼎一	王曰：頌、令女官嗣成周賈廿家、監嗣新寤
1320	頌鼎二	王曰：頌、令女官嗣成周賈廿家、監嗣新寤
1321	頌鼎三	王曰：頌、令女官嗣成周、賈廿家、監嗣新寤
1413	戒乍葬宮鬲	戒乍葬官明尊彝
2608	官差父段	官差父乍義友寶段
2768	楚段	嗣葬啚官內師舟
2770	截段	官嗣耤田
2775.	害段一	吏官嗣(司)人僕
2775.	害段二	吏官__嗣人僕、小射
2783	趨段	啻官僕、射、士、訊
2784	申段	官嗣豐人眔九戲祝
2793	元年師旋段一	官司豐還ナ又師氏
2794	元年師旋段二	官司豐還ナ又師氏
2795	元年師旋段三	官司豐還ナ又師氏
2798	師瘨段一	今余唯醽(緟)先王令女官司邑人師氏
2799	師瘨段二	今余唯醽(緟)先王令女官司邑人師氏
2800	伊段	親官司康宮王臣妾、百工
2803	師酉段一	嗣乃且啻官邑人、虎臣
2804	師酉段二	嗣乃且啻官邑人、虎臣
2804	師酉段二	嗣乃且啻官邑人、虎臣
2805	師酉段三	嗣乃且啻官邑人、虎臣
2806	師酉段四	嗣乃且啻官邑人、虎臣
2806.	師酉段五	嗣乃且啻官邑人、虎臣
2810	揚段一	官司量田甸、眔司応
2811	揚段二	官司量田甸、眔司応
2817	師穎段	官嗣汸誾
2829	師虎段	載先王既令乃祖考吏啻官
2829	師虎段	令女更乃祖考啻官
2835	訇段	今余令女啻官
2838	師嫠段一	令女嗣(司)乃且舊官小輔鼓鐘
2838	師嫠段一	令女嗣乃且舊官小輔眔鼓鐘
2839	師嫠段二	令女嗣(司)乃且舊官小輔鼓鐘
2839	師嫠段二	令女嗣乃且舊官小輔眔鼓鐘
2842	卯段	余懋再先公官
2844	頌段一	令女官嗣(司)成周賈

2845	頌毀二	令女官嗣(司)成周賈
2845	頌毀二	令女官嗣(司)成周賈
2846	頌毀三	令女官嗣(司)成周賈
2847	頌毀四	令女官嗣(司)成周賈
2848	頌毀五	令女官嗣(司)成周賈
2849	頌毀六	令女官嗣(司)成周賈
2850	頌毀七	令女官嗣(司)成周賈
2851	頌毀八	令女官嗣(司)成周賈
3112	掷陵君王子申豆一	官攸無彊
3113	掷陵君王子申豆二	官攸無彊
4444	邵宮盉	官四斗少半斗廿三斤十
4444	邵宮盉	五十兩廿三斤十兩十五和工工感邵官和
4444	邵宮盉	官四斗
4863	奚乍父乙尊	奚從公亥ry洛于官
5503	競卣	白犀父皇競各于官
5506	小臣傳卣	師田父令□□余官
5700	__壺	__客、之官__、辛、五官
5779	安邑下官鍾	安邑下官重
5799	頌壺一	令女官嗣成周賈廿家
5800	頌壺二	令女官嗣成周賈廿家
6887	掷陵君王子申鑑	永甬(用)之官
7975	中山王墓兆域圖	有事者官□之
7982	官鍰	□之官□
7996.	上官登	富子之上官隻之畫sp□鉄十
M798	廿八年平安君鼎	六益料新之冢(器一)卅三年單父上官宰喜所受
M799	卅二年平安君鼎	上官(蓋二)
M799	卅二年平安君鼎	卅三年單父上官宰喜所受平安君石它(器二)
M902	韓氏ム官鼎	韓氏ム官、韓__
		小計：共 85 筆

餎 2314

J1797	餎伯盨	餎
		小計：共 1 筆

餗 2315

1158	小子__鼎	王商貝、才毀餗(次)
1208	乙亥乍父丁方鼎	乙亥、工□才纍餗
1279	中方鼎	王才寒餗
1668	中甗	在㚔自餗(次)
2599	宰峀毀	才Gy餗
6791	兮甲盤	其賈毋敢不即餗(次)、即市
		小計：共 6 筆

陵 2316

0775	陵弔乍衣鼎	陵弔乍衣寶鼎
0814	東陵鼎	東陵__大右秦

	3112	挒陵君王子申豆一	挒陵君王子申
	3113	挒陵君王子申豆二	挒陵君王子申
	4445	長陵盉	長陵斗一升
陵	4757	陵乍父乙旅尊	陵乍父乙旅彝
陰	5564	單陵乍父日乙方罍	陵乍父日乙寶罍（ 罍 ）[dz]
陽	5781	曾姬無卹壺一	osnL茲漾陵
	5782	曾姬無卹壺二	osnL茲漾陵
	5796	三年瘐壺一	己丑、王才句陵
	5797	三年瘐壺二	己丑、王才句陵
	6793	矢人盤	封割桁、陕陵、剛桁
	6887	挒陵君王子申鑑	挒陵君王子申
	7870	陳純釜	各茲安陵
	7900	鄂君啟舟節	大司馬卲陽敗晉帀於襄陵之歲
	7900	鄂君啟舟節	適爰陵、上江、內湘
			小計：共 16 筆

陰 2317

1090	十三年梁上官鼎	十三年、梁陰命率上官＿子疾冶乘鑄、
2837	敔毀一	內伐湲、昴、參泉、裕敏、陰陽洛
3064	曩白子窆父征盨一	其陰其陽、以延以行
3064	曩白子窆父征盨一	其陰其陽、以延以行
3065	曩白子窆父征盨二	其陰其陽、以延以行
3065	曩白子窆父征盨二	其陰其陽、以延以行
3066	曩白子窆父征盨三	其陰其陽、以征以行
3066	曩白子窆父征盨三	其陰其陽、以延以行
3067	曩白子窆父征盨四	其陰其陽、以延以行
3067	曩白子窆父征盨四	其陰其陽、以延以行
6910	師永盂	陰昜洛彊
7046	□□自乍鐘二	江漢之陰陽
7092	屭羌鐘一	入長城、先會于平陰
7093	屭羌鐘二	入長城、先會于平陰
7094	屭羌鐘三	入長城、先會于平陰
7095	屭羌鐘四	先會于平陰
7096	屭羌鐘五	入長城、先會于平陰
7371	左陰戈	左陰＿
7542	廿四年右馬令戈	廿四年申陰令右庫工帀戠冶豎
7683	陰平左軍劍	陰平左庫之造
7836	衛自揚盾錫	＿＿陰
		小計：共 21 筆

陽 2318 1579昜字重見

0835	咸陽鼎	咸陽一斗三升、ム官
1300	南宮柳鼎	王乎乍冊尹冊令柳𤔲六自牧、陽、大□
1300	南宮柳鼎	𤔲羲夷陽、佃史
J1121	宜陽右倉毀	宜陽右倉
J0592	弔姬毀	弔姬乍陽白旅鼎永用

2837	敔毁一	內伐湨、昴、參泉、裕敏、陰陽洛
3064	曩白子庭父征盨一	其陰其陽、以延以行
3064	曩白子庭父征盨一	其陰其陽、以延以行
3065	曩白子庭父征盨二	其陰其陽、以延以行
3065	曩白子庭父征盨二	其陰其陽、以延以行
3066	曩白子庭父征盨三	其陰其陽、以征以行
3066	曩白子庭父征盨三	其陰其陽、以延以行
3067	曩白子庭父征盨四	其陰其陽、以延以行
3067	曩白子庭父征盨四	其陰其陽、以延以行
5416	闢卣	闢乍皇陽日辛尊彝
5497	農卣	敢對陽（揚）王休、從乍寶彝，
6790	虢季子白盤	于洛之陽
6910	師永盂	陰昜（陽）洛彊
7046	□□自乍鐘二	江漢之陰陽
7324	陽＿戈	陽＿
7343	陽右戈	陽右
7445	平陽高馬里戈	平陽高馬里戈
7446	成陽辛城里戈	成陽辛城里戈
7502	非＿戈	非sJ帶邗逾陽、廿四
7504	廿三年□陽令戈	＿陽命＿戯
7513	宋公差戈	宋公差之所造不陽族戈
7543	四年相邦樛游戈	櫟陽工上造閒、吾
7566	十三年相邦義戈	咸陽工師田公大人耆工□
7652	五年鄭令韓□矛	左庫工币陽函冶尹倔
7656	七年宅陽令矛	七年宅陽命馬登
7670	六年安陽令斷矛	六年安陽命韓亟司陽□□□
7744	工敾太子劍	余處江之陽
7813	十年矢括	陽陽竹□□
7899	鄂君啟車節	大司馬卲陽敗晉币於襄陽之歲
7899	鄂君啟車節	自鄂往、適陽丘、適邡（方）城
7899	鄂君啟車節	適兔禾、適酉焚、適繁陽
7900	鄂君啟舟節	大司馬卲陽敗晉币於襄陵之歲
7900	鄂君啟舟節	適鄖、適芸（鄖）陽、逾漢

小計：共　39 筆

2319

0555	陸冊父甲鼎	［陸冊］父甲
2261	義白乍宄婦陸姞毁	義白乍宄婦陸姞
2271	陸婦乍高姞毁	陸婦乍高姞尊彝
4216	陸父甲角	［陸］父甲
4231	陸冊父乙角	［陸冊］父乙
5230	陸冊父乙卣	［陸冊］父乙
5298	鼺陸父庚卣	［鼺陸］父庚
5804	齊侯壺	＿伐陸寅其王駟執方＿縢相
7027	邾公釛鐘	陸鐘之孫邾公釛乍氒禾鐘
7411	平陸戈	平陸左戟

小計：共　10 筆

陽
陸

阿 2320

J3770	阿武戈	阿武
7592	元阿左造徒戟	元阿左造徒戟

小計：共 2 筆

限 2321

1330	曶鼎	□吏䋣小子𩁹㠯限訟于井弔
1330	曶鼎	用匹馬束絲限𢓊曰
3087	鬲从盨	復限余鬲比田
4155	白限乍寶彝爵	白限父乍寶彝

小計：共 4 筆

陲 2322 參見陵字

5781	曾姬無卹壺一	osn1茲漾陲
5782	曾姬無卹壺二	osn1茲漾陲
7539	伺戈	郣陲公伺之自所造

小計：共 3 筆

陟 2323

2834	㝬毁	其瀕才帝廷陟降
2843	沈子它毁	陟二公
2855	班毁一	眈天畏、否畀屯陟
2855.	班毁二	否畀屯陟
4887	蔡侯𩁹尊	上下陟配
6788	蔡侯𩁹盤	上下陟配
6793	矢人盤	以陟、二封
6793	矢人盤	陟雩叡sh隟以西
6793	矢人盤	内陟芻、登亍厂qq
6793	矢人盤	陟剛、三封
6793	矢人盤	陟州剛、登桁
7158	㾓鐘一	大神其陟降
7160	㾓鐘三	大神其陟降
7161	㾓鐘四	大神其陟降
7162	㾓鐘五	大神其陟降
7956	洵城小器	洵城陟

小計：共 16 筆

隊 2324 0110㒸字重見

2842	卯毁	易于隊一田
7886	新郪虎符	燔隊事
7887	杜虎符	燔隊之吏

小計：共 3 筆

2325

1178	宗婦鄁嬰鼎一	以降大福
1179	宗婦鄁嬰鼎二	以降大福
1180	宗婦鄁嬰鼎三	以降大福
1181	宗婦鄁嬰鼎四	以降大福
1182	宗婦鄁嬰鼎五	以降大福
1183	宗婦鄁嬰鼎六	以降大福
1247	函皇父鼎	自豕鼎降十又二、毁八、兩罍、兩壺
1324	禹鼎	用天降大喪于下或
1331	中山王嚳鼎	天降休命于朕邦
2415	降人𩁹寶毁	降人𩁹乍寶毁
2416	降人𩁹寶毁	降人𩁹乍寶毁
2614	宗婦鄁嬰毁一	永寶用、以降大福
2615	宗婦鄁嬰毁二	永寶用、以降大福
2616	宗婦鄁嬰毁三	永寶用、以降大福
2617	宗婦鄁嬰毁四	永寶用、以降大福
2618	宗婦鄁嬰毁五	永寶用、以降大福
2619	宗婦鄁嬰毁六	永寶用、以降大福
2620	宗婦鄁嬰毁七	永寶用、以降大福
2675	大保毁	王降征令于大保
2678	函皇父毁一	自豕鼎降十又二
2679	函皇父毁二	自豕鼎降十又二
2680	函皇父毁三	自豕鼎降十又二
2680.	函皇父毁四	自豕鼎降十又二
2763	弔向父禹毁	降余多福緐釐
2777	天亡毁	王祀于天室、降
2777	天亡毁	丁丑、王鄉大宜、王降
2834	㝬毁	其瀕才帝廷陟降
2834	㝬毁	阤阤降余多福
2835	訇毁	戍秦人、降人、服尸
2856	師訇毁	今日天疾畏降喪
3086	善夫克旅盨	降克多福
3090	塱盨（器）	則隹輔天降喪不□唯死
5472	乍毓且丁卣	降令曰
5472	乍毓且丁卣	降令曰
5770	宗婦鄁嬰壺一	以降大福
5771	宗婦鄁嬰壺二	以降大福
6771	宗婦鄁嬰盤	以降大福
6783	函皇父盤	自豕鼎降十又一
6792	史墻盤	上帝降懿德大甹
6793	矢人盤	降以南封于同道
6793	矢人盤	降棫、二封
6993	弔旅魚父鐘	豐豐纍纍、降多福無
7006	戰狄鐘	數數纍纍降
7049	井人鐘三	降余厚多福無彊
7050	井人鐘四	降余後多福無彊

7088	士父鐘一	降余魯多福亡彊
7089	士父鐘二	降余魯多福亡彊
7090	士父鐘三	降余魯多福亡彊
7091	士父鐘四	降余魯多福亡彊
7150	虢叔旅鐘一	降旅多福
7151	虢叔旅鐘二	降旅多福
7152	虢叔旅鐘三	降旅多福
7153	虢叔旅鐘四	降旅多福
7156	虢叔旅鐘七	降旅多福
7158	𤼈鐘一	大神其陟降
7160	𤼈鐘三	大神其陟降
7161	𤼈鐘四	大神其陟降
7162	𤼈鐘五	大神其陟降
7163	𤼈鐘六	上帝降懿德大甹
7176	㝬鐘	降余多福
7649	帝降矛	帝降棘余子之貳金

小計：共 61 筆

隕 2326

1331	中山王𠈇鼎	恐隕社稷之光

小計：共 1 筆

阤 2327

2834	㝬段	阤阤降余多福
5805	中山王𠈇方壺	以陀（施）及子孫

小計：共 2 筆

𧶠 2328

2675	大保段	大保克苟（敬）亡𧶠（譴）
2760	小臣謎段一	𧶠（遣）自𡚱𠂤
2761	小臣謎段二	𧶠（遣）自𡚱𠂤

小計：共 3 筆

陭 2329

5783	曾白陭壺	隹曾白陭迺用吉金鐈鋚

小計：共 1 筆

陳 2330

0864	㝬侯之孫陳鼾	㝬侯之孫陳之𩱮（鼾）
0993	𨻰生雈鼎	陳生雈乍𩚬鼎

1134	敶侯鼎	敶(陳)侯乍朕嬀四母媵(賸)鼎
1163	齊陳__鼎蓋	齊陳ka不敢逸康
1322	九年裘衛鼎	我舍顏陳大馬兩
1667	陳公子弔邍父甗	敶(陳)公子子弔(叔)原父乍旅獻(甗)
2401	敶侯乍王嬀朕設	敶(陳)侯乍王嬀媵設
2482	敶侯乍嘉姬設	陳侯乍嘉姬寶設
2632	陳逆設	陳氏裔孫逆
2682	陳侯午設	陳侯午台群者侯□鑄乍皇妣□大妃祭器
2698	陳肪設	肪曰：余陳中裔孫
2955	齊陳曼匿一	齊陳ka不敢般康
2956	齊陳曼匿二	齊陳ka不敢逸般康
2958	陳公子匿	陳公子中慶自乍匡匿
2960.1	陳公子中慶盬蓋	敶(陳)公子中慶自乍匡匿
2961	敶侯乍媵匿一	陳侯乍王中嬀𡢁媵匿
2962	敶侯乍媵匿二	陳侯乍王中嬀𡢁媵匿
2963	陳侯匿	陳侯乍王中嬀𡢁媵匿
2967	敶侯乍孟姜朕匿	陳侯乍孟姜𡢁匿
2985	陳逆匿一	少子陳逆曰
2985	陳逆匿一	余陳趄走裔孫
2985.	陳逆匿二	少子陳逆曰
2985.	陳逆匿二	余陳趄走裔孫
2985.	陳逆匿三	少子陳逆曰
2985.	陳逆匿三	余陳趄走裔孫
2985.	陳逆匿四	少子陳逆曰
2985.	陳逆匿四	余陳趄走裔孫
2985.	陳逆匿五	少子陳逆曰
2985.	陳逆匿五	余陳趄走裔孫
2985.	陳逆匿六	少子陳逆曰
2985.	陳逆匿六	余陳趄走裔孫
2985.	陳逆匿七	少子陳逆曰
2985.	陳逆匿七	余陳趄走裔孫
2985.	陳逆匿八	少子陳逆曰
2985.	陳逆匿八	余陳趄走裔孫
2985.	陳逆匿九	少子陳逆曰
2985.	陳逆匿九	余陳趄走裔孫
2985.	陳逆匿十	少子陳逆曰
2985.	陳逆匿十	余陳趄走裔孫
3097	陳侯午錞錞一	敶(陳)侯午台群者侯獻金
3098	陳侯午錞錞二	敶(陳)侯午台群者侯獻金
3099	十年敶侯午𩏂(器)	敶(陳)侯午淖(朝)群邦者侯于齊
3100	敶侯因脊錞	敶(陳)侯因脊曰
5729	陳侯乍嬀穌朕壺	陳侯乍嬀穌(蘇)賸壺
5752	陳侯壺	陳侯乍壺
5772	陳璋方壺	隹王五年奠陳旻再立事歲
5772	陳璋方壺	大壯孔陳璋內伐匽亳邦之隻
5773	陳喜壺	陳喜再立事歲pf月己酉
5807.1	陳公孫𧥄父𦉜	敶(陳)公孫訙父乍旅𦉜
6660	但□埊勺一	但□埊陳共為之
6661	但□埊勺二	但□埊陳共為之
6776	楚王酓志盤	剛市紹埊差陳共為之

陳

陳陶阝几

6860	陳白元匜	陳白vm之子白元乍西孟媯婤母塍匜
6871	陳子匜	陳子子乍廙孟媯轂母塍匜
7363	陳箙戈	陳散
7369	陳□戈	陳__邑
7384	陳__鋯戈	陳wv造戈
7385	陳__散戈	陳__散戈
7386	陳貣箙戈一	陳貣散盛
7387	陳貣箙戈二	陳貣散盛
7399	陳金造戈	陳金造戈
7408	陵右戈	陳右鋯戟
7412	陳戈	陳侯因資造
7413	陳子戈	陳子__戈
7414	陳子戈	陳子__造
7418	陳麗子造戈	陳麗子窹（造）戈
7423	陳子翼徒戈	陳子翼徒戈
7428	陳皮之告戈	陳皮之造戈
7433	陳子戈	陳子山徒戟
7434	陳侯因咨戈一	陳侯因咨造
7435	陳侯因咨戈二	陳侯因咨造
7505	陳旺戈	陳旺之歲□府戟
7531	廿九年高都令陳愈戈	廿九年高都命陳愈
7559	十五年奠令戈	工帀陳平冶贛
7676	陳劍	陳鑄趙□鐱
7719	廿九年高都令劍	廿九年高都命陳愈工帀冶乘
7772	陳侯因鑿	陳侯因造
7867.	龍__	集尹陳夏、少集尹龔則、少攻（工）差（佐）孝
7870	陳純釜	陳猷立事歲
7870	陳純釜	敦t4日陳純
7871	子禾子釜一	子禾子□□內者御命陳得
7906	陳__節車鍵一	陳__節
7907	陳__節車鍵二	陳__節
M581	陳公子中慶簠蓋	陳公子中慶自乍匡匿
M582	陳公孫指父旅	陳公孫訢父乍旅
M867	陳侯因咨戟	陳侯因咨造、昜右

小計：共 86 筆

陶 2331

0952	戈囚鬲陶父辛鼎	戈囚鬲陶乍父辛寶尊彝
1138	白陶乍父考宮弔鼎	白陶乍氒文考宮弔寶鬻彝
2852	不嬰設一	女以我車宕伐厰允于高陵
2853	不嬰設二	女以我車宕伐厰会于高陶
6732	陶子盤	陶子武昜____金一鈞
7535	三年汪陶令戈	三年汪陶令富守

小計：共 6 筆

阝几 2332

7899	鄂君啟車節	裁(緘)尹逆、裁令阢
7900	鄂君啟舟節	裁尹逆、裁令阢
		小計：共 2 筆

阦 2333

7620	辛邑阦矛	辛邑阦
		小計：共 1 筆

⿰阝耳 2334

2308	子⿰阝耳乍父己殷	子⿰阝耳乍父己寶尊彝
		小計：共 1 筆

⿰阝关 2335

2123	⿰阝关乍寶殷	⿰阝关乍寶殷[舟]
2760	小臣謎殷一	述東⿰阝关
2761	小臣謎殷二	述東⿰阝关
		小計：共 3 筆

⿰阝言 2336

1330	曶鼎	曰⿰阝言、曰恒、曰𣐺、曰𨥫、曰𠚤
1902	囗白⿰阝言殷	耳白⿰阝言
		小計：共 2 筆

⿰阝美 2337

6793	夨人盤	陟雩𠭯sh⿰阝美以西
6793	夨人盤	封𨟭桥、⿰阝美陵、剛桥
		小計：共 2 筆

⿰阝沓 2338

2783	趞殷	小大又⿰阝沓(鄰)
		小計：共 1 筆

⿰阝蔑 2339

6716	京⿰阝蔑仲__盤	[京]⿰阝蔑中wb乍父辛寶尊彝
		小計：共 1 筆

陖
⿰阝寺
⿰阝咎
⿰阝叡
⿰阝憂
⿰阝隶
⿰阝番

陖 2340

0824	陖白方鼎	陖白乍寶尊彝
2235	陖白乍寶毀	陖白乍寶尊彝
4423	陖白盉	陖白乍寶尊彝
4423.	陖白鎣	陖白乍寶尊彝
4759	陖白尊	陖白乍寶尊彝
5361	陖白卣一	陖白乍寶尊彝
		小計：共 6 筆

⿰阝寺 2341

1327	克鼎	易女田于⿰阝寺原
		小計：共 1 筆

⿰阝咎 2342

1323	師訊鼎	用井乃聖且考⿰阝咎(隣)明
		小計：共 1 筆

⿰阝叡 2343

5773	陳喜壺	JG客敢為⿰阝叡壺九
		小計：共 1 筆

⿰阝憂 2344

0852	自乍⿰阝憂仲方鼎一	自乍⿰阝憂中寶尊彝
0853	自乍⿰阝憂仲方鼎二	自乍⿰阝憂中寶尊彝
0854	自乍⿰阝憂仲方鼎三	自乍⿰阝憂中寶尊彝
0855	自乍⿰阝憂仲方鼎四	自乍⿰阝憂中寶尊彝
2266	自乍⿰阝憂仲寶毀	自乍⿰阝憂中寶尊彝
2485	⿰阝憂仲孝毀	⿰阝憂中孝乍父日乙尊毀
		小計：共 6 筆

⿰阝隶 2345

2693	𪓐毀	公易𪓐宗彝一⿰阝隶(肆)
		小計：共 1 筆

⿰阝番 2345+

1525	⿰阝番子奠白尊鬲	⿰阝番(鄱)子子奠白乍尊鬲

		小計：共　1 筆
2345+		
3094	□公克錞	隓公克鑄其餗錞
		小計：共　1 筆
2346		
0496	四分鼎	□廚□四分
0529	半斗鼎	半斗、半斗、四
0749	上支床四分鼎	上支床廚四分
1002	二年寧鼎	二年寧__子得治__為__四分__
1043	卅年鼎	廚（ 容 ）四分
1070	鄲孝子鼎	王四月、鄲孝子台（ 以 ）庚寅之日
1113	梁廿七年鼎一	廚四分
1134	隞侯鼎	隞侯乍朕嬀四母賸鼎
1152	私官鼎	一斗半正十三斤八兩十四朱
1169	平安邦鼎	廿八年坪安邦造客哉{ 四分 }齍
1169	平安邦鼎	一益十釿料釿四分釿{之重}
1193	新邑鼎	__旬又四日丁卯
1200	散白車父鼎一	隹王四年八月初吉丁亥
1201	椒白車父鼎二	唯王四月八月初吉丁亥
1202	椒白車父鼎三	唯王四年八月初吉丁亥
1203	椒白車父鼎四	唯王四年八月初吉丁亥
1210	𩰫__鼎	庚午王命𩰫__省北田四品
1244	瘋鼎	隹三年四月庚午
1248	庚贏鼎	隹廿又二年四月既望己酉
1253	平安君鼎	容四分齍五益六釿半釿四分釿之重
1255	作冊大鼎一	隹四月既生霸己丑
1256	作冊大鼎二	隹四月既生霸己丑
1257	作冊大鼎三	隹四月既生霸己丑
1258	作冊大鼎四	隹四月既生霸己丑
1259	郜公䜌鼎	隹十又四月
1281	史頌鼎一	穌賓章、馬四匹、吉金
1282	史頌鼎二	穌賓章、馬四匹、吉金
1284	尹姞鼎	易玉五、馬四匹
1299	噩侯鼎一	王親易馭____五瑴、馬四匹、矢五__
1322	九年裘衛鼎	則乃成夆四夆
1324	禹鼎	克夾召先王、奠四方
1325	五祀衛鼎	帥履裘衛厲田四田
1327	克鼎	畯（ 允 ）尹四方
1328	盂鼎	匍有四方
1328	盂鼎	□有四方
1328	盂鼎	夙夕召我一人烝四方
1328	盂鼎	易女邦𤔲四白
1329	小字盂鼎	隻馘四千八百□二馘
1329	小字盂鼎	孚馬百四匹

四

1330	曶鼎	隹王四月既生霸、辰才丁酉
1330	曶鼎	用絲四夫
1331	中山王譽鼎	隹十四年中山王譽詐（乍、作）鼎、于銘曰
1331	中山王譽鼎	行四方
1332	毛公鼎	𤔲𤔲四方
1332	毛公鼎	雩四方
1332	毛公鼎	康能四國
1332	毛公鼎	馬四匹、攸勒、金𠃊、金雁（膺）、朱旂二鈴
1533	尹姞賓鬲一	易玉五品、馬四匹
1534	尹姞賓鬲二	易玉五品、馬四匹
2403	遽白還毁	用貝十朋又四朋
2668	散季毁	隹王四年八月初吉丁亥
2682	陳侯午毁	隹十又四年
2687	敔毁	隹四月初吉丁亥
2723	昚毁	隹四月初吉丁卯
2736	師遽毁	隹王三祀四月既生霸辛酉
2737	段毁	唯王十又四祀十又一月丁卯
2739	無曩毁一	王易無曩馬四匹
2740	無曩毁二	王易無曩馬四匹
2741	無曩毁三	王易無曩馬四匹
2742	無曩毁四	王易無曩馬四匹
2742.	無曩毁五	王易無曩馬四匹
2742.	無曩毁五	王易無曩馬四匹
2752	史頌毁一	穌賓章、馬四匹、吉金
2753	史頌毁二	穌賓章、馬四匹、吉金
2754	史頌毁三	穌賓章、馬四匹、吉金
2755	史頌毁四	穌賓章、馬四匹、吉金
2756	史頌毁五	穌賓章、馬四匹、吉金
2757	史頌毁六	穌賓章、馬四匹、吉金
2758	史頌毁七	穌賓章、馬四匹、吉金
2759	史頌毁八	穌賓章、馬四匹、吉金
2759	史頌毁九	穌賓章、馬四匹、吉金
2765	叔毁	四日、用大𦔻于五邑
2775.	害毁一	隹四月初吉
2775.	害毁二	隹四月初吉
2793	元年師旋毁一	隹王元年四月既生霸
2794	元年師旋毁二	隹王元年四月既生霸
2795	元年師旋毁三	隹王元年四月既生霸
2802	六年召白虎毁	隹六年四月甲子
2816	彔白𢦚毁	右闢四方
2816	彔白𢦚毁	金乏畫轉、馬四匹、鋚勒
2828	宜侯夨毁	隹四月辰才丁未
2830	三年師兌毁	馬四匹
2833	秦公毁	竈（造）囿（佑）四方
2834	㝬毁	墜于四方
2836	𢦚毁	孚戎孚人百又十又四人
2837	敔毁一	奪孚人四百
2840	番生毁	用諫四方
2855	班毁一	粤王立、乍四方亟
2855.	班毁二	乍四方亟

2856	師訇𣪕	臨保我又周、雩四方民
2857	牧𣪕	旂、余馬四匹
3077	弔尃父乍奠季盨一	弔尃父乍奠季寶鐘六、金尊盨四、鼎十
3078	弔尃父乍奠季盨二	弔尃父乍奠季寶鐘六、金尊盨四、鼎十
3079	弔尃父乍奠季盨三	弔尃父乍奠季寶鐘六、金尊盨四、鼎十
3080	弔尃父乍奠季盨四	弔尃父乍奠季寶鐘六、金尊盨四、鼎十
3083	瘐𣪕(盨)一	隹四年二月既生霸戊戌
3084	瘐𣪕(盨)二	隹四年二月既生霸戊戌
3085	駒父旅盨(蓋)	四月、還至于蔡、乍旅盨
3088	師克旅盨一(蓋)	師克不顯文武、雁受大令、匍有四方
3088	師克旅盨一(蓋)	馬四匹、攸勒、素戉
3089	師克旅盨二	師克不顯文武、雁受大令、匍有四方
3089	師克旅盨二	馬四匹、攸勒、素戉
3090	𡐦盨(器)	馬四匹
3097	陳侯午錞一	隹十又四年
3098	陳侯午錞二	隹十又四年
4203	御正良爵	隹四月既望丁亥
4343	亞矣小臣邑斝	隹王六祀彡日、才四月[亞矣]
4444	卲宮盉	官四斗少半斗廿三斤十
4444	卲宮盉	官四斗
4444	卲宮盉	少四半斗
4876	保尊	遘于四方迨王大祀祓于周
4882	匽乍文考日丁尊	隹四月初吉甲午
4885	效尊	隹四月初吉甲午
4891	何尊	才四月丙戌
4893	矢令尊	王令周公子明保尹三事四方
4893	矢令尊	舍四方令
4977	師遽方彝	王乎宰利易師遽琱圭一、環章四
4978	吳方彝	馬四匹、攸勒
4981	𤔲冊令方彝	王令周公子明保尹三事四方
4981	𤔲冊令方彝	舍四方令
5487	靜卣	隹四月初吉丙寅
5488	靜卣二	隹四月初吉丙寅
5492	亞獏四祀𠨘其卣	才四月隹王四祀昱日
5495	保卣	遘于四方、迨王大祀
5495	保卣	遘于四方、迨王大祀
5507	乍冊𩵦卣	雩四月既生霸庚午
5511	效卣一	隹四月初吉甲午
5681	土匀錍壺	土匀□四斗錍
5737	左_壺	四升_客四受十五_
5741	左𣪘壺一	十九爰四寽廿九
5789	命瓜君厚子壺一	隹十年四月吉日
5790	命瓜君厚子壺二	隹十月四吉日
5793	幾父壺一	僕四家、金十鈞
5794	幾父壺二	僕四家、金十鈞
5803	胤嗣𡚱蚉壺	四駐(牡)汸汸
5804	齊侯壺	□□□□□其士女□_旬四舟___丘□_于_歸
5805	中山王譽方壺	隹十四年
5826	國差𦉜	攻師何鑄西郭寶𦉜四稟
6633	靳乍文考觶	隹四月

四

四

6635	中觶	王易中馬自__侯四__、南宮兄
6784	三十四祀盤（祼盤）	隹王卅又四祀唯五月既望戊午
6790	虢季子白盤	經維四方
6791	兮甲盤	王易兮甲馬四匹、駒車
6791	兮甲盤	王令甲征辭成周四方責
6792	史墻盤	適征四方
6887	掫陵君王子申鑑	冢十__四__圣朱
6887	掫陵君王子申鑑	__襄、冢三朱二圣朱四口（盤外底）
6925	晉邦盦	廣嗣四方
6925	晉邦盦	媵盦四酉
7005	郘公鐘	隹郘正四月□□
7039	應侯見工鐘二	四匹
7062	柞鐘	隹王三年四月初吉甲寅
7063	柞鐘二	隹王三年四月初吉甲寅
7064	柞鐘三	隹王三年四月初吉甲寅
7065	柞鐘四	隹王三年四月初吉甲寅
7066	柞鐘五	隹王三年四月初吉甲寅
7112	者減鐘一	聞于四旁
7113	者減鐘二	聞于四旁
7116	南宮乎鐘	畯永保四方、配皇天
7121	郐王子旃鐘	聞于四方
7136	郘鐘一	其竈四堵
7137	郘鐘二	其竈四堵
7138	郘鐘三	其竈四堵
7139	郘鐘四	其竈四堵
7140	郘鐘五	其竈四堵
7141	郘鐘六	其竈四堵
7142	郘鐘七	其竈四堵
7143	郘鐘八	其竈四堵
7144	郘鐘九	其竈四堵
7145	郘鐘十	其竈四堵
7146	郘鐘十一	其竈四堵
7147	郘鐘十二	其竈四堵
7148	郘鐘十三	其竈四堵
7149	郘鐘十四	其竈四堵
7163	瘨鐘六	匍有四方
7174	秦公鐘	匍有四方、其康寶
7176	㝬鐘	畯保四或
7178	秦公及王姬編鐘二	匍有四方、其康寶
7183	叔夷編鐘二	戜徒四千
7209	秦公及王姬鎛	匍有四方、其康寶
7210	秦公及王姬鎛二	匍有四方、其康寶
7211	秦公及王姬鎛三	匍有四方、其康寶
7212	秦公鎛	匍又四方
7213	𬹼鎛	余四使是以
7214	叔夷鎛	戜徒四千
7493	十四年戈	四年州工帀明冶乘
7502	非__戈	非sJ帶邢逾陽、廿四
7508	十四年屬邦戈	十四年
7518	四年呂不韋戈	四年相邦呂不韋

7523	四年戈	四年命韓__右庫工帀__冶__
7525	廿四年左軍戈	廿四年左軍__________
7526	卅四年屯丘令戈	卅四年屯丘命爽左工帀𢊁冶□
7529	十四年相邦冉戈	十四年秦相邦冉造
7538	邢令戈	四年邢命輅庶長
7541	四年咎奴戈	四年咎奴__命壯罌工帀賓疾冶問
7542	廿四年右馬令戈	廿四年申陰令右庫工帀𧻓冶豎
7543	四年相邦樛游戈	四年相邦樛游之造
7558	十四年奠令戈	十四年奠命趙距司寇王造武庫
7568	四年奠令戈	四年奠命韓及司寇長朱
7667	卅四年奠令槍□矛	卅四年奠命槍□司寇造芋慶
7669	四年□雍令矛	四年□雝命韓匡司寇□宅
7734	四年春平侯劍	四年□□春升平侯□左庫工帀丘□__________
7740	四年春平相邦劍	四年春平相邦都及
7823	距末二	廿年尚上長斗乘四其我__攻書
7831	廿四年銅梃	廿四年__昌__左執齊
7884	五年司馬權	□工帀四
7893	鷹節一	馬乘帚伐__ 四年帀
7975	中山王墓兆域圖	從丘欧至內宮廿四步
7975	中山王墓兆域圖	從丘欧至內宮廿四步
M423.	趞鼎	隹十又九年四月既望辛卯
M798	廿八年平安君鼎	廿八年平安邦鑄客載四分齍
M798	廿八年平安君鼎	一益七釿料釿四分釿之冢(蓋一)
M798	廿八年平安君鼎	廿八年平安邦鑄客載四分齍
M799	卅二年平安君鼎	平安邦鑄客曆四分齍(蓋一)
M799	卅二年平安君鼎	卅二年平安邦鑄客曆四分齍
M799	卅二年平安君鼎	五益六釿料釿四分釿之冢(器一)
		小計：共 216 筆

2347

0097	宁鼎	[宁]
0157.	矢宁鼎	[矢宁]
0241	告宁鼎	[告宁]
0247	卿宁鼎	[卿宁]
0300	美宁鼎	[美宁]
0301	卿宁鼎	[卿宁]
0329	卿乙宁鼎	[卿乙宁]
0448	卿宁癸鼎	[卿宁]癸
0449	卿宁癸鼎	[卿宁]癸
0562	矢宁父乙方鼎	[矢宁]父乙
0563	卿宁父乙鼎	[卿宁]父乙
0643	卿宁父乙鼎	[卿宁]父乙
0942	亞㠱竹士宦鼎	[亞㠱竹宦]智光徽(彝)[卿宁]
J0604	剌攺宁鼎	剌攺宁用乍父庚寶尊彝__
1407	亞從父丁鬲	亞从父丁[鳥宁]
1790	卿宁毀一	[卿宁]
1791	卿宁毀二	[卿宁]
1976.	矢宁毀	[矢宁]父丁

四
宁

宁

2012	卿父癸宁毁	[卿]父癸[宁]
3327	矢宁爵	[矢宁]
3702	告宁爵一	[告宁]
3703	告宁爵二	[告宁]
3703.	告宁爵三	[告宁]
3707	卿宁爵一	[卿宁]
3708	卿宁爵二	[卿宁]
3709	卿宁爵三	[卿宁]
4090	父癸_宁爵	父癸[bk宁]
4165	攸宁父戊爵	攸宁[cz]父戊
4279	卿宁斝	[卿宁]
4336	宁狽乍父丁斝	[宁狽]乍父丁彝
4403	亞鳥宁从父丁盉	[亞鳥宁dc]父丁
4405	宁未父乙冊盉	父乙[宁未冊]
4548	卿宁尊	[卿宁]
4722	冊口宁父辛方尊	[冊口宁]父辛
4897.	_觥	[宁矢]
4939	卿宁方彝一	[卿宁]
4940	卿宁方彝二	[卿宁]
4974	_方彝	o3敀卿宁百生、揚
5089	__卣	[汉京]、[宁工工]
5611	卿宁壺一	[卿宁]
5612	卿宁壺二	[卿宁]
5995	矢宁觚一	[矢宁]
5996	矢宁觚二	[矢宁]
5997	卿宁觚	[卿宁]
5998	卿宁觚	[卿宁]
6046	告宁觚	[告宁]
6047	宁貫觚	[宁貫]
6048	宁戈觚	[宁戈]
6118	己卿宁觚	己[卿宁]
6205	辛卿宁觚	辛[卿宁]
6281	天口逐攸宁觚	天口逐攸宁用乍父辛寶尊彝
J2925	_宁父丁觶	庚宁父丁冊
6590	告宁父戊觶	[告宁]父戊
6628	鳥冊何般貝宁父乙觶	[何般貝宁]用乍父乙寶尊彝[鳥]

小計：共　54 筆

2348

0100	亞鼎二	[亞]
0101	亞鼎一	[亞]
0102	亞鼎三	[亞]
0153	亞鼎	[亞]
0162	亞吴鼎一	[亞吴]
0163	亞吴鼎二	[亞吴]
0164	亞吴鼎三	[亞吴]
0165	亞吴鼎四	[亞吴]
0166	亞吴鼎五	[亞吴]
0167	亞吴鼎	[亞吴]
0168	亞天鼎	[亞天]
0169	亞寸方鼎	[亞肱]
0170	亞告鼎一	[亞告]
0171	亞告鼎二	[亞告]
0172	亞卯方鼎	[亞卯]
0173	亞果鼎	[亞果]
0174	亞明鼎	[亞明]
0175	亞而丁鼎	[亞而丁]
0176	亞丙鼎	[亞丙]
0177	亞夒鼎	[亞夒]
0178	亞＿鼎	[亞竊皿矛]
0179	亞趯鼎一	[亞趯]
0180	亞趯鼎二	[亞趯]
0181	亞虒鼎一	[亞虒]
0182	亞虒鼎二	[亞虒]
0182.	亞虒鼎	[亞虒]
0183	亞止鼎	[亞止囊]
0184	亞囊鼎	[亞囊]
0185	亞衢鼎	[亞衢]
0186	亞醜鼎一	[亞醜]
0187	亞醜鼎二	[亞醜]
0188	亞醜鼎三	[亞醜]
0189	亞醜鼎四	[亞醜]
0190	亞醜鼎五	[亞醜]
0191	亞醜鼎六	[亞醜]
0192	亞醜鼎七	[亞醜]
0193	亞醜鼎八	[亞醜]
0193.	亞牧鼎	[亞牧]
0271	亞弜鼎一	[亞弜]
0272	亞弜鼎二	[亞弜]
0273	亞弜鼎三	[亞弜]
0274	亞弜鼎四	[亞弜]
0275	亞弜鼎五	[亞弜]
0276	亞弜鼎六	[亞弜]
0277	亞弜鼎七	[亞弜]
0278	亞豕鼎	[亞豕]
0297	亞蚊鼎	[亞蚊]
0460	亞受斿方鼎	[亞受斿]

0501	亞卒嫢鼎	[亞卒嫢]
0502	亞雞魚鼎	[亞雞魚]
0503	亞趣徜鼎一	[亞趣徜]
0504	亞趣徜鼎二	[亞趣徜]
0505	亞辛吴方鼎一	亞辛[吴]
0506	亞犬父鼎	[亞犬]父口
0507	止亞口鼎	止亞口
0517	亞夊雨鼎	[亞夊雨]
0519	亞舟鼎	[舟亞舟]
0531	亞醜父乙鼎	[亞醜]父乙
0533	亞攷父乙鼎一	[亞攷]父乙
0534	亞攷父乙鼎二	[亞攷]父乙
0535	亞醜父丙方鼎	[亞醜]父丙
0536	亞醜父丁方鼎一	[亞醜]父丁
0537	亞醜父丁方鼎二	[亞醜]父丁
0538	亞醜父丁方鼎三	[亞醜]父丁
0540	亞旛父丁鼎	[亞旛]父丁
0541	亞從父戊鼎	[亞從]父戊
0542	亞__父己鼎	[亞bz]父己
0543	亞__父己鼎一	[亞bq]父己
0544	亞__父己鼎	[亞bq]父己
0545	父己亞醜鼎	父己[亞醜]
0546	亞竊父己鼎	[亞竊]父己
0547	亞得父庚鼎	[亞得]父庚
0548	亞醜父辛鼎	[亞醜]父辛
0549	亞醜父辛鼎	[亞醜]父辛
0550	亞醜父辛鼎	[亞醜]父辛
0554	町亞且癸鼎	[町亞]且癸
0567	亞獏父丁鼎一	[亞獏]父丁
0568	亞獏父丁鼎二	[亞獏]父丁
0569	亞獏父丁鼎三	[亞獏]父丁
0570	亞獏父丁鼎四	[亞獏]父丁
0571	亞獏父丁鼎五	[亞獏]父丁
0572	亞㚔父丁鼎	[亞㚔]父丁
0578	亞酉父丁鼎	[亞酉]父丁
0580	亞眞父己鼎	[亞眞]父己
0581	亞戈父己鼎	[亞戈]父己
0595	亞肘史母子鼎	[亞肘史]母子
0664	亞㚔方鼎	[亞㚔]母__樂
0665	亞㚔習鼎	亞㚔習匕(妣)酉
0666	亞白禾嫢乍鼎	亞白禾嫢乍
0738	亞共覃父甲鼎	[亞共覃]父甲
0746	父己亞音史鼎	父己[亞音史]
0836	㠱女鼎	㠱女尊彝[亞吴]
J0548	豚鼎	亞豚乍父乙寶尊彝
0838	亞吴鼎	[亞吴]宮晉旅㳄(辭?)侯宜
0840	亞艅曆乍且己鼎	[亞俞]曆乍且己彝
0843	__乍父丁鼎	亞__乍父丁寶尊
0861	亞受丁旂若癸鼎	[亞受丁旂若癸止乙自乙]
0862	亞受丁旂若癸鼎二	[亞受丁旂若癸止乙自乙]

0878	亞員吳豢乍母癸鼎	[亞員吳]豢乍母癸
0886	亞醜季乍兄己鼎	[亞醜]季乍兄己尊彝
0893	亞牧乍父辛鼎	乍父辛寶尊彝[亞牧]
0908	宥乍父辛鼎	宥乍父辛尊彝[亞俞]
0910	亞亳乍父乙方鼎	[亞弘]亳乍父乙尊彝
0915	亞叀弜乍父辛鼎	[亞叀弜]乍父辛尊彝
0942	亞橐竹士室鼎	[亞橐竹室]智光徹(蠶)[卿宁]
0943	亞父庚且辛鼎	[亞俞fw]父父庚保且辛
1029	鬲乍且乙鼎	用乍且乙尊[田告亞]
1101	亞受乍父丁方鼎	用乍父丁尊[亞受]
1117	豊乍父丁鼎	丁亥、豊用乍父乙盞彝[亞啚]
1209	嬰方鼎	[亞員侯吳]丁亥
1342	亞凿鬲	[亞凿]
1348	亞□其鬲	亞□其
1361	亞__母鬲	[亞竅皿矛]母
1407	亞從父丁鬲	亞从父丁[鳥宁]
1440	亞俞林娥鬲	林娥乍父辛寶尊彝[亞俞]
1466	亞艅弇母辛鬲	[亞俞]弇入餗于女子
1503	御鬲	[亞]庚寅、御寅□、才寑
1568	亞趠徙甗	[亞趠徙]
1575	亥亞父丁甗	[亥亞]父丁
1589	亞娥甗	[亞娥]吳
1591	亞畋父丁甗	[亞畋]父丁
1593	亞冀父己甗	[亞冀]父己
1616.	子商亞羌乙甗	子商[亞羌乙]
1632	亞旛乍父□甗	[亞旛]乍父乙彝甗
1643	亞醜諸女甗	[亞醜]者母乍大子尊彝
1777	亞吳毀	[亞吳]
1778	亞□□毀	亞□□
1779	亞登毀	[亞登]
1780	亞奚毀	[亞奚]
1781	亞保酉毀	[亞保酉]
1782	亞告毀	[亞告]
1783	亞醜毀一	[亞醜]
1784	亞醜毀二	[亞醜]
1785	亞醜毀三	[亞醜]
1786	亞醜毀四	[亞醜]
1787	亞醜毀五	[亞醜]
1788	亞醜毀六	[亞醜]
1789	亞醜毀七	[亞醜]
1818	亞弜毀	[亞弜]
1844	亞趠徙毀	[亞趠徙]
1891	亞父辛毀	[亞]父辛
1898.	亞__父□毀	[亞bs]父□
1971	亞父乙吳毀	亞父乙[吳]
1972	父乙亞矢毀	父乙[亞矢]
1977	亞離父丁毀	[亞離]父丁
1978	亞橐父丁毀	[亞橐]父丁
1982	亞戈父己毀	[亞戈]父己
1983	亞共父癸毀	[亞共]父癸

亞

亞

1984	亞醜父辛毁一	[亞醜]父辛
1985	亞醜父辛毁二	[亞醜]父辛
1986	亞髟父癸毁	[亞髟]父癸
2004	亞𡗜父己毁	[亞𡗜]父己
2057	天黽亞虫毁一	[亞虫天黽]
2058	天黽亞虫毁二	[亞虫天黽]
2070	亞＿父乙毁	亞＿父乙
2076	亞麐父乙毁	[亞麐]父乙
2080	亞共覃父乙毁	[亞共覃]父乙
2147	亞㠱矣乍父乙毁	亞㠱矣乍父乙
2148	亞㠱侯矣父乙毁	[亞㠱侯矣]父乙
2150	亞㠱侯父戊矣毁	[亞㠱]侯父戊[矣]
2151	亞㠱侯矣父己毁	[亞其]侯[矣]父己
2194	亞乍父乙寶毁	乍父乙寶毁[亞]
2278	冊亞品冊乍父戊毁	乍父戊彝[亞品䎽]
2280	亞高亢乍父癸毁	亞高亢乍父癸尊彝
2281	亞受丁斿若癸毁	[亞若癸自乙受丁斿乙]
2446	亞古乍父己毁	用乍父己尊彝[亞古]
2453	亞䋣乍且丁毁	亞
2544	亞𢆶乍父乙毁	[亞]辛已、𢆶lub倉、才小圃
2546	聖毁	辛巳、王㱃(歙)多亞聖𩫏京
2743	𩰫毁	眔者侯、大亞
2774	臣諫毁	征令臣諫目□□亞旅處于軧
2791.	史密毁	乃執啚寡亞
2835	訇毁	＿人、成周走亞
2861.	亞其父辛匠	[亞其戈]父辛
3052	走亞虢孟延盨一	走亞虢孟延乍盨
3053	走亞虢孟延盨二	走亞虢孟延乍盨
3101	亞矣豆一	[亞矣]
3102	亞矣豆二	[亞矣]
3383	亞矣爵一	[亞矣]
3384	亞矣爵二	[亞矣]
3385	亞矣爵三	[亞矣]
3386	亞矣爵四	[亞矣]
3387	亞矣爵五	[亞矣]
3388	亞矣爵六	[亞矣]
3389	亞矣爵七	[亞矣]
3390	亞矣爵八	[亞矣]
3391	亞矣爵九	[亞矣]
3392	亞醜爵一	[亞醜]
3393	亞醜爵二	[亞醜]
3394	亞醜爵三	[亞醜]、[亞仙]
3395	亞醜爵四	[亞醜]
3396	亞醜爵五	[亞醜]
3397	亞醜爵六	[亞醜]
3398	亞鳥爵	[亞鳥]
3399	亞戈爵	[亞戈]
3400	亞屰爵	[亞屰]父丁
3401	亞䳄爵	[亞䳄]
3402	亞祉爵	[亞示]

3403	亞祉爵	[亞祉]
3404	亞子爵	[亞子]
3510	亞丙爵	[亞]丙
3511	亞辛爵	[亞辛]
3586	亞㳄爵	[亞㳄]
3587	亞弜爵一	[亞弜]
3588	亞弜爵二	[亞弜]
3589	亞䰞皿矛爵一	[亞䰞皿矛]
3589.	亞弜爵三	[亞弜]
3590	亞䰞皿矛爵二	[亞䰞皿矛]
3590.	亞隻爵	[亞隻]
3591	亞舟爵	[亞舟]
3612.	亞鳥爵	[亞鵪]
3667	亞其爵一	[亞其]
3668	亞其爵二	[亞其]
3669	亞其爵三	[亞其]
3670	亞其爵四	[亞其]
3671	亞其爵五	[亞其]
3672	亞其爵六	[亞其]
3673	亞其爵七	[亞其]
3674	亞其爵八	[亞其]
3697	亞豕爵	[亞豕]
3718	亞__爵	[亞bw]
3719	亞乙羌爵	[亞乙羌]
3720	亞趄__爵一	[亞趄__]
3721	亞趄__爵二	[亞趄__]
3722	亞女方爵	[亞女方]
3723	亞𡫞天爵	[亞𡫞天]
3724	亞夂__爵	[亞夂__]
3735	亞且丁爵	[亞]且丁
3774	亞父乙爵一	[亞]父乙
3775	亞父乙爵二	[亞]父乙
3776	亞父乙爵三	[亞]父乙
3874	亞若父己爵	[亞若]父己
3896	亞父辛爵	[亞]父辛
3992	亞龜凡爵	[亞龜凡]
4011	亞爵	[亞棄]
4012	亞爵	亞__□
4016	亞__爵	[亞ca]丁
4019	亞夭般爵	[亞夭般]
4039	㠱亞椙爵一	[㠱亞椙]
4040	㠱亞椙爵二	[㠱亞椙]
4041	㠱亞椙爵三	[㠱亞椙]
4042	㠱亞椙爵四	[㠱亞椙]
4042.	亞干示爵	[亞干示]
4045	亞戈父乙爵	[亞戈]父乙
4047	父乙爵	[亞__]父乙
4048	亞豕父戊爵	[亞豕]父甲
4049	亞木且己爵	[亞木]且己
4050	亞覃父丁爵	[亞覃]父丁

亞

4051	亞卩父辛爵一	[亞卩]父辛
4052	亞卩父辛爵二	[亞卩]父辛
4053	亞__父辛爵	[亞b1]父辛
4054	父癸亞血爵	父癸[亞血]
4055	亞址父己爵	[亞址]父己
4056	亞__父壬爵	父壬[亞鹿]
4065	亞竊皿矛父乙爵	[亞竊皿矛]父乙
4079	亞獏父丁爵	[亞獏]父丁
4089.	亞天父辛爵	父辛[亞天]
4112	戈孔亞毌爵	戈孔[亞毌]
4117	亞向__父戊爵	[亞向bG]父戊
4125	亞醜父丙爵	[亞醜]父丙
4130	矣亞父乙爵一	[矣亞]父乙
4131	矣亞父乙爵二	[矣亞]父乙
4166	亞__父己卜爵	亞__己父卜
4191.	亞戣乀父癸爵	亞戣□□[乀]父癸
4197	亞醜方爵	[亞醜]者(諸)始目大子尊彝
4205	亞㝠角一	[亞㝠]
4206	亞㝠角二	[亞㝠]
4206.	亞㝠角三	[亞㝠]
4209	亞聿角	[亞聿]
4223	亞弜父丁角一	[亞弜]父丁
4224	亞弜父丁角二	[亞弜]父丁
4225	亞旛父丁角	父丁[亞旛]
4234	亞共__父丁角	[亞共__]父丁
4234.	亞古父己角	[亞古]父己
4234.	亞古父癸角	[亞古]父癸
4240	亞未乍父辛角	用乍父辛彝[亞矣]
4241	箙亞__乍父癸角	丙申王易箙亞Jb奚貝、才虆
4270.	亞斝	口亞
4278	亞殸斝	[亞殸]
4280	亞矣斝一	[亞矣]
4281	亞矣斝二	[亞矣]
4282	亞酉斝	[亞酉]
4303	亞趄衠斝	[亞趄衠]
4304	亞其圓斝一	[亞其]
4305	亞其圓斝二	[亞其]
4305.	女亞斝	女[亞]
4324.	亞次斝	[亞次驥]
4325	亞獏父丁斝	[亞獏]父丁
4327	亞弜父丁斝	[亞弜]父丁
4331	__斝	__亞丁匜
4332	辛亞中畢斝	辛[亞離]
4340	亞矣㚔乍母癸斝	亞㠱矣㚔乍母癸
4343	亞矣小臣邑斝	隹王六祀肜日、才四月[亞矣]
4353	亞醜盉一	[亞醜]
4354	亞醜盉二	[亞醜]
4363	亞趄盉	[亞趄]
4364	亞醜母盉	[亞醜]母、母
4380	亞醜父丁方盉	[亞醜]父丁

4383	亞古父己盉	[亞古]父己
4385	亞孳父辛盉	[亞孳]父辛
4390	亞夫乍從彝盉	亞夫、乍從彝
4403	亞鳥宁从父丁盉	[亞鳥宁dc]父丁
4413	吳盉	吳乍寶盉[亞俞]
4422	亞睪乍仲子辛盉	[亞睪]乍中子辛彝
4438	亞㠱侯吳盉	[亞㠱侯吳]
4438	亞㠱侯吳盉	匽侯亞貝
4506.	亞□尊	[亞□]
4507	亞吳尊	[亞吳]
4508	亞此中犢形尊	[亞此]
4509	亞𠙵尊	[亞𠙵]
4511	亞趩尊	[亞趩]
4512	亞醜尊一	[亞醜]
4513	亞醜尊二	[亞醜]
4514	亞醜尊三	[亞醜]
4514.	亞醜尊四	[亞醜]
4514.	亞醜尊五	[亞醜]
4514.	亞醜尊六	[亞醜]
4514.	亞醜尊七	[亞醜]
4514.	亞醜尊八	[亞醜]
4529	亞__尊	[亞b9]
4533	亞弜尊	[亞弜]
4534	亞守尊	[亞守]
4535	亞亥尊	[亞亥]
4557	亞趠衜尊	[亞趠衜]
4640	亞____尊	亞____
4643	亞離父乙尊	[亞離]父乙
4644	亞父辛__尊	亞父辛[d7]
4645	亞獎父辛尊	[亞獎]父辛
4646	亞醜父丁尊	[亞醜]父丁
4647	亞天父癸尊	[亞天]父癸
4657	亞獏父丁尊一	[亞獏]父丁
4665	亞犇父辛尊	[亞犇]父辛
4707	亞fk子父辛尊	[亞fk子徙父辛]
4760	亞耳乍且丁尊	亞耳乍且丁尊彝
4765	對乍父乙尊	對乍父乙[亞夫]寶尊彝
4783	亞共尊一	[亞𢍭乙日辛甲共受]
4784	亞共尊二	[亞𢍭日乙受日辛日甲共]
4786	亞㠱__乍母癸尊	亞㠱吳㝬乍母癸
4788	亞醜酉乍父乙尊	[亞醜]酉乍父乙尊彝
4789	亞受丁斿若癸尊一	[亞受旅丁乙止若自癸乙]
4790	亞受丁斿若癸尊二	[亞受斿乙止若自癸乙]
4806	亞醜方尊	[亞醜]者始以大子尊彝
4808	亞㠱吳褻乍母辛尊	[亞㠱吳]褻乍母辛寶彝
4816	亞__傳乍父戊尊	傳乍父戊寶尊彝[亞jc]
4822.	衛㹿尊	衛㹿乍父辛彝尊[亞旟]
4912	亞父辛__觥	[亞]父辛[d7]
4919	亞醜者姛觥一	[亞醜 }者始大子尊彝
4920	亞醜者姛觥二	[亞醜 }者始大子尊彝

亞

亞

4922	亞它㐱觥	[亞它]㐱乍豐逆王望器[冊]
4941	大亞方彝	[大亞]
4943	亞吳方彝	[亞吳]
4944	亞醜方彝一	[亞醜]
4945	亞醜方彝二	[亞醜]
4946	亞又方彝	[亞又]
4951	亞啟方彝	[亞啟]
4964	亞受丁斿若癸方彝	[亞受丁斿若癸]
4970	乍冊宅方彝	[亞㝬宣箙箙𢇍]乍冊宅乍彝
5051	亞__卣	[亞__]
5052	亞醜卣一	[亞醜]
5053	亞醜卣二	[亞醜]
5054	亞醜卣三(蓋)	[亞醜]
5055	亞醜卣四	[亞醜]
5056	亞醜卣五	[亞醜]
5058	亞奚卣	[亞奚]
5076	亞屰卣	[亞屰]
5077	亞方卣	[亞方]
5079	亞趄衠卣	[亞趄衠]
5080	舌亞卣	[舌亞]
5081	亞其吳卣	[亞其吳]
5102	亞女卣	[亞女]
5131	亞覃父乙卣	[亞覃父乙]
5208	㚤亞__卣	[㚤__、㚤亞__]
5218.	亞𢍰父甲卣	[亞𢍰]父甲
5219	亞艅父乙卣	[亞俞]父乙
5220	亞醜父辛卣	[亞醜]父辛
5222	亞醜杞婦卣	[亞醜]杞婦
5223	亞得父癸卣	[亞得]父乙
5288.	林卣	[林亞皿矢]
5295	亞__父己卣	[亞bx]魚父己
5318	亞共且乙父己卣	[亞共且乙父己]
5319	__父乙母告田卣	[亞㪅]父乙、[鳥]父乙母[告田]
5320	亞宣父乙卣	[亞宣𡨦__父乙]
5358	亞__㚤且辛禹卣	[㚤]且辛禹[亞bn]
5360	亞古乍父己卣	[亞古]乍父己彝
5364	亞吳𢊁乍車彝卣	𢊁乍車彝[亞吳]
5365	亞㝬宣䀠竹父丁卣	[亞㝬宣䀠竹]父丁
5367	亞其吳乍母辛卣一	[亞其吳]母辛彝
5368	亞其吳乍母辛卣二	[亞其吳]母辛彝
5369	亞其吳乍母辛卣三	[亞其吳]母辛彝
5376	亞束無𡕧乍父丁卣	[亞束]無𡕧乍父丁彝
5387	亞__夾乍父辛卣	夾乍父辛尊彝[亞b3]
5388	亞艅𡫸乍父辛卣	𡫸乍父辛尊彝[亞俞]
5398	亞㠱吳𡗝乍母癸卣	[亞㠱吳𡗝]乍母癸
5421	亞__對乍父乙卣	對乍父乙寶尊彝[亞b2]
5423	亞__中__乍父丁卣	va乍父丁尊彝[亞bt中]
5426	亞㫃剌乍兄日辛卣	剌乍兄日辛尊彝[亞㫃]
5433	㚤亞束𡨦𢾭乍父癸卣	[亞束]𡨦𢾭乍父癸寶尊彝[㚤]
5434	亞集𢍏乍文考父丁卣	亞集乍文老父丁寶尊彝

5443	亞䀠侯矣𡚸卣	𡚸易孝用乍且丁彝[亞䀠侯矣]
5475	六祀𠨘其卣	才六月隹王六祀𥃝日[亞貘]
5491	亞貘二祀𠨘其卣	[亞貘父丁]
5491	亞貘二祀𠨘其卣	[亞貘父丁]
5492	亞貘四祀𠨘其卣	[亞貘父丁]
5492	亞貘四祀𠨘其卣	[亞貘父丁]
5524	亞醜罍一	[亞醜]
5525	亞醜罍二	[亞醜]
5526	亞醜罍三	[亞醜]
5527	亞雝罍	[亞雝]
5529	亞矣罍一	[亞矣]
5530	亞矣罍二	[亞矣]
5532	亞旁罍	[亞旁]
5538	亞__罍	[亞車丙ㄗ]
5552	亞矣玄婦方罍一	[玄鳥]婦、[亞矣]
5553	亞矣玄婦方罍二	[玄鳥]婦、[亞矣]
5554	亞㚔㬰竹罍	[㬰(孤)竹亞㚔]
5556	亞高㪔父丁罍	[亞高養]父丁
5559	亞光父丁㬰竹罍	父丁[㬰(孤)竹亞光]
5568	亞醜者姛方罍一	[亞醜]者姛(始)以大子尊彝
5569	亞醜者姛方罍二	[亞醜]者姛(始)以大子尊彝
5573	𥁕__己且丁方罍	[亞𥁕]且丁cm己父癸
5589	亞矣瓿	[亞矣]
5594	亞____瓿	[亞bm]
5610	亞弜壺一	[亞弜]
5613	亞醜壺	[亞醜]
5614	亞倗壺一	[亞倗]
5649	亞乍旅彝壺	亞__乍旅彝
5662	亞桃柩父乙壺	[亞桃柩]父乙
5816.	伯亞臣𦉢	黃孫馬pr子白亞臣自乍𦉢
5986	亞告觚	[亞告]
5988	亞酉觚	[亞酉]
5989	亞弔觚	[亞弔]
5990	亞㚔觚	[亞㚔]
5991	亞刀觚	[亞刀]
5992	亞隻觚	[亞隻]
5993	亞弜觚	[亞弜]
5994	亞其觚	[亞其𠬝]
5999	亞奚觚	[亞奚]
6000	亞矣觚一	[亞矣]
6001	亞矣觚二	[亞矣]
6002	亞矣觚三	[亞矣]
6003	亞矣觚四	[亞矣]
6004	亞醜觚一	[亞醜]
6005	亞醜觚二	[亞醜]
6006	亞醜觚三	[亞醜]
6007	亞醜觚四	[亞醜]
6040	亞豕觚	[亞豕]
6057	亞牧觚	[亞養]
6068	亞

乳乳觚 | [亞乳乳] |

亞

6108	亞其觚一	[亞其]
6109	亞其觚二	[亞其]
6110	亞其觚三	[亞其]
6111	亞其觚四	[亞其]
6112	亞其觚五	[亞其]
6119	亞耑衎觚一	[亞耑(趄)衎]
6120	亞耑衎觚二	[亞耑(趄)衎]
6121	亞守吳觚	[亞守吳]
6122	奘亞次觚	[奘亞次]
6176	亞木守觚	[亞木守]
6179	兄辛亞觚	兄辛[亞]
6204	爪亞豕觚	[爪亞豕]
6228	亞薦父丁觚	[亞薦]父丁
6229	亞畋父丁觚	[亞畋]父丁
6231	亞醜父丁觚	[亞醜]父丁
6234	亞斿父己觚	[亞斿]父己
6240	亞鬨父己觚	[亞鬨]父己
6241	亞戊口癸方觚	[亞戊]口癸
6257	亞父乙光萁觚	[亞父乙光萁]
6259	亞夫乍寶從彝觚一	[亞夫]乍寶從彝
6260	亞夫乍寶從彝觚一	[亞夫]乍寶從彝
6261	亞醜婦_觚	婦_乍彝[亞醜]
6262	亞旛妝_觚	[亞旛]妝e6尊彝
6263	亞_皿觚	[亞竅犬]皿白乍尊彝
6265	亞吳乍父辛尊觚	乍父辛尊[亞吳]
6268	亞乍父乙觚一	亞乍父乙尊寶彝
6269	亞乍父乙觚二	亞乍父乙寶尊彝
6279	亞受丁若癸觚一	亞受斿若癸丁乙止自乙
6280	亞受丁若癸觚二	亞受斿若癸丁乙止自乙
6337	亞重觶	[亞重]
6338	亞吳觶	[亞吳]
6339	亞牧觶	[亞牧]
6340	亞橐觶	[亞橐]
6341	亞醜觶	[亞醜]
6342	亞甾觶	[亞甾]
6343	亞離觶	[亞離]
6400	亞井觶	[亞井]
6408	亞皿觶	[亞竅皿矛]
6418	亞且辛觶	[亞夘]且辛
6515	亞父癸觶	[亞]父癸
6543	帚亞弜觶	[亞帚弜]
6549	亞鬨父甲觶	[亞鬨]父甲
6556	亞其聿父乙觶	[亞其聿]父乙
6557	亞吳父乙觶	[亞吳]父乙
6558	亞大父乙觶一	[亞大]父乙
6559	亞大父乙觶二	[亞大]父乙
6560	亞旛父乙觶	[亞旛]父乙
6568	亞父丁觶	[亞耒]父丁
6569	亞趄父丁觶	[亞趄]父丁
6571	亞_父己觶	[亞ec]父己

6573	亞若父己觶	[亞若]父己
6577	亞俞父辛觶	[亞俞]父辛
6588	亞孳父辛觶	[亞孳]父辛
6593	亞吳獻父乙觶	[亞吳獻]父乙
6605	亞聿豕父乙觶	[亞箕聿豕]父乙
6612	亞曩侯匕辛吳觶	[亞曩侯匕辛吳]
6617	中亞址乍匕己觶	乍匕己彝[中亞址]
6620	亞示乍父己觶	[亞示]乍父己尊彝
6624	亞__遽仲乍父丁觶	遽中乍父丁寶[亞bv]
6646	大亞勺	[大亞]
6656	舟亞舟勺	[舟亞舟]
6674	亞吳盤	[亞吳]
6694	亞吳母己盤	[亞吳妃]
6698	亞艅吳盤	吳乍寶盤[亞俞]
6713	亞曩侯乍父丁盤	乍父丁寶旅彝[亞曩侯]
6792	史墻盤	亞且且辛
6795	亞若匜	[亞若]
6815	亞醜者姛匜	[亞醜]者始㠯大子尊匜
6941	亞吳鐃	[亞吳]
6943	亞夔鐃	[亞夔]
6944	亞醜鐃	[亞醜]
6946	亞醜嫋鐃	[亞醜嫋]
6947	亞孠鐃	[亞孠左]
6948	亞弜編鐃一	[亞弜]
6949	亞弜編鐃二	[亞弜]
6959	亞萬父己鐃	[亞萬]父己
6960	亞弜母朋鐃一	[亞弜母朋]
6961	亞弜母朋鐃二	[亞弜母朋]
6962	亞弜母朋鐃三	[亞弜母朋]
6967	亞弜朋女鐘一	[亞弜母朋]
7116	南宮乎鐘	亞且宮中
7116	南宮乎鐘	亞且公中
7158	瘐鐘一	不顯高且亞且文考
7160	瘐鐘三	不顯高且亞且文考
7161	瘐鐘四	不顯高且亞且文考
7162	瘐鐘五	不顯高且亞且文考
7224	亞吳鈴	[亞吳]
7311	亞吳戈	[亞吳]
7338	亞__戈	[亞bo]
7355	敄亞又戈一	[目、養亞又]
7356	敄亞又戈二	[目、養亞又]
7357	敄亞又戈三	[目、養亞又]
7358	敄亞又戈四	[目、養亞又]
7359	敄亞又戈五	[目、養亞又]
7360	敄亞又戈六	[目、養亞又]
7361	亞若癸亞㚤乙戈	[亞若癸、亞㚤乙]
7362	亞又攸辛戈	[辛、亞又攸]
7597	亞醜矛一	[亞醜]
7598	亞醜矛二	[亞醜]
7599	亞醜矛三	[亞醜]

亞
五

7600	亞醜矛四	[亞醜]
7601	亞醜矛五	[亞醜]
7602	亞醜矛六	[亞醜]
7603	亞醜矛七	[亞醜]
7604	亞醜矛八	[亞醜]
7605	亞醜矛九	[亞醜]
7756	亞吴斧	[亞吴]
7769	亞啟鉞二	[亞啟]
7770	亞醜鉞	[亞醜]
7926	亞鳥鑵	[亞雖]
7944	亞吴農器一	[亞吴]
7945	亞吴農器二	[亞吴]
7946	亞醜鑇	[亞醜]鑇
7950	亞吴銅器	[亞吴]
7957	亞吴小器一	[亞吴]
7958	亞吴小器二	[亞吴]
補5	亞守鼎	[亞守]

小計：共　565 筆

五　2349

0934	中斿父鼎	中斿父乍寶尊彝貞(鼎)[七五八]
1092	小臣建鼎	休于小臣Lq貝五朋
1150	小臣缶方鼎	王易小臣缶湡責五年
1162	乃子克鼎	宦絲五十爰
1207	眉__鼎	易貝五朋
1243	仲__父鼎	唯王五月初吉丁亥
1253	平安君鼎	容四分齍五益六釿半釿四分釿之重
1260	我方鼎	mp貝五朋
1261	我方鼎二	mp貝五朋
1263	呂方鼎	唯五月既死霸辰才壬戌
1268	梁其鼎一	佳五月初吉壬申
1269	梁其鼎二	佳五月初吉壬申
1272	剌鼎	唯五月、王才囗
1275	師同鼎	孚車馬五乘
1275	師同鼎	戎鼎廿、鋪五十、劍廿
1276	__季鼎	佳五月既生霸庚午
1278	十五年趞曹鼎	佳十又五年五月既生霸壬午
1281	史頌鼎一	佳三年五月丁子(巳)
1282	史頌鼎二	佳三年五月丁子(巳)
1284	尹姞鼎	易玉五、馬四匹
1299	鄦侯鼎一	王親易馭____五瑴、馬四匹、矢五__
1300	南宮柳鼎	佳王五月初吉甲寅
1301	大鼎一	佳十又五年三月既霸丁亥
1302	大鼎二	佳十又五年三月既霸丁亥
1303	大鼎三	佳十又五年三月既霸丁亥
1308	白晨鼎	冟衺、里幽、攸勒、旅五旅
1309	寰鼎	佳廿又八年五月既望庚寅
1319	頌鼎一	佳三年五月既死霸甲戌

五

1320	頌鼎二	隹三年五月既死霸甲戌
1321	頌鼎三	隹三年五月既死霸甲戌
1325	五祀衛鼎	逆榮(營)二川、曰：余舍女田五田
1325	五祀衛鼎	余審賈田五田
1325	五祀衛鼎	隹王五祀
1326	多友鼎	凡吕公車折首二百又□又五人
1326	多友鼎	公車折首百又十又五人
1328	盂鼎	人鬲自馭至于庶人六百又五十又九夫
1328	盂鼎	人鬲千又五十夫極nx𨕖自氒土、王曰：
1329	小字盂鼎	孚牛三百五十五牛
1329	小字盂鼎	隹王卅又五祀
1330	曶鼎	我既賣(贖)女五□□父
1330	曶鼎	用賜祉賣(贖)絲五夫、用百守
1330	曶鼎	非tr五夫則詛
1330	曶鼎	受絲五夫
1330	曶鼎	女其舍𩵦矢五秉
1330	曶鼎	用五田、用眾一夫曰嗌
1330	曶鼎	凡用即曶(曶)田七田、人五夫
1331	中山王嚳鼎	五年遝(覆)吳
1504	奠師□父鬲	隹五月初吉丁酉
1533	尹姞寶鬲一	易玉五品、馬四匹
1534	尹姞寶鬲二	易玉五品、馬四匹
1663	𪓐五世孫矩甗	𪓐(縺)五世孫矩乍其寶甗
2250	八五一／堇白乍旅毁	堇白乍旅尊彝[八五一]
2404	效父毁一	用乍氒寶尊彝[五八六]
2405	效父毁二	用乍氒寶尊彝[五八六]
2406	五八六效父毁三	用乍氒寶尊彝[五八六]
2559	白中父毁	隹五月辰才壬寅
2568	__孖乍父辛毁	易孖貝五朋
2584	邧正衛毁	五月初吉甲申
2599	宰甫毁	光宰甫貝五朋
2601	向䀠乍旅毁一	隹王五月甲寅
2602	向䀠乍旅毁二	隹王五月甲寅
2633	相侯毁	隹五月乙亥
2645	周客毁	易貝五朋
2653	𪔵毁	易𪔵弓矢束、馬匹、貝五朋
2655	小臣靜毁	王易貝五十朋
2681	鄧侯毁	隹五年正月丙午
2690.	相侯毁	隹五月乙亥
2693	𦉢毁	易鼎二、易貝五朋
2694	𢊁乍且考毁	公白易氒臣弟𢊁井五mG
2698	陳肪毁	隹王五月元日丁亥
2699	公臣毁一	鐘五、金、用吏
2700	公臣毁二	鐘五、金、用吏
2701	公臣毁三	鐘五、金、用吏
2702	公臣毁四	鐘五、金、用吏
2707	小臣守毁一	隹五月既死霸辛未
2708	小臣守毁二	隹五月既死霸辛未
2709	小臣守毁三	隹五月既死霸辛未
2722	䆣弔乍豐姞旅毁	唯王五月辰才丙戌

五

2731	小臣宅毁	隹五月壬辰
2732	曾仲大父螤𣪕毁	唯五月既生霸庚申
2743	䚄毁	訊訟罰取遺五寽
2744	五年師旋毁一	隹王五年九月既生霸壬午
2744	五年師旋毁一	儕女十五易登
2745	五年師旋毁二	隹王五年九月既生霸壬午
2745	五年師旋毁二	儕女十五易登
2752	史頌毁一	隹三年五月丁巳
2753	史頌毁二	隹三年五月丁巳
2754	史頌毁三	隹三年五月丁巳
2755	史頌毁四	隹三年五月丁巳
2756	史頌毁五	隹三年五月丁巳
2757	史頌毁六	隹三年五月丁巳
2758	史頌毁七	隹三年五月丁巳
2759	史頌毁八	隹三年五月丁巳
2759	史頌毁九	隹三年五月丁巳
2760	小臣謎毁一	白懋父承王令易自達征自五齵貝
2761	小臣謎毁二	白懋父承王令易自達征自五齵貝
2765	殺毁	四日、用大精于五邑
2768	楚毁	取遄五寽
2769	師𧽊毁	攸勒、䜌旂五日、用吏
2770	𢦏毁	楚徒馬、取遺五寽、用吏
2771	弭弔師求毁一	隹五月初吉甲戌
2772	弭弔師求毁二	隹五月初吉甲戌
2783	趞毁	取遺五寽
2785	王臣毁	䜌旂五日
2796	諫毁	隹五年三月初吉庚寅
2796	諫毁	隹五年三月初吉庚寅
2797	輔師𠭰毁	䜌旂五日、用事
2801	五年召白虎毁	隹五正月己丑
2807	𨛭毁一	𩰫五邑祝
2808	𨛭毁二	𩰫五邑祝
2809	𨛭毁三	𩰫五邑祝
2810	揚毁一	取遺五寽
2811	揚毁二	取遺五寽
2815	師𣪘毁	十五鍚鐘
2815	師𣪘毁	五金
2828	宜侯夨毁	𠂤宅邑卅又五
2828	宜侯夨毁	𠂤盧□又五十夫
2831	元年師兌毁一	隹元年五月初吉甲寅
2831	元年師兌毁一	司ナ（左）右走馬、五邑走馬
2831	元年師兌毁一	易女乃且巿、五黃、赤舄
2832	元年師兌毁二	隹元年五月初吉甲寅
2832	元年師兌毁二	司ナ（左）右走馬、五邑走馬
2832	元年師兌毁二	易女乃且巿、五黃、赤舄
2836	𢦚毁	凡百又卅又五款
2837	敔毁一	貝五十朋
2837	敔毁一	易田于敜五十田、于早五十田
2844	頌毁一	隹三年五月既死霸甲戌
2845	頌毁二	隹三年五月既死霸甲戌

2845	頌設二	隹三年五月既死霸甲戌
2846	頌設三	隹三年五月既死霸甲戌
2847	頌設四	隹三年五月既死霸甲戌
2848	頌設五	隹三年五月既死霸甲戌
2849	頌設六	隹三年五月既死霸甲戌
2850	頌設七	隹三年五月既死霸甲戌
2851	頌設八	隹三年五月既死霸甲戌
2852	不嬰設一	臣五家、田十田
2853	不嬰設二	臣五家、田十田
2853.	__弔設	賜(賜)貝五朋
3061	弭弔旅盨	隹五月既生霸庚午
3087	鬲从盨	隹王廿又五年七月既□□□
3088	師克旅盨一(蓋)	易鬯卣、赤市五黃、赤舃
3089	師克旅盨二	易鬯卣、赤市五黃、赤舃
4242	膚冊宰椃乍父丁角	易貝五朋
4242	膚冊宰椃乍父丁角	才六月隹王廿祀昱又五
4441	卅五年__盉	卅五年
4444	邵宮盉	五十兩廿三斤十兩十五和工工感邵官和
4444.	卅五年盉	卅五年
4447	臣辰冊冊夕乍冊父癸盉	才五月既望辛酉
4862	燓能匋尊	能匋易貝于厥智公矢ns五朋
4866	小臣艅尊	隹王十祀又五彡日
4868	趞乍姞尊	易趞采日、hw易貝五朋
4870	燓商尊	隹五月辰才丁亥
4873	臣辰冊宀冊乍父癸尊	才五月既□□□酉
4875	斦折尊	隹五月王才庌、戊子
4876	保尊	乙卯、王令保及殷東或(國)五侯
4885	效尊	王易公貝五十朋
4891	何尊	隹王五祀
4928	折觥	隹五月王才庌、戊子
4976	折方彝	隹五月王才庌、戊子
5471	燓小子省乍父己卣	甲寅子商小子省貝五朋
5471	燓小子省乍父己卣	甲寅子商小子省貝五朋
5476	趞乍姞寶卣	易貝五朋
5479	燓商乍文辟日丁卣	隹五月辰才丁亥
5491	亞獏二祀𠨘其卣	qp賓貝五朋
5493	召乍__宮旅卣	賞畢土方五十里
5495	保卣	乙卯、王令保及殷東或五侯
5495	保卣	乙卯、王令保及殷東或五侯
5501	臣辰冊冊夕卣一	才五月既望辛酉
5502	臣辰冊冊夕卣二	才五月既望辛酉
5506	小臣傳卣	隹五月既望甲子
5511	效卣	王易公貝五十朋
5700	__壺	__客、之官__、辛、五官
5737	左__壺	四升__客四受十五__
5772	陳璋方壺	隹王五年奠陳旻再立事歲
5787	汈其壺一	隹五月初吉壬申
5788	汈其壺二	隹五月初吉壬申
5793	幾父壺一	隹五月初吉庚午
5794	幾父壺二	隹五月初吉庚午

	5799	頌壺一	隹三年五月既死霸甲戌
	5800	頌壺二	隹三年五月既死霸甲戌
	6742	弔五父盤	弔五父乍寶盤
	6778	免盤	隹五月初吉
五	6784	三十四祀盤（䄇盤）	隹王卅又四祀唯五月既望戊午
	6785	守宮盤	易守宮絲束、蘆幕五、蘆冟二
	6789	寰盤	隹廿又八年五月既望庚寅
	6790	虢季子白盤	折首{五百}
	6790	虢季子白盤	執訊{五十}
	6791	兮甲盤	隹五年三月既死霸庚寅
	6793	夨人盤	凡十又五夫正履
	6877	𠑇乍旅盨	遊亦茲五夫
	6877	𠑇乍旅盨	便（鞭）女五百
	6888	吳王光鑑一	隹王五月既字白期吉日初庚
	6889	吳王光鑑二	隹王五月既字白期吉日初庚
	7017	楚王酓章鐘一	隹王五十又六祀
	7062	柞鐘	嗣五邑佃人事
	7063	柞鐘二	嗣五邑佃人事
	7064	柞鐘三	嗣五邑佃人事
	7065	柞鐘四	嗣五邑佃人事
	7067	柞鐘六	嗣五邑佃人事
	7125	蔡侯[illegible]紐鐘一	隹正五月初吉孟庚
	7126	蔡侯[illegible]紐鐘二	隹正五月初吉孟庚
	7132	蔡侯[illegible]紐鐘八	隹正五月初吉孟庚
	7133	蔡侯[illegible]紐鐘九	隹正五月初吉孟庚
	7134	蔡侯[illegible]甬鐘	隹正五月初吉孟庚
	7135	逆鐘	今余易女毌五
	7164	㾬鐘七	武王則令周公舍寓以五十頌處
	7182	叔夷編鐘一	隹王五月辰才戊寅
	7185	叔夷編鐘四	釐僕三百又五十家
	7201	楚王酓章乍曾侯乙鎛	隹王五十又六祀
	7205	蔡侯[illegible]編鎛一	隹正五月初吉孟庚
	7206	蔡侯[illegible]編鎛二	隹正五月初吉孟庚
	7207	蔡侯[illegible]編鎛三	隹正五月初吉孟庚
	7208	蔡侯[illegible]編鎛四	隹正五月初吉孟庚
	7213	𥎦鎛	隹王五月初吉丁亥
	7214	叔夷鎛	隹王五月辰才戊寅
	7214	叔夷鎛	釐僕三百又五十家
	7474	郢侯戈	郢侯之造戈五百
	7555	二年戈	宗子攻五吹我左工帀＿
	7559	十五年奠令戈	十五年奠命趙距司寇□章右庫
	7564	五年相邦呂不韋戈	五年相邦呂不韋造
	7569	五年奠令戈	五年奠命韓＿司寇張朱
	7652	五年鄭令韓□矛	五年奠命韓□司寇長朱
	7655	中央勇矛	中央勇生安空五年之後日毌
	7658	五年春平侯矛	五年相邦□平侯邦司寇＿
	7671	五劍	五
	7712	十二年右庫劍	十二年□右庫五十五
	7730	十五年守相杜波劍一	十五年守相杜波
	7737	十五年劍	十五年相邦春平侯

7814	秦右□弩機	秦右__攻尹五大夫__攻湟
7852	五盌	[五]
7853	五盌一	[五]
7854	五盌二	[五]
7868	商鞅方升	爰積十六尊五分尊壹為升
7869	廿五年銅量器	廿五年____
7884	五年司馬權	五年司馬成公__□事命代□
7886	新郪虎符	用兵五十人以上
7887	杜虎符	用兵五十八以上
7891	齊馬節	齊節大夫傳五乘
7899	鄂君啟車節	車五十乘、歲翼(代)返
7899	鄂君啟車節	台毀於五十乘之中
7900	鄂君啟舟節	屯三舟為一舿、五十舿
7953	三年錯銀鳩杖首	丞尚五司永昌__
7975	中山王墓兆域圖	夫人堂方百五十乇
7975	中山王墓兆域圖	丘平者五十乇
7975	中山王墓兆域圖	丌坡五十乇
7975	中山王墓兆域圖	丘□者五十乇
7975	中山王墓兆域圖	丌坡五十乇
7975	中山王墓兆域圖	丘平者五十乇
7975	中山王墓兆域圖	丌坡五十乇
7975	中山王墓兆域圖	丘平者五十乇
7975	中山王墓兆域圖	丌坡五十乇
7975	中山王墓兆域圖	丘平者五十乇
7975	中山王墓兆域圖	丌坡五十乇
7975	中山王墓兆域圖	從內宮至中宮廿五步
7975	中山王墓兆域圖	五奎宮方百乇
7975	中山王墓兆域圖	從內宮至中宮廿五步
M171	小臣靜卣	王易貝五朋
M799	卅二年平安君鼎	五益六釿半釿四分釿之冢(器一)

小計：共 258 筆

五六

2350

0833	中毆鼎	中毆貞鼎六斗
0901	白六辥方鼎	白六辥乍祈寶尊齍
1032	𢑚乍父丁鼎	乙__□□__貝□用乍父丁彝、才六月
1152	私官鼎	卅六年工師痍工疑
1169	平安邦鼎	六益半釿{之重}
1170	信安君鼎	十二年再二益六釿
1253	平安君鼎	容四分齍五益六釿半釿四分釿之重
1279	中方鼎	[十八六六六六六 八七六六六六六]
1284	尹姞鼎	隹六月既生霸乙卯
1300	南宮柳鼎	王乎乍冊尹冊令柳嗣六𠂤牧、陽、大□
1305	師奎父鼎	隹六月既生霸庚寅
1324	禹鼎	王迺命西六𠂤、殷八𠂤曰
1324	禹鼎	惠西六𠂤、 殷六𠂤
1326	多友鼎	折首卅又六人
1328	盂鼎	人鬲自馭至于庶人六百又五十又九夫

六

1330	曶鼎	隹王元年六月既望乙亥
1529	仲枏父鬲一	隹六月初吉
1530	仲枏父鬲二	隹六月初吉
1531	仲相父鬲三	隹六月初吉
1532	仲相父鬲四	隹六月初吉
1533	尹姞寶齋一	隹六月既生霸乙卯
1534	尹姞寶齋二	隹六月既生霸乙卯
1631.	六六一六六一甗	[六六一六六一]
1666	遹乍旅甗	隹六月既死霸丙寅
2404	效父𣪕一	用作氒寶尊彝[五八六]
2405	效父𣪕二	用作氒寶尊彝[五八六]
2406	五八六效父𣪕三	用作氒寶尊彝[五八六]
2588	毛关𣪕	隹六月初吉丙申
2627	伊𣪕	六月初吉癸卯
2661	競𣪕一	隹六月既死霸壬申
2662	競𣪕二	隹六月既死霸壬申
2685	仲枏父𣪕一	隹六月初吉
2686	仲枏父𣪕二	隹六月初吉
2688	大𣪕	唯六月初吉丁巳
2721	㒼𣪕	唯六月既生霸辛己
2725	師毛父𣪕	隹六月既生霸戊戌
2734	適𣪕	隹六月既生霸
2787	望𣪕	隹王十又三年六月初吉戊戌
2787	望𣪕	隹王十又三年六月初吉戊戌
2788	靜𣪕	隹六月初吉
2802	六年召白虎𣪕	隹六年四月甲子
2828	宜侯夨𣪕	易宜庶人六百又□六夫
2829	師虎𣪕	隹六年六月既望甲戌
2836	㦰𣪕	隹六月初吉乙酉、才堂(盩)自
2880	鑄客匼一	鑄客為王后六室為之
2881	鑄客匼二	鑄客為王后六室為之
2882	鑄客匼三	鑄客為王后六室為之
2883	鑄客匼四	鑄客為王后六室為之
2884	鑄客匼五	鑄客為王后六室為之
2885	鑄客匼六	鑄客為王后六室為之
2886	鑄客匼七	鑄客為王后六室為之、八
2974	上鄀府匼	隹正六月初吉丁亥
3077	弔專父乍奠季盨一	六月初吉丁亥
3077	弔專父乍奠季盨一	弔專父乍奠季寶鐘六、金尊盨四、鼎十
3078	弔專父乍奠季盨二	六月初吉丁亥
3078	弔專父乍奠季盨二	弔專父乍奠季寶鐘六、金尊盨四、鼎十
3079	弔專父乍奠季盨三	六月初吉丁亥
3079	弔專父乍奠季盨三	弔專父乍奠季寶鐘六、金尊盨四、鼎十
3080	弔專父乍奠季盨四	六月初吉丁亥
3080	弔專父乍奠季盨四	弔專父乍奠季寶鐘六、金尊盨四、鼎十
3100	陳侯因䝱錞	隹正六月癸未
3105	鑄客豆一	鑄客為王后六室為之
3106	鑄客豆二	鑄客為王后六室為之
3107	鑄客豆三	鑄客為王后六室為之
3108	鑄客豆四	鑄客為王后六室為之

4242	𪏰冊宰椃乍父丁角	才六月隹王廿祀昱又五
4334.	孔__父癸斝	孔__父癸[六]
4343	亞㠱小臣邑斝	隹王六祀肜日、才四月[亞㠱]
4376.	父乙__盉	父乙[am]、[七六七六七六]
4871	𦔻𡴘豐尊	隹六月既生霸乙卯
4876	保尊	征兄六品
4880	免尊	隹六月初吉
4883	耳尊	隹六月初吉辰才辛卯
4890	盠方尊	曰、用𤔲六𠂤
4890	盠方尊	𥟖𤔲六𠂤眔八𠂤埶
4979	盠方彝一	曰：用𤔲六𠂤
4979	盠方彝一	𥟖𤔲六𠂤眔八𠂤埶
4980	盠方彝二	曰：用𤔲六𠂤
4980	盠方彝二	𥟖𤔲六𠂤眔八𠂤埶
5090	一一六八一六召卣	[一一六八一六召]
5277	__六六六父戊卣	[句毌六六六]父戊
5475	六祀𠨘其卣	才六月隹王六祀昱日[亞貘]
5480	冊𡴘冊豐卣	隹六月既生霸乙卯
5480	冊𡴘冊豐卣	隹六月既生霸乙卯
5495	保卣	征兄六品
5495	保卣	征兄六品
5500	免卣	隹六月初吉、王才鄭、丁亥
5571	鑄客罍一	鑄客為王后六室為之
5572	鑄客罍二	鑄客為王后六室為之
5754	__氏扁壺	重十六斤
5778	番匊生鑄媵壺	隹廿又六年十月初吉己卯
5781	曾姬無卹壺一	隹王廿又六年
5782	曾姬無卹壺二	隹王廿又六年
5793	幾父壺一	同中宄西宮易幾父Gw桒六
5794	幾父壺二	同中宄西宮易幾父Gw桒六
5795	白克壺	隹十又六年七月既生霸乙未
6576	六乍父辛觶	[六]乍父辛
6639	淵十六□杯	淵十六□
6673	八一六盤	[八一六]
6884	鑄客鑑	鑄客為王句(后)六室為之
7017	楚王酓章鐘一	隹王五十又六祀
7026	邾弔鐘	隹王六初吉壬午
7040	克鐘一	隹十又六年九月初吉庚寅
7041	克鐘二	隹十又六年九月初吉庚寅
7042	克鐘三	隹十又六年九月初吉庚寅
7176	㝬鐘	廿又六邦
7201	楚王酓章乍曾侯乙鎛	隹王五十又六祀
7204	克鎛	隹十又六年九月初吉庚寅
7512	六年奠令韓熙戈	六年鄭令韓熙□、右庫工币馬__冶狄
7517	六年上郡守戈	王六年上郡守疾之造戟禮、□□
7547	廿六年蜀守武戈	武、廿六年蜀守武造東工𨺅宦丞耒工箎
7549	十六年喜令戈	十六年
7560	十六年奠令戈	十六年奠命趙司寇彭璋生庫
7570	六年奠令戈	六年奠命__幽司寇向__左庫工币倉慶冶尹成籲
7670	六年安陽令斷矛	六年安陽命韓亟司陽□□□

六七

7830	十六年大良造鞅戈	十六年大良造庶長鞅之造__革
7868	商鞅方升	臨廿六年
7868	商鞅方升	爰積十六尊五分尊壹為升
7948	鑄客銅器二	鑄客為王后六室為之
7949	鑄客銅器三	鑄客為王后六室為之
7975	中山王墓兆域圖	從丘欧目至內宮六步
7975	中山王墓兆域圖	從丘欧目至內宮六步
7975	中山王墓兆域圖	從丘欧目至內宮六步
7975	中山王墓兆域圖	從丘欧目至內宮六步
7975	中山王墓兆域圖	從丘欧目至內宮六步
7975	中山王墓兆域圖	從丘欧目至內宮六步
7975	中山王墓兆域圖	從內宮至中宮卅六步
7975	中山王墓兆域圖	從內宮目至中宮卅六步
M160	□貯設	隹巢來乍王令東宮追目六自之年
M712	曾侯乙編鐘下二・五	宣鐘之才晉號為六墉
M740	曾侯乙編鐘中三・一	亘鐘之才晉為六墉
M747	曾侯乙編鐘中三・八	亘鐘之才晉為六墉
M798	廿八年平安君鼎	六益料新之冢（器一）卅三年單父上官宰喜所受
M799	卅二年平安君鼎	五益六新料新四分新之冢（器一）
M897	六年安平守劍	六年安平守畋疾
		小計：共 135 筆

七 2351

2512	乙自乍歆觶	七月丁亥、乙自乍飤觶
2833	秦公設	西、 元器一斗七升、__設
2833	秦公設	西、一斗七升大半升、蓋
3077	弔專父乍奠季盨一	弔專父乍奠季寶鐘六、金尊盨四、鼎七
3078	弔專父乍奠季盨二	弔專父乍奠季寶鐘六、金尊盨四、鼎七
3079	弔專父乍奠季盨三	弔專父乍奠季寶鐘六、金尊盨四、鼎七
3080	弔專父乍奠季盨四	弔專父乍奠季寶鐘六、金尊盨四、鼎七
0934	中斿父鼎	中斿父乍寶尊彝貞（鼎）［七五八］
0946	鑄客為王后七府鼎	鑄客為王句（后）七廎為之
1113	梁廿七年鼎一	梁廿又七年
1114	廿七年大梁司寇肖無智鼎二	梁廿又七年
1205.	遣鼎	唯七月初吉甲戌
1221	井鼎	隹七月、王才莽京
1277	七年趞曹鼎	隹七年十月既生霸
1279	中方鼎	［七八六六六六 八七六六六六］
1312	此鼎一	隹十又七年十又二月既生霸乙卯
1313	此鼎二	隹十又七年十又二月既生霸乙卯
1314	此鼎三	隹十又七年十又二月既生霸乙卯
1317	善夫山鼎	隹卅又七年正月初吉庚戌
1326	多友鼎	孚戎車百乘一十又七乘
1329	小字盂鼎	孚聝二百卅七聝
1330	曶鼎	凡用即曶（曶）田七田、人五夫
2512	乙自乍歆觶	七月丁亥、乙自乍飤觶
2542	辰才寅□□設	隹七月既生霸辰才寅
2639	遣設	唯七月初吉甲戌

七九

2775	裘衛段	隹廿又七年三月既生霸戊戌
2800	伊段	隹王廿又七年正月既望丁亥
2818	此段一	隹十又七年十又二月既生霸乙卯
2819	此段二	隹十又七年十又二月既生霸乙卯
2820	此段三	隹十又七年十又二月既生霸乙卯
2821	此段四	隹十又七年十又二月既生霸乙卯
2822	此段五	隹十又七年十又二月既生霸乙卯
2823	此段六	隹十又七年十又二月既生霸乙卯
2824	此段七	隹十又七年十又二月既生霸乙卯
2825	此段八	隹十又七年十又二月既生霸乙卯
2828	宜侯夨段	易才宜王人□又七生
2828	宜侯夨段	易奠七白
2835	訇段	唯王十又七祀
2857	牧段	隹王七年又三月既生霸甲寅
3077	弔專父乍奠季盨一	弔專父乍奠季寶鐘六、金尊盨四、鼎七
3078	弔專父乍奠季盨二	弔專父乍奠季寶鐘六、金尊盨四、鼎七
3079	弔專父乍奠季盨三	弔專父乍奠季寶鐘六、金尊盨四、鼎七
3080	弔專父乍奠季盨四	弔專父乍奠季寶鐘六、金尊盨四、鼎七
3087	鬲从盨	隹王廿又五年七月既□□□
4376.	父乙__盉	父乙[am]、[七六七六七六]
5674	王七祀王鑄壺蓋	王七祀王鑄
5779	安邑下官鍾	七年九月
5795	白克壺	隹十又六年七月既生霸乙未
5827	廿七年寧鈿	廿七年寧為鈿
7051	子璋鐘一	隹正七月初吉丁亥
7052	子璋鐘二	隹正七月初吉丁亥
7053	子璋鐘三	隹正七月初吉丁亥
7054	子璋鐘四	隹正七月初吉丁亥
7055	子璋鐘五	隹正七月初吉丁亥
7056	子璋鐘六	隹正七月初吉丁亥
7057	子璋鐘八	隹正七月初吉丁亥
7503	七年戈	七年得工戈冶左勿
7561	十七年奠令戈	十七年奠命幽距司寇彭璋武庫
7572	十七年毚令戈	十七年毚命厰肖司寇奠__右庫工帀□較治□□
7656	七年宅陽令矛	七年宅陽命馬登
7666	七年奠令□幽矛	七年奠命□幽司寇□□
7738	十七年相邦春平侯劍	十七年相邦春平侯
7813	七年矢括	七年
7821	耶七府距末	耶七府
7867.	龍__	秋七月
7975	中山王基兆域圖	兩堂間八十七乇(尺)
J2926	王鑄觶	王七祀王鑄
M798	廿八年平安君鼎	一益七釿半釿四分釿之冢(蓋一)

小計:共 61 筆

2352

0657	巨葬十九鼎	巨葬十九
1166	兹太子鼎	隹九月之初吉丁亥

九

1170	信安君鼎	十二年再九益
1213	師趛鼎一	隹九月初吉庚寅
1214	師趛鼎二	隹九月初吉庚寅
1219	戍嗣子鼎	隹王竊闌大室、才九月
1249	寓鼎	隹九月既生霸辛酉、才匽
1262	卯鼎	隹王九月既望乙巳
1283	微総鼎	隹王廿又三年九月
1283	微総鼎	王令敓総飘嗣九陂
1285	或方鼎一	隹九月既望乙丑、才臺自
1290	利鼎	唯王九月丁亥
1291	善夫克鼎一	隹王廿又三年九月
1292	善夫克鼎二	隹王廿又三年九月
1293	善夫克鼎三	隹王廿又三年九月
1294	善夫克鼎四	隹王廿又三年九月
1295	善夫克鼎五	隹王廿又三年九月
1296	善夫克鼎六	隹王廿又三年九月
1297	善夫克鼎七	隹王廿又三年九月
1306	無叀鼎	隹九月既望甲戌
1318	晉姜鼎	隹王九月乙亥
1322	九年裘衛鼎	隹九年正月既死霸庚辰
1328	盂鼎	隹九月、王才宗周、令盂
1328	盂鼎	人鬲自馭至于庶人六百又五十又九夫
1667	陳公子甹遙父甗	隹九月初吉丁亥
1726	九段	[九]
2392	__白段	隹九月初吉叡龍白自乍其寶段
2592	鄧公段	隹粦(鄧)九月初吉
2612	不壽段	隹九月初吉戊辰
2635	賢段一	唯九月初吉庚午
2636	賢段二	唯九月初吉庚午
2637	賢段三	唯九月初吉庚午
2638	賢段四	唯九月初吉庚午
2730	獻段	隹九月既望庚寅
2731	小臣宅段	白易小臣宅畫干戈九
2744	五年師旋段一	隹王五年九月既生霸壬午
2745	五年師旋段二	隹王五年九月既生霸壬午
2784	申段	官嗣豐人眔九戲祝
2797	輔師嫠段	隹王九月既生霸甲寅
2810	揚段一	隹王九月既眚霸庚寅
2811	揚段二	隹王九月既眚霸庚寅
2814	鳥冊夨令段一	隹九月既死霸丁丑
2814.	夨令段二	隹九月既死霸丁丑
2817	師類段	隹王元年九月既朢丁亥
2838	師嫠段一	隹十又一年九月初吉丁亥
2838	師嫠段一	隹十又一年九月初吉丁亥
2839	師嫠段二	隹十又一年九月初吉丁亥
2839	師嫠段二	隹十又一年九月初吉丁亥
2841	荊白段	隹王九年九月甲寅
2852	不嬰段一	唯九月初吉戊申
2853	不嬰段二	唯九月初吉戊申
2934	曾子遽彝匠	隹九月初吉庚申

2986	曾白寨旅匿一	隹王九月初吉庚午
2987	曾白寨旅匿二	隹王九月初吉庚午
4875	𣂔折尊	隹王十又九祀
4878	召尊	隹九月才炎自、甲午
4881	䍜方尊	囗九囗公令䍜從＿
J1780	嘉子易伯壺	
4928	折觥	隹王十又九祀
4976	折方彝	隹王十又九祀
5483	周乎卣	隹九月既生霸乙亥
5483	周乎卣	隹九月既生霸乙亥
5484	乍冊睘卣	隹十又九年王才厈
5484	乍冊睘卣	隹十又九年王才厈
5496	召卣	唯九月才炎自、甲午
5727	廿九年東周左自歔壺	廿九年十二月
5741	左歔壺一	十九爰四守廿九
5773	陳喜壺	JG客敢為尊壺九
5779	安邑下官鍾	七年九月
5791	十三年瘐壺一	隹十又三年九月初吉戊寅
5792	十三年瘐壺一	九月初吉戊寅
5796	三年瘐壺一	隹三年九月丁子
5797	三年瘐壺二	隹三年九月丁子
5803	胤嗣好蚉壺	工qL重一石三百卅九刀之冢（重）
6793	矢人盤	唯王九月辰才乙卯
6923	庚午盨	隹正九月初吉庚午
7040	克鐘一	隹十又六年九月初吉庚寅
7041	克鐘二	隹十又六年九月初吉庚寅
7042	克鐘三	隹十又六年九月初吉庚寅
7069	者汈鐘一	隹戉（越）十有九年
7070	者汈鐘二	隹戉十有九年
7072	者汈鐘四	隹戉十有九年、王曰
7073	者汈鐘五	隹戉十有九年
7117	郐𩁹兒鐘一	隹正九月初吉丁亥
7118	郐儔兒鐘二	隹正九月初吉丁亥
7186	叔夷編鐘五	咸有九州
7193	叔夷編鐘十二	九州
7204	克鎛	隹十又六年九月初吉庚寅
7213	𩁹鎛	侯氏易之邑二百又九十又九邑
7214	叔夷鎛	咸有九州
7531	廿九年高都令陳愈戈	廿九年高都命陳愈
7532	九年我囗令雍戈	高望、九年𢦏丘命雍工帀＿冶＿
7567	廿九年相邦尚囗戈	廿九年相邦尚＿邦
7657	九年鄭令向甸矛	九年奠命向甸司寇囗商
7719	廿九年高都令劍	廿九年高都命陳愈工帀冶乘
M191	緐卣	隹九月初吉癸丑
M423.	趞鼎	隹十又九年四月既望辛卯
M900	梁十九年鼎	梁十九年鼎亡智＿兼嗇夫庶痝

小計：共 98 筆

7515	二年右貫府戈	右貫府受御＿宥厶
		小計：共 1 筆

禽 2353

0602	大祝禽方鼎一	大祝禽鼎
0603	大祝禽方鼎二	大祝禽鼎
1157	禽鼎	周公某禽祝
1157	禽鼎	禽又攺祝
1157	禽鼎	禽用乍寶彝
1326	多友鼎	多禽、女靜京自
2585	禽毁	周公某禽祝
2585	禽毁	禽又kk祝
2585	禽毁	禽用乍寶彝
2837	敔毁一	敔告禽馘百、訊卌
2852	不嬰毁一	余來歸獻禽
2852	不嬰毁一	女多禽、折首執訊
2853	不嬰毁二	余來歸獻禽
2853	不嬰毁二	女多禽、折首執訊
4892	麥尊	王射大龏、禽
		小計：共 15 筆

萬 2354

0944	至乍寶鼎	至乍寶鼎其萬年永寶用
0955	靃乍己公鼎	靃乍己公寶鼎其萬年用
0959	藥鼎	藥乍寶鼎其萬年永寶用
0963	白旬乍尊鼎	白旬乍尊鼎萬年永寶用
0964	萬仲鼎	萬中□□乍用鼎
0970	蔡侯鼎	其萬年永寶用
0977	□子每刃乍寶鼎	其萬年永寶
0978	弔猷父鼎	其萬年永寶用
0979	＿君鼎	其萬年永寶用
0987	朋仲鼎	其萬年寶用
0990	＿白肆鼎	其萬年用享
1013	滔＿秉方鼎	其萬年永寶用
1014	乍寶鼎	其子子孫孫萬年永寶
1020	鄭饔原父鼎	其萬年子孫永用
1021	虢弔大父鼎	其萬年永寶用
1023	從乍寶鼎	其萬年子孫孫永寶用
1027	番君召鼎	其萬年黌壽
1028	央＿鼎	其萬＿
1031	周＿騍鼎	其萬年永寶用
1034	仲殷父鼎一	其萬年子子孫寶用
1035	仲殷父鼎二	其萬年子子孫寶用
1036	史宜父鼎	其萬年子子孫永寶用
1040	弔荼父鼎	子孫孫其萬年永寶用

1042	白庶父鼎	其萬年孫子永寶用
1048	鼬乍母乙鼎	其萬年子孫孫永寶用
1049	靜弔乍旅鼎	其萬年釁壽永寶用
1050	白筍父鼎一	其萬年子孫永寶用
1051	白筍父鼎二	其萬年子子孫孫永寶用
1053	白考父鼎	其萬年子子孫永寶用
1057	會娟鼎	其萬年子子孫永寶用享
1061	交君子__鼎	祈釁壽、萬年永寶用
1062	昶鼎	其萬年子孫永寶用享
1075	黃季乍季嬴鼎	其萬年子孫永寶用享
1078	犀白魚父旅鼎一	其萬年子子孫孫永寶用
1079	犀白魚父旅鼎二	其萬年子子孫孫永寶用
1087	鑄子弔黑臣鼎	其萬年釁壽永寶用
1088	師麻斿弔旅鼎	其萬年子子孫孫永寶用
1094	魯大左司徒元善鼎	其萬年釁壽永寶用之
1096	弗奴父鼎	其釁壽萬年永寶用
1097	白虖父乍羊鼎	其子子孫孫萬年永寶用享
1098	善夫白辛父鼎	其萬年子子孫永寶用
1099	仲旳父鼎	其萬年子子孫孫永寶用享
1100	白尚鼎	尚其萬年子子孫孫永寶
1102	無大邑魯生鼎	其萬年釁壽永寶用
1105	僟季乍嬴氏行鼎	子子孫其釁壽萬年永用享
1108	師賸父鼎	其萬年子子孫孫永寶用
1109	師隹乍蠶鼎	其萬年子子孫孫永寶用[cx]
1110	鼬白原鼎	子子孫孫其萬年永用亯
1116	晉司徒白郜父鼎	其萬年永寶用
1120	滐白鼎	其萬年無疆
1122	昶白乍石鼒	其萬年無疆
1123	伯夏父鼎	其萬年子子孫孫
1123.	番□伯者鼎	其萬年子孫永寶用□
1125.	郳季宿車鼎	郳季宿車自乍行鼎子子孫孫永寶萬年無疆用
1129	寒姒好鼎	其萬年子子孫孫永寶用
1130	虢文公子钕鼎一	其萬年無疆
1131	虢文公子钕鼎二	其萬年無疆
1132	邿白祀乍善鼎	其萬年釁壽無疆
1133	邿白乍孟妊善鼎	其萬年釁壽
1140	衛鼎	衛其萬年子子孫孫永寶用
1141	善夫旅白鼎	其萬年子子孫孫永寶用亯
1142	杞白每亡鼎	其萬年釁壽
1144	__獸鼎	獸其萬年永寶用
1146	□者生鼎一	其萬年子子孫孫永寶用亯
1147	□者生鼎二	其萬年子子孫孫永寶用亯
1148	鼄姜白鼎一	其萬年釁壽無疆
1149	鼄姜白鼎二	其萬年釁壽無疆
1151	曩侯鼎	其萬年子子孫孫永寶用
1153	白頵父鼎	其萬年子子孫孫永寶用
1154	黃孫子蜈君弔單鼎	其萬年無疆
1159	辛鼎一	萬年隹人
1160	辛鼎二	萬年隹人
1161	白吉父鼎	其萬年子子孫孫永寶用

萬

1171	魯白車鼎	車其萬年鬻壽
1188	旃弔樊乍昜姚鼎	其萬年無疆
1189	諆鼎	諆其萬年鬻壽
1190	內史鼎	其萬年用為考寶尊
1195	戈弔朕鼎一	其萬年無疆
1196	戈弔朕鼎二	其萬年無疆
1197	戈弔朕鼎三	其萬年無疆
1198	姬鬻彝鼎	其萬年子子孫孫永寶用
1200	散白車父鼎一	其萬年子子孫永寶
1201	椒白車父鼎二	其萬年子子孫永寶
1202	椒白車父鼎三	其萬年子子孫永寶
1203	椒白車父鼎四	其萬年子子孫永寶
1205.	逋鼎	逋其萬年子子孫孫永寶用
1213	師趛鼎一	__其萬年子孫永寶用
1214	師趛鼎二	__其萬年子孫永寶用
1220	鄁公鼎	其萬年無疆
1230	師器父鼎	師器父其萬年
1238	曾子仲宣鼎	其萬年無疆
1241	禁大師臏鼎	用旂鬻壽萬年無疆
1243	仲__父鼎	其萬年子子孫孫永寶用
1244	瘨鼎	瘨萬年永寶用
1245	仲師父鼎一	其子子孫萬年永寶用亯
1246	仲師父鼎二	其子子孫萬年永寶用亯
1247	圅皇父鼎	琱娟其萬年子子孫孫永寶用
1249	寍鼎	寍萬年子子孫孫寶
1259	鄀公鼬鼎	用气(乞)鬻壽萬年無疆
1265	歖弔鼎	歖弔仈姬其萬年
1266	鄀公平侯鼎一	萬年無疆
1267	鄀公平侯鼎二	萬年無疆
1268	梁其鼎一	其萬年無疆
1269	梁其鼎二	其萬年無疆
1272	剌鼎	天子萬年
1273	師湯父鼎	其萬年孫孫子子永寶用
1276	__季鼎	其萬年子子孫孫永用
1280	康鼎	子子孫孫其萬 年永寶用
1281	史頌鼎一	頌其萬年無疆
1282	史頌鼎二	頌其萬年無疆
1283	微繗鼎	其萬年無疆
1290	利鼎	利其萬年子孫永寶用
1291	善夫克鼎一	萬年無疆
1292	善夫克鼎二	萬年無疆
1293	善夫克鼎三	萬年無疆
1294	善夫克鼎四	萬年無疆
1295	善夫克鼎五	萬年無疆
1296	善夫克鼎六	萬年無疆
1297	善夫克鼎七	萬年無疆
1299	豐侯鼎一	其萬年子孫永寶用
1300	南宮柳鼎	其萬年子子孫孫永寶用
1301	大鼎一	大其子子孫孫萬年永寶用
1302	大鼎二	大其子子孫孫萬年永寶用

1303	大鼎三	大其子子孫孫萬年永寶用
1304	王子午鼎	萬年無諆(期)
1305	師奎父鼎	師奎父其萬年子子孫孫永寶用
1306	無叀鼎	用割饗壽萬年
1307	師望鼎	師望其萬年子子孫孫永寶用
1308	白晨鼎	子子孫孫其萬年永寶用
1309	袁鼎	袁其萬年子子孫孫永寶用
1310	鬲攸從鼎	鬲攸从其萬年子子孫孫永寶用
1311	師晨鼎	晨其萬年世
1312	此鼎一	此其萬年無疆
1313	此鼎二	此其萬年無疆
1314	此鼎三	此其萬年無疆
1315	善鼎	余用丐純魯雩萬年
1316	彧方鼎	唯氒事乃子彧萬年辟事天子
1318	晉姜鼎	辥我萬民
1318	晉姜鼎	萬年無疆
1319	頌鼎一	頌其萬年饗壽
1320	頌鼎二	頌其萬年饗壽
1321	頌鼎三	頌其萬年饗壽
1322	九年裘衛鼎	衛其萬年永寶用
1323	師訊鼎	訊敢巿王卑天子萬年whwi
1324	禹鼎	其萬年子子孫寶用
1325	五祀衛鼎	衛其萬年永寶用
1327	克鼎	惠于萬民
1327	克鼎	天子其萬年無疆
1327	克鼎	克其萬年無疆
1329	小字盂鼎	孚人萬三千八十一人
1330	曶鼎	舀(曶)其萬□用祀
1439	王白姜尊鬲四	王白姜乍尊鬲其萬年永寶用
1453	nu嫞鬲	其萬年永寶用
1455	榮白鬲	其萬年寶用
1458	庶鬲	其萬年子孫永寶用
1461	鼄來隹鼎	萬壽饗其年無疆用
1469	戲白饎鬲一	其萬年子子孫永寶用
1470	戲白饎鬲二	其萬年子子孫永寶用
1476	鼄白乍朕鬲	其萬年子子孫孫永寶用
1482	昧仲無龍寶鼎二	其萬年子子孫永寶用亯
1486	宰駟父鬲	其萬年永寶用
1497	虢仲乍虢妃鬲	其萬年子子孫孫永寶用
1499	□季鬲	其萬年子子孫用
1500	__白鬲	其萬年子子孫孫永寶用
1505	番君酌白鼎	萬年無疆子孫永寶
1506	杜白乍弔嫞鬲	其萬年子子孫孫永寶用
1509	虢文公子钕乍弔妃鬲	其萬年子孫永寶用亯
1512	虢白乍姬大母鬲	其萬年子子孫孫永寶用
1513	睽士父乍蓼妃鬲	其萬年子子孫孫永寶用
1514	白夏父乍畢姬鬲一	其萬年子子孫孫永寶用亯
1515	白夏父乍畢姬鬲二	其萬年子子孫孫永寶用亯
1516	白夏父乍畢姬鬲三	其萬年子子孫孫永寶用亯
1517	白夏父乍畢姬鬲四	其萬年子子孫孫永寶用亯

萬

1518	白夏父乍畢姬鬲六	其萬年子子孫孫永寶用亯
1519	白夏父乍畢姬鬲五	其萬年子子孫孫永寶用亯
1520	奠白荀父鬲	其萬年子子孫孫永寶用
1521	單白邍父鬲	子子孫孫其萬年永寶用享
1522	孟辛父乍孟姞鬲一	其萬年子子孫孫永寶用
1523	孟辛父乍孟姞鬲二	其萬年子子孫孫永寶用
1525	隮子奠白尊鬲	其釁壽萬年無彊
1526	琱生乍宄仲尊鬲	琱生其萬年子子孫孫用寶用享
1527	釐先父鬲	其萬年子孫永寶
1529	仲枏父鬲一	用祈釁壽萬年
1530	仲枏父鬲二	用祈釁壽萬年
1531	仲枏父鬲三	用祈釁壽萬年
1532	仲枏父鬲四	用祈釁壽萬年
1551	萬甗	[萬]
1641	比甗	从(比)乍寶獻(甗)其萬年用
1646	乍寶甗	其萬年永寶用
1653	敎父甗	其萬年子子孫永寶用
1655	奠氏白高父旅甗	其萬年子子孫孫永寶用
1662	寶甗	其萬年子子孫孫永寶用貞
1664	邕子良人歙甗	其萬年無彊、其子子孫永寶用
1665	王孫壽飤甗	其釁壽無彊、萬年無諆(期)
1667	陳公子弔邍父甗	用癉釁壽、萬年無彊
2310	旅乍寶毀	旅乍寶毀其萬年用
2325	同自乍旅毀	同自乍旅毀其萬年用
2330	史趞毀	史趞乍寶毀其萬年用
2338	乍寶毀	乍寶毀其子孫萬年永寶
2340	弔鼄父毀	弔鼄父乍尊毀、其萬年用
2341	仲乍寶毀	中乍寶尊彝其萬年永用
2342	弔宻乍寶毀	弔宻乍寶毀其萬年永寶
2343	啻乍寶毀	啻乍寶毀其萬年孫子寶
2350	稃乍父甲毀	稃乍父甲寶毀萬年孫子寶
2351	仲自父乍好旅毀一	中自父乍好旅毀其用萬年
2352	仲自父乍好旅毀二	中自父乍好旅毀其用萬年
2354	仲网父毀一	中网父乍毀其萬年永寶用
2355	仲网父毀二	其萬年永寶用
2356	仲网父毀三	中网父乍毀其萬年永寶用
2358	陈侯為季姬毀	其萬年用
2359	欮乍𡦹毀	其萬年用郷賓
2361	乍寶尊毀	孫孫子子其萬年用
2362	__毀	__子子孫其萬年用享
2365	中白毀	其萬年寶用
2367	散白乍夨姬毀一	其厲(萬)年永用
2368	散白乍夨姬毀二	其厲(萬)年永用
2369	散白乍夨姬毀三	其厲(萬)年永用
2370	散白乍夨姬毀四	其厲(萬)年永用
2371	散白乍夨姬毀五	其厲(萬)年永用
2376	□□毀	其萬年子子孫孫寶用
2383	侯氏毀	其萬年永寶
2390	吹乍寶毀二	其萬年子子孫孫永用
2391	冦乍寶毀一	其萬年子子孫孫永用

萬

2396	仲競毁	其萬年子子孫永用
2401	隞侯乍王媯朕毁	其萬年永寶用
2407	白開乍尊毁一	其子子孫孫萬年寶用
2408	白開乍尊毁二	其子子孫孫萬年寶用
2411	史寏毁	其萬年子子孫孫永寶
2415	降人𤔲寶毁	其子子孫孫萬年用
2416	降人𤔲寶毁	其子子孫孫萬年用
2417	齊嬀姬寶毁	其萬年子子孫孫永用
2419	白喜父乍洹餗毁一	洹其萬年永寶用
2420	雁侯毁	其萬年永寶用
2420	白喜父乍洹餗毁二	洹其萬年永寶用
2422	舟洹桼乍且乙毁	其萬年子孫寶用[舟]
2424	白莽寶毁	其萬年子子孫孫永寶用
2425	兮仲寶毁一	其萬年子子孫孫永寶用
2426	兮仲寶毁二	其萬年子子孫孫永寶用
2427	兮仲寶毁三	其萬年子子孫孫永寶用
2428	兮仲寶毁四	其萬年子子孫孫永寶用
2429	兮仲寶毁五	其萬年子子孫孫永寶用
2433	害弔乍尊毁一	其萬年子子孫孫永寶用
2434	害弔乍尊毁二	其萬年子子孫孫永寶用
2435	散車父毁一	其萬年子子孫孫永寶
2436	散車父毁二	其萬年孫子子永寶
2437	散車父毁三	其萬年孫子子永寶
2438	散車父毁四	其萬年孫子子永寶
2438.	散車父毁五	其萬年孫子子永寶
2438.	㪚車父乍𨸏隊姞餗毁	其萬年孫子子永寶
2438.	㪚車父乍𨸏隊姞餗毁二	其萬年孫子子永寶
2441	姞衍毁	其萬年子子孫孫永寶用
2442	虢虢遣生旅毁	其萬年子孫永寶用
2443	孟弢父毁一	其萬年子子孫永寶用
2444	孟弢父毁二	其萬年子子孫孫永寶用
2445	孟弢父毁三	其萬年子子孫孫永寶用
2454	亢僕乍父己毁	子子孫其萬年永寶用
2456	的白迹毁一	期(箕其)萬年孫孫子子其永用
2457	的白迹毁二	其萬年孫子其永用
2458	孟奠父毁一	其萬年子子孫孫永寶用
2459	孟奠父毁二	其萬年子子孫孫永寶用
2460	孟奠父毁三	其萬年子子孫孫永寶用
2468	齊癸姜尊毁	其萬年子子孫永寶用
2469	犇乍王母媿氏餗毁一	媿氏其釁壽萬年用
2470	犇乍王母媿氏餗毁二	媿氏其釁壽萬年用
2471	犇乍王母媿氏餗毁三	媿氏其釁壽萬年用
2472	犇乍王母媿氏餗毁四	媿氏其釁壽萬年用
2473	乍皇母尊毁一	其子子孫孫萬年永寶用
2474	__乍皇母尊毁二	其子子孫孫萬年永寶用
2475	衛始毁	子子孫孫其萬年永寶用
2476	堇毁	其子子孫孫萬年永用[eL]
2477	堇父丁毁	其子子孫孫萬年永用[eL]
2478	白賓父毁(器)一	其萬年子子孫孫永寶用
2479	白賓父毁二	其萬年子子孫孫永寶用

萬

2482	陾侯乍嘉姬毁	其萬年子子孫孫永寶用
2483	量侯毁	子子孫萬年永寶毁勿喪
2484	伯綢父毁	子子孫萬年其永寶用
2484.	夨王毁	子子孫孫其萬年永寶用
2486	□□且辛毁	其萬年孫孫子子永寶用[賨]
2487	白簹乍文考幽仲毁	簹其萬年寶、用鄉孝
2493	鄦其肇乍毁一	其萬年覺壽
2494	鄦其肇乍毁二	其萬年覺壽
2495	季_父徼毁	其萬年子子孫孫永寶用
2496	廣乍弔彭父毁	其萬年子子孫孫永寶用
2497	鼂侯乍王姞毁一	王姞其萬年子子孫孫永寶
2498	鼂侯乍王姞毁二	王姞其萬年子子孫孫永寶
2499	鼂侯乍王姞毁三	王姞其萬年子子孫孫永寶
2500	鼂侯乍王姞毁四	王姞其萬年子子孫孫永寶
2501	旛嫼乍尊毁一	旛嫼其萬年子子孫孫永寶用
2502	旛嫼乍尊毁二	旛嫼其萬年子子孫孫永寶用
2503	旛嫼乍尊毁三	旛嫼其萬年子子孫孫永寶用
2504	旛賸毁	旛嫼其萬年
2505	白疑父乍嬗毁	其萬年子子孫孫永寶用
2506	奠牧馬受毁一	其子子孫孫萬年永寶用
2507	尊牧馬受毁二	其子子孫孫萬年永寶用
2509	旅仲毁	其萬年子子孫孫永用亯孝
2516	鄧公餗毁	其萬年子子孫孫永壽用之
2518	白田父毁	其萬年子子孫孫永寶用
2520	大自事良父毁	其萬年子子孫孫永寶用
2521	姞氏自乍毁	其邁(萬)年子子孫孫永寶用
2522	孟弢父毁	其萬年子子孫孫永寶用
2523	孟弢父毁	其萬年子子孫孫永寶用
2527	東仲脅父毁	其萬年子子孫永寶用亯
2528	魯白大父乍賸毁	其萬年覺壽永寶用
2529	豐井弔乍白姬毁	其萬年子子孫孫永寶用
2529.	_生毁	uw生乍寶尊毁、uw生其壽考萬年子孫永寶用
2530	遳姬乍父辛毁	孫子其萬年永寶
2531	魯白大父乍孟□姜毁	其萬年覺壽永寶用亯
2532	魯白大父乍仲姬俞毁	其萬年覺壽永寶用亯
2533	己侯貉子毁	己姜石用龠用匄萬年
2534	魯大宰遳父毁一	其萬年覺壽永寶用
2534.	魯大宰遳父毁二	其萬年覺壽永寶用
2548	仲惠父餗毁一	其萬年子子孫孫永寶用
2549	仲惠父餗毁二	其萬年子子孫孫永寶用
2550	兌乍弔氏毁	兌其萬年子子孫孫永寶用
2553	虢季氏子組毁一	其萬年無彊
2554	虢季氏子組毁二	其萬年無彊
2555	虢季氏子組毁三	其萬年無彊
2560	吳彭父毁一	其萬年子子孫孫永寶用
2561	吳彭父毁二	其萬年子子孫孫永寶用
2562	吳彭父毁三	其萬年子子孫孫永寶用
2563	德克乍文且考毁	克其萬年子子孫孫永寶用亯
2571	穌公子癸父甲毁	其萬年無彊
2571.	穌公子癸父甲毁二	其萬年無彊

2572	毛白嚱父毁	其萬年無彊
2573	泆白寺毁	其萬年子子孫孫永寶用亯
2574	豐兮毁一	夷其萬年子孫永寶、用亯考
2575	豐兮毁二	夷其萬年子子孫永寶、用亯考
2577	害客毁	客其萬年子子孫孫永寶用
2578	兮吉父乍仲姜毁	其萬年無彊
2579	白喜乍文考剌公毁	喜其萬年子子孫孫其永寶用
2580	㺯乍北子毁	其萬年子子孫孫永寶
2581	曹伯狄毁	其萬年釁壽
2583	鄁公毁	萬年無彊
2588	毛关毁	其子子孫孫萬年永寶用
2589	孫弔多父乍孟姜毁一	其萬年子子孫孫永寶用
2590	孫弔多父乍孟姜毁二	其萬年子子孫孫永寶用
2591	孫弔多父乍孟姜毁三	其萬年子子孫孫永寶用
2593	弔䴡父乍旅毁一	其萬年永寶用
2594	弔䴡父乍旅毁二	其萬年永寶用
2594.	弔䴡父乍旅毁三	其萬年永寶用
2600	白𥂫父毁	其萬年子子孫孫永寶用
2601	向䜌乍旅毁一	䜌其壽考萬年
2602	向䜌乍旅毁二	䜌其壽考萬年
2603	白吉父毁	其萬年子孫孫永寶用
2604	黃君毁	用易釁壽黃耇萬年
2609	筥小子毁一	其萬年子子孫孫永寶用
2610	筥小子毁二	其萬年子子孫孫永寶用
2613	白椃乍宄寶毁	唯用𣪘桼萬年
2621	雁侯毁	其萬年子子孫孫永寶用
2625	曾白文毁	其萬年子子孫孫永寶用亯
2628	畢鮮毁	鮮其萬年子子孫孫永寶用
2629	牧師父毁一	其萬年子子孫孫永寶用亯
2630	牧師父毁二	其萬年子子孫孫永寶用亯
2631	牧師父毁三	其萬年子子孫孫永寶用亯
2633	相侯毁	其萬年子子孫孫□□侯
2633.	食生走馬谷毁	用易其良壽萬年
2634	𨚍叔毁	子子孫孫其萬年永寶用
2639	遡毁	遡其萬年子子孫孫永寶用
2640	弔皮父毁	其萬年子子孫永寶用[引]
2641	伯椃虘毁一	萬年釁壽
2642	伯椃虘毁二	萬年釁壽
2644.	伯椃虘毁	萬年釁壽
2646	仲辛父毁	辛父其萬年無彊
2647	魯士商叡毁	叡其萬年釁壽
2648	仲叡父毁一	其萬年子子孫孫永寶用亯于宗室
2649	仲叡父毁二	其萬年子子孫孫永寶用亯于宗室
2650	仲叡父毁三	其萬年子子孫孫永寶用亯于宗室
2651	內白多父毁	其萬年子子孫孫永寶用亯
2652	__毁	p6其萬年孫孫子子永寶
2653.	弔__孫父毁	彌生萬年無彊
2658	白䵼毁	佳匄萬年
2665	__弔毁	子子孫孫其萬年永寶用
2666	鑄弔皮父毁	萬年永用

萬

2667	𨘑仲毁	其萬年無彊
2668	散季毁	㪔(散)季其萬年
2674	弔䀈毁	眔中氏萬年
2678	函皇父毁一	琱娟其萬年子子孫孫永寶用
2679	函皇父毁二	琱娟其萬年子子孫孫永寶用
2680	函皇父毁三	琱娟其萬年子子孫孫永寶用
2680.	函皇父毁四	琱娟其萬年子子孫孫永寶用
2683	白家父毁	靁冬萬年
2684	＿竈乎毁	乎其萬人永用[戕]
2685	仲枏父毁一	其萬年子孫孫其永寶用
2686	仲枏父毁二	其萬年子子孫孫
2687	敔毁	其萬年寶
2689	白康毁一	康其萬年釁壽
2690	白康毁二	康其萬年釁壽
2690.	相侯毁	其萬年子孫孫用亯侯
2693	𪓐毁	其萬年孫子寶
2695	𪔂兌毁	用祈釁壽萬年無彊多寶
2695	𪔂兌毁	兌其萬年
2699	公臣毁一	公臣其萬年用寶𢆶休
2700	公臣毁二	公臣其萬年用寶𢆶休
2701	公臣毁三	公臣其萬年用寶𢆶休
2702	公臣毁四	公臣其萬年用寶𢆶休
2703	免乍旅毁	免其萬年永寶用
2706	䣄公孜人毁	萬年無彊
2710	肄自乍寶器一	萬年以氒孫子寶用
2711	肄自乍寶器二	萬年以氒孫子寶用
2711.	乍冊般毁	子子孫孫萬年福
2712	虢姜毁	虢姜其萬年釁壽
2713	𤼈毁一	𤼈萬年寶
2714	𤼈毁二	𤼈萬年寶
2715	𤼈毁三	𤼈萬年寶
2716	𤼈毁四	𤼈萬年寶
2717	𤼈毁五	𤼈萬年寶
2718	𤼈毁六	𤼈萬年寶
2719	𤼈毁七	𤼈萬年寶
2720	𤼈毁八	𤼈萬年寶
2724	𦎫白𠭰毁	其萬年子子孫孫其永寶用
2725	師毛父毁	其萬年子子孫其永寶用
2725.	禁星毁	其萬年無彊
2727	蔡姞乍尹弔毁	其萬年無彊
2728	恆毁一	其萬年世子子孫虞寶用
2729	恆毁二	其萬年世子子孫虞寶用
2731	小臣宅毁	其萬年用鄉王出入
2732	曾仲大父蝣蚑毁	其萬年子子孫孫永寶用亯
2733	何毁	何其萬年
2737	段毁	孫孫子子萬年用亯祀
2738	衛毁	衛其萬年子子孫孫永寶用
2739	無㠱毁一	無㠱其萬年子孫永寶用
2740	無㠱毁二	無㠱其萬年子孫永寶用
2741	無㠱毁三	無㠱其萬年子孫永寶用

2742	無㠱設四	無㠱其萬年子孫永寶用
2742.	無㠱設五	無㠱其萬年子孫永寶用
2742.	無㠱設五	無㠱其萬年子孫永寶用
2746	追設一	追其萬年子子孫孫永寶用
2747	追設二	追其萬年子子孫孫永寶用
2748	追設三	追其萬年子子孫孫永寶用
2749	追設四	追其萬年子子孫孫永寶用
2750	追設五	追其萬年子子孫孫永寶用
2751	追設六	追其萬年子子孫孫永寶用
2752	史頌設一	頌其萬年無彊
2753	史頌設二	頌其萬年無彊
2754	史頌設三	頌其萬年無彊
2755	史頌設四	頌其萬年無彊
2756	史頌設五	頌其萬年無彊
2757	史頌設六	頌其萬年無彊
2758	史頌設七	頌其萬年無彊
2759	史頌設八	頌其萬年無彊
2759	史頌設九	頌其萬年無彊
2762	免設	免其萬年永寶用
2763	弔向父禹設	禹其萬年永寶用
2765	敔設	其萬年子子孫孫永寶用
2766	三兒設	用旂萬年譽壽
2767	虘設一	虘其萬年永寶用
2768	楚設	其子子孫孫萬年永寶用
2769	師楷設	其萬年子孫永寶用
2771	弭弔師求設一	弭弔其萬年子子孫孫永寶用
2772	弭弔師求設二	弭弔其萬年子子孫孫永寶用
2773	即設	即其萬年子子孫孫永寶用
2774.	南宮弔設	萬年其永寶
2776	走設	徒其眔𠂤子子孫孫萬年永寶用
2778	格白設一	其萬年子子孫孫永保用[eL]
2778	格白設一	其萬年子子孫孫永保用[eL]
2779	格白設二	其萬年子子孫孫永保用[eL]
2780	格白設三	其萬年子子孫孫永保用[eL]周
2781	格白設四	其萬年子子孫孫永保用[eL]周
2782	格白設五	其萬年子子孫孫永保用[eL]周
2782.	格白設六	其萬年子子孫孫永保用[eL]周
2783	趞設	其子子孫孫萬年寶用
2784	申設	申其萬年用
2786	縣妃設	我不能不眔縣白萬年保
2787	望設	其萬年子子孫孫永寶用 (蓋)
2787	望設	望萬年子子孫孫永寶用 (器)
2788	靜設	子子孫孫其萬年用
2789	同設一	其萬年子子孫孫永寶用
2790	同設二	其萬年子子孫孫永寶用
2791	豆閉設	用易𠷎壽萬年
2792	師俞設	天子其萬年譽壽黃耇
2792	師俞設	俞其萬年永保
2793	元年師旋設一	其萬年子子孫孫永寶用
2794	元年師旋設二	其萬年子子孫孫永寶用

萬

2795	元年師旋𣪘三	其萬年子子孫孫永寶用
2796	諫𣪘	諫其萬年子子孫孫永寶用（蓋）
2796	諫𣪘	諫其萬年子子孫孫永寶用（器）
2797	輔師𠭰𣪘	𠭰其萬年子子孫孫永寶用吏
2798	師㝨𣪘一	其萬年孫孫子子其永寶
2799	師㝨𣪘二	其萬年孫孫子子其永寶
2800	伊𣪘	伊其萬年無疆
2802	六年召白虎𣪘	其萬年子子孫孫寶用亯于宗
2803	師酉𣪘一	酉其萬年子子孫孫永寶用
2804	師酉𣪘二	酉其萬年子子孫孫永寶用（蓋）
2804	師酉𣪘二	酉其萬年子子孫孫永寶用（器）
2805	師酉𣪘三	酉其萬年子子孫孫永寶用
2806	師酉𣪘四	酉其萬年子子孫孫永寶用
2806.	師酉𣪘五	酉其萬年子子孫孫永寶用
2807	鄀𣪘一	鄀其𩛥壽萬年無疆
2808	鄀𣪘二	鄀其𩛥壽萬年無疆
2809	鄀𣪘三	鄀其𩛥壽萬年無疆
2810	揚𣪘一	子子孫孫其萬年永寶用
2811	揚𣪘二	子子孫孫其萬年永寶用
2815	師𠭰𣪘	𠭰其萬年子子孫孫永寶用亯
2816	𠂎白𢦚𣪘	余其萬年寶用
2817	師穎𣪘	師穎其萬年子子孫孫永寶用
2818	此𣪘一	此其萬年無疆
2819	此𣪘二	此其萬年無疆
2820	此𣪘三	此其萬年無疆
2821	此𣪘四	此其萬年無疆
2822	此𣪘五	此其萬年無疆
2823	此𣪘六	此其萬年無疆
2824	此𣪘七	此其萬年無疆
2825	此𣪘八	此其萬年無疆
2826	師𡨦𣪘一	其萬年子子孫孫永寶用亯（蓋）
2826	師𡨦𣪘一	其萬年子子孫孫永寶用亯（器）
2827	師𡨦𣪘二	其萬年子子孫孫永寶用亯
2830	三年師兌𣪘	師兌其萬年子子孫孫永寶用
2831	元年師兌𣪘一	師兌其萬年子子孫孫永寶用
2832	元年師兌𣪘二	師兌其萬年子子孫孫永寶用
2833	秦公𣪘	萬民是敕
2834	㝬𣪘	㝬其萬年𩁹寶朕多禦
2835	訇𣪘	訇萬年子子孫永寶用
2836	𢦚𣪘	卑乃子𢦚萬年
2837	敔𣪘一	敔其萬年子子孫孫永寶用
2838	師𠭰𣪘一	𠭰其萬年子子孫永寶用(蓋)
2838	師𠭰𣪘一	𠭰其萬年子子子孫孫永寶用(器)
2839	師𠭰𣪘二	𠭰其萬年子子孫永寶用(蓋)
2839	師𠭰𣪘二	𠭰其萬年子子子孫孫永寶用(器)
2841	𦬞白𣪘	歸夆其萬年日用亯于宗室
2842	卯𣪘	卯其萬年子子孫孫永寶用
2844	頌𣪘一	頌其萬年𩛥壽無疆
2845	頌𣪘二	頌其萬年𩛥壽無疆
2845	頌𣪘二	頌其萬年𩛥壽無疆

2846	頌毀三	頌其萬年釁壽無疆
2847	頌毀四	頌其萬年釁壽無疆
2848	頌毀五	頌其萬年釁壽無疆
2849	頌毀六	頌其萬年釁壽無疆
2850	頌毀七	頌其萬年釁壽無疆
2851	頌毀八	頌其萬年釁壽無疆
2854	蔡毀	蔡其萬年釁壽
2856	師訇毀	訇其萬囟年
2857	牧毀	牧其萬年壽考子子孫孫永寶用
2887	虢弔旅匿一	其萬年永寶
2888	虢弔旅匿二	其萬年永寶
2900	史𤔲簠	其萬年永寶用
2901	白口父匡	其萬年永寶用
2902	白矩食匿	其萬年永寶用
2904	善夫吉父旅匿	其萬年永寶
2906	白薦父匿	其萬年永寶用
2918	內大子白匿	其萬年子子孫永用
2919	鑄弔乍嬴氏匿	其萬年釁壽永寶用
2921	__弔乍吳姬匿	其萬年子子孫孫永寶用
2922	魯白俞父匿一	其萬年釁壽永寶用
2923	魯白俞父匿二	其萬年釁壽永寶用
2924	魯白俞父匿三	其萬年釁壽永寶用
2925	交君子__匿一	其釁壽萬年永寶用
2926	交君子__匿二	其釁壽萬年永寶用
2927	商丘弔旅匿一	其萬年子子孫孫永寶用
2928	商丘弔旅匿一二	其萬年子子孫孫永寶用
2929	師麻孝弔旅匿(匡)	其萬年子子孫孫永寶用
2930	尹氏賈良旅匿(匡)	其萬年子子孫孫永寶用
2931	鑄子弔黑臣匿一	其萬年釁壽永寶用
2932	鑄子弔黑臣匿二	萬年釁壽永寶用
2933	鑄子弔黑臣匿三	萬年釁壽永寶用
2937	仲義昱乍縣妃𩰫一	其萬年子子孫孫永寶用之
2938	仲義昱乍縣妃𩰫二	其萬年子子孫孫永寶用之
2939	季良父乍宗娟媵匿一	其萬年子子孫孫永寶用
2940	季良父乍宗娟媵匿二	其萬年子子孫孫永寶用
2941	季良父乍宗娟媵匿三	其萬年子子孫孫永寶用
2947	季宮父乍媵匿	其萬年子子孫孫永寶用
2953	白其父麐旅栝	用易釁壽萬年
2957	子季匿	萬壽無期
2958	陳公子匿	萬年無疆
2959	鑄公乍朕匿一	其萬年釁壽
2960	鑄公乍朕匿二	其萬年釁壽
2964.	弔邦父匿	其萬年釁壽無疆
2966	蛒公諴旅匿	用易釁壽萬年
2967	陳侯乍孟姜朕匿	萬年無疆
2970	考弔脂父尊匿一	其釁壽萬年無疆
2971	考弔脂父尊匿二	其釁壽萬年無疆
2977	口孫弔左肆匿	其萬年釁壽無疆
2978	樂子敬豧僦匿	其釁壽萬年無諆(期)
2979	弔朕自乍薦匿	萬年無疆

萬

2979.	弔朕自乍薦匿二	萬年無彊
2980	鼄大宰鐘匿一	其鬻壽、用饎萬年無諆
2981	鼄大宰鐘匿二	其鬻壽、用饎萬年無諆
2982	長子□臣乍媵匿	其鬻壽萬年無期
2982	長子□臣乍媵匿	其鬻壽萬年無期
2985	陳逆匿一	鬻壽萬年
2985.	陳逆匿二	鬻壽萬年
2985.	陳逆匿三	鬻壽萬年
2985.	陳逆匿四	鬻壽萬年
2985.	陳逆匿五	鬻壽萬年
2985.	陳逆匿六	鬻壽萬年
2985.	陳逆匿七	鬻壽萬年
2985.	陳逆匿八	鬻壽萬年
2985.	陳逆匿九	鬻壽萬年
2985.	陳逆匿十	鬻壽萬年
2986	曾白霥旅匿一	曾白霥叚不黃耇萬年
2987	曾白霥旅匿二	曾白霥叚不黃耇萬年
3011	弔姞旅鍨	其萬年永寶用
3014	弭弔旅盨	其萬年永寶用
3017	白大師旅盨一	其萬年永寶用
3018	白大師旅盨(器)二	其萬年永寶用
3021	乍遣盨	匄萬年壽敹冬
3022	白車父旅盨(器)一	其萬年永寶用
3023	白車父旅盨(器)二	其萬年永寶用
3025	白公父旅盨(蓋)	其萬年永寶用
3026	□□為甫人行盨	用征用行萬歲用尚
3027	仲鑠旅盨	其萬年永寶用
3034	白孝_旅盨	永其萬年子子孫孫寶用白孝kd鑄旅盨(須)
3034	白孝_旅盨	其萬年子子孫孫永寶用
3035	魯嗣徒旅毁(盨)	萬年永寶用
3037	華季嗌乍寶毁(盨)	其萬年子子孫永寶用
3040	白庶父盨毁(蓋)	其萬年子子孫孫永寶用
3041	諫季獻旅須	其萬年子孫孫永寶用
3042	項燮旅盨	其萬年子子孫孫永寶用亯
3048	鑄子弔黑臣盨	其萬年鬻壽永寶用
3049	單子白旅盨	其子子孫孫萬年永寶用
3050	曼弔乍旅盨	曼弔其萬年永及中姬寶用
3051	兮白吉父旅盨(蓋)	其萬年無彊子子孫孫永寶用
3052	走亞鑢孟延盨一	延其萬年永寶子子孫孫用
3053	走亞鑢孟延盨二	延其萬年永寶子子孫孫用
3054	滕侯穌乍旅毁	其子子孫萬年永寶用
3056	師趛乍槈姬旅盨	子孫其萬年永寶用
3056	師趛乍槈姬旅盨	子孫其萬年永寶用
3057	仲自父鍨(盨)	其子孫萬年永寶用亯
3058	曼龏父盨一	其萬年無彊子子孫孫永寶用
3062	乘父毁(盨)	其萬年鬻壽永寶用
3070	杜白盨一	其萬年永寶用
3071	杜白盨二	其萬年永寶用
3072	杜白盨三	其萬年永寶用
3073	杜白盨四	其萬年永寶用

3074	杜白盨五	其萬年永寶用
3075	白汈其旅盨一	畯臣天子、萬年唯極
3076	白汈其旅盨二	畯臣天子、萬年唯極
3081	翏生旅盨一	萬年釁壽永寶
3082	翏生旅盨二	萬年釁壽永寶王征南淮夷
3082	翏生旅盨二	萬年釁壽永寶
3083	瘐殷(盨)一	瘐其萬年子子孫孫其永寶[幸冊]
3084	瘐殷(盨)二	瘐其萬年子子孫孫其永寶[幸冊]
3085	駒父旅盨(蓋)	駒父其萬年永用多休
3086	善夫克旅盨	克其萬年
3088	師克旅盨一(蓋)	克其萬年子子孫孫永寶用
3089	師克旅盨二	克其萬年子子孫孫永寶用
3090	曩盨(器)	弔邦父、弔姞萬年子子孫孫永寶用
3092	齊侯乍飤䜌一	其萬年永保用
3093	齊侯乍飤䜌二	其萬年永保用
3096	齊侯乍孟姜善䜌	用旟釁壽、萬年無彊
3100	陳侯因𪒠錞	世萬子孫、永為典尚
3110.	孟__旁豆	釁壽萬年永寶用
3117	微伯瘐箙	其萬年永寶
3118	魯大嗣徒厚氏元善匾一	其釁壽萬年無彊
3119	魯大嗣徒厚氏元善匾二	其釁壽萬年無彊
3120	魯大嗣徒厚氏元善匾三	其釁壽萬年無彊
3188	萬爵一	[萬]
3189	萬爵二	[萬]
3705	萬庚爵	[萬庚]
3869	萬父己爵	[萬]父己
4344	嘉仲父斝	其釁壽萬年無彊
4433	甲盉	其萬年用鄉賓
4434	師子旅盉	萬年永寶用
4435.	霝終盉	匄萬年
4436	堯盉	用萬年
4437	王乍豐妊盉	其萬年永寶用
4439	白衛父盉	孫孫子子邁(萬)年永寶
4440	白章父盉	其萬年子子孫孫永寶用
4442	季良父盉	其萬年子子孫孫永寶用
4443	王仲皇父盉	其萬年子子孫孫永寶用
4449	裘衛盉	衛其萬年永寶用
4831	倗乍阜考尊	倗乍阜考寶尊彝用萬年吏
4852	□□乍其為阜考尊	用匄壽萬年永寶
4857	乍文考日己尊	其子子孫孫萬年永寶用[天]
4858	甾申尊	其萬年子孫永寶用亯
4865	阜方尊	其用匄永福萬年子孫
4874	萬諆尊	萬諆乍茲鑄
4874	萬諆尊	__人萬年寶
4877	小子生尊	其萬年永寶
4878	召尊	召萬年永光
4880	免尊	免其萬年永寶用
4881	鼉方尊	子子孫孫其萬年永寶
4883	耳尊	侯萬年壽考黃耇
4885	效尊	烏虖、效不敢不萬年夙夜奔走

	4888	盠駒尊一	則萬年保我萬宗
	4888	盠駒尊一	盠日、其萬年、世子孫永寶之
	4890	盠方尊	萬年保我萬邦
萬	4906	癸萬觥	[癸萬]
	4927	乍文考日己觥	其子子孫孫萬年永寶用[天]
	4973	乍文考日工夫方彝	其子子孫孫萬年永寶用[天]
	4974	__方彝	其萬年彝
	4977	師遽方彝	用匄萬年無疆
	4979	盠方彝一	萬年保我萬邦
	4980	盠方彝二	萬年保我萬邦
	5009	萬卣	[萬]
	5210	萬父己卣	[萬]父己
	5429	仲乍好旅卣一	其用萬年
	5430	仲乍好旅卣二	其用萬年
	5449	倗乍氒考卣	用萬年事
	5454	孳卣	其萬年孫子子永寶
	5459	榮弔卣	用匄壽、萬年永寶
	5496	召卣	召萬年永光
	5500	免卣	免其萬年永寶用
	5504	庚贏卣一	其子子孫孫萬年永寶用
	5505	庚贏卣二	其子子孫孫萬年永寶用
	5509	麩卣	尹其亙萬年受氒永魯
	5511	效卣一	效不敢不萬年夙夜奔走揚公休
	5580	滔____罍	其萬年無疆
	5581	畄甶罍	其萬年子孫永寶用享
	5582	對罍	子子孫孫其萬年永寶
	5712	白山父方壺	萬年寶用
	5714	同白邦父壺	同白邦父乍弔姜萬人壺
	5721	蔡侯壺	蔡侯□□皇□厭□□其萬年無□
	5723	王白姜壺一	其萬年永寶用
	5724	王白姜壺二	其萬年永寶用
	5729	陳侯乍嬀穌朕壺	其萬年永寶用
	5733	曩中乍倗生飲壺	匄三壽懿德萬年
	5734	咼乍旅壺	其萬年子子孫孫永用(器蓋)
	5735	內大子白壺	萬子孫永用享(蓋)
	5738	____壺	其萬年孫孫子子永寶用
	5744	仲南父壺一	其萬年子子孫孫永寶用
	5745	仲南父壺二	其萬年子子孫孫永寶用
	5746	史僕壺一	其萬年子子孫孫永寶用享
	5747	史僕壺二	其萬年子子孫孫永寶用享
	5749	矩弔乍仲姜壺一	其萬年子子孫孫永用
	5750	矩弔乍仲姜壺二	其萬年子子孫孫永用
	5751	白公父乍弔姬醴壺	萬年子子孫孫永寶用
	5753	大師小子師聖壺	其萬年子孫孫永寶用
	5755	散氏車父壺一	其萬年子子孫孫永寶用
	5756	中白乍朕壺一	其萬年子子孫孫永寶用
	5757	中白乍朕壺二	其萬年子子孫孫永寶用
	5761	兮熬壺	其萬年子子孫孫永用
	5763	殷句壺	其萬年子子孫孫永寶用享
	5764	杞白每亡壺一	其萬年釁壽

萬

5765	杞白每亡壺二	萬年釁壽
5766	周㸓壺一	其子子孫孫萬年永寶用[eL](器蓋)
5767	周㸓壺二	其子子孫孫萬年永寶用[eL](器蓋)
5774	楙車父壺	白車父其萬年子子孫孫永寶
5775	禁公子壺	子子孫孫萬年永寶用享
5776	曩公壺	釁壽萬年
5777	孫弔師父行具	釁壽萬年無疆
5780	公孫窹壺	用祈釁壽萬年
5786	旻季良父壺	其萬年霝冬難老
5789	命瓜君厚子壺一	至于萬意年
5790	命瓜君厚子壺二	至于萬意年
5791	十三年瘐壺一	瘐其萬年永寶 (器蓋)
5792	十三年瘐壺一	瘐其萬年永寶 (器蓋)
5793	幾父壺一	其萬年孫孫子子永寶用
5794	幾父壺二	其萬年孫孫子子永寶用
5796	三年瘐壺一	瘐其萬年永寶
5797	三年瘐壺二	瘐其萬年永寶
5798	曶壺	曶用匃萬年釁壽
5799	頌壺一	頌其萬年釁壽
5800	頌壺二	頌其萬年釁壽
5801	洹子孟姜壺一	萬年無疆
5802	洹子孟姜壺二	萬年無疆
5810	喪鈃	萬年無疆
5812	仲義父𦉜一	其萬年子子孫孫永寶用
5813	仲義父𦉜二	其萬年子子孫孫永寶用
5814	白夏父𦉜一	其萬年子子孫孫永寶用
5815	白夏父𦉜二	其萬年子子孫孫永寶用
5816.	伯亞臣𦉜	用祈釁壽萬年無疆
5825	緣書缶	萬世是寶
6295	萬觶	[萬]
6424	萬父甲觶	[萬]父甲
6447	萬父乙觶	[萬]父乙
6632	白乍禁姬觶	其萬年、世孫子永寶
6727	貞盤	其萬年子子孫孫永寶用
6733	史頌盤	其萬年子孫永寶用
6734	才盤	用萬年用楚保眔弔堯
6739	中友父盤	其萬年子子孫孫永寶用
6741	䢅盤	其萬年子孫永寶用亯
6742	弔五父盤	其萬年子子孫孫永寶用
6743	毳盤	媿氏其釁壽萬年用
6745	白考父盤	其萬年子子孫孫永寶用
6746	齊侯乍孟姬盤	其萬年釁壽無疆
6747	師寏父盤	其萬年子子孫孫永寶用
6748	德盤	其萬年釁壽
6749	弔高父盤	其萬年子子孫孫永寶用
6750	白侯父盤	用㳄釁壽萬年用之
6751	䢅白章盤	其萬年疆無
6755	毛叔盤	其萬年釁壽無疆
6756	番君白𨌲盤	萬年子孫永用之亯
6761	白者君盤	其萬年子孫永寶用亯

萬

6762	薛侯盤	其釁壽萬年
6763	匃它盤	其萬年無彊
6764	般仲＿盤	其萬年釁壽無彊
6765	齊弔姬盤	其萬年無彊
6767	齊縈姬之嬗盤	其釁壽萬年無彊
6770	醫白盤	其萬年子子孫孫永用之
6772	魯少司寇封孫宅盤	其釁壽萬年
6773	＿湯弔盤	其萬年無用之彊
6774	＿右盤	迺用萬年口孫永寶用亯口用之
6775	＿仲乍父丁盤	萬年不忘
6777	邛仲之孫白戔盤	用旛釁壽萬年無彊
6778	免盤	其萬年寶用
6779	齊侯盤	用祈釁壽萬年無彊
6780	黃大子白克盤	用旛釁壽萬年無彊
6781	夆弔盤	其釁壽萬年
6782	者尚余卑盤	用旛釁壽萬年
6783	函皇父盤	琱娟其萬年子子孫孫永寶用
6787	走馬休盤	休其萬年子子孫孫永寶
6789	寰盤	寰其萬年子子孫孫永寶用
6790	虢季子白盤	子子孫孫萬年無彊
6791	兮甲盤	其釁壽萬年無彊
6792	史墻盤	迨受萬邦
6792	史墻盤	其萬年永寶用
6827	甫人父乍旅匜一	甫人父乍旅匜、萬人（年）用
6828	甫人父乍旅匜二	甫人父乍旅匜、萬人（年）用
6831	杞白每亡匜	其萬年永寶用
6833	口弔䜌匜	萬年用之
6835	匽公匜	萬年永寶用
6836	史頌匜	其萬年子子孫孫永寶用
6838	荀侯匜	其萬壽、子孫永寶用
6840	＿子匜	其萬年無彊
6842	王婦曩孟姜旅匜	其萬年釁壽用之
6844	中友父匜	其萬年子子孫孫永寶用
6845	弔＿父乍師姬匜	其萬年子子孫永寶用
6846	白正父旅它	其萬年子子孫孫永寶用
6847	蚰＿匜	萬年無彊孫亯
6848	匽乍王母媿氏匜	媿氏其釁壽萬年用
6849	昶白匜	其萬年子子孫孫永寶用亯
6850	弔高父匜一	其萬年子子孫孫永寶用
6851	弔高父匜二	其萬年子子孫孫永寶用
6856	番仲榮匜	其萬年子子孫永寶用亯
6857	蔡白脊匜	其萬年無彊
6859	白者君匜一	其萬年子孫永寶用享tG
6862	薛侯乍弔妊朕匜	其釁壽萬年
6863	白君黃生匜	其萬年子子孫孫永寶用
6864	番＿匜	其萬年子子孫永寶用亯
6865	楚嬴匜	其萬年子孫永用亯
6866	齊侯乍虢孟姬匜	其萬年無彊
6867	弔男父乍為霍姬匜	其子子孫孫其萬年永寶用［井］
6869	浮公之孫公父宅匜	其萬年子子孫永寶用之

6871	陳子匜	用旛釁壽萬年無彊
6872	魯大𤔲徒子仲白匜	其釁壽萬年無彊
6873	齊侯乍孟姜盥匜	用祈釁壽萬年無彊
6874	鄭大内史弔上匜	其萬年無彊
6875	慶弔匜	其釁壽萬年
6876	夆弔乍季妃盥盤(匜)	其釁壽萬年
6900	乍父丁盂	其萬年永寶用享宗彝
6901	白盂	其萬年孫孫子子永寶用亯
6902	白公父旅盂	其萬年子子孫孫永寶用
6903	魯大𤔲徒元歙盂	萬年釁壽永寶用
6904	善夫吉父盂	其萬年子子孫孫永寶用
6907	齊侯乍朕子仲姜盂	其釁壽萬年
6910	師永盂	永其萬年
6923	庚午盦	萬年無彊
6924	江仲之孫白戔𨹴盦	其釁壽萬年無彊
6925	晉邦盦	__燮萬邦
6925	晉邦盦	烏卲萬年
6959	亞萬父己鐃	[亞萬]父己
6976	倗鐘	倗友朕其萬年臣天
6981	中義鐘一	其萬年永寶
6982	中義鐘二	其萬年永寶
6983	中義鐘三	其萬年永寶
6984	中義鐘四	其萬年永寶
6985	中義鐘五	其萬年永寶
6986	中義鐘六	其萬年永寶
6987	中義鐘七	其萬年永寶
6988	中義鐘八	其萬年永寶
6989	__鐘	其萬年子子孫孫永寶
6999	昆疕王鐘	其萬年子孫永寶
7005	䣄公鐘	釁壽萬年無彊
7007	梁其鐘	其萬年無彊
7019	邾太宰鐘	萬年無彊
7027	邾公釛鐘	揚君霝、君以萬年
7037	遲父鐘	侯父眔齊萬年釁壽
7043	克鐘四	克其萬年子子孫孫永寶
7044	克鐘五	克其萬年子子孫孫永寶
7049	井人鐘三	妄其萬年子子孫孫永寶用享
7050	井人鐘四	妄其萬年子子孫孫永寶用享
7058	邾公孫班鐘	其萬年釁壽
7059	師臾鐘	師臾其萬年永寶用享
7084	邾公牼鐘一	至于萬年
7085	邾公牼鐘二	至于萬年
7086	邾公牼鐘三	至于萬年
7087	邾公牼鐘四	至于萬年
7088	士父鐘一	父其眔萬年
7089	士父鐘二	父其眔萬年
7090	士父鐘三	父其眔萬年
7091	士父鐘四	父其眔萬年
7108	𠫑弔之仲子平編鐘一	萬年無諆
7109	𠫑弔之仲子平編鐘二	萬年無諆

萬

7110	𣪘弔之仲子平編鐘三	萬年無諆
7111	𣪘弔之仲子平編鐘四	萬年無諆
7116	南宮乎鐘	天子其萬年釁壽
7121	邻王子旃鐘	萬世鼓之
7150	虢叔旅鐘一	旅其萬年子子孫孫永寶用亯
7151	虢叔旅鐘二	旅其萬年子子孫孫永寶用亯
7152	虢叔旅鐘三	旅其萬年子子孫孫永寶用亯
7153	虢叔旅鐘四	旅其萬年子子孫孫永寶用亯
7156	虢叔旅鐘七	旅其萬年子子孫孫永寶用亯
7157	邾公華鐘一	其萬年無疆
7158	瘋鐘一	瘋其萬年永寶
7159	瘋鐘二	瘋其萬年
7160	瘋鐘三	瘋其萬年永寶日鼓
7161	瘋鐘四	瘋其萬年永寶日鼓
7162	瘋鐘五	瘋其萬年永寶日鼓
7163	瘋鐘六	匍受萬邦
7166	瘋鐘九	瘋其萬
7169	瘋鐘十二	萬年日鼓
7170	瘋鐘十三	萬年日鼓
7171	瘋鐘十四	萬年日鼓
7174	秦公鐘	大壽萬年
7175	王孫遺者鐘	萬年無諆
7175	王孫遺者鐘	枼萬孫子
7176	㝬鐘	㝬其萬年
7178	秦公及王姬編鐘二	大壽萬年
7187	叔夷編鐘六	其萬福屯魯
7188	叔夷編鐘七	女考壽萬年永保其身
7202	楚公逆鎛	逆其萬年又壽__身
7204	克鎛	克其萬年子孫永寶
7209	秦公及王姬鎛	大壽萬年
7210	秦公及王姬鎛二	大壽萬年
7211	秦公及王姬鎛三	大壽萬年
7212	秦公鎛	㷉龢萬民
7212	秦公鎛	萬生是敕
7213	𬶍鎛	用旛侯氏永命萬年
7213	𬶍鎛	枼萬至於辝孫子
7214	叔夷鎛	其萬福屯魯
7214	叔夷鎛	女考壽萬年永保其身
7215	其次勾鑃一	用旛萬壽
7216	其次勾鑃二	用旛萬壽
7218	𨚕諧尹征城	枼萬子孫
7219	冉鉦䤴(南疆征)	萬枼之外子子孫孫□堋作台□□
7220	喬君鉦	其萬年用亯用考
7223	逌匋鐸	其萬年永寶用
7232	萬戈	[萬]
7930	䢅用乍寶缶一	其萬年子子孫永寶用享
7931	䢅□乍寶缶二	其萬年子子孫永寶用享
7990	季老□	子子孫孫其萬年永寶用
M177.	㦴𣪘	子子孫孫其萬年永寶用[co]
M191	繁卣	其萬年寶、或

M252	免簠	免其萬年永寶用
M299	白大師釐盨	其萬年永寶用
M340	魯伯悆盨	悆其萬年釁壽
M341	魯中齊鼎	其萬年釁壽
M342	魯中齊甗	其萬年釁壽
M343	魯司徒中齊盨	其萬年釁壽
M344	魯司徒中齊盤	其萬年永寶用亯
M345	魯司徒中齊匜	其萬年釁壽
M361	井伯甫段	其萬年子子孫孫永寶
M379	夆伯鬲	其萬年子子孫孫永寶用□
M423.	趞鼎	其釁壽萬年
M487	魯司徒伯吳段	萬年永寶用
M508	虞侯政壺	其萬年子子孫孫永寶用
M553	越王者旨於賜鐘	萬枼亡疆
M581	陳公子中慶簠蓋	用祈顧壽萬年無疆子子孫孫永壽用之
M582	陳公孫指父旊	用祈釁壽萬年無疆
M602	蔡侯匜	邁(萬)年無疆
M612	鄦子鐘	萬年無諆
M617	番白享匜	其萬年無疆
M816	魯大左司徒元鼎	其萬年釁壽永寶用之
M900	梁十九年鼎	鬲(歷)年萬不丞
		小計：共 944 筆

2355

0815	獎且辛禹方鼎一	[獎]且辛禹[bn]
0816	獎且辛禹方鼎二	[獎]且辛禹[bn]
1324	禹鼎	禹曰：不顯趄趄皇且穆公
1324	禹鼎	命禹oo朕且考政于井邦
1324	禹鼎	肆禹亦弗敢憃
1324	禹鼎	肆武公迺遣禹率公戎車百乘
1324	禹鼎	雩禹目武公徒馭至于噩
1324	禹鼎	肆禹又成
2763	弔向父禹段	弔向父禹曰
2763	弔向父禹段	廣啟禹身
2763	弔向父禹段	禹其萬年永寶用
2833	秦公段	鼏宅禹責(蹟)
4441	卅五年__盉	康命周__禹
5358	亞__獎且辛禹卣	[獎]且辛禹[亞bn]
5557	獎且辛禹罍	且辛禹[bn獎]
7186	叔夷編鐘五	處禹之堵
7193	叔夷編鐘十二	處禹之堵
7214	叔夷鎛	處禹之堵
		小計：共 18 筆

2356

0909	賁__父鼎	賁kw父乍嘼(狩)妸朕(賸)鼎

0991	交鼎	交從嘼(嘼)逨即
1328	盂鼎	易乃且南公旂，用遯(嘼)
1329	小字盂鼎	執嘼一人
1329	小字盂鼎	□嘼進、即大廷
1329	小字盂鼎	王令榮□嘼
1329	小字盂鼎	□□□嘼御乎故
1329	小字盂鼎	折嘼于□
J0887	王母鬲	王乍王母嘼宮尊鬲
1825	毌嘼𣪕	[毌嘼(嘼)]
2826	師寰𣪕一	即斱乎邦嘼
2826	師寰𣪕一	即斱乎邦嘼
2827	師寰𣪕二	即斱乎邦嘼
J3238	嘼卣	(拓本未見)
5789	命瓜君厚子壺一	柬柬嘼嘼
5790	命瓜君厚子壺二	柬柬嘼嘼
5902	嘼觚	[嘼]
6793	矢人盤	封于嘼道、封于原道、封于周道
6793	矢人盤	嗣土qhjz、嗣馬嘼qk
7136	郘鐘一	嘼丮武
7137	郘鐘二	余嘼丮武
7138	郘鐘三	余嘼丮武
7139	郘鐘四	余嘼丮武
7140	郘鐘五	余嘼丮武
7141	郘鐘六	余嘼丮武
7142	郘鐘七	余嘼丮武
7143	郘鐘八	余嘼丮武
7144	郘鐘九	余嘼丮武
7145	郘鐘十	余嘼丮武
7146	郘鐘十一	余嘼丮武
7147	郘鐘十二	余嘼丮武
7148	郘鐘十三	余嘼丮武
7149	郘鐘十四	余嘼丮武

小計：共　33 筆

獸　2357

0681	單父辛鼎	[獸]父辛
0682	單父辛鼎	[獸]父辛
1144	__獸鼎	__獸乍朕考寶尊鼎
1144	__獸鼎	獸其萬年永寶用
1187	員乍父甲鼎	王獸于眂ko
1271	史獸鼎	尹令史獸立工于成周
1271	史獸鼎	史獸獻工于尹
1271	史獸鼎	尹賞史獸kb
1304	王子午鼎	闌闌獸獸
2599	宰甫𣪕	王來獸自豆彔
4099	獸父癸爵	父癸[獸]
4173	獸乍父戊爵	獸乍父戊寶彝
4174	獸乍父戊爵二	獸乍父戊寶彝

4796	獸乍父庚尊	獸乍父庚寶尊彝[弓]
5489	戉箙啟卣	王出獸南山
5901	獸觚	[獸]
5940	獸觚	[獸]
6250	天黿且丁觚	[天黽獸]且丁
7981.	父癸器	父癸[獸]
M705	曾侯乙編鐘下一・一	獸鐘之濬鑗
M705	曾侯乙編鐘下一・一	獸鐘之濬徵
M707	曾侯乙編鐘下一・三	為獸鐘徵顧下角
M708	曾侯乙編鐘下二・一	為獸鐘曾
M708	曾侯乙編鐘下二・一	為獸鐘之徵顧下角
M710	曾侯乙編鐘下二・三	鄜音之才楚為獸鐘
M713	曾侯乙編鐘下二・七	為獸鐘之羽顧下角
M714	曾侯乙編鐘下二・八	為獸鐘徵顧下角
M715	曾侯乙編鐘下二・九	濁獸鐘之羽
M715	曾侯乙編鐘下二・九	獸鐘之宮
M716	曾侯乙編鐘下二・十	濁獸鐘之徵
M716	曾侯乙編鐘下二・十	獸鐘之羽
M719	曾侯乙編鐘中一・三	獸鐘之壴反
M720	曾侯乙編鐘中一・四	獸鐘之喜
M721	曾侯乙編鐘中一・五	濁獸鐘之巽
M722	曾侯乙編鐘中一・六	濁獸鐘之冬
M722	曾侯乙編鐘中一・六	獸鐘之壴
M723	曾侯乙編鐘中一・七	獸鐘之下角
M723	曾侯乙編鐘中一・七	濁獸鐘之冬
M723	曾侯乙編鐘中一・七	獸鐘之徵
M725	曾侯乙編鐘中一・九	濁獸鐘之宮
M725	曾侯乙編鐘中一・九	濁獸鐘之下角
M726	曾侯乙編鐘中一・十	濁獸鐘之羽
M726	曾侯乙編鐘中一・十	獸鐘之宮
M727	曾侯乙編鐘中一・十一	濁獸鐘之徵
M727	曾侯乙編鐘中一・十一	獸鐘之羽
M728	曾侯乙編鐘中二・一	獸鐘之訣
M729	曾侯乙編鐘中二・二	濁獸鐘之喜
M729	曾侯乙編鐘中二・二	濁獸鐘之巽
M730	曾侯乙編鐘中二・三	獸鐘之喜反
M731	曾侯乙編鐘中二・四	獸鐘之訣
M732	曾侯乙編鐘中二・五	濁獸鐘之巽
M733	曾侯乙編鐘中二・六	濁獸鐘之冬
M733	曾侯乙編鐘中二・六	獸鐘之喜
M734	曾侯乙編鐘中二・七	獸鐘之下角
M734	曾侯乙編鐘中二・七	獸鐘之徵
M736	曾侯乙編鐘中二・九	濁獸鐘之宮
M737	曾侯乙編鐘中二・十	濁獸鐘之羽
M737	曾侯乙編鐘中二・十	獸鐘之宮
M739	曾侯乙編鐘中二・十二	濁獸鐘之徵
M739	曾侯乙編鐘中二・十二	獸鐘之羽
M740	曾侯乙編鐘中三・一	獸鐘之羽角
M748	曾侯乙編鐘中三・九	為獸鐘之羽顧下角
M749	曾侯乙編鐘中三・十	獸鐘之徵角

M749	曾侯乙編鐘中三・十	為獸鐘之徵顴下角
		小計：共 64 筆

甲

甲 2358

0336	獎父甲鼎	[獎]甲父
0337	戈父甲鼎一	[戈]父甲
0338	咸父甲鼎	[咸]父甲
0511	_父甲鼎	dp父甲
0555	陸冊父甲鼎	[陸冊]父甲
0616	甲乍寶齋鼎	甲乍寶齍
0669	王且甲方鼎	[狂]且甲
0671	乍父甲鼎	乍父甲尊彝
0738	亞共覃父甲鼎	[亞共覃]父甲
0967	獎___乍文父甲鼎	p5u3用乍文父甲寶尊彝[獎]
1187	員乍父甲鼎	用乍父甲鬻彝[獎]
1205.	遽鼎	唯七月初吉甲戌
1280	康鼎	唯三月初吉甲戌
1286	大夫始鼎	隹三月初吉甲寅、王才龢宮
1300	南宮柳鼎	隹王五月初吉甲寅
1306	無叀鼎	隹九月既望甲戌
1311	師晨鼎	隹三年三月初吉甲戌
1316	㦰方鼎	㦰曰：烏虖、王唯念㦰辟剌考甲公
1316	㦰方鼎	㦰曰：烏虖、朕文考甲公、文母日庚
1319	頌鼎一	隹三年五月既死霸甲戌
1320	頌鼎二	隹三年五月既死霸甲戌
1321	頌鼎三	隹三年五月既死霸甲戌
1326	多友鼎	甲申之辰搏于郲
1410	束且辛父甲鬲	[束]且辛父甲征
1760	甲𣪘	[甲]
1850	田父甲𣪘	[田]父甲
1870	鍪父甲𣪘	[鍪]父甲
2263	寧蠢乍甲始𣪘	寧蠢乍甲始尊𣪘
2350	稃乍父甲𣪘	稃乍父甲寶𣪘萬年孫子寶
2568	_玗乍父辛𣪘	隹八月甲申、公中才宗周
2570	滎𣪘	隹正月甲申滎各
2571	穌公子癸父甲𣪘	穌公子癸父甲乍尊𣪘
2571.	穌公子癸父甲𣪘二	穌公子癸父甲乍尊𣪘
2584	邾正衛𣪘	五月初吉甲申
2601	向𦣻乍旅𣪘一	隹王五月甲寅
2602	向𦣻乍旅𣪘二	隹王五月甲寅
2639	遽𣪘	唯七月初吉甲戌
2644	命𣪘	隹十又一月初吉甲申
2671	利𣪘	隹甲子朝
2695	鬻兌𣪘	隹正月初吉甲午
2743	虤𣪘	唯王正月辰才甲午
2767	虘𣪘一	正月既望甲午
2771	弭弔師求𣪘一	隹五月初吉甲戌
2772	弭弔師求𣪘二	隹五月初吉甲戌

2787	望毁	用乍朕皇且白甲父寶毁
2792	師俞毁	唯三年三月初吉甲戌
2793	元年師旋毁一	甲寅、王各廟即立
2794	元年師旋毁二	甲寅、王各廟即立
2795	元年師旋毁三	甲寅、王各廟即立
2797	輔師嫠毁	隹王九月既生霸甲寅
2802	六年召白虎毁	隹六年四月甲子
2829	師虎毁	隹六年六月既望甲戌
2831	元年師兌毁一	隹元年五月初吉甲寅
2832	元年師兌毁二	隹元年五月初吉甲寅
2841	뀨白毁	隹王九年九月甲寅
2844	頌毁一	隹三年五月既死霸甲戌
2845	頌毁二	隹三年五月既死霸甲戌
2845	頌毁二	隹三年五月既死霸甲戌
2846	頌毁三	隹三年五月既死霸甲戌
2847	頌毁四	隹三年五月既死霸甲戌
2848	頌毁五	隹三年五月既死霸甲戌
2849	頌毁六	隹三年五月既死霸甲戌
2850	頌毁七	隹三年五月既死霸甲戌
2851	頌毁八	隹三年五月既死霸甲戌
2855	班毁一	隹八月初吉才宗周甲戌
2855.	班毁二	甲戌
2857	牧毁	隹王七年又三月既生霸甲寅
2982.	甲午匿	隹甲午八月丙寅
3087	鬲从盨	甲三邑
3405	且甲爵一	且甲
3406	且甲爵二	且甲
3426	父甲爵一	父甲
3427	父甲爵二	父甲
3428	父甲爵三	父甲
3429	父甲爵四	父甲
3430	父甲爵五	父甲
3498	__甲爵	[cm]甲
3499	甲虫爵	甲[虫]
3500	甲䂓爵	甲[䂓]
3761	田父甲爵	[田]父甲
3762	摡父甲爵	[摡]父甲
3763	車父甲爵	[車]父甲
3764	串父甲爵	[串]父甲
4048	亞豕父戊爵	[亞豕]父甲
4198	堅乍父甲爵	公易堅貝、用乍父甲寶彝
4207	父甲角	父甲
4216	陸父甲角	[陸]父甲
4239	天黿㞷乍父癸角	甲寅、子易㞷貝
4309	天豕父甲斝	[豢]父甲
4310	田父甲斝	[田]父甲
4404	子____父甲盉	[子cndt]父甲
4433	甲盉	甲乍寶尊彝
4515	父甲尊	父甲
4775	史見尊	史見乍父甲尊彝

	4783	亞共尊一	[亞䀆乙日辛甲共受]
	4784	亞共尊二	[亞䀆日乙受日辛日甲共]
	4837	鬲乍父甲尊	鬲易貝于王、用乍父甲寶尊彝
甲	4878	召尊	隹九月才炎𠂤、甲午
	4882	匽乍文考日丁尊	隹四月初吉甲午
	4885	效尊	隹四月初吉甲午
	4888	盠駒尊一	隹王十又三月、辰才甲申
	4893	矢令尊	隹八月、辰才甲申
	4893	矢令尊	甲申、明公用牲于京宮
	4981	鼻冊令方彝	隹八月、辰才甲申
	4981	鼻冊令方彝	甲申、明公用牲于京宮
	5106	鳥且甲卣	[鳥且甲]
	5114	鳥父甲卣	[鳥]父甲
	5117	田父甲卣	[田]父甲
	5118	𠬝父甲卣	[𠬝]父甲
	5201	養父甲卣	[養]父甲
	5215	舟父甲卣	[舟]父甲
	5218.	亞冀父甲卣	[亞冀]父甲
	5373	史見乍父甲卣	史見乍父甲尊彝
	5407	單盄乍父甲卣	盄乍父甲寶尊彝[單]
	5432	參乍甲考宗彝卣	參乍甲考宗彝其永寶
	5471	𡚬小子省乍父己卣	甲寅子商小子省貝五朋
	5471	𡚬小子省乍父己卣	甲寅子商小子省貝五朋
	5496	召卣	唯九月才炎𠂤、甲午
	5497	農卣	隹正月甲午、王才s2㡯
	5506	小臣傳卣	隹五月既望甲子
	5506	小臣傳卣	用乍朕考日甲寶
	5511	效卣一	隹四月初吉甲午
	5540	田父甲罍	[田]父甲
	5547	聿貝甲罍	[聿貝]甲
	5579	乃孫乍且甲罍	乃孫_乍且甲罍
	5777	孫弔師父行具	隹王正月初吉甲戌
	5799	頌壺一	隹三年五月既死霸甲戌
	5800	頌壺二	隹三年五月既死霸甲戌
	5805	中山王嚳方壺	氏以身蒙幸(甲)胄
	6039	婦甲觚	婦[甲]
	6214	甲母_觚	甲母[tn]
	6217	冊关父甲觚	[冊关]父甲
	6266	史見乍父甲觚	史見乍父甲彝
	6344	且甲觶	且甲
	6419	𠩵父甲觶一	[𠩵]父甲
	6420	𠩵父甲觶二	[𠩵]父甲
	6421	_父甲觶一	[GG]父甲
	6422	_父甲觶二	[GG]父甲
	6423	般父甲觶	[般]父甲
	6424	萬父甲觶	[萬]父甲
	6549	亞冀父甲觶	[亞冀]父甲
	6587	逢父甲觶	[逢]父甲
	6621	冊木工乍母甲觶	[冊杠]乍母甲尊彝
	6787	走馬休盤	隹廿年正月既望甲戌

6791	兮甲盤	兮甲從王折首執訊
6791	兮甲盤	王易兮甲馬四匹、駒車
6791	兮甲盤	王令甲征𤔲成周四方責
6877	儠乍旅盨	隹三月既死霸甲申
7060	昊生鐘一	吉甲戌王命周
7062	柞鐘	隹王三年四月初吉甲寅
7063	柞鐘二	隹王三年四月初吉甲寅
7064	柞鐘三	隹王三年四月初吉甲寅
7065	柞鐘四	隹王三年四月初吉甲寅
7066	柞鐘五	隹王三年四月初吉甲寅
7202	楚公逆鎛	隹八月甲申
7856	甲盉	[甲]
7857	甲盉一	[甲]
7858	甲盉二	[甲]
7886	新郪虎符	甲兵之符
7886	新郪虎符	凡興士被甲
7887	杜虎符	兵甲之符
7887	杜虎符	凡興士被甲

小計：共　162 筆

2359

0194	且乙鼎一	且乙
0195	且乙鼎二	且乙
0216	子乙鼎	[子]乙
0229	乙舟鼎	乙[舟]
0237	酋乙鼎	[GG]乙
0238	酉乙鼎	[酉]乙
0295	母乙鼎	母乙
0302	乙戈鼎	乙[戈]
0303	乙戰鼎	乙[鼎]
0329	卿乙宁鼎	[卿乙宁]
0339	魚父乙鼎 一	[魚]父乙
0340	魚父乙鼎 二	[魚]父乙
0341	卬父乙鼎	[卬]父乙
0342	卬父乙鼎一	[卬]父乙
0343	卬父乙鼎二	[卬]父乙
0344	舟父乙鼎	[舟]父乙
0345	父乙舟鼎	父乙[舟]
0346	𡗝父乙鼎	[𡗝]父乙
0346.	句毌父乙鼎	[句毌]父乙
0347	㶣父乙鼎	[㶣]父乙
0348	𢦏父乙鼎	[𢦏]父乙
0350	父乙𡖊鼎	父乙[𡖊]
0351	𤞷父乙鼎一	[𤞷]父乙
0352	𤞷父乙鼎二	[𤞷]父乙
0353	𤞷父乙鼎三	[𤞷]父乙
0354	𤞷父乙鼎四	[𤞷]父乙
0355	自父乙鼎	[自]父乙

乙

0356	析父乙鼎	[析]父乙
0357	箙父乙鼎	[箙]父乙
0358	乙丁車鼎	乙丁[車]
0359	旬毌父乙鼎	[旬毌]父乙
0512	岢父乙鼎	[馬馬岢]父乙
0513	光父乙鼎	[光]父乙
0514	父乙鬲鼎一	父乙鬲(鼎)
0515	父乙鬲鼎二	父乙鬲(鼎)
0524	__父乙鼎	__父乙
0531	亞醜父乙鼎	[亞醜]父乙
0532	爻父乙方鼎	[爻]父乙
0533	亞攸父乙鼎一	[亞攸]父乙
0534	亞攸父乙鼎二	[亞攸]父乙
0556	天黿父乙鼎一	[天黽]父乙
0557	天黿父乙鼎二	[天黽]父乙
0558	天黿父乙鼎三	[天黽]父乙
0559	天黿父乙鼎四	[天黽]父乙
0560	舟光父乙鼎	[舟光]父乙
0561	宼父乙鼎	宼父乙乙
0562	矢宁父乙方鼎	[矢宁]父乙
0563	卿宁父乙鼎	[卿宁]父乙
0574	衠天父乙鼎一	[衠天]父乙
0575	衠天父乙鼎二	[衠天]父乙
0576	衠天父乙鼎三	[衠天]父乙
0577	衠天父丁鼎	[衠天]父乙
0643	卿宁父乙鼎	[卿宁]父乙
0660	__隻父乙鼎	[d8隻]父乙
0672	父乙臣辰夕鼎一	父乙[臣辰夕]
0673	父乙臣辰夕鼎二	父乙[臣辰夕]
0674	旁__父乙鼎	[旁bi]父乙
0675	__册父乙方鼎	[ap册]父乙
0677	乍父乙鼎	乍父乙尊彝
0744	小子乍父乙鼎二	小子乍父乙
0754	臣辰夕冊父乙鼎	[臣辰夕冊]父乙
0755	京犬犬魚父乙鼎	[京犬犬魚]父乙
0839	光舟乍父乙鼎	[光舟]乍父乙寶□
0841	豒乍且乙鼎	豒乍且乙寶尊彝
0861	亞受丁旃若癸鼎	[亞受丁旃若癸止乙自乙]
0862	亞受丁旃若癸鼎二	[亞受丁旃若癸止乙自乙]
0879	乍父乙鼎	[as]般乍父乙
0883	曾侯乙鼎	曾侯乙詐(乍)時甬(用)冬(終)
0890	堇臨乍父乙鼎	堇臨乍父乙寶尊彝
0891	堇臨乍父乙方鼎	堇臨乍父乙寶尊彝
0910	亞毫乍父乙方鼎	[亞弘]毫乍父乙尊彝
0948	脺侯戚乍父乙鼎	薛侯戚乍父乙鼎彝[史]
0961	乙未鼎	乙未王賞貝始□□□在寢
0984	巢峒乍父乙鼎一	乍父乙彝
0985	巢峒乍父乙鼎二	乍父乙彝
1007	史喜鼎	卑日隹乙
1029	罳乍且乙鼎	用乍且乙尊[田告亞]

1032	㝵乍父丁鼎	乙＿□□＿貝□用乍父丁彝、才六月
1048	𨻰乍母乙鼎	𨻰乍母乙尊鼎
1058	復鼎	復用乍父乙寶尊彝[𡚸]
1103	臣卿乍父乙鼎	用乍父乙寶彝
1117	豐乍父丁鼎	乙未、王商宗庚豐貝二朋
1117	豐乍父丁鼎	丁亥、豐用乍父乙齍彝[亞㐭]
1150	小臣缶方鼎	缶用乍享大子乙家祀尊
1150	小臣缶方鼎	[𡚸]父乙
1158	小子＿鼎	乙亥、子易小子jn
1164	旂乍文父日乙鼎	唯八月初吉辰才乙卯
1164	旂乍文父日乙鼎	旂用乍文父日乙寶尊彝[𡚸]
1192	亞□伐＿乍父乙鼎	用乍父乙齍[bp]
1205	公朱左自鼎	乙巳□
1208	乙亥乍父丁方鼎	乙亥、王□才㝡𣏟
1210	寗＿鼎	用乍父乙尊[羊𦍩]
1254	□鼎	父乙
1260	我方鼎	我乍禦Cx且乙、匕乙、且己、匕癸
1261	我方鼎二	我乍禦Cx且乙、匕乙、且己、匕癸
1262	穸鼎	隹王九月既望乙巳
1265	𢼸弔鼎	隹王正月初吉乙丑
1279	中方鼎	𨽍父乙尊
1284	尹姞鼎	隹六月既生霸乙卯
1285	㦽方鼎一	隹九月既望乙丑、才㙒自
1285	㦽方鼎一	其用夙夜享孝于氒文且乙公
1312	此鼎一	隹十又七年十又二月既生霸乙卯
1313	此鼎二	隹十又七年十又二月既生霸乙卯
1314	此鼎三	隹十又七年十又二月既生霸乙卯
1318	晉姜鼎	隹王九月乙亥
1329	小字盂鼎	雩若昱乙酉
1330	曶鼎	隹王元年六月既望乙亥
1362	dp父乙鬲	[dp]父乙
1372	竟父乙鬲一	竟乍父乙
1373	竟父乙鬲二	竟乍父乙
1415	䍃鬲	[䍃𡰥]白乍父乙彝
1533	尹姞寶鬲一	隹六月既生霸乙卯
1534	尹姞寶鬲二	隹六月既生霸乙卯
1569	𨭜父乙甗	乙父[𨭜]
1571	𦥑父乙甗	[𦥑]父乙
1574	乍父乙甗	乍父乙
1590.	守豖父乙甗	[守豖]父乙
1592	㚸父乙甗	[㚸]乙父
1616.	子商亞羌乙甗	子商[亞羌乙]
1617	鼎乍父乙甗	鼎乍父乙尊彝
1632	亞㫃乍父□甗	[亞㫃]乍父乙彝甗
1633	𢦏𢐗乍父乙甗	𢦏𢐗乍父乙尊彝
1650	榮子旅乍且乙甗	榮子旅乍且乙寶彝子孫永寶
1668	中甗	用乍父乙寶彝
1792	父乙𣪘	父乙
1827	且乙𣪘	且乙
1829	乙舟𣪘	乙[舟]

乙

1851	山父乙殷	[山]父乙
1852	爻父乙殷	[爻]父乙
1853	爻父乙殷	[爻]父乙
1854	__父乙殷	[ea]父乙
1855	嬰父乙殷	[嬰] 父乙
1856	子父乙殷一	[子]父乙
1857	父乙子殷	父乙[子]
1858	乍父乙殷	乍父乙
1859	鼻父乙殷	[鼻]父乙
1860	父乙冉殷	父乙[冉]
1861	㢸父乙殷二	[㢸]父乙
1862	㢸父乙殷	[㢸]父乙
1863	㢸父乙殷一	[㢸]父乙
1864	天父乙殷	[天]父乙
1864.	__父乙殷	[aG]父乙
1900	乙戈毌殷一	乙[戈毌]
1901	乙戈毌殷二	乙[戈毌]
1950	丁箙箄箙父乙殷	[丁箙箄箙]父乙
1951	咸父乙殷	[咸]父乙
1971	亞父乙吴殷	亞父乙[吴]
1972	父乙亞矢殷	父乙[亞矢]
1972.	__父乙殷	[ck]父乙
1988	天黽父乙殷一	[天黽]父乙
1989	天黽父乙殷二	[天黽]父乙
1990	天黽父乙殷三	[天黽]父乙
1991	弔幺父乙殷	[弔弔]幺父乙
1992	□乍父乙殷	□乍父乙
1993	䎽冊父乙殷	[䎽]父乙
1994	戚亯父乙殷	[戚亯]父乙
1995	乍父乙歺殷	乍父乙[歺]
2070	亞__父乙殷	亞__父乙
2076	亞麈父乙殷	[亞麈]父乙
2080	亞共覃父乙殷	[亞共覃]父乙
2081	䎽疆且乙殷	[䎽疆]且乙
2083	__䎽父乙殷	[c9䎽]父乙
2084	乍父乙殷	乍父乙殷[毌]
2085	子眉__父乙殷	子o9父乙
2115	父乙臣辰歺殷一	父乙臣辰[歺]
2116	父乙臣辰歺殷二	父乙臣辰[歺]
2147	亞曩吴乍父乙殷	亞曩吴乍父乙
2148	亞曩侯吴父乙殷	[亞曩侯吴]父乙
2154	秉䎽毌父乙殷	[秉䎽毌]父乙
2155	衍__乍父乙彝殷	衍__乍父乙彝
2156	安父乙卯婦□殷	[安]父乙卯婦□[安]
2157	子乍父乙寶殷	[子]乍父乙寶彝
2158	歺乍父乙寶殷一	乍父乙寶殷[歺]
2159	歺乍父乙寶殷二	乍父乙寶殷[歺]
2180	弔弔仲子日乙殷	[弔弔]中子日乙
2194	亞乍父乙寶殷	乍父乙寶殷[亞]
2229	__乍乙殷	__攸乍乙尊彝

2234	白乍乙公障毀	白乍乙公尊毀
2240	用毀	用乍父乙尊彝
2241	天禾乍父乙毀	天禾乍父乙尊彝
2246	山䢔乍父乙毀	山䢔乍父乙尊彝
2255	舟㞢乍父乙毀	乍父乙寶彝[舟㞢]
2264	嫘仲乍乙白毀	嫘中乍乙白寶毀
2281	亞受丁斿若癸毀	[亞若癸自乙受丁斿乙]
2287	堇臨乍父乙毀	堇臨乍父乙寶尊彝
2300	史述乍父乙毀	史述乍父乙寶毀飤
2323	彔乍文考乙公毀	彔乍文考乙公寶尊毀
2335	告田乍且乙𪇰侯弔尊毀	乍且乙𪇰侯弔尊彝[告田]
2347	𨧨𣪘頁駒乍父乙毀	𣪘頁駒用乍父乙尊彝[𨧨]
2397	__乍父辛毀	G3乍父辛皇母匕乙寶尊彝
2421	舟㞢𢦚乍父乙毀	用乍父乙寶尊彝[舟㞢]
2422	舟洹秦乍且乙毀	洹秦乍且乙寶毀
2453	亞𡧊乍且丁毀	乙亥王易□□工𡧊玉十玉瑴
2455	彔乍文考乙公毀	彔乍𣪘文考乙公寶尊毀
2485	隁仲孝毀	隁中孝乍父日乙尊毀
2510	臣卿乍父乙毀	用乍父乙寶彝
2512	乙自乍歆𩰫	十月丁亥、乙自乍飤𩰫
2513	再乍季日乙𡚬毀一	用乍季日乙𡚬
2514	再乍季日乙𡚬毀二	用乍季日乙𡚬
2515	小子野乍父丁毀	乙未卿旋易小子野貝二百
2517	是□乍乙公毀	是𦤾乍朕文考乙公尊毀
2544	亞䢅乍父乙毀	用乍父乙彝
2566	寧毀一	寧㡴諆乍乙考尊毀
2567	寧毀二	寧㡴諆乍乙考尊毀
2580	努乍北子毀	用ue𣪘且父日乙
2586	史𡉚毀一	乙亥王𢍰(誥)畢公
2587	史𡉚毀二	乙亥王𢍰(誥)畢公
2608	官差父毀	隹王正月既死霸乙卯
2626	𦣻乍父乙毀	用乍父乙寶彝
2633	相侯毀	隹五月乙亥
2643	史族毀	隹三月既望乙亥
2643	史族毀	乙亥
2661	競毀一	用乍父乙寶尊彝毀
2662	競毀二	用乍父乙寶尊彝毀
2676	旅𦘴乍父乙毀	用乍父乙寶彝
2676	旅𦘴乍父乙毀	遘于{ 匕戊 }武乙爽、豕一[旅]
2681	𨞛侯毀	𨞛(筥)侯少子析乙孝孫不巨
2690.	相侯毀	隹五月乙亥
2695	𦞅兒毀	𦞅兒乍朕文且乙公
2703	兒乍旅毀	隹三月既生霸乙卯
2705	君夫毀	唯正月初吉乙亥
2706	䣄公孜人毀	隹䣄正二月初吉乙丑
2730	𢧢毀	乍朕文考光父乙
2731	小臣宅毀	用乍乙公尊彝
2734	適毀	用乍文考父乙尊彝
2770	𢦏毀	隹正月乙巳
2777	天亡毀	乙亥、王又大豐

乙

乙

2791.	史密毀	用乍朕文考乙白尊毀
2803	師酉毀一	用乍朕文考乙白宄姬尊毀
2804	師酉毀二	用乍朕文考乙白宄姬尊毀
2804	師酉毀二	用乍朕考乙白宄姬尊毀
2805	師酉毀三	用乍朕文考乙白宄姬尊毀
2806	師酉毀四	用乍朕文考乙白宄姬尊毀
2806.	師酉毀五	用乍朕文考乙白宄姬尊毀
2815	師毀毀	用乍朕文考乙中䣄毀
2818	此毀一	隹十又七年十又二月既生霸乙卯
2819	此毀二	隹十又七年十又二月既生霸乙卯
2820	此毀三	隹十又七年十又二月既生霸乙卯
2821	此毀四	隹十又七年十又二月既生霸乙卯
2822	此毀五	隹十又七年十又二月既生霸乙卯
2823	此毀六	隹十又七年十又二月既生霸乙卯
2824	此毀七	隹十又七年十又二月既生霸乙卯
2825	此毀八	隹十又七年十又二月既生霸乙卯
2835	訇毀	用乍文且乙白同姬尊毀
2836	戜毀	隹六月初吉乙酉、才堂(㠱)自
2856	師訇毀	用乍朕剌且乙白咸益姬寶毀
2873	曾侯乙匿	曾侯乙乍寺甬冬
2964	曾□□諫匿	隹正吉乙亥
3047	改乍乙公旅盨(蓋)	改乍朕文考乙公旅盨
3095	拍乍祀彝(蓋)	隹正月吉日乙丑
3407	且乙爵一	且乙
3408	且乙爵二	且乙
3409	且乙爵三	且乙
3410	且乙爵四	且乙
3431	父乙爵一	父乙
3432	父乙爵二	父乙
3433	父乙爵三	父乙
3434	父乙爵四	父乙
3435	父乙爵五	父乙
3436	父乙爵六	父乙
3437	父乙爵七	父乙
3438	父乙爵八	父乙
3439	父乙爵九	父乙
3501	癸乙爵	癸乙
3502	乙舟爵	乙[舟]
3503	舟乙爵一	[舟]乙
3504	舟乙爵二	[舟]乙
3505	用乙爵	[用]乙
3506	卬乙爵一	[卬]乙
3507	卬乙爵二	[卬]乙
3508	何乙爵	[何]乙
3508.	元乙爵	[元]乙
3508.	守乙爵	[守]乙
3509.	戣乙爵	[戣]乙
3717.	_乙爵	[cJ乙]
3719	亞乙羌爵	[亞乙羌]
3726	㝃且乙爵	且乙[㝃]

3727	冉且乙爵一	[冉]且乙
3728	冉且乙爵二	[冉]且乙
3729	倸且乙爵	[倸]且乙
3730	冉且乙爵	[冉]且乙
3730.	心且乙爵	[心]且乙
3765	狄父乙爵	[狄]父乙
3766	令父乙爵	[令]父乙
3767	先父乙爵	[先]父乙
3768	歺父乙爵一	[歺]父乙
3769	歺父乙爵二	[歺]父乙
3769.	歺父乙爵三	父乙[歺]
3770	戈父乙爵一	[戈]父乙
3771	戈父乙爵二	[戈]父乙
3772	戈父乙爵三	[戈]父乙
3773	戈父乙爵四	[戈]父乙
3774	亞父乙爵一	[亞]父乙
3775	亞父乙爵二	[亞]父乙
3776	亞父乙爵三	[亞]父乙
3777	突父乙爵	[突]父乙
3778	中父乙爵	[中]父乙
3779	酉父乙爵	[酉]父乙
3780	探父乙爵	[探]父乙
3781	弜父乙爵	[弜]父乙
3782	鼎父乙爵	[鼎]父乙
3783	玫父乙爵一	[玫]父乙
3784	玫父乙爵二	[玫]父乙
3785	鍪父乙爵	[鍪]父乙
3786	冉父乙爵	[冉]父乙
3787	耒父乙爵	[耒]父乙
3788	乍父乙爵	乍父乙
3789	乍父乙爵	乍父乙
3790	庚父乙爵	[庚]父乙
3791	_父乙爵	[_]父乙
3792	□父乙爵	□父乙
3793	父乙□爵	父乙□
3794	冉乙父爵	[冉]乙父
3794.	句毌父乙爵	[句毌]父乙
3794.	臤父乙爵	[臤]父乙
3794.	魚父乙爵	[魚]父乙
3796	魚父乙爵	[魚]父乙
3975	索刂匕乙爵	[索刂]匕乙
3991	乍乙公爵	乍乙公
4002	魚父乙爵一	[魚]父乙
4018	_丁乙爵	[ec]丁乙
4020	父乙歺爵	父乙[歺]
4022	子父乙爵	[子]父乙
4026	臤父乙爵	臤父乙
4044.	_倗戈父乙爵	[d9倗]父乙
4045	亞戈父乙爵	[亞戈]父乙
4047	父乙爵	[亞_]父乙

乙

4057	唐子且乙爵一	唐子且乙
4058	唐子且乙爵二	唐子且乙
4059	唐子且乙爵三	唐子且乙
4060	唐子且乙爵四	唐子且乙
4063	_乍父乙爵	m3乍父乙
4064	子刀父乙爵	[子刀]父乙
4065	亞竇皿矛父乙爵	[亞竇皿矛]父乙
4066	冎攴父乙爵	[冎攴]父乙
4067	秉毌父乙爵	[秉毌]父乙
4068	慺乍父乙爵	慺乍父乙
4069	卤闇犾彡父丁爵	[卤犬]父乙
4070	卿乍父乙爵	卿乍父乙
4071	馬乍父乙爵	馬乍父乙
4072	乍父乙彝爵	乍父乙彝
4073	_乍父乙爵	_乍父乙
4110	子工乙酉爵	[子▇乙辛]
4129	目乍且乙彝爵	目乍且乙彝
4130	吳亞父乙爵一	[吳亞]父乙
4131	吳亞父乙爵二	[吳亞]父乙
4132	丙且丁父乙爵	[丙]且丁父乙
4133	臣辰夛父乙爵一	父乙臣辰[夛]
4134	臣辰夛父乙爵二	父乙臣辰[夛]
4135	臣辰夛父乙爵三	父乙臣辰[夛]
4136	臣辰夛父乙爵四	父乙臣辰[夛]
4137	臣乍父乙寶爵一	臣乍父乙寶
4138	臣乍父乙寶爵二	臣乍父乙寶
4167	_乍且乙爵	_乍且乙寶彝
4168	口乍且乙爵	口乍且乙寶彝
4168.	師遽爵	師遽乍且乙[冎]
4182	父乙庚辰為爵	庚辰象乍彝、父乙
4183	貝隹易爵一	貝隹易、[天黽]父乙
4184	貝隹易爵二	貝隹易、[天黽]父乙
4190	牆乍父乙爵一	牆乍父乙寶尊彝
4191	牆乍父乙爵二	牆乍父乙寶尊彝
4201	盟舟惠爵	盟舟綸_乍學且乙寶宗彝
4202.	___爵	乙未王賫(賞貝合文)姛母申才帣
4217	䇂父乙角	[䇂]父乙
4218	䇂父乙角	[䇂]父乙
4219	子父乙角	[子]父乙
4226	_丁且乙角	_丁且乙
4229	天黽父乙角一	[天黽]父乙
4230	天黽父乙角二	[天黽]父乙
4231	陸冊父乙角	[陸冊]父乙
4235	肘史父乙爻角	[肘史]父乙[爻]
4286	_乙斝	[fJ]乙
4288	_乙斝一	[GG]乙
4289	_乙斝二	[GG]乙
4290	_乙斝三	[GG]乙
4294	乙魚斝	乙[魚]
4311	冎父乙斝	[冎]父乙

4312	山父乙斝	[山]父乙
4313	晶父乙斝	[晶]父乙
4326	天黽父乙斝	[天黽]父乙
4331.	乍伯弔乙斝	乍白弔乙
4341	[illegible]牵折乍父乙斝	折乍父乙寶尊彝[[illegible]牵]
4360.	乙舟盉	乙[舟]
4366	光父乙盉	[光]父乙
4366.	_母乙盉	[dp]母乙
4367	子父乙盉一	[子]父乙
4368	子父乙盉二	[子]父乙
4368.	子父乙盉三	[子]父乙
4369	子父乙盉四	[子]父乙
4370	宊父乙盉	[宊]父乙
4371	句冊父乙盉	[句冊]父乙
4372	畀乙父乙盉	乙父[畀]
4373	卬父乙盉	[卬]父乙
4375	父乙飤盉	父乙飤
4376	父乙_盉	父乙[eb]
4376.	父乙_盉	父乙[am]、[七六七六七六]
4398	箙參父乙盉	[箙參]父乙
4405	宁未父乙冊盉	父乙[宁未冊]
4406.	臣辰⺈父乙爵五	父乙臣辰[⺈]
4414	卿乍父乙盉	卿乍父乙尊彝
4427	柀冊沃乍父乙盉一	沃乍父乙尊彝[柀冊]
4428	柀冊沃乍父乙盉二	沃乍父乙尊彝[柀冊]
4438	亞曩侯矣盉	乍父乙寶尊彝
4518	父乙尊	父乙
4518.	父乙尊二	父乙
4559	己且乙尊	己且乙
4566	牵乙父尊	[牵]乙父
4566.	戈父乙尊	[戈]父乙
4568	舟父乙尊	[舟]父乙
4569	凷父乙尊	[凷]父乙
4570	獎父乙尊	[獎]父乙
4571	_父乙尊	[fs]父乙
4573	_父乙尊	[e8]父乙
4574	雞彤父乙尊	[雞]父乙
4575	東父乙尊	[東]乙父
4578	父乙鍪尊	父乙[鍪]
4579	鍪父乙尊	[鍪]父乙
4643	亞離父乙尊	[亞離]父乙
4651	乍父乙子尊	乍父乙[⺈]
4652	乍父乙旅尊	乍父乙旅
4653	岃_父乙尊一	[岃cd]父乙
4654	岃_父乙尊二	[岃cd]父乙
4655	天黽父乙尊	[天黽]父乙
4656	执鼎父乙尊	[执鼎]父乙
4700	競乍父乙旅尊	競乍父乙旅
4706	受父辛尊	受父辛且乙
4725	乍父乙尊	[戠]父乙

乙

4725	乍父乙尊	乍父乙寶彝
4727	乍且乙尊	乍且乙寶尊彝
4757	陵乍父乙旅尊	陵乍父乙旅彝
4763	辟東乍父乙尊	辟東乍父乙尊彝
4764	__白乍父乙尊	qc白乍父乙寶尊
4765	對乍父乙尊	對乍父乙[亞夫]寶尊彝
4773	魚乍父己尊	魚乍父乙寶尊彝
4783	亞共尊一	[亞㲋乙日辛甲共受]
4784	亞共尊二	[亞㲋日乙受日辛日甲共]
4788	亞醜酉乍父乙尊	[亞醜]酉乍父乙尊彝
4789	亞受丁旃若癸尊一	[亞受旅丁乙止若自癸乙]
4790	亞受丁旃若癸尊二	[亞受旃乙止若自癸乙]
4792	史伏乍父乙旅尊	史伏乍父乙寶旅彝
4794	魌乍且乙尊	魌乍且乙寶彝[子廟]
4802	__尊	__乍父乙寶尊彝[㚢]
4812	冊㳄乍父乙尊	冊㳄乍父乙寶尊彝[炲]
4819	述乍兄日乙尊	述乍兄日乙寶尊彝[卭]
4825	叒者君乍父乙尊	叒者君乍父乙寶尊彝[cu]
4827	兀乍高㽙日乙__尊	兀乍高㽙日乙__尊[臣辰㚢冊]
4836	__䍙乍父乙尊	䍙戣吏囗用乍父乙旅尊彝[冊ap]
4848	冎㞢㑹乍父乙尊	用乍父乙寶尊彝[冎㞢]
4853	復尊	用乍父乙寶尊彝[㚒]
4862	㚒能匋尊	能匋用乍文父日乙寶尊彝[㚒]
4863	㝅乍父乙尊	用乍父乙寶尊彝
4864	乍冊䢅尊	用乍父乙寶尊彝
4871	冊宰豊尊	隹六月既生霸乙卯
4875	㫐折尊	用乍父乙尊
4876	保尊	乙卯、王令保及殷東或(國)五侯
4879	彔䧹尊	用乍文考乙公寶尊彝
4884	臤尊	用乍父乙寶尊彝
4886	趞尊	隹三月初吉乙卯
4893	矢令尊	乙酉、用牲于康宮
4905	__父乙觥	[ab]父乙
4917	旃觥	乍父乙寶尊彝[旃]
4921	子甇乍父乙觥	乍文父乙彝
4928	折觥	用乍父乙尊
4953	吳父乙方彝	[吳]父乙
4975	麥方彝	才八月乙亥、辟井侯光氒正吏
4976	折方彝	用乍父乙尊
4981	矢冊令方彝	乙酉、用牲于康宮
5057	父乙卣	父乙
5060	冎乙卣	[冎]乙
5061	乙魚卣	乙[魚]
5108	旃且乙卣	[旃且乙]
5119	天父乙卣	[天]父乙
5120	尭父乙卣	[尭]父乙
5121	冊父己卣	[冊]父乙
5122	__父乙卣	[__]父乙
5123	戣父乙卣	[戣]父乙
5124	__父乙卣	[fd]父乙

5125	旅父乙卣	[旅]父乙
5126	弜父乙卣	[弜]父乙
5127	奘父乙卣	[奘]父乙
5128	魚父乙卣一	[魚]父乙
5129	魚父乙卣二	[魚]父乙
5130	鼻父乙卣	[鼻]父乙
5131	亞覃父乙卣	[亞覃父乙]
5132	句毌父乙卣一	[句毌]父乙
5133	句毌父乙卣二	[句毌]父乙
5134	鍪父乙卣	[鍪]父乙
5203	養父乙卣	[養]父乙
5204	僯父乙卣	[僯]父乙
5206	腐父乙卣	[腐]父乙
5213	天父乙卣(器)	[天]父乙
5219	亞艅父乙卣	[亞俞]父乙
5221	田告父乙卣	[田告]父乙
5223	亞得父癸卣	[亞得]父乙
5224	戚箙且乙卣	[戚箙]且乙
5225	箙戚父乙卣	[箙戚]父乙
5227	天黿父乙卣一	[天黽]父乙
5228	天黿父乙卣二	[天黽]父乙
5229	天黿父乙卣三	[天黽]父乙
5230	陸冊父乙卣	[陸冊]父乙
5231	父乙衛冊卣	[衛冊収]父乙
5290	父乙臣辰乃卣一	父乙臣辰[乃]
5291	父乙臣辰乃卣二	父乙臣辰[乃]
5292	奘乍父乙卣	[奘]乍父乙彝
5293	競乍父乙旅卣	競乍父乙旅
5317	大舟乍父乙卣	[大舟]乍父乙彝
5318	亞共且乙父己卣	[亞共且乙父己]
5319	__父乙母告田卣	[亞攸]父乙、[鳥]父乙母[告田]
5320	亞宦父乙卣	[亞宦宯__父乙]
5321	突乍父乙卣	乍父乙寶彝[突]
5366	齊乍父乙尊彝卣	齊乍父乙尊彝
5370	遣乍且乙卣	遣乍且乙寶尊彝
5374	羊乍父乙卣	羊乍父乙寶尊彝
5375	天乍父乙卣	乍父乙寶尊彝[天]
5402	遹乍且乙卣	遹乍且乙寶尊彝
5403	__解乍父乙卣	解乍父乙尊彝[__]
5404	小臣乍父乙卣	小臣乍父乙寶彝
5421	亞__對乍父乙卣	對乍父乙寶尊彝[亞b2]
5439	小臣豐乍父乙卣	用乍父乙彝
5453	__卣	用乍母乙彝
5457	小臣系乍且乙卣一	用乍且乙尊
5458	小臣系乍且乙卣二	用乍且乙尊
5462	宗白乍父乙卣一	用乍父乙寶尊彝
5463	宗白乍父乙卣二	用乍父乙寶尊彝
5464	刀耳乍父乙卣	用乍父乙寶尊彝[刀]
5474	劉卣	用乍父乙寶尊彝
5474	劉卣	用乍父乙寶尊彝

乙

5475	六祀𠨘其卣	乙亥、𠨘其易乍冊孳G0珏
5480	冊䇂冊豐卣	隹六月既生霸乙卯
5480	冊䇂冊豐卣	隹六月既生霸乙卯
5483	周乎卣	隹九月既生霸乙亥
5483	周乎卣	隹九月既生霸乙亥
5490	戉𥝤卣	用乍文考日乙寶尊彝
5490	戉𥝤卣	用乍文考日乙寶尊彝
5491	亞獏二祀𠨘其卣	才正月遘于匕丙肜日大乙爽
5492	亞獏四祀𠨘其卣	乙巳、王日
5492	亞獏四祀𠨘其卣	尊文武帝乙宜
5492	亞獏四祀𠨘其卣	遘乙昱日丙午、才𩰫
5494	𡚸𦎫乍母辛卣	乙巳、子令{ 小子 }先以人于堇
5495	保卣	乙卯、王令保及殷東或五侯
5495	保卣	乙卯、王令保及殷東或五侯
5498	彔䧹卣	用乍文考乙公寶尊彝
5499	彔䧹卣二	用乍文考乙公寶尊彝
5503	競卣	用乍父乙寶尊彝
5507	乍冊𧻚卣	十二月既望乙亥
5542	父乙鍪罍	父乙[鍪]
5549	毌偁父乙方罍	[毌偁]父乙
5564	單陵乍父日乙方罍	陵乍父日乙寶𦉜(罍)[dz]
5565	乍父乙罍	乍父乙寶中尊𦉜(罍)[ba]
5630	子父乙壺	[子]父乙
5631	重父乙壺	[重]父乙
5632	㚸父乙壺	[㚸]父乙
5661	㚸季父乙壺	季甾父乙[㚸]
5662	亞桄桭父乙壺	[亞桄桭]父乙
5684	欶__汏父乙壺	汏父乙彝[欶冊]
5795	白克壺	隹十又六年七月既生霸乙未
6011	父乙觚	父乙
6012	𠬝乙觚	[𠬝]乙
6013	𢆉乙觚	[𢆉乙]
6014	丰乙觚	[丰]乙
6017	乙足觚一	乙[正]
6018	乙足觚二	乙[正]
6090	乙戈觚	乙[戈]
6123	䵷且乙觚	[䵷]且乙
6127	得父乙觚	[得]父乙
6128	鳥父乙觚	[鳥]父乙
6129	敥父乙觚	[養]父乙
6130	__父乙觚	[ak]父乙
6131	__父乙觚	[dp]父乙
6132	𡚸父乙觚一	[𡚸]父乙
6133	𡚸父乙觚二	[𡚸]父乙
6134	𠬝父乙觚	[𠬝]父乙
6177	__乙冊㐭觚一	[a4乙冊㐭]
6178	__乙冊㐭觚二	[a4乙冊㐭]
6197	句毌父乙觚	[句毌]父乙
6207	旅父乙觚	[旅]父乙
6210	乍父乙觚	乍父乙

6211	且丁父乙觚	且丁父乙
6218	冊正父乙觚	[冊正]父乙
6219	天黿父乙觚一	[天黽]父乙
6220	天黿父乙觚二	[天黽]父乙
6224	父乙天豕觚	父乙[豢]
6253	冊庴冊父乙觚	[庴冊]父乙
6255	大且乙觚	大且乙乍彝
6256	京戈冊父乙觚	[京戈冊]父乙
6257	亞父乙光箕觚	[亞父乙光箕]
6264	卿乍父乙觚	[鄉]乍父乙寶尊彝
6268	亞乍父乙觚一	亞乍父乙尊寶彝
6269	亞乍父乙觚二	亞乍父乙寶尊彝
6272	冊妏乍乙公觚	妏乍乙公寶彝[冊]
6277	貝隹乍父乙觚	貝鳥易用乍父乙尊彝[天黽]
6278	臤玐用__日義觚	用乍pd日乙尊彝[臤]
6279	亞受丁若癸觚一	亞受斿若癸丁乙止自乙
6280	亞受丁若癸觚二	亞受斿若癸丁乙止自乙
6347	父乙觶二	父乙
6409	且乙封觶	且乙[封]
6410	史且乙觶	[史]且乙
6425	㧿父乙觶	[㧿]父乙
6426	天父乙觶	[天]父乙
6427	玐父乙觶	[玐]父乙
6428	戈父乙觶	[戈]父乙
6429	會父乙觶	[會]父乙
6430	__父乙觶	[fy]父乙
6431	戈父乙觶	[戈]父乙
6432	養父乙觶	[養]父乙
6433	受父乙觶	[受]父乙
6434	__父乙觶	[fs]父乙
6435	酨父乙觶	[酨]父乙
6436	守豕父乙觶	[守豕]父乙
6437	__父乙觶	[es]父乙
6438	幸父乙觶	[幸]父乙
6439	父乙遽觶	父乙遽
6440	父乙飲觶	父乙飤
6441	父乙歺觶	父乙[歺]
6442	父乙寶觶	父乙寶
6443	冀父乙觶一	[冀]父乙
6444	冀父乙觶二	[冀]父乙
6445	冀父乙觶三	[冀]父乙
6446	辰父乙觶	[辰]父乙
6447	萬父乙觶	[萬]父乙
6544	唐子且乙觶	[唐子]且乙
6547	鳥兀且乙觶	[鳥兀]且乙
6550	子廟父乙觶	[子廟]父乙
6551	冂__乍父乙觶	[冂ii]乍父乙
6552	天黿父乙觶一	[天黽]父乙
6553	天黿父乙觶二	[天黽]父乙
6554	畐天父乙觶	[畐天]父乙

乙

6555	宀舟父乙觶	[宀舟]父乙
6556	亞其聿父乙觶	[亞其聿]父乙
6557	亞吴父乙觶	[亞吴]父乙
6558	亞大父乙觶一	[亞大]父乙
6559	亞大父乙觶二	[亞大]父乙
6560	亞旛父乙觶	[亞旛]父乙
6562	川又父乙觶	[川又]父乙
6589	膺冊父乙觶	膺乍父乙[冊]
6592	晶小蠢母乙觶	[晶小蠢]母乙
6593	亞吴鼽父乙觶	[亞吴鼽]父乙
6594	高乍父乙觶	高乍父乙彝
6604	尚乍父乙觶	尚乍父乙彝[鳥]
6605	亞聿豕父乙觶	[亞箕聿豕]父乙
6607	丰乍父乙觶	tJ乍父乙尊彝
6628	鳥冊何般貝宁父乙觶	[何般貝宁]用乍父乙寶尊彝[鳥]
6635	中觶	用乍父乙寶尊彝
6684	嬰父乙盤	[嬰]父乙
6690	天黿父乙盤	[天黽]父乙
6785	守宮盤	隹正月既生霸乙未
6785	守宮盤	用乍且乙尊
6792	史墻盤	kx叀乙且
6792	史墻盤	害(䜌)犀文考乙公遽趩
6793	矢人盤	唯王九月辰才乙卯
6796	奘父乙匜	[奘]父乙
6801	天黿父乙匜	[天黽]父乙
6811	乍父乙匜	乍父乙寶尊彝[舟]
6820	冊𡚬匜	𡚬乍父乙寶尊彝[冊𡚬]
6874	鄭大内史弔上匜	隹十又二月初吉乙巳
6910	師永盂	永用乍朕文考乙白尊盂
6956	魚乙正鐃一	[魚乙正]
6957	魚乙正鐃二	[魚乙正]
6958	魚乙正鐃三	[魚乙正]
7017	楚王酓章鐘一	楚王酓章乍曾侯乙宗彝
7084	邾公牼鐘一	辰才乙亥
7085	邾公牼鐘二	辰才乙亥
7086	邾公牼鐘三	辰才乙亥
7087	邾公牼鐘四	辰才乙亥
7107	曾侯乙甬鐘	曾侯乙乍時
7157	邾公華鐘一	隹王正月初吉乙亥
7159	瘋鐘二	文且乙公
7201	楚王酓章乍曾侯乙鎛	楚王酓章乍曾侯乙宗彝
7361	亞若癸亞㚤乙戈	[亞若癸、亞㚤乙]
7370	乙癸丁戈	乙癸丁
7439	且乙戈	且乙、且己、且丁
7464	曾侯乙之用戈	曾侯乙之用戟
7465	曾侯乙寢戈	曾侯乙之寢戈
7556	大兄日乙戈	大兄日乙
7573	大且日己戈	且日乙
7575	且日乙戈	且日乙
7575	且日乙戈	父日乙

7868	商鞅方升	冬十二月乙酉
7899	鄂君啟車節	夏层之月、乙亥之日
7900	鄂君啟舟節	夏层之月、乙亥之日
7987	受斿容器	受斿若丁乙自乙
7996	陶範二	央乍父乙寶尊彝
M151	北子宋盤	北子宋乍文父乙寶尊彝
M252	免簠	隹三月既生霸乙卯
M705	曾侯乙編鐘下一・一	曾侯乙乍時，宮、徵曾，
M706	曾侯乙編鐘下一・二	曾侯乙乍時，商、羽曾，
M707	曾侯乙編鐘下一・三	曾侯乙乍時，徵顧、徵曾，
M708	曾侯乙編鐘下二・一	曾侯乙乍時，鄜隮、徵角，
M709	曾侯乙編鐘下二・二	曾侯乙乍時，商角、商曾，
M710	曾侯乙編鐘下二・三	曾侯乙乍時，中鎛、宮曾，
M711	曾侯乙編鐘下二・四	曾侯乙乍時，商、羽曾，
M712	曾侯乙編鐘下二・五	曾侯乙乍時，宮、徵曾，
M713	曾侯乙編鐘下二・七	曾侯乙乍時，羽、羽角，
M714	曾侯乙編鐘下二・八	曾侯乙乍時，徵、徵角，
M715	曾侯乙編鐘下二・九	曾侯乙乍時，鑐、宮曾，
M716	曾侯乙編鐘下二・十	曾侯乙乍時，商、羽曾，
M717	曾侯乙編鐘中一・一	曾侯乙乍寺（時），羽反，宮反，羽反，宮反，
M718	曾侯乙編鐘中一・二	曾侯乙乍寺（時），角反，徵反，角反，徵反，
M719	曾侯乙編鐘中一・三	曾侯乙乍寺（時），少商，羽曾，
M720	曾侯乙編鐘中一・四	曾侯乙乍時（時），少羽，宮反，
M721	曾侯乙編鐘中一・五	曾侯乙乍寺（時），下角，徵反，
M722	曾侯乙編鐘中一・六	曾侯乙乍寺（時），商、羽曾，
M723	曾侯乙編鐘中一・七	曾侯乙乍寺（時），宮、徵曾，
M724	曾侯乙編鐘中一・八	曾侯乙乍時，羽、羽角，
M725	曾侯乙編鐘中一・九	曾侯乙乍時，徵、徵角，
M726	曾侯乙編鐘中一・十	曾侯乙乍時，宮角、宮曾，
M727	曾侯乙編鐘中一・十一	曾侯乙乍時，商、羽曾，
M728	曾侯乙編鐘中二・一	曾侯乙乍寺（時），羽、宮反，
M729	曾侯乙編鐘中二・二	曾侯乙乍時，角反，徵反，割肄之䟿，
M730	曾侯乙編鐘中二・三	曾侯乙乍時，少商，羽曾，坪皇之巽反，
M731	曾侯乙編鐘中二・四	曾侯乙乍時，少羽，宮反，
M732	曾侯乙編鐘中二・五	曾侯乙乍時，下角，徵反，
M733	曾侯乙編鐘中二・六	曾侯乙乍時，商、羽曾，
M734	曾侯乙編鐘中二・七	曾侯乙乍寺（時），宮、徵曾，
M735	曾侯乙編鐘中二・八	曾侯乙乍時，羽、羽角，
M736	曾侯乙編鐘中二・九	曾侯乙乍時，徵、徵角，
M737	曾侯乙編鐘中二・十	曾侯乙乍時，宮角、徵，
M738	曾侯乙編鐘中二・十一	曾侯乙乍寺（時），商角、商，
M739	曾侯乙編鐘中二・十二	曾侯乙乍寺（時），商、羽曾，
M740	曾侯乙編鐘中三・一	曾侯乙乍時，羽、宮，
M741	曾侯乙編鐘中三・二	曾侯乙乍時，商角、商曾，
M742	曾侯乙編鐘中三・三	曾侯乙乍時，宮角、徵，
M743	曾侯乙編鐘中三・四	曾侯乙乍時，商、羽徵，
M744	曾侯乙編鐘中三・五	曾侯乙乍時，羽、宮，
M745	曾侯乙編鐘中三・六	曾侯乙乍時，商角、徵，
M746	曾侯乙編鐘中三・七	曾侯乙乍時，商、羽徵，
M747	曾侯乙編鐘中三・八	曾侯乙乍時，宮、徵曾，

乙 亂

	M748	曾侯乙編鐘中三・九	曾侯乙乍寺（時），羽、羽角，
	M749	曾侯乙編鐘中三・十	曾侯乙乍時，徵、徵角，
	M792	宋公䜌簠	有殷天乙唐孫宋公䜌
			小計：共 685 筆
亂	2360	0656𤔔字重見	

2361

2730	𢾊毀	休、亡尤
2854	禁毀	王乎史尤冊令禁
4892	麥尊	侯見于周、亡尤
4892	麥尊	唯歸、遟天子休、告亡尤

小計：共　4 筆

2362

0176	亞丙鼎	[亞丙]
0360	㒸父丙鼎	[㒸]父丙
0361	黽父丙鼎	[黽]父丙
0362	弔父丙鼎	[弔]父丙
0363	犬父丙鼎	[犬]父丙
0363.	__父丙鼎	[f7]父丙
0535	亞䣓父丙方鼎	[亞䣓]父丙
0756	疋弓𢼸乍父丙鼎	[疋弓]𢼸乍父丙
1172	征人乍父丁鼎	丙午天君鄉Gz酉才斤
1219	戍嗣子鼎	丙午、王賞戍學貝廿朋
1273	師湯父鼎	隹十又二月初吉丙午
1308	白晨鼎	隹王八月辰才丙午
1666	迺乍旅甗	隹六月既死霸丙寅
1865	木父丙毀	[木]父丙
2117	弔黽乍父丙毀一	[弔黽]乍父丙
2118	弔黽乍父丙毀二	[弔黽]乍父丙
2588	毛关毀	隹大月初吉丙申
2681	𨛭侯毀	隹五年正月丙午
2687	敔毀	用乍文考父丙𩰫彝
2722	𨩮弔乍豐姞旅毀	唯王五月辰才丙戌
2726	㽙毀	隹元年三月丙寅
2982.	甲午匿	隹甲午八月丙寅
3121.	義子𥁰	囚義子丙囚盧考□
3359	丙爵	[丙]
3440	父丙爵	父丙
3509	㒸丙爵	[㒸]丙
3510	亞丙爵	[亞]丙
3731	㒸且丙爵	[㒸]且丙
3732	鍪且丙爵	[鍪]且丙
3733	卯且丙爵	[卯]且丙
3795	鼎父乙爵	[鼎]父丙
3797	魚父丙爵	[魚]父丙
3798	重父丙爵	[重]父丙
3799	𩰫父丙爵	[𩰫]父丙
3977.	乍父丙爵	乍父丙
4061	丙丁且丁爵	丙丁且丁
4103	𩰫母丙逐爵	母丙[逐𩰫]
4125	亞䣓父丙爵	[亞䣓]父丙
4132	丙且丁父乙爵	[丙]且丁父乙

4140	膚父丙𨰻爵	父丙[膚𨰻]
4241	箙亞_乍父癸角	丙申王易箙亞Jb奚貝、才㝱
4516	父丙尊	父丙
4638	爵且丙尊	爵且丙
4718	戈囗乍父丙尊	戈乍父丙彝
4872	古白尊	丙日隹母入于公
4891	何尊	才四月丙戌
5059	𢦔丙卣	[𢦔丙]
5136	析父丙卣	[析]父丙
5226	牧父丙卣	[牧]父丙
5440	_白日_乍父丙卣	ha白日m4乍父丙寶尊彝
5453	_卣	丙寅王易_貝朋
5487	靜卣	隹四月初吉丙寅
5488	靜卣二	隹四月初吉丙寅
5491	亞獏二祀切其卣	丙辰、王令切其兄wG于夆田
5491	亞獏二祀切其卣	才正月遘于匕丙肜日大乙爽
5492	亞獏四祀切其卣	遘乙豈日丙午、才㽙
5509	㚔卣	高對乍父丙寶尊彝
5538	亞_罍	[亞車丙ㄗ]
5698	鬼乍父丙壺	鬼乍父丙寶壺[ei]
5763	殷句壺	用典甫丙
6135	子父丙觚	[子]父丙
6195	𢦏且丙觚	[𢦏]且丙
6209	史父丙觚	[史]父丙
6411	安且丙觶	[安]且丙
6412	嫯且丙觶	[嫯]且丙
6448	子父丙觶	[子]父丙
6449	重父丙觶	[重]父丙
6450	戈父丙觶一	[戈]父丙
6451	戈父丙觶二	[戈]父丙
6452	般父丙觶	[般]父丙
6453	乍父丙觶	乍父丙
6455	𠬝父丙觶	[𠬝]父丙
6565	𢦔㞢父丙觶	[𢦔㞢]父丙
6597	盧父丁乍丙觶	盧父丁乍丙
6610	乍父丙觶	乍父丙尊彝
7556	大兄日乙戈	兄日丙
7867.	龍_	以命攻(工)尹穆㐁(丙)
7871	子禾子釜一	稷月丙午

小計：共 78 筆

丁 2363

0032	丁鼎	[丁]
0175	亞而丁鼎	[亞而丁]
0197	父丁鼎一	父丁
0198	父丁鼎二	父丁
0239	弔丁鼎	[弔]丁
0240	丁䍙鼎	丁[䍙]

0250	丁大鼎	丁[大]
0330	嬰且丁鼎	[嬰]且丁
0349	刲父丁方鼎	[刲]父丁
0358	乙丁車鼎	乙丁[車]
0364	此父丁鼎	[此]父丁
0365	[illegible]父丁鼎一	[[illegible]]父丁
0366	[illegible]父丁鼎二	[[illegible]]父丁
0367	魚父丁鼎	[魚]父丁
0368	[illegible]父丁鼎	[[illegible]]父丁
0369	黽父丁鼎一	[黽]父丁
0370	黽父丁鼎二	[黽]父丁
0371	[illegible]父丁鼎	[衛]父丁
0372	弔父丁鼎二	[弔]父丁
0373	弔父丁鼎一	[弔]父丁
0374	弔父丁鼎三	[弔]父丁
0375	[illegible]父丁鼎一	[[illegible]]父丁
0376	[illegible]父丁鼎二	[[illegible]]父丁
0377	[illegible]父丁鼎三	[[illegible]]父丁
0378	般父丁鼎	[般]父丁
0379	會父丁鼎	[會]父丁
0380	嬰父丁鼎	[嬰]父丁
0381	[illegible]父丁鼎	[[illegible]]父丁
0382	戈父丁鼎	[戈]父丁
0383	天黽父丁鼎	[天黽]父丁
0384	旬父丁鼎	[旬]父丁
0385	奬父丁鼎一	[奬]父丁
0386	奬父丁鼎二	[奬]父丁
0453	畄母丁鼎	[畄]母丁
0536	亞醜父丁方鼎一	[亞醜]父丁
0537	亞醜父丁方鼎二	[亞醜]父丁
0538	亞醜父丁方鼎三	[亞醜]父丁
0539	田豕父丁鼎	[田豕]父丁
0540	亞旋父丁鼎	[亞旋]父丁
0552	且丁癸□鼎	且丁癸□
0564	寧母父丁鼎	寧母父丁
0565	臤父丁鑊鼎	[臤]父丁鑊
0566	子羊父丁鼎	[子羊]父丁
0567	亞獏父丁鼎一	[亞獏]父丁
0568	亞獏父丁鼎二	[亞獏]父丁
0569	亞獏父丁鼎三	[亞獏]父丁
0570	亞獏父丁鼎四	[亞獏]父丁
0571	亞獏父丁鼎五	[亞獏]父丁
0572	亞夔父丁鼎	[亞夔]父丁
0573	天豕父丁鼎	[豙]父丁
0578	亞酉父丁鼎	[亞酉]父丁
0654	__父丁冊方鼎	[bc]父丁冊
0676	弓[illegible]父丁方鼎	[[illegible]]父丁
0678	宰襛宣寶父丁鼎	宰襛宣父丁
0752	__乍且丁鼎	kL乍且丁盟彝
0757	歸乍父丁鼎	歸乍父丁寶鼎

丁

0758	田闓妍父丁鼎	[田cc]父丁
0761	鬻章乍父丁鼎	鬻章乍父丁彝
0843	__乍父丁鼎	亞__乍父丁寶尊
0861	亞受丁旂若癸鼎	[亞受丁旂若癸止乙自乙]
0862	亞受丁旂若癸鼎二	[亞受丁旂若癸止乙自乙]
0887	弍乍且丁鼎	弍乍且丁尊彝永寶
0888	咸妹早乍且丁鼎	咸敹乍且丁尊彝
0892	歐㚒弜乍文父丁鼎	弜乍文父丁[㚒歐鑊]
0922	㙯婦方鼎	[cm]己且丁父癸㙯婦尊
0923	戚箙束乍父丁鼎	束乍父丁寶鼎[戚箙]
0924	䶂奪乍父丁鼎一	奪乍父丁寶尊彝[䶂]
0936	天黿剌㵒乍丁侯鼎	剌㵒乍丁侯尊彝[天黽]
0950	羊甚諆臧鼎	甚諆臧聿乍父丁尊彝[羊]
1006	鐈鼎	□□□□吉丁亥
1011	蒿乍父丁鼎	丁卯、尹商蒿貝三朋
1011	彥乍父丁鼎	用乍父丁尊彝
1032	𦥑乍父丁鼎	乙__□□__貝□用乍父丁彝、才六月
1101	亞受乍父丁方鼎	用乍父丁尊[亞受]
1117	豐乍父丁鼎	丁亥、豐用乍父乙齍彝[亞啚]
1134	㶊侯鼎	隹正月初吉丁亥
1135	獻侯乍丁侯鼎	用乍丁侯尊彝[天黽]
1136	獻侯乍丁侯鼎二	用乍丁侯尊彝[天黽]
1139	寓鼎	隹二月既生霸丁丑
1166	茲太子鼎	隹九月之初吉丁亥
1172	征人乍父丁鼎	用乍父丁尊彝[天黽]
1192	亞□伐__乍父乙鼎	丁卯、王令宜子迨西方
1193	新邑鼎	__旬又四日丁卯
1200	散白車父鼎一	隹王四年八月初吉丁亥
1201	桝白車父鼎二	唯王四月八月初吉丁亥
1202	桝白車父鼎三	唯王四年八月初吉丁亥
1203	桝白車父鼎四	唯王四年八月初吉丁亥
1208	乙亥乍父丁方鼎	用乍父丁彝
1209	㱿方鼎	[亞㠱侯矣]丁亥
1211	庚兒鼎一	隹正月初吉丁亥
1212	庚兒鼎二	隹正月初吉丁亥
1224	王子吳鼎	隹正月初吉丁亥
1241	蔡大師䑗鼎	隹正月初吉丁亥
1243	仲__父鼎	唯王五月初吉丁亥
1248	庚嬴鼎	丁子、王蔑庚嬴曆
1255	作冊大鼎一	用乍且丁寶尊彝[鳥冊]
1256	作冊大鼎二	用乍且丁寶尊彝[鳥冊]
1257	作冊大鼎三	用乍且丁寶尊彝[鳥冊]
1258	作冊大鼎四	用乍且丁寶尊彝[鳥冊]
1260	我方鼎	隹十月又一月丁亥
1261	我方鼎二	隹十月又一月丁亥
1272	剌鼎	辰才丁卯
1281	史頌鼎一	隹三年五月丁子(巳)
1282	史頌鼎二	隹三年五月丁子(巳)
1290	利鼎	唯王九月丁亥
1298	師旂鼎	唯三月丁卯

丁

1301	大鼎一	隹十又五年三月既霸丁亥
1302	大鼎二	隹十又五年三月既霸丁亥
1303	大鼎三	隹十又五年三月既霸丁亥
1304	王子午鼎	隹正月初吉丁亥
1310	鬲攸從鼎	从乍朕皇且丁公皇考叀公尊鼎
1315	善鼎	唯十又一月初吉辰才丁亥
1323	師訊鼎	唯王八祀正月辰才丁卯
1326	多友鼎	丁酉、武公在獻宮
1330	曶鼎	隹王四月既生霸、辰才丁酉
1343	父丁鬲	父丁
1349	弔父丁鬲	[弔弔]父丁
1350	獎父丁鬲	[獎]父丁
1353	歺父丁鬲	[歺]父丁
1363	冉尖父丁鬲	[冉尖]父丁
1364	匕系父丁鬲	[匕系]父丁
1407	亞從父丁鬲	亞从父丁[鳥宁]
1408	苟鬲	苟乍父丁尊齍
1447	弔鼐鬲	弔鼐乍己白父丁寶尊彝
1504	奠師□父鬲	隹五月初吉丁酉
1570	且丁旅甗	且丁[旅]
1575	亥亞父丁甗	[亥亞]父丁
1590	__父丁甗	[__]父丁
1591	亞毆父丁甗	[亞毆]父丁
1638	獎__夫乍且丁甗	Ln夫乍且丁[獎]
1665	王孫壽甗	隹正月初吉丁亥
1667	陳公子弔邍父甗	隹九月初吉丁亥
1769	䍜殷	[䍜戈丁]
1793	父丁殷一	父丁
1794	父丁殷二	父丁
1803	冉丁殷	[冉]丁
1804	㑭丁殷	[㑭]丁
1845	示且丁殷	[示]且丁
1846	門且丁殷	[門]且丁
1847	嬰且丁殷	[嬰]且丁
1866	戈父丁殷一	[戈]父丁
1867	戈父丁殷二	[戈]父丁
1868	戈父丁殷三	[戈]父丁
1869	子父丁殷	[子]父丁
1871	鍪父丁殷一	[鍪]父丁
1872	鍪父丁殷二	[鍪]父丁
1873	鍪父丁殷三	[鍪]父丁
1874	帆父丁殷	[帆]父丁
1875	爻父丁殷	[爻]父丁
1876	醗父丁殷	[醗]父丁
1877	獎父丁殷一	[獎]父丁
1878	獎父丁殷二	[獎]父丁
1879	獎父丁殷三	[獎]父丁
1918	保父丁殷	[保]父丁
1919	戈父丁殷	[戈]父丁
1949	鍪父丁殷	[鍪]父丁

丁

1950	丁箙冐箙父乙𣪘	[丁箙冐箙]父乙
1952	父丁𡩜𣪘	父丁[𡩜]
1963	父丁口𣪘	父丁_
1965	戈母丁𣪘	[戈]母丁
1976.	矢宁𣪘	[矢宁]父丁
1977	亞雝父丁𣪘	[亞雝]父丁
1978	亞橐父丁𣪘	[亞橐]父丁
1979	弔弔父丁𣪘一	[弔弔]父丁
1980	弔弔父丁𣪘二	[弔弔]父丁
1987	且癸父丁	且癸父丁
1996	天黽父丁𣪘	[天黽]父丁
1997	𩁹竹父丁𣪘	[𩁹竹]父丁
1998	田告父丁𣪘	[田告]父丁
1999	𧧒乍父丁𣪘	[𧧒]乍父丁
2000	安夏父丁𣪘	[安夏]父丁
2001	子𢇛父丁𣪘	子𢇛父丁
2008	女康丁_𣪘	母庚丁[eb]
2077	𠕁雞父丁𣪘	[𠕁雞]父丁
2078	𩜊羊父丁𣪘	[𩜊羊]父丁
2086	_乍父丁𣪘	乍父丁[co]
2138	冊亳戈父丁𣪘	[戈亳冊]父丁
2160	朙豕父丁𩰫𣪘	[cc]父丁
2161	乍父丁寶旅𣪘	乍父丁寶旅彝
2162	畬乍父丁旅𣪘	畬乍父丁旅彝
2238	魚家𣪘	魚家乍丁父庚彝
2242	牢豕乍父丁𩞁𣪘	牢豕乍父丁𩞁彝
2243	_休乍父丁寶𣪘	休乍父丁寶𣪘[cq]
2256	弔乍父丁𣪘	弔乍父丁寶尊彝
2272	𥁰乍且丁寶𣪘	𥁰乍且丁寶𩰫彝
2279	牧共乍父丁食𣪘	牧共乍父丁to食𣪘
2281	亞受丁旋若癸𣪘	[亞若癸自乙受丁旋乙]
2284	___乍父丁寶𣪘一	co乍父丁寶尊彝
2285	___乍父丁寶𣪘二	co乍父丁寶尊彝
2286	___乍父丁寶𣪘三	co乍父丁寶尊彝
2316	宔父丁𣪘	宔父丁尊彝[cc]
2331	榊冊_乍丁癸𣪘	vovp乍丁癸尊彝[榊冊]
2388	大保乍父丁𣪘	用乍父丁尊彝
2409	𡚬父丁𣪘	𡚬用乍父丁尊彝
2453	亞𤔲乍且丁𣪘	章用乍且丁彝
2477	𦰩父丁𣪘	𦰩乍父丁寶尊𣪘
2512	乙自乍歆𩰫	十月丁亥、乙自乍飤𩰫
2515	小子𣪘乍父丁𣪘	用乍父丁尊𣪘[𢍰]
2524	仲幾文𣪘	用𠦪賓、乍丁寶𣪘
2546	聖𣪘	用乍大子丁[𩕢]
2567.	戊寅𣪘	用乍父丁寶尊彝
2606	昜_乍父丁𣪘一	對𠦪休、用乍父丁尊彝
2607	昜_乍父丁𣪘二	用乍父丁尊彝
2621	雁侯𣪘	隹正月初吉丁亥
2627	伊𣪘	用乍父丁尊彝
2632	陳逆𣪘	冰月丁亥

2646	仲辛父殷	中辛父乍朕皇且日丁
2653	黻殷	佳八月初吉丁亥
2654	獎乍文父丁殷	□□用乍文父丁尊彝
2655	小臣靜殷	用乍父丁寶尊彝
2668	散季殷	佳王四年八月初吉丁亥
2687	敔殷	佳四月初吉丁亥
2688	大殷	唯六月初吉丁巳
2693	䍐殷	丁卯
2698	陳䝼殷	佳王五月元日丁亥
2705	君夫殷	用乍文父丁䵼彝
2710	肄自乍寶器一	唯十又二月既生霸丁亥
2711	肄自乍寶器二	唯十又二月既生霸丁亥
2711.	乍冊般殷	用乍父丁寶尊彝
2723	沓殷	佳四月初吉丁卯
2725.	䊗星殷	佳一月既望丁亥
2737	段殷	唯王十又四祀十又一月丁卯
2738	衛殷	佳八月初吉丁亥
2752	史頌殷一	佳三年五月丁已
2753	史頌殷二	佳三年五月丁已
2754	史頌殷三	佳三年五月丁已
2755	史頌殷四	佳三年五月丁已
2756	史頌殷五	佳三年五月丁已
2757	史頌殷六	佳三年五月丁已
2758	史頌殷七	佳三年五月丁已
2759	史頌殷八	佳三年五月丁已
2759	史頌殷九	佳三年五月丁已
2766	三兒殷	佳王二年□月初吉丁巳
2768	楚殷	仕正月初吉丁亥
2777	天亡殷	丁丑、王鄉大宜、王降
2784	申殷	佳正月初吉丁卯
2788	靜殷	丁卯、王令靜司射學宮
2789	同殷一	佳十又二月初吉丁丑
2790	同殷二	佳十又二月初吉丁丑
2800	伊殷	佳王廿又七年正月既望丁亥
2807	鄏殷一	丁亥、王各于宣廟
2808	鄏殷二	丁亥、王各于宣廟
2809	鄏殷三	丁亥、王各于宣廟
2812	大殷一	佳十又二年三月既生霸丁亥
2813	大殷二	佳十又二年三月既生霸丁亥
2814	鳥冊夨令殷一	佳九月既死霸丁丑
2814	鳥冊夨令殷一	公尹白丁父兄(貺)于戍
2814	鳥冊夨令殷·	令敢揚皇王宣、丁公文報
2814	鳥冊夨令殷一	佳丁公報
2814	鳥冊夨令殷一	用作丁公寶殷
2814.	夨令殷二	佳九月既死霸丁丑
2814.	夨令殷二	公尹白丁父兄(貺)于戍
2814.	夨令殷二	令敢揚皇王宣、丁公文報
2814.	夨令殷二	佳丁公報
2814.	夨令殷二	用作丁公寶殷
2815	師𣪘殷	佳王元年正月初吉丁亥

丁

2817	師𩕢𣪕	隹王元年九月既望丁亥
2828	宜侯夨𣪕	隹四月辰才丁未
2828	宜侯夨𣪕	乍虞公父丁尊彝
2830	三年師兌𣪕	隹三年二月初吉丁亥
2838	師𠭰𣪕一	隹十又一年九月初吉丁亥
2838	師𠭰𣪕一	隹十又一年九月初吉丁亥
2839	師𠭰𣪕二	隹十又一年九月初吉丁亥
2839	師𠭰𣪕二	隹十又一年九月初吉丁亥
2842	卯𣪕	隹王十又一月既生霸丁亥
2854	蔡𣪕	隹元年既望丁亥
2946	曾子□𠤳	隹正月初吉丁亥
2961	敶侯乍媵𠤳一	隹正月初吉丁亥
2962	敶侯乍媵𠤳二	隹正月初吉丁亥
2963	陳侯𠤳	隹正月初吉丁亥
2967	敶侯乍孟姜朕𠤳	隹正月初吉丁亥
2970	考弔𢼸父尊𠤳一	隹正月初吉丁亥
2971	考弔𢼸父尊𠤳二	隹正月初吉丁亥
2973	楚屈子𠤳	隹正月初吉丁亥
2974	上鄀府𠤳	隹正六月初吉丁亥
2975	鄦子妝𠤳	隹正月初吉丁亥
2976	𥁕公𠤳	隹王正月初吉丁亥
2977	□孫弔左𨎮𠤳	隹正月初吉丁亥
2978	樂子敬豧臥𠤳	隹正月初吉丁亥
2982	長子□臣乍媵𠤳	隹正月初吉丁亥
2982	長子□臣乍媵𠤳	隹正月初吉丁亥
2985	陳逆𠤳一	隹王正月初吉丁亥
2985.	陳逆𠤳二	隹王正月初吉丁亥
2985.	陳逆𠤳三	隹王正月初吉丁亥
2985.	陳逆𠤳四	隹王正月初吉丁亥
2985.	陳逆𠤳五	隹王正月初吉丁亥
2985.	陳逆𠤳六	隹王正月初吉丁亥
2985.	陳逆𠤳七	隹王正月初吉丁亥
2985.	陳逆𠤳八	隹王正月初吉丁亥
2985.	陳逆𠤳九	隹王正月初吉丁亥
2985.	陳逆𠤳十	隹王正月初吉丁亥
3077	弔專父乍奠季盨一	六月初吉丁亥
3078	弔專父乍奠季盨二	六月初吉丁亥
3079	弔專父乍奠季盨三	六月初吉丁亥
3080	弔專父乍奠季盨四	六月初吉丁亥
3087	鬲从盨	鬲比乍朕皇且丁公、 文考惠公盨
3103	車雞父丁豆	[車雞]父丁
3121.	大宰歸父鑪	隹王八月丁亥
3400	亞屰爵	[亞屰]父丁
3411	且丁爵	且丁
3441	父丁爵一	父丁
3442	父丁爵二	父丁
3443	父丁爵三	父丁
3444	父丁爵四	父丁
3445	父丁爵五	父丁
3446	父丁爵六	父丁

3447	父丁爵七	父丁
3448	父丁爵八	父丁
3449	父丁爵九	父丁
3450	父丁爵十	父丁
3451	父丁爵十一	父丁
3452	父丁爵十二	父丁
3453	父丁爵十三	父丁
3454	父丁爵十四	父丁
3455	父丁爵十五	父丁
3512	山丁爵	[山]丁
3513	丁羞爵	丁[羞]
3514	丁冉爵	丁[冉]
3578	丁羌爵	[丁羌]
3602	飲爵	[飲丁]
3621	丁冉先爵一	丁[冉]先
3622	丁冉先爵二	丁[冉]先
3653	丁□爵	丁□
3692	丁共爵	[丁共]
3692.	囝爵	報丁
3704	偰丁爵	[偰丁]
3734	車且丁爵	[車]且丁
3735	亞且丁爵	[亞]且丁
3736	㫃且丁爵	且丁[㫃]
3737	山且丁爵	[山]且丁
3738	嬰且丁爵	[嬰]且丁
3738.	旻且丁爵	[旻]且丁
3800	子父丁爵	[子]父丁
3801	子八父丁爵	[子八]父丁
3802	欠父丁爵	[欠]父丁
3803	ㄗ父丁爵	[ㄗ]父丁
3804	魚父丁爵一	[魚]父丁
3805	魚父丁爵二	[魚]父丁
3806	豢父丁爵	父丁[豢]
3807	皀父丁爵	[皀]父丁
3808	皀父丁爵	[皀]父丁
3809	戔父丁爵	[戔]父丁
3810	屠豕形父丁爵	[攸豕]父丁
3811	般父丁爵	[般]父丁
3812	禾父丁爵	[禾]父丁
3813	癸父丁爵一	[戣]父丁
3814	癸父丁爵二	[戣]父丁
3815	皿父丁爵	[皿]父丁
3816	知父丁爵	[知]父丁
3817	冉父丁爵一	[冉]父丁
3818	冉父丁爵二	[冉]父丁
3819	冉父丁爵三	[冉]父丁
3820	冉父丁爵四	[冉]父丁
3821	冉父丁爵五	[冉]父丁
3822	父丁冉爵六	父丁[冉]
3823	__父丁爵	[射__]父丁

丁

丁

3824	__父丁爵	[fy]父丁
3825	__父丁爵	[e7]父丁
3826	啚父丁爵	[啚]父丁
3827	車父丁爵	[車]父丁
3828	曲父丁爵	[曲]父丁
3829	安父丁爵	[安]父丁
3830	旅父丁爵	[旅]父丁
3831	木父丁爵一	[木]父丁
3832	木父丁爵二	[木]父丁
3833	__父丁爵	[dq]父丁
3834	__父丁爵	[__]父丁
3835	鍪父丁爵	[鍪]父丁
3836	乜父丁爵一	[乜]父丁
3837	乜父丁爵二	[乜]父丁
3838	乜父丁爵三	[乜]父丁
3839	鍪父丁爵一	[鍪]父丁
3840	鍪父丁爵二	[鍪]父丁
3841	__父丁爵	[__]父丁
3842	__父丁爵	[df]父丁
3843	__父丁爵	[bb]父丁
3843.	啚奴父丁爵	[啚奴]父丁
3881	丁父己爵	[丁]父己
3977	嗣工丁爵	嗣工丁
3977.	丁大中爵	丁[大中]
4003	戈父丁爵	[戈]父丁
4016	亞__爵	[亞ca]丁
4018	__丁乙爵	[ec]丁乙
4021	爻父丁爵	[爻]父丁
4024	龜父丁爵	[龜]父丁
4025	茀父丁爵	[茀]父丁
4025.	旅父丁爵	[旅]父丁
4025.	口父丁爵	[口]父丁
4046	好父丁爵	父丁[好]
4050	亞覃父丁爵	[亞覃]父丁
4061	丙丁且丁爵	丙丁且丁
4074	廣冊父丁爵	[廣冊]父丁
4075	__亘父丁爵	父丁[em亘]
4076	柬冊父丁爵	[柬冊]父丁
4077	弓𩫏父丁爵	父丁[彊]
4078	父丁困冊爵	父丁[困冊]
4079	亞獏父丁爵	[亞獏]父丁
4084	畁冊父己爵	[冊]丁[畁][守冊]父己
4106	子工父丁爵	子工父丁
4106.	己夭父丁爵	己夭父丁
4116	王冊父丁爵	[王冊]父丁
4120	舌乍妣丁爵一	[舌]乍妣丁
4121	舌乍妣丁爵二	[舌]乍妣丁
4121.	舌乍婦丁爵	[舌]乍婦丁
4124	天豕父丁爵	父丁[天豕]
4126	瘨乍父丁爵一	瘨乍父丁

4127	癲乍父丁爵二	癲乍父丁
4132	丙且丁父乙爵	[丙]且丁父乙
4139	羊馬__父丁爵	[羊馬de]父丁
4141	戋乍父丁寶爵	戋乍父丁寶
4169	乍甫丁爵	乍甫丁寶尊彝
4170	__乍且丁爵	wk乍且丁寶彝
4189	癲乍父丁爵	癲乍父丁乍尊彝
4191.	父丁爵	乍父丁寶尊彝[天ab]
4194	冊壺/乍父丁爵	乍父丁尊彝[冊壺(衛)]
4197.	相爵	相乍父丁彝
4203	御正良爵	隹四月既望丁亥
4208	父丁角	父丁
4223	亞弜父丁角一	[亞弜]父丁
4224	亞弜父丁角二	[亞弜]父丁
4225	亞施父丁角	父丁[亞施]
4226	__丁且乙角	__丁且乙
4233	嚣父丁角	[嚣]父丁
4234	亞共__父丁角	[亞共__]父丁
4240	亞未乍父辛角	丁未夙商征貝
4242	膺冊宰椃乍父丁角	用乍父丁尊彝
4307	顯且丁斝	[顯]且丁
4308	爻且丁斝	[爻]且丁
4308.	冊且丁斝	[冊]且丁
4325	亞獏父丁斝	[亞獏]父丁
4327	亞弜父丁斝	[亞弜]父丁
4331	__斝	__亞丁匜
4335	耕闢乍父丁斝	[耕]闢乍父丁
4336	宁狽乍父丁斝	[宁狽]乍父丁彝
4344	嘉仲父斝	隹元年正月初吉丁亥
4374	嬰父丁盉	[嬰]父丁
4377	舟父丁盉	[舟]父丁
4378	婷父丁盉	[婷]父丁
4378.	㠯父丁盉	㠯父丁
4379	父丁子盉	父丁[子]
4379	父丁子盉	丁父[子]
4379.	奘父丁盉	[奘]父丁
4380	亞醜父丁方盉	[亞醜]父丁
4403	亞鳥宁从父丁盉	[亞鳥宁dc]父丁
4415	戈__乍父丁盉	[戈]pc乍父丁彝
4416	戉中乍父丁盉	中乍彝父丁[戉]
4416	戉中乍父丁盉	中乍父丁彝
4448	長由盉	隹三月初吉丁亥
4525	舟丁尊	[舟丁]
4526	丁舟尊	[丁舟]
4558	𢦏且丁尊	[𢦏]且丁
4560	舟且丁尊	[舟]且丁
4561	__且丁尊	[cv]且丁
4565	舟父丁尊	[舟]父丁
4572	山父丁尊	[山]父丁
4576	壴父丁尊	[壴]父丁

丁

4577	衛父丁尊	[衛]父丁
4580	皐父丁尊	[皐]父丁
4581	母父丁尊一	[母]父丁
4582	母父丁尊二	[母]父丁
4583	尹父丁尊	[尹]父丁
4584	鍪父丁尊一	[鍪]父丁
4585	㸚父丁尊一	[㸚]父丁
4586	㸚父丁尊二	[㸚]父丁
4587	父丁會尊	父丁[會]
4588	嬰兄丁尊	[嬰]兄丁
4646	亞醜父丁尊	[亞醜]父丁
4648	天豕父丁尊	[豩]父丁
4650	__受且丁尊	[du受]且丁
4657	亞獏父丁尊一	[亞獏]父丁
4658	㸚文父丁尊一	[㸚]文父丁
4695	女子匕丁尊	[母子]匕丁
4699	乍且丁尊	乍且丁尊彝
4703	永乍旅父丁尊	永乍旅父丁
4726	商乍父丁吾尊	商乍父丁吾尊
4728	畓乍父丁旅尊	畓乍父丁旅彝
4729	乍父丁尊	乍父丁寶彝[兕]
4730	乍父丁尊	乍父丁寶彝尊
4760	亞耳乍且丁尊	亞耳乍且丁尊彝
4766	乍父丁尊	乍父丁[鱗]寶尊彝
4767	乍父丁尊	乍父丁寶尊彝[鱗]
4768	戈車乍父己尊	戈車乍父丁寶尊彝
4769	逆乍父丁尊	逆乍父丁寶尊彝
4770	□子乍父丁尊	□子乍父丁尊彝
4771	乍父丁尊	乍父丁寶尊彝[aw]
4772	㸚稚乍乍父丁尊	[㸚]稚乍父丁尊彝
4774	鼬乍文父日丁尊	鼬乍文父日丁[㸚]
4789	亞受丁旃若癸尊一	[亞受旅丁乙止若自癸乙]
4813	周__旁乍父丁尊	[周uG]旁乍父丁宗寶彝
4828	__姦乍父丁尊一	王占攸田㪤乍父丁尊[qw]
4829	__姦乍父丁尊二	王占攸田㪤乍父丁尊[qw]
4829	__姦乍父丁尊二	王占攸田㪤乍父丁尊[qw]
4839	史喪尊	事喪乍丁公寶彝
4859	戉箙啟尊	乍且丁旅寶彝
4861	㗊士卿尊	丁巳、王才新邑初wa
4866	小臣艅尊	丁巳、王省夔且
4869	次尊	隹二月初吉丁卯
4870	㸚商尊	隹五月辰才丁亥
4870	㸚商尊	用乍文辟日丁寶尊彝[㸚]
4880	免尊	王才奠、丁亥
4882	匡乍文考日丁尊	用乍文考日丁寶彝
4884	敃尊	隹十又三月既生霸丁卯
4893	矢令尊	丁亥、令夨告于周公宮
4893	矢令尊	用乍父丁寶尊彝、敢追明公賞于父丁[鳥冊]
4911	㸚文父丁觥	[㸚]文父丁
4913	__乍父丁觥	h7乍父丁寶彝

4925	㪣仲子引觥	中子㬎引乍文父丁尊彝[鑊]
4952	鸞父丁方彝	[鸞]父丁
4964	亞受丁旃若癸方彝	[亞受丁旃若癸]
4977	師遽方彝	隹正月既生霸丁酉
4978	吳方彝	隹二月初吉丁亥
4981	䲭冊令方彝	丁亥、令矢告于周公宮
4981	䲭冊令方彝	用乍父丁寶尊彝
4981	䲭冊令方彝	敢追明公賞于父丁
4981	䲭冊令方彝	用光父丁[䲭冊]
5050.	丁卣	[丁]
5062	丁犬卣	[丁犬]
5063	丁𠬪卣	丁[𠬪]
5064	丁丰卣	丁[丰]
5109	子且丁卣(蓋)	[子]且丁
5135	𨥷父丁卣	[𨥷]父丁
5137	史父丁卣	[史]父丁
5138	㚸父丁卣一	[㚸]父丁
5139	㚸父丁卣二	[㚸]父丁
5140	𧥵中中父丁卣	[𧥵中中]父丁
5141	鸞父丁卣	[鸞]父丁
5142	嬰兄丁卣一	[嬰]兄丁
5143	嬰兄丁卣二	[嬰]兄丁
5177	丁舟岦卣	丁[舟岦]
5179	秉毌丁卣	[秉毌]丁
5209	爻父丁卣	[爻]父丁
5216	串䲭父丁卣(蓋)	[串䲭]父丁
5232	舟岦父丁卣	[舟岦]父丁
5233	𠃬父丁卣	[𠃬]父丁
5234	立关父丁卣一	[立关]父丁
5235	立关父丁卣二	[立关]父丁
5236	獄父丁卣	[獄v5]父丁
5237	遄乍父丁卣	[遄]乍父丁
5238	舟亥父丁卣	[舟亥]父丁
5239	安夏父丁卣	[安夏]父丁[㔾]
5281	且丁父己卣	且丁父己
5282	舟岦父丁卣	[舟岦]父丁
5290	鳥乍旅父丁卣(蓋)	[鳥]乍旅父丁
5357	乍父丁寶旅彝卣	乍父丁寶旅彝
5365	亞㝠亞習竹父丁卣	[亞㝠亞習竹]父丁
5371	_乍且丁卣	h5乍且丁寶尊彝
5372	𥁰且丁父癸卣	[𥁰cm己]且丁父癸
5376	亞束無憂乍父丁卣	[亞束]無憂乍父丁彝
5377	車乍父丁卣	車乍父丁寶尊彝
5399	子_乍父丁卣	子_用乍父丁彝
5401	_乍父丁卣	[ep]乍父丁寶尊彝
5408	皀丞乍文父丁卣	皀丞乍文父丁尊彝[[illegible]]
5423	亞_中_乍父丁卣	va乍父丁尊彝[亞bt中]
5434	亞集𢍰乍文考父丁卣	亞集乍文老父丁寶尊彝
5443	亞㬎侯吴㚸卣	㚸易孝用乍且丁彝[亞㬎侯吴]
5447	王占卣	乍父丁尊[qw]

丁

5455	覷乍丁師卣	覷霝用乍丁師彝
5470	＿盂乍父丁卣	用乍父丁寶尊彝[fk]
5472	乍毓且丁卣	用乍毓且丁尊[卬]
5472	乍毓且丁卣	用乍毓且丁尊[卬]
5478	次卣	隹二月初吉丁卯
5479	㠱商乍文辟日丁卣	隹五月辰才丁亥
5479	㠱商乍文辟日丁卣	商用乍文辟日丁寶尊彝[㠱]
5485	貉子卣一	唯正月丁丑
5486	貉子卣二	唯正月丁丑
5489	戉箙啟卣	乍且丁寶旅尊彝
5491	亞獏二祀𠨘其卣	[亞獏父丁]
5491	亞獏二祀𠨘其卣	[亞獏父丁]
5492	亞獏四祀𠨘其卣	[亞獏父丁]
5492	亞獏四祀𠨘其卣	[亞獏父丁]
5492	亞獏四祀𠨘其卣	丁未、m8
5493	召乍＿宮旅卣	隹十又二月初吉丁卯
5500	免卣	隹六月初吉、王才鄭、丁亥
5531	丁癸罍	丁癸
5543	鍪父丁罍	[鍪]父丁
5545	驎父丁罍	[驎]父丁
5556	亞高孜父丁罍	[亞高養]父丁
5559	亞光父丁瞀竹罍	父丁[瞀(孤)竹亞光]
5560	舟乍父丁方罍	[舟]乍父丁妻盟
5563	再乍日父丁罍	[再]乍日父丁尊彝
5573	旌＿己且丁方罍	[亞旌]且丁cm己父癸
5577	＿㚒乍父丁罍	王占攸田㪿乍父丁尊[qw]
5583	不白夏子罍一	隹正月初吉丁亥
5584	不白夏子罍二	隹正月初吉丁亥
5597	次瓿	隹二月初吉丁卯
5634	弔父丁壺	[弔]父丁
5655	＿＿父丁壺	[eqcr]父丁
5660	𦉢竹父丁壺	[𦉢竹]父丁
5699	𦛔奪乍父丁壺	奪乍父丁寶尊彝[𦛔]
5785	史懋壺	用乍父丁寶壺
5796	三年瘨壺一	隹三年九月丁子
5797	三年瘨壺二	隹三年九月丁子
5798	曶壺	隹正月初吉丁亥
5804	齊侯壺	隹王正月初吉丁亥
5816.	伯亞臣鐳	隹正月初吉丁亥
5824	孟滕姬脂缶	隹正月初吉丁亥
5826	國差鑰	丁亥
6019	弔丁觚	[弔]丁
6124	戈且丁觚	[戈]且丁
6136	鳥父丁觚	[鳥]父丁
6137	山父丁觚一	[山]父丁
6138	山父丁觚二	[山]父丁
6139	木父丁觚	[木]父丁
6140	㠱父丁觚一	[㠱]父丁
6141	父丁魚觚	父丁[魚]
6142	奴父丁觚	[奴]父丁

6143	亯父丁觚	[亯]父丁
6144	文父丁觚	[文]父丁
6145	巴父丁觚	[巴]父丁
6206	爻父丁觚	[爻]父丁
6208	冉父丁觚	[冉]父丁
6211	且丁父乙觚	且丁父乙
6225	省乍父丁觚	[省]乍父丁
6226	奭乍父丁觚	[奭]乍父丁
6227	干父丁觚	[干建]父丁
6228	亞薦父丁觚	[亞薦]父丁
6229	亞敺父丁觚	[亞敺]父丁
6230	力冊父丁觚	[力冊]父丁
6231	亞酰父丁觚	[亞酰]父丁
6233	鍪__父丁觚	[鍪__]父丁
6250	天黿且丁觚	[天黽獸]且丁
6267	王子耶乍父丁觚	王子耶乍父丁彝
6279	亞受丁若癸觚一	亞受斿若癸丁乙止自乙
6280	亞受丁若癸觚二	亞受斿若癸丁乙止自乙
6345	且丁觶	且丁
6348	父丁觶一	父丁
6349	父丁觶二	父丁
6350	父丁觶三	父丁
6351	父丁觶四	父丁
6352	父丁觶五	父丁
6353	父丁觶六	父丁
6354	父丁觶七	父丁
6369	冉丁觶	[冉丁]
6370	丁母觶	丁母
6413	冉且丁觶	[冉]且丁
6414	戉且丁觶	[戉]且丁
6415	__且丁觶	__且丁
6454	子父丁觶	[子]父丁
6456	雔父丁觶	[雔]父丁
6457	__父丁觶	[cy]父丁
6458	㚔父丁觶	[㚔]父丁
6459	𠂤父丁觶	[𠂤]父丁
6460	舌父丁觶	[舌父丁]
6461	山父丁觶	[山]父丁
6463	史父丁觶	[史]父丁
6520	__兄丁觶	[du]兄丁
6535	爻父丁觶	[爻]父丁
6539	丫父丁觶	[丫]父丁
6561	告田父丁觶	[告田]父丁
6563	𢇛竹父丁觶一	[𢇛竹]父丁
6564	𢇛竹父丁觶二	[𢇛竹]父丁
6566	冉父丁觶	[冉] 冉父丁
6567	典弜父丁觶	[典弜]父丁
6568	亞父丁觶	[亞耒]父丁
6569	亞趄父丁觶	[亞趄]父丁
6595	雞步登父丁觶	[雞步登車]父丁

	6596	聯子乍父丁觶	[聯子]乍父丁
	6597	𠙵父丁乍丙觶	𠙵父丁乍丙
	6613	䀠豕冊冊父丁觶	[cc]父丁
丁	6614	句乍父丁觶	[句]乍父丁尊彝
	6624	亞_遽仲乍父丁觶	遽中乍父丁寶[亞bv]
	6634	郐王義楚祭耑	隹正月吉日丁酉
	6676	丁冎盤	丁[冎]
	6677	丁冎盤二	丁[冎]
	6682	艅舌盤	[丁艅舌]
	6697	冊冊豆父丁盤	[豆𠕋]父丁
	6713	亞㠱侯乍父丁盤	乍父丁寶旅彝[亞㠱侯]
	6768	齊大宰歸父盤一	隹王八月丁亥
	6769	齊大宰歸父盤二	隹王八月丁亥
	6775	_仲乍父丁盤	用乍父丁寶尊彝
	6777	邛仲之孫白戔盤	隹王月初吉丁亥
	6780	黃大子白克盤	隹王正月初吉丁亥
	6781	夆弔盤	隹王正月初吉丁亥
	6782	者尚余卑盤	隹王正月初吉丁亥
	6787	走馬休盤	用乍朕文考日丁尊般
	6790	虢季子白盤	隹十又二年正月初吉丁亥
	6797	父丁尊匜	父丁尊
	6871	陳子匜	隹正月初吉丁亥
	6876	夆弔乍季妃盥盤(匜)	隹王正月初吉丁亥
	6900	乍父丁盂	_乍父丁_盂
	6910	師永盂	隹十又二年初吉丁卯
	6921	鄧子仲盆	隹八月初吉丁亥
	6925	晉邦盦	隹王正月初吉丁亥
	7004	楚王領鐘	隹王正月初吉丁亥
	7016	楚王鐘	隹正月初吉丁亥
	7021	䖒鐘一	隹正月初吉丁亥
	7022	䖒鐘二	隹正月初吉丁亥
	7023	䖒鐘三	隹正月初吉丁亥
	7028	臧孫鐘	隹王正月初吉丁亥
	7029	臧孫鐘二	隹王正月初吉丁亥
	7030	臧孫鐘三	隹王正月初吉丁亥
	7031	臧孫鐘四	隹王正月初吉丁亥
	7032	臧孫鐘五	隹王正月初吉丁亥
	7033	臧孫鐘六	隹王正月初吉丁亥
	7034	臧孫鐘七	隹王正月初吉丁亥
	7035	臧孫鐘八	隹王正月初吉丁亥
	7036	臧孫鐘九	隹王正月初吉丁亥
	7051	子璋鐘一	隹正七月初吉丁亥
	7052	子璋鐘二	隹正七月初吉丁亥
	7053	子璋鐘三	隹正七月初吉丁亥
	7054	子璋鐘四	隹正七月初吉丁亥
	7055	子璋鐘五	隹正七月初吉丁亥
	7056	子璋鐘六	隹正七月初吉丁亥
	7057	子璋鐘八	隹正七月初吉丁亥
	7058	邾公孫班鐘	辰才丁亥
	7082	齊鞄氏鐘	隹正月初吉丁亥

7112	者減鐘一	隹正月初吉丁亥
7113	者減鐘二	隹正月初吉丁亥
7114	者減鐘三	隹正月初吉丁亥
7115	者減鐘四	隹正月初吉丁亥
7117	郄黴兒鐘一	隹正九月初吉丁亥
7118	郄儔兒鐘二	隹正九月初吉丁亥
7124	沇兒鐘	隹正月初吉丁亥
7136	郘鐘一	余不敢為喬隹王正月初吉丁亥
7137	郘鐘二	隹王正月初吉丁亥
7138	郘鐘三	隹王正月初吉丁亥
7139	郘鐘四	隹王正月初吉丁亥
7140	郘鐘五	隹王正月初吉丁亥
7141	郘鐘六	隹王正月初吉丁亥
7142	郘鐘七	隹王正月初吉丁亥
7143	郘鐘八	隹王正月初吉丁亥
7144	郘鐘九	隹王正月初吉丁亥
7145	郘鐘十	隹王正月初吉丁亥
7146	郘鐘十一	隹王正月初吉丁亥
7147	郘鐘十二	隹王正月初吉丁亥
7148	郘鐘十三	隹王正月初吉丁亥
7149	郘鐘十四	隹王正月初吉丁亥
7159	瘨鐘二	皇考丁公龢醬鐘
7175	王孫遺者鐘	隹正月初吉丁亥
7213	驇鎛	隹王五月初吉丁亥
7215	其次勾鑃一	隹正初吉丁亥
7216	其次勾鑃二	隹正初吉丁亥
7217	姑馮勾鑃	隹王正月初吉丁亥
7219	冉鉦鋮(南疆征)	隹正月初吉丁亥
7370	乙癸丁戈	乙癸丁
7439	且乙戈	且乙、且己、且丁
7573	大且日己戈	且日丁
7573	大且日己戈	且日丁
7746	告丁刀	[告]丁
7987	受斿容器	受斿若丁乙自乙
M098	令盤	令乍父丁[鳥]
M553	越王者旨於睗鐘	隹正月王春吉日丁亥
M602	蔡䇓匜	隹正月初吉丁亥
補3	欠父丁尊	[欠]父丁
補3	豙父丁尊	[豙]父丁

小計：共　745 筆

2364

0190	且戊鼎	且戊
0199	父戊鼎一	父戊
0200	父戊鼎二	父戊
0215	父戊鼎	父戊
0224	子戊鼎	[子]戊
0387	婺父戊鼎一	[婺]父戊

戊

0388	嫢父戊鼎二	[嫢]父戊
0516	后母戊方鼎	司(后)母戊
0541	亞雞父戊鼎	[亞雞]父戊
0551	_乍且戊鼎	[am]乍且戊
0648	字角父戊鼎	[字角]戊父
0759	天黿乍父戊方鼎	[天黽]乍父戊彝
0848	木工乍妣戊鼎	木工乍匕戊鬻[冊]
0866	_夜君鼎	sd夜君戊之_鼎
0904	旅日戊乍長鼎	日戊[旅]
0926	趞乍文父戊鼎	趞乍文父戊尊彝[鼪冊]
1033	棨子旅乍父戊鼎	棨子旅乍父戊寶尊彝
1059	旂乍父戊鼎	旂用乍父戊寶尊彝
1101	亞受乍父丁方鼎	戊寅王jbsx馬彭、易貝
1139	寓鼎	戊寅、王蔑寓曆事瘟大人
1235	不晳方鼎一	隹八月既望戊辰
1236	不晳方鼎甲二	隹八月既望戊辰
1242	墨方鼎	戊辰
1285	彧方鼎一	于文妣日戊
1424	棨子鬲	棨子□乍父戊寶彝
1485	白矩鬲	才戊辰
1485	白矩鬲	用乍父戊尊彝
1572	戈父戊甗	[戈]父戊
1634	鼪冊卬乍母戊甗	[鼪冊]卬乍母戊彝
1795	父戊殷一	父戊
1796	父戊殷二	父戊
1805	何戊殷	[何]戊
1882	子父戊殷	[子]父戊
1920	父戊天殷	父戊[天]
1924	鳥父戊殷	[鳥]父戊
1962	庚父戊殷	[庚]父戊
1970	聿父戊殷	[聿]父戊
1981	犅父戊殷	[犅]父戊
2150	亞曩侯父戊吳殷	[亞曩]侯父戊[吳]
2152	詵乍且戊寶殷一	乍且戊寶殷[詵]
2153	詵乍且戊寶殷二	乍且戊寶殷[詵]
2163	壽乍父戊殷	壽乍父戊尊彝
2165	乍父戊旅殷	乍父戊旅彝[中]
2244	_乍父戊寶殷	sw乍父戊寶尊彝
2247	叀乍父戊寶旅殷	叀乍父戊寶旅彝
2270	垙乍父戊寶殷	垙乍父戊寶尊彝
2278	冊亞品冊乍父戊殷	乍父戊彝[亞品冊]
2312	剳圅乍且癸殷	剳圅乍且戊寶尊彝狄(戰)
2508	攸殷	攸用乍父戊寶尊彝
2543	𢦏敢殷	用乍父戊寶尊彝[吳]
2567.	戊寅殷	隹王八月、才貝、戊寅
2584	邾正衛殷	用乍父戊寶尊彝
2612	不壽殷	隹九月初吉戊辰
2676	旅肄乍父乙殷	戊辰、弜師易肄𤔲、ql賣貝
2676	旅肄乍父乙殷	遘于{ 匕戊 }武乙奭、豕一[旅]
2711.	乍冊般殷	隹正月初吉戊辰

2725	師毛父段	隹六月既生霸戊戌
2737	段段	戊辰曾
2769	師䅟段	隹八月初吉戊寅
2775	裘衛段	隹廿又七年三月既生霸戊戌
2783	趞段	唯二月、王才宗周、戊寅
2787	望段	隹王十又三年六月初吉戊戌
2787	望段	隹王十又三年六月初吉戊戌
2791	豆閉段	辰才戊寅
2798	師瘨段一	隹二月初吉戊寅
2799	師瘨段二	隹二月初吉戊寅
2852	不嬰段一	唯九月初吉戊申
2853	不嬰段二	唯九月初吉戊申
2908	楚王酓肯匿一	以共歲嘗、戊寅
2909	楚王酓肯匿二	以共歲嘗、戊寅
2910	楚王酓肯匿三	以共歲嘗、戊寅
2982.	甲午匿	用__易命臣炳臣師戊
3083	瘨段(盨)一	隹四年二月既生霸戊戌
3084	瘨段(盨)二	隹四年二月既生霸戊戌
3412	且戊爵一	且戊
3413	且戊爵二	且戊
3414	且戊爵三	且戊
3415	且戊爵四	且戊
3456	父戊爵一	父戊
3457	父戊爵二	父戊
3458	父戊爵	父戊
3520	南戊爵	[南]戊
3739	戈且戊爵	[戈]且戊
3746	__且戊爵	[di]且戊
3844	子父戊爵一	[子]父戊
3845	子父戊爵二	[子]父戊
3846	舟父戊爵	[舟]父戊
3847	__父戊爵	[__]父戊
3848	舌父戊爵	[舌]父戊
3849	㒼父戊爵	[㒼]父戊
3850	__父戊爵	[ct]父戊
3851	𢔶父戊爵	[𢔶]父戊
3852	__父戊爵	[fn]父戊
3853	𢊁父戊爵	[𢊁]父戊
3854	才父戊爵	[才]父戊
3855	𧶠父戊爵	[𧶠]父戊
3856	舟戊父爵	[舟]父戊
3981	𪉖戊__爵一	[𪉖]戊__
3982	𪉖戊__爵二	[𪉖]戊__
4004	屰父戊爵	[屰]父戊
4080	__矢父戊爵	[__矢]父戊
4081	__矢父戊爵二	[__矢]父戊
4082	加乍父戊爵一	加乍父戊
4083	加乍父戊爵二	加乍父戊
4091	天黽父癸爵	[天黽]父戊
4117	亞向__父戊爵	[亞向bG]父戊

戊

戊

4142	父戊舟乍彝爵一	父戊舟乍尊
4143	父戊舟乍彝爵二	父戊舟乍尊
4144	癸旻乍考戊爵	癸旻乍考戊
4165	攸宁父戊爵	攸宁[cz]父戊
4173	獸乍父戊爵	獸乍父戊寶彝
4174	獸乍父戊爵二	獸乍父戊寶彝
4187	效爵	效乍且戊寶尊彝
4220	大父戊角	[大]父戊
4221	奘父戊角	[奘]父戊
4315	聿父戊斝	[聿]父戊
4333	毌乍父戊斝	毌乍父戊
4382	_父戊盉	[Gh]父戊
4382.	酉父戊盉	[酉]父戊
4388	戈父戊盉	[戈]父戊
4397	天黽父戊盉	[天黽]父戊
4407	滎子乍父戊盉一	滎子乍父戊
4408	滎子乍父戊盉二	滎子乍父戊
4517	且戊尊	且戊
4519	父戊尊	父戊
4589	天父戊尊一	[天]父戊
4590	卬父戊尊	[卬]父戊
4591	山父戊尊	[山]父戊
4731	乍父戊尊	乍父戊寶尊彝
4779	詠乍夙尊彝日戊尊	詠乍J4尊彝、日戊
4795	觑乍父戊尊	觑乍父戊寶尊彝[訛]
4816	亞_傳乍父戊尊	傳乍父戊寶尊彝[亞Jc]
4861	噉士卿尊	用乍父戊尊彝
4875	斨折尊	佳五月王才序、戊子
4910	父戊竟觥	父戊[竟]
4916	乍母戊觥(蓋)	乍母戊寶尊彝
4926	吳盉馭觥(蓋)	用乍父戊寶尊彝
4928	折觥	佳五月王才序、戊子
4962	竹室父戊方彝一	[竹室]父戊[告永]
4963	竹室父戊方彝二	[竹室]父戊[告永]
4976	折方彝	佳五月王才序、戊子
4978	吳方彝	王乎史戊冊令吳
5086	戊木卣	[戊木]
5110	_且戊卣	[fx]且戊
5241	天黿父戊卣	[天黽]父戊
5277	_六六六父戊卣	[句毌六六六]父戊
5378	叀乍父戊旅卣二	叀乍父戊寶尊彝
5379	叀乍父戊旅卣一	叀乍父戊寶旅彝
5380	狽人乍父戊卣	[狽]兀乍父戊尊彝
5380	狽人乍父戊卣	[狽]兀乍父戊尊彝
5410	枚家乍父戊卣	枚家乍父戊寶尊彝
5411	訛醜乍父戊卣	醜乍父戊寶尊彝[訛]
5414	鈇乍父戊卣	鈇乍父戊尊彝[戈]
5473	同乍父戊卣	用乍父戊寶尊彝
5596	句毌父戊瓿	[句毌]父戊
5772	陳璋方壺	孟冬戊辰

5785	史懋壺	隹八月既死霸戊寅
5791	十三年瘨壺一	隹十又三年九月初吉戊寅
5792	十三年瘨壺一	九月初吉戊寅
6020	戊木觚	戊[木]
6146	㚔父戊觚	[㚔]父戊
6147	獎父戊觚	[獎]父戊
6198	奴父戊觚	[奴]父戊
6199	南父戊觚	[南]父戊
6212	__戊且戊觚	[__戊]且戊
6241	亞戊□癸方觚	[亞戊]□癸
6270	戠戲乍父戊觚一	[戠]戲乍父戊尊彝
6271	戠戲乍父戊觚二	[戠]戲乍父戊尊彝
6282	召乍父戊觚	召乍𠂤文考父戊寶尊彝
6355	父戊觶一	父戊
6356	父戊觶二	父戊
6357	父戊觶三	父戊
6368	㚔戊觶	[㚔]戊
6371	母戊觶	母戊
6416	丫且戊觶	[丫]且戊
6462	__父戊觶	[fn]父戊
6522	秉毌戊觶	[秉毌戊]
6545	且戊其__觶	[且戊其__][其皿]
6590	告宁父戊觶	[告宁]父戊
6626	犬山刀子乍父戊觶	子乍父戊[犬山刀]
6685	父戊𦥑盤	父戊[𦥑]
6693	戠乍父戊盤	[戠]乍父戊
6784	三十四祀盤(祼盤)	隹王卅又四祀唯五月既望戊午
7060	昊生鐘一	吉甲戊王命周
7182	叔夷編鐘一	隹王五月辰才戊寅
7214	叔夷鎛	隹王五月辰才戊寅
7554	楚王酓璋戈	以卲昜文武之戊(茂)用
7556	大兄日乙戈	兄日戊
7738	十七年相邦春平侯劍	邦左庫□工帀□戊未□冶執齊
7870	陳純釜	__月戊寅

小計：共　190 筆

2365 成

0456	成王方鼎	成王尊
1044	寶__生乍成媿鼎	寶__生乍成媿賸鼎
1127	㴊鼎	王初□恆于成周
1135	獻侯乍丁侯鼎	唯成王大桒、才宗周
1136	獻侯乍丁侯鼎二	唯成王大桒、才宗周
1174	昜乍旅鼎	寓白于成周休賜小臣金
1184	德方鼎	隹三月王才成周
1229	厚趠方鼎	隹王來各于成周年
1255	作冊大鼎一	公束鑄武王成王異鼎
1256	作冊大鼎二	公束鑄武王成王異鼎
1257	作冊大鼎三	公束鑄武王成王異鼎

成

1258	作冊大鼎四	公束鑄武王成王異鼎
1270	小臣夌鼎	正月、王才成周
1271	史獸鼎	尹令史獸立工于成周
1274	哀成弔鼎	嘉是隹哀成弔
1274	哀成弔鼎	哀成弔之鼎
1281	史頌鼎一	師廝辥奴于成周
1281	史頌鼎一	休又成事
1282	史頌鼎二	師廝辥奴于成周
1282	史頌鼎二	休又成事
1291	善夫克鼎一	王命善夫克舍令于成周適正八自之年
1292	善夫克鼎二	王命善夫克舍令于成周適正八自之年
1293	善夫克鼎三	王命善夫克舍令于成周適正八自之年
1294	善夫克鼎四	王命善夫克舍令于成周適正八自之年
1295	善夫克鼎五	王命善夫克舍令于成周適正八自之年
1296	善夫克鼎六	王命善夫克舍令于成周適正八自之年
1297	善夫克鼎七	王命善夫克舍令于成周適正八自之年
1319	頌鼎一	王曰：頌、令女官嗣成周賈廿家、監嗣新寤
1320	頌鼎二	王曰：頌、令女官嗣成周賈廿家、監嗣新寤
1321	頌鼎三	王曰：頌、令女官嗣成周、賈廿家、監嗣新寤
1322	九年裘衛鼎	則乃成夆四夆
1324	禹鼎	肆禹又成
1326	多友鼎	不逆又成吏
1329	小字盂鼎	褅周王、□王、成王、□□□□王雩述
1330	曶鼎	舀（曶）母卑成于既
1331	中山王譽鼎	昔者、盧（吾）先考成王
1331	中山王譽鼎	卲（昭）考成王
1502	成白孫父鬲	成白孫父乍浠嬴尊鬲
1657	圉甗	王桒于成周
2656	師害段一	休毕成旋
2657	師害段二	休毕成旋
2711.	乍冊般段	成王商乍冊__貝十朋
2743	虢段	命女嗣（辭）成周里人
2752	史頌段一	帥堣盩于成周
2752	史頌段一	休又成吏
2753	史頌段二	帥堣盩于成周
2753	史頌段二	休又成吏
2754	史頌段三	帥堣盩于成周
2754	史頌段三	休又成吏
2755	史頌段四	帥堣盩于成周
2755	史頌段四	休又成吏
2756	史頌段五	帥堣盩于成周
2756	史頌段五	休又成吏
2757	史頌段六	帥堣盩于成周
2757	史頌段六	休又成吏
2758	史頌段七	帥堣盩于成周
2758	史頌段七	休又成吏
2759	史頌段八	帥堣盩于成周
2759	史頌段八	休又成吏
2759	史頌段九	帥堣盩于成周
2759	史頌段九	休又成吏

2778	格白段一	王才成周
2778	格白段一	氒書史戠武立盟成壂
2778	格白段一	王才成周
2778	格白段一	氒書史戠武立盟成壂
2779	格白段二	王才成周
2779	格白段二	氒書史戠武立盟成壂
2780	格白段三	王才成周
2780	格白段三	氒書史戠武立盟成壂
2781	格白段四	王才成周
2781	格白段四	氒書史戠武立盟成壂
2782	格白段五	王才成周
2782	格白段五	氒書史戠武立盟成壂
2782.	格白段六	王才成周
2782.	格白段六	氒書史戠武立盟成壂
2802	六年召白虎段	又祗又成
2828	宜侯夨段	王省珷（ 武 ）王、成王伐商圖
2835	訇段	＿人、成周走亞
2837	敔段一	隹王十月、王才成周
2837	敔段一	王各于成周大廟
2843	沈子它段	休同公克成妥吾考目于顯受令
2843	沈子它段	迺妹克衣告剌成功
2844	頌段一	令女官𤔲（ 司 ）成周賈
2845	頌段二	令女官𤔲（ 司 ）成周賈
2845	頌段二	令女官𤔲（ 司 ）成周賈
2846	頌段三	令女官𤔲（ 司 ）成周賈
2847	頌段四	令女官𤔲（ 司 ）成周賈
2848	頌段五	令女官𤔲（ 司 ）成周賈
2849	頌段六	令女官𤔲（ 司 ）成周賈
2850	頌段七	令女官𤔲（ 司 ）成周賈
2851	頌段八	令女官𤔲（ 司 ）成周賈
2855	班段一	三年靜東或、亡不成
2855	班段一	廣成氒工
2855.	班段二	亡不成斁天畏
2855.	班段二	廣成氒工
2972	弔家父乍仲姬匡	用成𥞤（ 稻 ）粱
2983	弭仲寶匡	用成秫𥞤（ 稻 ）穛粱
2984	伯公父盤	用成穛𥞤（ 稻 ）穤粱
2984	伯公父盤	用成穛稻穤粱
3055	虢仲旅盨	才成周乍旅盨
3068	白寬父盨一	王才成周
3069	白寬父盨二	王才成周
3077	弔專父乍奠季盨一	王才成周
3078	弔專父乍奠季盨二	王才成周
3079	弔專父乍奠季盨三	王才成周
3080	弔專父乍奠季盨四	王才成周
3087	鬲从盨	令小臣成友逆＿□內史無𢒼
3100	陳侯因𬯀錞	𠦪戠大慕克成
3104	哀成弔豆	哀成弔之朕
4204	盂爵	隹王初𠦪于成周
4447	臣辰冊冊夕乍冊父癸盉	王令士上眔史寅殷于成周

成

成

4864	乍冊𡨦尊	隹明保殷成周年
4871	䵼𡔞豐尊	王才成周
4879	彔𢦚尊	女其以成周師氏戍于古自
4891	何尊	隹王初鄮宅于成周
4893	矢令尊	明公朝至于成周
4978	吳方彝	王才周成大室
4981	鳥冊令方彝	明公朝至于成周、徣令
5474	𡨦卣	隹明保殷成周年
5474	𡨦卣	[fL]隹明保殷成周年
5480	冊𡔞冊豐卣	王才成周
5480	冊𡔞冊豐卣	王才成周
5498	彔𢦚卣	女其以成周師氏戍于古自
5499	彔𢦚卣二	女其以成周師氏戍于古自
5501	臣辰冊冊𡿨卣一	王令士上眔史黃殷于成周
5502	臣辰冊冊𡿨卣二	王令士上眔史黃殷于成周
5503	競卣	隹白屖父以成自即東
5506	小臣傳卣	令師田父殷成周年
5507	乍冊魖卣	公大史成見服于辟王
5717	旻成侯鍾	旻成侯we容半斗
5758	匹君壺	匹君絲旅者其成公鑄子孟𡚸賸盥壺
5791	十三年痶壺一	王才成周嗣土虒宮
5792	十三年痶壺一	王才成周嗣土虒宮
5798	曶壺	王各于成宮
5798	曶壺	更乃且考乍冢嗣土于成周八自
5799	頌壺一	令女官嗣成周貫廿家
5800	頌壺二	令女官嗣成周貫廿家
5805	中山王礜方壺	趞祖成考
5805	中山王礜方壺	休有成工
6631	小臣單觶一	王後,16克商、才成自
6791	兮甲盤	王令甲征辭成周四方責
6792	史墻盤	憲聖成王
6877	㒼乍旅盉	白揚父迺成賢
6877	㒼乍旅盉	牧牛辭誓成、‘罰金
7038	應侯見工鐘一	王歸自成周
7075	者沕鐘七	齊休祝成
7078	者沕鐘十	齊休祝成
7083	鮮鐘	王才成周嗣□滮宮
7124	沇兒鐘	孔嘉元成
7125	蔡侯𨝬䜌𦘡鐘一	休有成慶
7126	蔡侯𨝬䜌𦘡鐘二	休有成慶
7132	蔡侯𨝬䜌𦘡鐘八	休有成慶
7133	蔡侯𨝬䜌𦘡鐘九	休有成慶
7134	蔡侯𨝬緔鐘	休有成慶
7176	㝬鐘	朕猷又成亡競
7182	叔夷編鐘一	肅成朕師旟之政德
7185	叔夷編鐘四	虩虩成唐
7186	叔夷編鐘五	而成公之女
7188	叔夷編鐘七	曰武靈成
7189	叔夷編鐘八	而成公之女
7205	蔡侯𨝬編鎛一	休有成慶

7206	蔡侯𨭬𨭬編鎛二	休有成慶
7207	蔡侯𨭬𨭬編鎛三	休有成慶
7208	蔡侯𨭬𨭬編鎛四	休有成慶
7213	𦉜鎛	于皇祖又成惠弔
7213	𦉜鎛	皇祉(妣)又成惠姜
7213	𦉜鎛	鞄(鮑)弔又成
7214	叔夷鎛	肅成朕師旟之政德
7214	叔夷鎛	虩虩成唐
7214	叔夷鎛	而成公之女
7214	叔夷鎛	曰武靈成
7226	王成周鈴一	王成周令
7325	成周戈一	成周
7326	成周戈二	成周
7327	成周戈三	成周
7446	成陽辛城里戈	成陽辛城里戈
7501	齊成右戈	齊成右造車戟、冶絧
7530	三年上郡守戈	漆工師、丞□、工成旦□
7570	六年奠令戈	六年奠命__幽同寇向__左庫工帀倉慶冶尹成贛
7740	四年春平相邦劍	右庫工帀睘輅__冶臣成執齊
7870	陳純釜	敉成左關之斧節于稟斧
7873	哀成弔鉌	哀成弔乍鉌
7884	五年司馬權	五年司馬成公__□事命代□
7976	之利殘片	□__卲乍成旨
M126	圉卣	王桒于成周
M466	鄦男鼎	鄦男乍成姜趄母賸尊鼎
		小計：共　186 筆

2366

0201	父己鼎一	父己
0202	父己鼎二	父己
0203	父己鼎三	父己
0204	父己鼎四	父己
0205	父己鼎五	父己
0227	己冉鼎	己[冉]
0228	己冉鼎	己[冉]
0236	己[illegible]鼎	己[[illegible]]
0242	戈己鼎	[戈]己
0389	戈父己方鼎	[戈]父己
0390	戈父己鼎	[戈]父己
0391	卿父己鼎	[卿]父己
0392	子父己鼎	[子]父己
0393	耒父己鼎	[耒]父己
0394	亯父己鼎一	[亯]父己
0395	亯父己鼎二	[亯]父己
0396	[illegible]父己鼎	[[illegible]]父己
0397	舌父己鼎	[舌]父己
0398	父己車鼎	父己[車]

己

0399	冟父己鼎	[冟]父己
0400	乍父己鼎	乍父己
0401	𡚬父己鼎	[𡚬]父己
0454	子雨己鼎	[子雨]己
0497	乍父己鼎	乍父己
0510	戈且己鼎	[戈]且己
0542	亞__父己鼎	[亞bz]父己
0543	亞__父己鼎一	[亞bq]父己
0544	亞__父己鼎	[亞bq]父己
0545	父己亞醜鼎	父己[亞醜]
0546	亞竉父己鼎	[亞竉]父己
0553	且己父癸鼎	且己父癸
0579	又敄父己鼎	[又養]父己
0580	亞異父己鼎	[亞異]父己
0581	亞戈父己鼎	[亞戈]父己
0582	乍父己𠕁鼎	乍父己[𠕁]
0656	子申父己鼎	子申父己
0679	弓羊啚父己鼎	[彏]父己
0742	己方鼎	己乍寶尊彝
0743	小子乍父己鼎一	小子乍父己
0746	父己亞啚史鼎	父己[亞啚史]
0760	戣冊乍父己鼎	[戣冊]乍父己彝
0840	亞艅曆乍且己鼎	[亞俞]曆乍且己彝
0842	鼎乍父己鼎	鼎其用乍父己寶鼎
0876	__諆侯鼎	己己
0886	亞醜季乍兄己鼎	[亞醜]季乍兄己尊彝
0922	盩婦方鼎	[cm]己且丁父癸盩婦尊
0955	䨻乍己公鼎	䨻乍己公寶鼎其萬年用
0966	匚宁乃孫乍且己鼎	乃孫乍且己宗寶𣪕[匚宁]
0982	己華父鼎	己華父乍寶鼎
1018	䮾屯乍父己鼎一	用乍䵼彝、父己[䮾]
1019	__屯乍父己鼎二	用乍䵼彝、父己[䮾]
1029	𦉢乍且乙鼎	己亥、王易𦉢貝
1124	玐乍父庚鼎一	己亥、揚見事于彭
1125	玐乍父庚鼎二	己亥、揚見事于彭
1158	小子__鼎	Jn用乍父己寶尊[𡚬]
1165	大師鐘白乍石鬲	隹正月初吉己亥
1209	畟方鼎	用乍母己尊𣪕
1227	衛鼎	衛肇乍氒文考己中寶䵼鼎
1228	𣪘𣪘方鼎	用乍己公寶尊彝
1248	庚贏鼎	隹廿又二年四月既望己酉
1255	作冊大鼎一	隹四月既生霸己丑
1256	作冊大鼎二	隹四月既生霸己丑
1257	作冊大鼎三	隹四月既生霸己丑
1258	作冊大鼎四	隹四月既生霸己丑
1260	我方鼎	我乍禦Gx且乙、匕乙、且己、匕癸
1260	我方鼎	用乍父己寶尊彝
1261	我方鼎二	我乍禦Gx且乙、匕乙、且己、匕癸
1261	我方鼎二	用乍父己寶尊彝
1286	大夫始鼎	用乍文考日己寶鼎

1301	大鼎一	用乍朕剌考己白盂鼎
1302	大鼎二	用乍朕剌考己白盂鼎
1303	大鼎三	用乍朕剌考己白盂鼎
1356	齍父己鬲	[齍]父己
1447	弔?鬲	弔?乍己白父丁寶尊彝
1554	父己甗	父己
1573	__父己甗	[cL]父己
1576	令父己甗	[令]父己
1587	脣父己甗	[脣]父己
1593	亞?父己甗	[亞?]父己
1661	乍冊般甗	用乍父己尊[來冊]
1800	父己毁	父己
1806	戈己毁	[戈]己
1838	己辛毁	己__
1847.	?刀且己毁	[?刀]且己
1880	__父己毁	[aq]父己
1881	?父己毁	[?]父己
1921	?父己毁	[?]父己
1926	乍己姜毁	乍己姜
1953	車父己毁	[車]父己
1957	舌父己毁	[舌]父己
1973	遽父己毁	[遽]父己
1982	亞戈父己毁	[亞戈]父己
2002	又養父己毁	[又羊夊]父己
2003	__父己?毁	__父己[?]
2004	亞?父己毁	[亞?]父己
2005	耒乍父己毁	[耒]乍父己
2082	?且乙毁	[?]且己
2151	亞?侯吴父己毁	[亞其]侯[吴]父己
2164	?父己毁	[天工?]父己
2166	__乍父己毁	[ef]乍父己尊彝
2172	女母乍婦己毁	女母乍婦己彝
2245	廣乍父己毁	廣乍父己寶尊[旅]
2288	圃田乍父己毁	田乍父己寶尊彝[品]
2308	子邧乍父己毁	子邧乍父己寶尊彝
2313	?辨乍父己毁一	辨乍文父己寶尊彝[?]
2314	?辨乍父己毁二	辨乍文父己寶尊彝[?]
2315	?辨乍父己毁三	辨乍文父己寶尊彝[?]
2304	己侯乍姜縈毁	己侯乍姜縈毁
2446	亞古乍父己毁	己亥王易貝、才闌
2446	亞古乍父己毁	用乍父己尊彝[亞古]
2450	禾乍皇母孟姬毁	隹正月己亥
2454	亢僕乍父己毁	亢僕乍父己尊毁
2505.	井姜大宰毁	井姜大宰己鑄其寶毁
2533	己侯貉子毁	己侯貉子分己姜寶、乍毁
2533	己侯貉子毁	己姜石用?用匄萬年
2544	亞?乍父乙毁	[亞]辛己、?ub倉、才小圃
2662.	宴毁一	宴用乍朕文考日己寶毁
2662.	宴毁二	宴用乍朕文考日己寶毁
2663	宴毁一	用乍朕文考日己寶毁

己

己

2664	宴毁二	用乍朕文考日己寶毁
2721	禹毁	唯六月既生霸辛己
2801	五年召白虎毁	隹五正月己丑
2841	茾白毁	己未、王命中到歸茾白or裘
2843	沈子它毁	用釽卿己公
3416	且己爵一	且己
3417	且己爵二	且己
3459	父己爵一	父己
3460	父己爵二	父己
3461	父己爵三	父己
3462	父己爵四	父己
3463	父己爵五	父己
3464	父己爵六	父己
3465	父己爵七	父己
3466	父己爵八	父己
3467	父己爵九	父己
3468	父己爵十	父己
3469	父己爵十一	父己
3516	己卬爵	己[卬]
3517	己妖爵	己[妖]
3518	舟己爵	[舟]己
3519	_己爵	[ay]己
3521	己重爵	己[重]
3524	己甾爵	己甾
3706	乙戈爵	己[非]
3710	虍己爵	[虍]己
3740	丫且己爵一	[丫]且己
3741	丫且己爵二	[丫]且己
3742	叙且己爵	[叙]且己
3743	鍪且己爵	[鍪]且己
3744	戈且己爵一	[戈]且己
3745	戈且己爵二	[戈]且己
3857	_父己爵	[ab]父己
3858	夙父己爵	[夙]父己
3859	_父己爵	[bd]父己
3860	止父己爵	[止]父己
3861	鼺父己爵一	[鼺]父己
3862	鼺父己爵二	父己[鼺]
3863	獎父己爵	[獎]父己
3864	旃父己爵	[旃]父己
3865	屠豕形父己爵	[収豕]父己
3866	卬父己爵一	[卬]父己
3867	卬父己爵二	[卬]父己
3867.	父己卬爵	父己[卬]
3868	爻父己爵	[爻]父己
3869	萬父己爵	[萬]父己
3870	舟父己爵	[舟]父己
3871	覃父己爵	[覃]父己
3872	_父己爵	[_]父己
3873	若父己爵	[若]父己

3874	亞若父己爵	[亞若]父己
3875	戈父己爵一	[戈]父己
3876	戈父己爵二	[戈]父己
3877	戈父己爵三	[戈]父己
3878	舌父己爵	[舌]父己
3879	田父己爵	[田]父己
3880	凵父己爵	[凵]父己
3881	丁父己爵	[丁]父己
3882	幺父己爵	[幺]父己
3883	卒父己爵	[卒]父己
3884	__父己爵	[皿鬲]父己
3885	心父己爵	[心]父己
3886	父己爵	[鍪]父己
3887	般父己爵	[般]父己
3888	子父己爵	[子]父己
3889	__父己爵	[f4]父己
3953.	叙父己爵	[叙]父己
3976	奭匕己爵	[奭]匕己
3983	羊己__爵	[羊]己f8
4003.	戈父己爵四	[戈]父己
4049	亞木且己爵	[亞木]且己
4055	亞址父己爵	[亞址]父己
4062	弓衛且己爵	[弓衛]且一己
4084	鼻冊父己爵	[冊]丁[鼻][守冊]父己
4085	毌俑父己爵	父己[毌俑]
4106.	己𡗜父丁爵	己𡗜父丁
4166	亞__父己卜爵	亞__己父卜
4181	__乍且己爵	fm乍且己尊寶彝
4212	奭且己角	[奭]且己
4227	父己冊角	父己[冊]
4234.	亞古父己角	[亞古]父己
4277	父己斝	己父
4314	保父己斝	[保]父己
4343	亞矣小臣邑斝	癸己王易小臣邑貝十朋
4381	戚父己盉	[戚]父己
4383	亞古父己盉	[亞古]父己
4384	鍪父己盉	[鍪]父己
4421	徙遽__乍父己盉	徙遽op乍父己
4520	父己尊一	父己
4521	父己尊二	父己
4522	父己尊三	父己
4522.	父己尊四	父己
4527	舟己尊	[舟己]
4530	己學尊	己[學]
4559	己且乙尊	己且乙
4592	__父己尊	[岁岁]父己
4593	㝹父己尊	[㝹]父己
4594	__父己尊	[am]父己
4595	亯父己尊	[亯]父己
4596	衛父己尊	[衛]父己

己

己

4597	般父己尊	[般]父己
4598	鼎父己尊	[鼎]父己
4599	遽父己象形尊	[遽]父己
4600	乍父己尊	乍父己
4659	_父己尊	[刀子刀]父己
4660	又敊父己尊	[又養]父己
4733	乍父己尊	乍父己寶彝[c8]
4761	乍且己尊	乍且己寶尊彝[舟]
4793	隹乍父己尊	隹乍父己寶彝[戚箙]
4830	厍肇其乍父己尊	厍肇乍父己寶尊彝[簟_]
4847	小子夫尊	用乍父己尊彝[㓞]
4857	乍文考日己尊	乍文考日己寶尊宗彝
4902	㐁己觥	[㐁己]
4927	乍文考日己觥	乍文考日己寶尊宗彝
4973	乍文考日工夫方彝	乍文考日己寶尊宗彝
5065	己孶卣	己[孶]
5066	孶己卣	[孶]己
5067	_己卣	[a8]己
5111	子且己卣	[子]且己
5144	嬰父己卣	[嬰]父己
5145	_父己卣	[b8]父己
5146	受父己卣	[受]父己
5147	遽父己卣	遽父己
5148	_父己卣	[dp]父己
5149	酉父己卣一	[酉]父己
5150	酉父己卣二	[酉]父己
5151	戈父己卣	[戈]父己
5152	㐁父己卣	[㐁]父己
5153	舟父己卣	[舟]父己
5154	䝨父己卣	[䝨]父己
5178	䝨母己卣	[䝨]母己
5210	萬父己卣	[萬]父己
5240	又養父己卣	[又羊夊]父己
5281	且丁父己卣	且丁父己
5289	會且己父辛卣	且己父辛[會]
5294	关乍父己彝卣	乍父己彝[关]
5295	亞_父己卣	[亞bx]魚父己
5297	䝨父己母癸卣(蓋)	[䝨]父己母癸
5313	小子乍母己卣一	小子乍母己
5314	小子乍母己卣二	小子乍母己
5318	亞共且乙父己卣	[亞共且乙父己]
5360	亞古乍父己卣	[亞古]乍父己彝
5372	盉且丁父癸卣	[盉cm己]且丁父癸
5381	䀠人乍父己卣	[䀠]人乍父己尊彝
5381	䀠人乍父己卣	[䀠]人乍父己尊
5382	_乍父己卣	[dm]乍寶父彝己
5383	䝨父己卣	[䝨]父己乍寶尊彝
5437	䝨女子小臣兒乍己卣	女子{ 小臣 }兒乍己尊彝[䝨]
5460	䣄御乍父己卣	用乍父己尊彝
5460	䣄御乍父己卣	用乍父己尊彝

5471	奘小子省乍父己卣	用乍父己寶彝[奘]
5471	奘小子省乍父己卣	用乍父己寶彝[奘]
5492	亞獏四祀卲其卣	己酉、王才梌
5504	庚嬴卣一	隹王十月既望辰才己丑
5505	庚嬴卣二	隹王十月既望辰才己丑
5507	乍冊虢卣	用乍日己旅尊彝
5544	糧父己方罍	[糧]父己
5562	皿父己罍	[皿]乍父己尊彝
5573	盉＿己且丁方罍	[亞盉]且丁cm己父癸
5578	戈蘇乍且乙罍	蘇乍且己尊彝
5629	＿且己壺蓋	[ac]且己
5635	酉父己壺	[酉]父己
5643	辰乍父己壺	辰乍父己
5685	舁匕乍父己壺	[舁]匕乍父己尊彝
5766	周㸒壺一	周㸒乍公日己尊壺
5767	周㸒壺二	周㸒乍公日己尊壺
5773	陳喜壺	陳喜再立事歲pf月己酉
5778	番匊生鑄媵壺	隹廿又六年十月初吉己卯
5796	三年瘐壺一	己丑、王才句陵
5797	三年瘐壺二	己丑、王才句陵
5825	緣書缶	正月季春元日己丑
6015	父己觚一	己父
6016	父己觚二	父己
6021	玉己觚	[玉]己
6022	羊己觚	[羊]己
6023	口己觚	[口]己
6024	䜌己觚	[䜌]己
6118	己卿宁觚	己[卿宁]
6125	丫且己觚	[丫]且己
6148	舟父己觚	[舟]父己
6149	叟父己觚	[叟]父己
6150	卬父己觚	[卬]父己
6151	舌父己觚	[舌]父己
6152	戈父己觚	[戈]父己
6153	犛父己觚	[犛]父己
6154	丯父己觚	[丯]父己
6155	＿父己觚	[共]父己
6221	𢦏＿己且觚	[eJ]己且[𢦏]
6222	且己觚	[大中]且己
6223	冊大父己觚	[冊大]父己
6232	戉未父己觚	[戉未]父己
6234	亞斿父己觚	[亞斿]父己
6240	亞異父己觚	[亞異]父己
6273	＿乍且己觚	[夙]乍且己尊彝[ar]
6358	父己觶一	父己
6359	父己觶二	父己
6360	父己觶三	父己
6403	銮己觶	[銮]己
6417	戈且己觶	[戈]且己
6464	＿父己觶	[d8]父己

己

6465	舟父己觶	[舟]父己
6466	耒父己觶	[耒]父己
6467	字父己觶	[字]父己
6468	叔父己觶	[叔]父己
6469	黽父己觶	[黽]父己
6470	執執父己觶	[執執]父己
6471	__父己觶	[en]父己
6472	鳥父己觶	[鳥]父己
6473	父己鱗觶	父己[鱗]
6475	亯父己觶	[亯]父己
6476	舀父己觶	父己[舀]
6536	衛父己觶	[衛]父己
6537	__父己觶	[Gc]父己
6538	鍪父己觶	[鍪]父己
6546	口亯且己觶	[口亯]且己
6570	子__父己觶	[子Gf]父己
6571	亞__父己觶	[亞ec]父己
6572	舟乍父己觶	[舟]乍父己
6573	亞若父己觶	[亞若]父己
6591	牧正父己觶	[牧品]父己
6615	父己庚禾觶	克乍庚禾父己
6617	中亞址乍匕己觶	乍匕己彝[中亞址]
6620	亞示乍父己觶	[亞示]乍父己尊彝
6686	__父己盤	[fo]父己
6688	獎父己盤	[獎]父己
6855	貯子匜	賈子己父乍寶匜
6908	郐宜同歆盂	隹正月初吉日己酉
6909	遯盂	用乍文且己公尊盂
6959	亞萬父己鐃	[亞萬]父己
6970	紀侯鐘	己侯虓乍寶鐘
7009	兮仲鐘一	其用追孝于皇考己白
7010	兮仲鐘二	其用追孝于皇考己白
7011	兮仲鐘三	其用追孝于皇考己白
7012	兮仲鐘四	其用追孝于皇考己白
7013	兮仲鐘五	其用追孝于皇考己白
7014	兮仲鐘六	其用追孝于皇考己白
7015	兮仲鐘七	其用追孝于皇考己白
7021	虘鐘一	用追孝于己白
7022	虘鐘二	用追孝于己白
7023	虘鐘三	用追孝于己白
7024	虘鐘四	用追孝于己白
7317	己戈	己[戈]
7318	己戈	[戈]己
7439	且乙戈	且乙、且己、且丁
7539	伺戈	后己女
7573	大且日己戈	大且日己
7573	大且日己戈	且日己
7573	大且日己戈	且日己
7575	且日乙戈	父日辛，父日己
7867.	龍__	亯月己酉之日

M349	己侯壺	己侯乍鑄壺
M612	鄦子鐘	釁壽母己
補3	叙且己爵	[叙]且己
		小計：共 372 筆

2367

0836	曩女鼎	曩女尊彝[亞吳]
0878	亞曩吳衾乍母癸鼎	[亞曩吳]衾乍母癸
1151	曩侯鼎	曩侯易弟__嗣戚
1209	斐方鼎	[亞曩侯吳]丁亥
1216	貿鼎	弔氏事貸安曩白賓貿馬車乘
1404	召姬乍曩齊鬲	召姬乍曩齊鬲
2147	亞曩吳乍父乙毁	亞曩吳乍父乙
2148	亞曩侯吳父乙毁	[亞曩侯吳]父乙
2150	亞曩侯父戊吳毁	[亞曩]侯父戊[吳]
2739	無曩毁一	王易無曩馬四匹
2739	無曩毁一	無曩拜手諸首
2739	無曩毁一	無曩用乍朕皇且釐季尊毁
2739	無曩毁一	無曩其萬年子孫永寶用
2740	無曩毁二	王易無曩馬四匹
2740	無曩毁二	無曩拜手諸首
2740	無曩毁二	無曩用乍朕皇且釐季尊毁
2740	無曩毁二	無曩其萬年子孫永寶用
2741	無曩毁三	王易無曩馬四匹
2741	無曩毁三	無曩拜手諸首
2741	無曩毁三	無曩用乍朕皇且釐季尊毁
2741	無曩毁三	無曩其萬年子孫永寶用
2742	無曩毁四	王易無曩馬四匹
2742	無曩毁四	無曩拜手諸首
2742	無曩毁四	無曩用乍朕皇且釐季尊毁
2742	無曩毁四	無曩其萬年子孫永寶用
2742.	無曩毁五	王易無曩馬四匹
2742.	無曩毁五	無曩拜手諸首
2742.	無曩毁五	無曩用乍朕皇且釐季尊毁
2742.	無曩毁五	無曩其萬年子孫永寶用
2742.	無曩毁五	王易無曩馬四匹
2742.	無曩毁五	無曩拜手諸首
2742.	無曩毁五	無曩用乍朕皇且釐季尊毁
2742.	無曩毁五	無曩其萬年子孫永寶用
2826	師寰毁一	曩、棦、mm、un、左右虎臣
2826	師寰毁一	曩、棦、mm、屎、左右虎臣
2827	師寰毁二	曩、棦、mm、un、左右虎臣
2980	鼄大宰鎛匿一	其釁壽、用鎛萬年無曩
2981	鼄大宰鎛匿二	其釁壽、用鎛萬年無曩
3064	曩白子窋父征盨一	曩白子窋父乍其征盨
3065	曩白子窋父征盨二	曩白子窋父乍其征盨
3066	曩白子窋父征盨三	曩白子窋父乍其征盨
3067	曩白子窋父征盨四	曩白子窋父乍其征盨
4340	亞吳衾乍母癸斝	亞曩吳衾乍母癸

己 曩

4438	亞㠱侯吴盉	[亞㠱侯吴]
4786	亞㠱__乍母癸尊	亞㠱吴夆乍母癸
4808	亞㠱吴嫠乍母辛尊	[亞㠱吴]嫠乍母辛寶彝
4925	䀆仲子引觥	中子㠱引乍文父丁尊彝[鑊]
5398	亞㠱吴夆乍母癸卣	[亞㠱吴夆]乍母癸
5443	亞㠱侯吴𡚱卣	𡚱易孝用乍且丁彝[亞㠱侯吴]
5509	𤯍卣	㠱侯吴其子子孫孫寶用
5716	安白㠱生旅壺	安白㠱生乍旅壺
5733	㠱中乍倗生飲壺	㠱中乍倗生飲壺
5776	㠱公壺	㠱公乍為子弔姜盥壺
6612	亞㠱侯匕辛吴觶	[亞㠱侯匕辛吴]
6713	亞㠱侯乍父丁盤	乍父丁寶旅彝[亞㠱侯]
6715	㠱白𡧊父盤	㠱白𡧊父朕姜無須盤
6826	㠱白𡧊父匜	㠱白𡧊父朕姜無顮它
6842	王婦㠱孟姜旅匜	王婦㠱孟姜乍旅它
6861	㠱甫人匜	㠱甫人余余王__叡孫幺乍寶匜

小計：共 59 筆

巴 2367+

6145	巴父丁觚	[巴]父丁

小計：共 1 筆

庚 2368

0335	得且庚鼎	得且庚
0402	羊父庚鼎	[羊]父庚
0403	𩰲父庚鼎	[𩰲]父庚
0404	箙父庚鼎	[箙]父庚
0405	㚔父庚鼎	[㚔]父庚
0406	史父庚鼎一	[史]父庚
0407	史父庚鼎二	[史]父庚
0547	亞得父庚鼎	[亞得]父庚
0670	盜且庚父辛鼎	[盜]且庚父辛
0762	具乍父庚鼎	具乍父庚寶鼎
0763	剌乍父庚鼎	剌乍父庚尊彝
0881	嬞乍父庚鼎	嬞乍父庚鬲[𢈫冊]
0943	亞父庚且辛鼎	[亞俞fw]父父庚保且辛
1070	鄲孝子鼎	王四月、鄲孝子台(以)庚寅之日
1117	豐乍父丁鼎	乙未、王商宗庚豐貝二朋
1124	㺯乍父庚鼎一	用乍父庚彝[天黽]
1125	㺯乍父庚鼎二	用乍父庚彝[天黽]
1175	白鮮乍旅鼎一	佳正月初吉庚午
1176	白鮮乍旅鼎二	佳正月初吉庚午
1177	白鮮乍旅鼎三	佳正月初吉庚午
1191	堇乍大子癸鼎	庚申、大保賞堇貝
1195	𢦏弔朕鼎一	佳八月初吉庚申
1196	𢦏弔朕鼎二	佳八月初吉庚申

1197	戩弔朕鼎三	隹八月初吉庚申
1210	甯__鼎	庚午王命甯__省北田四品
1211	庚兒鼎一	郐王之子庚兒自乍飤緐
1212	庚兒鼎二	郐王之子庚兒自乍飤緐
1213	師趛鼎一	隹九月初吉庚寅
1214	師趛鼎二	隹九月初吉庚寅
1228	𣪕𡨦方鼎	隹二月初吉庚寅
1234	旅鼎	才十又一月庚申
1244	瘨鼎	隹三年四月庚午
1248	庚贏鼎	丁子、王蔑庚贏曆
1271	史獸鼎	用乍父庚永寶尊彝
1274	哀成弔鼎	正月庚午、嘉日
1276	__季鼎	隹五月既生霸庚午
1279	中方鼎	隹十又三月庚寅
1304	王子午鼎	命尹子庚殹民之所亟
1305	師奎父鼎	隹六月既生霸庚寅
1309	寰鼎	隹廿又八年五月既望庚寅
1316	㦰方鼎	㦰曰：烏虖、朕文考甲公、文母日庚
1316	㦰方鼎	用乍文母日庚寶尊𩰫彝
1317	善夫山鼎	隹卅又七年正月初吉庚戌
1322	九年裘衛鼎	隹九年正月既死霸庚辰
1325	五祀衛鼎	隹正月初吉庚戌
1450	庚姬乍弔娊尊鬲一	庚姬乍弔娊尊鬲
1451	庚姬乍弔娊尊鬲二	庚姬乍弔娊尊鬲
1452	庚姬乍弔娊尊鬲三	庚姬乍弔娊尊鬲
1503	御鬲	[亞]庚寅、御寅囗、才復
1618	乍父庚寶甗	乍父庚寶彝[ac]
1619	殺乍母庚簟甗	殺乍母庚旅彝
1659	白鮮旅甗	隹正月初吉庚寅
1958	庚午鑄𣪘	庚午鑄
1962	庚父戊𣪘	[庚]父戊
2008	女庚丁__𣪘	母庚丁[eb]
2087	魚乍父庚𣪘	[魚]乍父庚彝
2167	殺乍母庚旅𣪘	殺乍父庚旅彝
2238	魚家𣪘	魚家乍丁父庚彝
2273	衛乍父庚𣪘	衛乍父庚寶尊彝
2317	趩子冉乍父庚𣪘	趩子冉乍父庚寶尊彝
2322	庚姬乍𩰫女𣪘	庚姬乍𩰫囗寶尊彝[獎]
2363	保攸母旅𣪘	保攸母易貝于庚姜
2560	吳彭父𣪘一	吳彭父乍皇且考庚孟尊𣪘
2561	吳彭父𣪘二	吳彭父乍皇且考庚孟尊𣪘
2562	吳彭父𣪘三	吳彭父乍皇且考庚孟尊𣪘
2564	𦎫且日庚乃孫𣪘一	且日庚乃孫乍寶𣪘
2565	且日庚乃孫𣪘二	且日庚乃孫乍寶𣪘
2595	奠虢仲𣪘一	隹十又一月既生霸庚戌
2596	奠虢仲𣪘二	隹十又一月既生霸庚戌
2597	奠虢仲𣪘三	隹十又一月既生霸庚戌
2598	燮乍宮仲念器	隹八月初吉庚午
2635	賢𣪘一	唯九月初吉庚午
2636	賢𣪘二	唯九月初吉庚午

庚

2637	賢𣪕三	唯九月初吉庚午
2638	賢𣪕四	唯九月初吉庚午
2662.	宴𣪕一	隹正月初吉庚寅
2662.	宴𣪕二	隹正月初吉庚寅
2663	宴𣪕一	隹正月初吉庚寅
2664	宴𣪕二	隹正月初吉庚寅
2730	獻𣪕	隹九月既望庚寅
2732	曾仲大父蛕蚑𣪕	唯五月既生霸庚申
2733	何𣪕	隹三月初吉庚午
2773	即𣪕	隹王三月初吉庚申
2776	走𣪕	隹王十又二年三月既望庚寅
2785	王臣𣪕	隹二年三月初吉庚寅
2788	靜𣪕	雩八月初吉庚寅
2796	諫𣪕	隹五年三月初吉庚寅
2796	諫𣪕	隹五年三月初吉庚寅
2810	揚𣪕一	隹王九月既眚霸庚寅
2811	揚𣪕二	隹王九月既眚霸庚寅
2816	彔白𢦚𣪕	隹王正月辰才庚寅
2829	師虎𣪕	用乍朕剌考日庚尊𣪕
2836	𢦚𣪕	用乍文母日庚寶尊𣪕
2853.	尹𣪕	辰才庚口口歙口宮
2856	師訇𣪕	隹元年二月既望庚寅
2934	曾子遷彝𠤳	隹九月初吉庚申
2942	楚子__臥𠤳一	隹八月初吉庚申
2943	楚子__臥𠤳二	隹八月初吉庚申
2944	楚子__臥𠤳三	隹八月初吉庚申
2979	弔朕自乍薦𠤳	隹十月初吉庚午
2979.	弔朕自乍薦𠤳二	十月初吉庚午
2986	曾白霥旅𠤳一	隹王九月初吉庚午
2987	曾白霥旅𠤳二	隹王九月初吉庚午
3061	弭弔旅盨	隹五月既生霸庚午
3086	善夫克旅盨	隹十又八年十又二月初吉庚寅
3274	庚爵	[庚]
3418	且庚爵	且庚
3522	主庚爵二	[主]庚
3523	主庚爵一	[主]庚
3572	庚子爵	[庚子]
3629	庚俎爵	[庚俎]
3705	萬庚爵	[萬庚]
3790	庚父乙爵	[庚]父乙
3890	O父庚爵	[圓]父庚
3891	子父庚爵	[子]父庚
3892	鋻父庚爵	[鋻]父庚
3893	㚬父庚爵一	[㚬]父庚
3894	㚬父庚爵二	[㚬]父庚
3895	__父庚爵	[__]庚父
4038	__庚父爵	__庚父
4086	弓衛父庚爵	父庚[弓衛]
4097	庚壴父癸爵	[庚壴]父癸
4104	天黽母庚爵	母庚[天黽]

4152.	庚寅父癸爵	庚寅父癸[鳥]
4175	能乍父庚爵	能乍父庚尊彝
4182	父乙庚辰為爵	庚辰象乍彝、父乙
4185	䄵徙乍父庚爵	䄵遟父庚寶彝
4197.	相爵	庚
4212.	舟且庚角	[舟]且庚
4242	膚冊宰椃乍父丁角	庚申、王才闌
4284	父庚斝	父庚
4314.	封父庚斝	[封]父庚
4328	封父庚斝	[封]父庚
4562	乍且庚尊一	乍且庚
4563	乍且庚尊二	乍且庚
4602	__父庚尊	父庚[䚔]
4663	__父庚冊尊	[er]父庚[冊]
4701	魚乍父庚尊	魚乍父庚彝
4796	獸乍父庚尊	獸乍父庚寶尊彝[弓]
4797	□□乍父庚尊	□□乍父庚寶尊彝
4817	曶尊	曶乍文考日庚寶尊器
4849	鄁啟方尊	鋁(鄁)啟乍父庚尊彝
4870	奘商尊	帝后賞商庚姬貝卅朋
4904	句庚觥	[句庚]
4968	鋁方彝一	鋁啟乍父庚尊彝
4969	鋁方彝二	鋁啟乍父庚尊彝
5155	弓父庚卣	[弓]父庚
5156	子父庚卣	[子]父庚
5157	子刀子父庚卣	[子刀子]父庚
5158	帚隻父庚卣	[帚隻]、父庚、父辛[酉]
5159	奘父庚卣	[奘]父庚
5185	庚婦聿卣	婦庚[聿][e4]
5242	家戈父庚卣	[家戈]父庚
5298	鬮陸父庚卣	[鬮陸]父庚
5356	乍父庚卣	乍父庚尊彝[cf]
5452	豚乍父庚卣	豚乍父庚宗彝
5456	巽子乍婦㛸卣	女子母庚宊[巽]
5479	奘商乍文辟日丁卣	帝司賞庚姬貝卅朋
5483	周乎卣	用亯于文考庚中
5483	周乎卣	用亯于文考庚中
5504	庚贏卣一	王格于庚贏宮
5504	庚贏卣一	王蔑庚贏曆
5504	庚贏卣一	庚贏對揚王休
5505	庚贏卣二	王格于庚贏宮
5505	庚贏卣二	王蔑庚贏曆
5505	庚贏卣二	庚贏對揚王休
5507	乍冊䰠卣	雩四月既生霸庚午
5509	㚇卣	辰才庚申
5726	華母鷹壺	隹正月初吉庚午
5775	蔡公子壺	隹正月初吉庚午
5793	幾父壺一	隹五月初吉庚午
5794	幾父壺二	隹五月初吉庚午
5804	齊侯壺	__王之孫右帀之子武弔曰庚羼其吉金

庚

5804	齊侯壺	庚大門之
5804	齊侯壺	庚率二百乘舟
5804	齊侯壺	庚獻其兵
5920	庚觚	[庚]
6126	山且庚觚	[山]且庚
6156	獎父庚觚	[獎]父庚
6157	__父庚觚	[am]父庚
6171	庚子父觚	[庚子]父
6254	冊父庚征觚	[冊]父庚[征]
6361	父庚觶	父庚
6477	執戈父庚觶	[戭]父庚
6478	子父庚觶	[子]父庚
6479	乍父庚觶	乍父庚
6615	父己庚禾觶	克乍庚禾父己
6635	中觶	王大省公族于庚農旅
6765	齊弔姬盤	齊弔姬乍孟庚寶般
6766	黃韋艅父盤	隹元月初吉庚申
6770	䰜白盤	隹正月初吉庚午
6789	袁盤	隹廿又八年五月既望庚寅
6791	兮甲盤	隹五年三月既死霸庚寅
6865	楚嬴匜	隹王正月初吉庚午
6869	浮公之孫公父宅匜	唯王正月初吉庚午
6870	算公孫䛄父匜	隹正月初吉庚午
6888	吳王光鑑一	隹王五月既字白期吉日初庚
6889	吳王光鑑二	隹王五月既字白期吉日初庚
6923	庚午盞	隹正九月初吉庚午
6924	江仲之孫白戔𨎺盞	隹八月初吉庚午
7040	克鐘一	隹十又六年九月初吉庚寅
7041	克鐘二	隹十又六年九月初吉庚寅
7042	克鐘三	隹十又六年九月初吉庚寅
7045	□□自乍鐘一	隹王正月初吉庚申
7075	者沏鐘七	甶__庚樂
7078	者沏鐘十	甶__庚樂
7081	者沏鐘十三	甶__庚樂
7108	𨞛弔之仲子平編鐘一	隹正月初吉庚午
7109	𨞛弔之仲子平編鐘二	隹正月初吉庚午
7110	𨞛弔之仲子平編鐘三	隹正月初吉庚午
7111	𨞛弔之仲子平編鐘四	隹正月初吉庚午
7124	沇兒鐘	徐王庚之子沇兒
7125	蔡侯𦑡紐鐘一	隹正五月初吉孟庚
7126	蔡侯𦑡紐鐘二	隹正五月初吉孟庚
7132	蔡侯𦑡紐鐘八	隹正五月初吉孟庚
7133	蔡侯𦑡紐鐘九	隹正五月初吉孟庚
7134	蔡侯𦑡甬鐘	隹正五月初吉孟庚
7135	逆鐘	仕王元年三月既生霸庚申
7204	克鎛	隹十又六年九月初吉庚寅
7205	蔡侯𦑡編鎛一	隹正五月初吉孟庚
7206	蔡侯𦑡編鎛二	隹正五月初吉孟庚
7207	蔡侯𦑡編鎛三	隹正五月初吉孟庚
7208	蔡侯𦑡編鎛四	隹正五月初吉孟庚

7218	郐讃尹征城	唯正月月初吉、日才庚
7573	大且日己戈	且日庚
M177.	㦰殷	㦰乍且庚尊殷
M545	配兒勾鑃	□□□初吉庚午
		小計：共 227 筆

2369

0653	后母甘康方鼎	后母甘康
0770	康侯丰鼎	康侯丰乍寶尊
0882	王乍康季鬲	王乍康季寶尊鬲
1037	乍冊甾鼎	康侯才死自易乍冊甾貝
1043	卅年鼎	卅年、康____事_冶巡鑄
1163	齊陳__鼎蓋	齊陳ka不敢逸康
1230	師器父鼎	用旂饗壽黃句（ 耇 ）吉康
1274	哀成弔鼎	台吏康公
1280	康鼎	王才康宮
1280	康鼎	榮白內右康
1280	康鼎	康拜𩒨首
1283	微䜌鼎	用易康勵魯休
1291	善夫克鼎一	用匄康勵屯右
1292	善夫克鼎二	用匄康勵屯右
1293	善夫克鼎三	用匄康勵屯右
1294	善夫克鼎四	用匄康勵屯右
1295	善夫克鼎五	用匄康勵屯右
1296	善夫克鼎六	用匄康勵屯右
1297	善夫克鼎七	用匄康勵屯右
1300	南宮柳鼎	王才康廟
1305	師奎父鼎	用匄饗壽黃耇吉康
1309	寰鼎	王才周康穆宮
1310	鬲攸從鼎	王才周康宮、徲大室
1312	此鼎一	王才周康宮徲宮
1313	此鼎二	王才周康宮徲宮
1314	此鼎三	王才周康宮徲宮
1318	晉姜鼎	用康䪫
1319	頌鼎一	王才周康卲宮
1319	頌鼎一	旂丐康𩁹屯右、通彔永令
1320	頌鼎二	王才周康卲宮
1320	頌鼎二	旂丐康𩁹屯右、通彔永令
1321	頌鼎三	王才周康卲宮
1321	頌鼎三	旂丐康𩁹屯右、通彔永令
1332	毛公鼎	康能四國
2008	女康丁__殷	母康丁［ eb ］
2611	畾㳄嗣土吴殷	征令康侯啚于衛
2689	白康殷一	白康乍寶殷
2689	白康殷一	康其萬年饗壽
2690	白康殷二	白康乍寶殷
2690	白康殷二	康其萬年饗壽
2705	君夫殷	王才康宮大室
2712	虢姜殷	旛匄康𩁹屯右

康

2725.	𥱶星𣪘	用㫃康匄屯右通彔魯令
2726	㽙𣪘	康公右郃㽙
2738	衛𣪘	王客于康宮
2768	楚𣪘	王各于康宮
2773	即𣪘	王才康宮、各大室
2774	臣諫𣪘	隹用□康令于皇辟侯
2784	申𣪘	王在周康宮
2787	望𣪘	王才周康宮新宮
2787	望𣪘	王才周康宮新宮
2797	輔師𨜓𣪘	王才周康宮
2800	伊𣪘	王才周康宮
2800	伊𣪘	𦅫官司康宮王臣妾、百工
2810	揚𣪘一	王才周康宮
2811	揚𣪘二	王才周康宮
2817	師穎𣪘	王才周康宮
2818	此𣪘一	王才周康宮徲宮
2819	此𣪘二	王才周康宮徲宮
2820	此𣪘三	王才周康宮徲宮
2821	此𣪘四	王才周康宮徲宮
2822	此𣪘五	王才周康宮徲宮
2823	此𣪘六	王才周康宮徲宮
2824	此𣪘七	王才周康宮徲宮
2825	此𣪘八	王才周康宮徲宮
2831	元年師兌𣪘一	王才周、各康廟即立
2832	元年師兌𣪘二	王才周、各康廟即立
2834	㝬𣪘	用康惠朕皇文剌且考
2844	頌𣪘一	王才周康卲宮
2844	頌𣪘一	用追孝㫃匄康𩐋屯右
2845	頌𣪘二	王才周康卲宮
2845	頌𣪘二	用追孝㫃匄康𩐋屯右
2845	頌𣪘二	王才周康卲宮
2845	頌𣪘二	用追孝㫃匄康𩐋屯右
2846	頌𣪘三	王才周康卲宮
2846	頌𣪘三	用追孝㫃匄康𩐋屯右
2847	頌𣪘四	王才周康卲宮
2847	頌𣪘四	用追孝㫃匄康𩐋屯右
2848	頌𣪘五	王才周康卲宮
2848	頌𣪘五	用追孝㫃匄康𩐋屯右
2849	頌𣪘六	王才周康卲宮
2849	頌𣪘六	用追孝㫃匄康𩐋屯右
2850	頌𣪘七	王才周康卲宮
2850	頌𣪘七	用追孝㫃匄康𩐋屯右
2851	頌𣪘八	王才周康卲宮
2851	頌𣪘八	用追孝㫃匄康𩐋屯右
2856	師訇𣪘	亡不康静
2955	齊陳_匠一	齊陳ka不敢般康
2956	齊陳曼匠二	齊陳ka不敢逸般康
3036	奠井弔康旅盨	奠井弔康乍旅盨（槓）
3036.	奠井弔康旅盨二	奠井弔康乍旅盨
3086	善夫克旅盨	王才周康穆宮

3628	康侯爵	[康]侯
4340.	__斝	__乍康公寶尊彝
4441	卅五年__盉	康命周__禹
4444.	卅五年盉	康命周__民吏
4887	蔡侯𬺈尊	康諧龢好
4893	矢令尊	乙酉、用牲于康宮
4977	師遽方彝	王才周康宮、鄉醴
4981	𥎦冊令方彝	乙酉、用牲于康宮
5789	命瓜君厚子壺一	康樂我家
5789	命瓜君厚子壺一	屖屖康弔
5789	命瓜君厚子壺一	康受屯德
5790	命瓜君厚子壺二	康樂我家
5790	命瓜君厚子壺二	屖屖康弔
5799	頌壺一	王才周康卲宮
5799	頌壺一	𬤇𠣌康𬨎屯右
5800	頌壺二	王才周康卲宮
5800	頌壺二	𬤇𠣌康𬨎屯右
6787	走馬休盤	王才周康宮
6788	蔡侯𬺈盤	康諧龢好
6789	寰盤	王才周康穆宮
6792	史墻盤	淵悊康王
6899	__乍康公盉	__乍康公寶尊彝
7008	通彔鐘	康虔屯右
7038	應侯見工鐘一	辛未王各于康
7040	克鐘一	王才周康剌宮
7041	克鐘二	王才周康剌宮
7042	克鐘三	王才周康剌宮
7060	昊生鐘一	用𬤇康𬨎屯魯、用受
7088	士父鐘一	隹康右屯魯
7089	士父鐘二	隹康右屯魯
7090	士父鐘三	隹康右屯魯
7091	士父鐘四	隹康右屯魯
7174	秦公鐘	以康奠協朕或
7174	秦公鐘	匍有四方、其康寶
7177	秦公及王姬編鐘一	以康奠協朕或
7178	秦公及王姬編鐘二	匍有四方、其康寶
7184	叔夷編鐘三	女康能乃又事
7204	克鎛	王才周康剌宮
7209	秦公及王姬鎛	以康奠𬇙朕或
7209	秦公及王姬鎛	匍有四方、其康寶
7210	秦公及王姬鎛二	以康奠𬇙朕或
7210	秦公及王姬鎛二	匍有四方、其康寶
7211	秦公及王姬鎛三	以康奠𬇙朕或
7211	秦公及王姬鎛三	匍有四方、其康寶
7214	叔夷鎛	女康能乃又事
7225	康侯鈴	康侯
7619	康侯矛	康侯
7747	康侯刀	康侯
7758	康侯斧一	康侯
7759	康侯斧二	康侯

M423.	趞鼎	王在周康卲宮
		小計：共 143 筆

康
辛 辛 2370

0073	辛鼎	[辛]
0206	父辛方鼎一	父辛
0207	父辛方鼎二	父辛
0208	父辛方鼎三	父辛
0209	父辛方鼎四	父辛
0230	冄辛鼎	[冄]辛
0243	角辛鼎	[角]辛
0244	辛丯鼎	辛[丯]
0283	辛章鼎	辛[章]
0331	象且辛鼎	[象]且辛
0332	戈且辛鼎	[戈]且辛
0408	冄父辛鼎	[冄]父辛
0409	冄父辛鼎二	[冄]父辛
0410	冄父辛鼎一	[冄]父辛
0411	子父辛鼎	[子]父辛
0412	需父辛鼎一	[需]父辛
0413	需父辛鼎二	[需]父辛
0414	多父辛鼎	[多]父辛
0415	戈父辛鼎一	[戈]父辛
0416	戈父辛鼎二	[戈]父辛
0417	木父辛鼎	[木]父辛
0418	田父辛方鼎	[田]父辛
0419	敼父辛鼎	[敼]父辛
0420	壴父辛鼎	[壴]父辛
0421	串父辛鼎	[串]父辛
0422	卬父辛鼎	[卬]父辛
0423	聃父辛鼎	[聃]父辛
0424	宊父辛鼎	[宊]父辛
0425	𠬝家父辛鼎	[𠬝家]父辛
0426	旬父辛鼎	[旬]父辛
0427	騶父辛鼎	[騶]父辛
0427.	斿父辛鼎	[斿]父辛
0427.	誇父辛鼎	[誇]父辛
0450	戈妣辛鼎	[戈]匕辛
0505	亞辛吴方鼎一	亞辛[吴]
0521	后母辛方鼎二	司(后)母辛
0522	后母辛方鼎	司(后)母辛
0526	東父辛鼎	[東]父辛
0548	亞醜父辛鼎	[亞醜]父辛
0549	亞醜父辛鼎	[亞醜]父辛
0550	亞醜父辛鼎	[亞醜]父辛
0583	卬乍父辛鼎	[卬]乍父辛
0584	__父辛鼎	[dv]父辛
0587	子刀父辛方鼎	[子刀]父辛

0652	父辛長矢鼎	父辛長矢
0670	旋且庚父辛鼎	[旋]且庚父辛
0680	父辛冊𢆶冊方鼎	父辛[冊𢆶]
0681	單父辛鼎	[獸]父辛
0682	單父辛鼎	[獸]父辛
0683	□父辛鼎	[豕□豕]父辛
0684	子冊_父辛鼎	[子冊_]父辛
0753	犬且辛且癸鼎	犬且辛且癸[亯]
0764	乍父辛方鼎	乍父辛寶尊彝
0767	田告乍母辛方鼎	田告乍母辛尊
0809	木乍父辛鼎	木乍父辛寶尊
0815	奘且辛禹方鼎一	[奘]且辛禹[bn]
0816	奘且辛禹方鼎二	[奘]且辛禹[bn]
0844	匽侯旨乍父辛鼎	匽侯旨乍父辛尊
0847	用貝乍母辛鼎	貝用乍母辛彝[ab]
0893	亞牧乍父辛鼎	乍父辛寶尊彝[亞牧]
0908	宥乍父辛鼎	宥乍父辛尊彝[亞俞]
0914	汝乍𠂤姑日辛鼎	汝乍𠂤姑日辛尊彝
0915	亞吏弜乍父辛鼎	[亞吏弜]乍父辛尊彝
0932	木乍母辛鼎	乍母辛尊彝[木工冊]
0943	亞父庚且辛鼎	[亞俞fw]父父庚保且辛
0952	戈囧𤔲陶父辛鼎	戈囧𤔲陶乍父辛寶尊彝
1017	剌𣪘鼎	其用盟𩰫宄媾日辛
1098	咅夫白辛父鼎	咅夫白辛父乍尊鼎
1104	辛中姬皇母鼎	辛中姬皇母乍尊鼎
1145	舍父鼎	辛宮易舍父帛金
1145	舍父鼎	揚辛宮休
1159	辛鼎一	辛乍寶
1159	辛鼎一	剌多友釐辛
1160	辛鼎二	辛乍寶
1160	辛鼎二	剌多友釐辛
1162	乃子克鼎	效辛白蔑乃子克曆
1162	乃子克鼎	用乍父辛寶尊彝
1162	乃子克鼎	辛白其並受囚
1221	井鼎	辛卯、王漁于nqui
1225	鬲大史申鼎	隹正月初吉辛亥
1229	厚趠方鼎	趠用乍𠂤文考父辛寶尊齍
1249	害鼎	隹九月既生霸辛酉、才匽
1249	害鼎	用乍召白父辛寶尊彝
1311	師晨鼎	用乍朕文且辛公尊鼎
1344	父辛鬲	父辛
1365	嫠乍父辛鬲	乍父辛[嫠]
1410	束且辛父甲鬲	[束]且辛父甲征
1440	亞俞林𠃬鬲	林𠃬乍父辛寶尊彝[亞俞]
1466	亞𩵦𩵦母辛鬲	用乍又(𠂤)母辛尊彝
1522	孟辛父乍孟姞鬲一	u0馬孟辛父乍孟姞寶尊鬲
1523	孟辛父乍孟姞鬲二	u0馬孟辛父乍孟姞寶尊鬲
1556	舟辛甗	[舟]辛
1577	𠃬父辛甗	[𠃬]父辛
1578	𢆶父辛甗	[𢆶]父辛

辛

1594	黽乍父辛甗	黽乍父辛
1642	尹白乍且辛甗	尹白乍且辛寶尊彝
1649	󠄀𦉜乃子乍父辛甗	乃子乍父辛寶尊彝[𦉜]
1797	父辛𣪘二	父辛
1798	父辛𣪘一	父辛
1799	父辛𣪘三	父辛
1807	京辛𣪘	[京]辛
1808	且辛𣪘	且辛
1812	辛𠁁𣪘	辛[𠁁]
1830	父辛𣪘	父辛
1842	□辛嬰𣪘	□辛[嬰]
1843	㺯□辛𣪘	[㺯]□辛
1848	且辛__𣪘	且辛__
1849	象且辛𣪘	[象]且辛
1883	𢊁父辛𣪘	[𢊁]父辛
1884	執父辛𣪘	[執]父辛
1885	肰父辛𣪘	[肰]父辛
1886	鳶父辛𣪘	[鳶]父辛
1887	串父辛𣪘一	[串]父辛
1888	串父辛𣪘二	[串]父辛
1889	𠁁父辛𣪘	[𠁁]父辛
1890	析父辛𣪘	[析]父辛
1891	亞父辛𣪘	[亞]父辛
1892	𠨧父辛𣪘	[𠨧]父辛
1892.	__父辛𣪘	[fq]父辛
1896	□父辛𣪘	[□]父辛
1925	𡚬母辛𣪘	[𡚬]母辛
1984	亞醜父辛𣪘一	[亞醜]父辛
1985	亞醜父辛𣪘二	[亞醜]父辛
2006	𡨦乍父辛𣪘	[𡨦]乍父辛
2011	天豕匕辛𣪘	[豙]匕辛
2090	囝乍父辛𣪘	囝乍父辛彝
2168	宰乍父辛𣪘	宰乍父辛寶彝
2169	埶乍父辛𣪘	埶乍父辛尊彝
2170	玐乍父辛𣪘	玐乍父辛𣪘彝
2171	___乍父辛𣪘	nh□乍父辛彝
2218	密乍父辛寶𣪘	密乍父辛寶彝
2232	𧆞𣪘	𧆞乍父辛尊彝
2257	哦乍父辛𣪘	哦乍父辛寶尊彝
2282	史某貺乍且辛𣪘	史某貺(兄)乍且辛寶彝
2298	戈厚乍兄日辛𣪘	[戈]厚乍兄日辛寶彝
2336	冊戈𪊨郢乍父辛𣪘	[戈𪊨]郢乍父辛尊彝
2357	𢊁冊𡣽𡠄𣪘𣪘	𡣽𡠄𣪘用乍𠣘辛𣪘𣪘[𢊁冊]
2397	__乍父辛𣪘	G3乍父辛皇母匕乙寶尊彝
2409	𡚱父丁𣪘	辛未吏□易𡚱貝十朋
2462	弔向父乍㛸姛𣪘一	弔向父乍母辛㚶(始)尊𣪘
2463	弔向父乍㛸姛𣪘二	弔向父乍母辛㚶(始)尊𣪘
2464	弔向父乍㛸姛𣪘三	弔向父乍母辛㚶(始)尊𣪘
2465	弔向父乍㛸姛𣪘四	弔向父乍母辛㚶(始)尊𣪘
2466	弔向父乍㛸姛𣪘五	弔向父乍母辛㚶(始)尊𣪘

2486	□□且辛段	□□且辛寶段
2525	寧孜段	辛亥、王才__
2530	遡姬乍父辛段	遡姬乍父辛尊段
2544	亞㠱乍父乙段	[亞]辛己、㠱ub倉、才小圃
2546	聖段	辛巳、王㱃(歆)多亞聖䖒京
2568	__幵乍父辛段	用乍父辛尊彝[__]
2577	害客段	害客乍朕文考日辛寶尊段
2626	耆乍父乙段	隹十月初吉辛巳
2627	伊段	伊__征于辛吏
2627	伊段	伊__賞辛吏桼金
2646	仲辛父段	中辛父乍朕皇且日丁
2646	仲辛父段	辛父其萬年無疆
2660	彔乍辛公段	用乍文且辛公寶䵼段
2671	利段	辛未
2693	𣪕段	用乍辛公段
2707	小臣守段一	隹五月既死霸辛未
2708	小臣守段二	隹五月既死霸辛未
2709	小臣守段三	隹五月既死霸辛未
2721	𤔲段	唯六月既生霸辛己
2736	師遽段	隹王三祀四月既生霸辛酉
2853.	__弔段	隹王三月初吉辛卯
2861.	亞其父辛匠	[亞其戈]父辛
3068	白寬父盨一	隹卅又三年八月既死辛卯
3069	白寬父盨二	隹卅又三年八月既死辛卯
3092.	嬰父辛爵二	[嬰]父辛
3276	辛爵	[辛]
3419	且辛爵	且辛
3420	且辛爵	且辛
3470	父辛爵一	父辛
3471	父辛爵二	父辛
3472	父辛爵三	父辛
3473	父辛爵四	父辛
3474	父辛爵五	父辛
3475	父辛爵六	父辛
3476	父辛爵七	父辛
3477	父辛爵八	父辛
3478	父辛爵九	父辛
3479	父辛爵十	父辛
3480	父辛爵十一	父辛
3511	亞辛爵	[亞辛]
3525	舟辛爵	[舟]辛
3711	辛且爵	辛且
3713	辛戈爵一	辛[戈]
3714	辛戈爵二	辛[戈]
3747	子且辛爵	[子]且辛
3748	齊且辛爵	[齊]且辛
3749	句且辛爵	[句]且辛
3751	且辛__爵一	且辛[__]
3752	且辛__爵二	且辛[__]
3752.	人且辛爵	[人]且辛

3754	木且辛爵	[木]且辛
3755	且辛壴爵	且辛[壴]
3843.	父辛㭉爵	父辛[㭉]
3896	亞父辛爵	[亞]父辛
3897	子父辛爵一	[子]父辛
3898	子父辛爵二	[子]父辛
3899	子父辛爵三	[子]父辛
3900	囝父辛爵	[囝]父辛
3901	木父辛爵	[木]父辛
3902	嬰父辛爵一	[嬰]父辛
3903	中父辛爵	[中]父辛
3904	娸父辛爵	[娸]父辛
3905	卬父辛爵	[卬]父辛
3906	卬辛父爵	[卬]父辛
3906.	父辛卬爵	父辛[卬]
3907	㳄父辛爵	[㳄]父辛
3908	史父辛爵	[史]父辛
3909	興父辛爵	[興]父辛
3910	舟父辛爵	[舟]父辛
3911	舟父辛爵二	[舟]父辛
3912	酉父辛爵	[酉]父辛
3913	酉父辛爵	[酉]父辛
3914	鼎父辛爵一	[鼎]父辛
3915	鼎父辛爵二	[鼎]父辛
3916	㫐父辛爵	[㫐]父辛
3917	賁父辛爵一	[賁]父辛
3918	賁父辛爵二	[賁]父辛
3919	賁父辛爵三	[賁]父辛
3920	弔父辛爵	[弔]父辛
3922	_父辛爵	[_]父辛
3923	丫父辛爵	[丫]父辛
3924	_父辛爵	[ft]父辛
3925	_父辛爵	[d8]父辛
3926	黽父辛爵	[黽]父辛
3927	_父辛爵	[_]父辛
3928	鑿父辛爵	[鑿]父辛
3929	鑿父辛爵	[鑿]父辛
3930	東父辛爵	[東]父辛
3931	乍父辛爵	乍父辛
3932	臤父辛爵	[臤]父辛
3933	父辛爵	[壴]父辛
3933.	興父辛爵	[興]父辛
3933.	戈父辛爵	[戈]父辛
3978	爻匕辛爵	[爻]妣辛
3978.	㳄匕辛爵	[㳄]匕辛
3996	且辛壴爵	且辛[壴]
3997	日辛爵	日辛[共]
4005	屰父辛爵	[屰]父辛
4006	永父辛爵	父辛[永]
4007	冀父辛爵	[㠱]父辛

4027	天父辛爵	[天]父辛
4050	卯且辛爵	[卯]且辛
4051	亞卩父辛爵一	[亞卩]父辛
4052	亞卩父辛爵二	[亞卩]父辛
4053	亞__父辛爵	[亞b1]父辛
4087	冊𦥑乍父辛爵	[冊𦥑]乍父辛
4088	____父辛爵	[__f3]父辛
4089	大辛父辛爵	[大亥]父辛
4089.	亞天父辛爵	父辛[亞天]
4110	子工乙酉爵	[子工乙辛]
4115	仌句毌且辛爵	[仌句毌]且辛
4128	𧆨爵	𧆨乍父辛
4145	口父乍父辛爵	口父乍父辛
4145.	子東壬父辛爵	[子東]壬父辛
4171	𢁒乍且辛旅彝爵	𢁒乍且辛旅彝
4172	𣪘中乍且辛爵	𣪘中乍且辛彝
4175.	冊𦥑冊乍父辛爵	乍父辛[冊𦥑]
4178	__豐乍父辛爵一	豐乍父辛寶[冊𦥑]
4179	豐乍父辛爵二	豐乍父辛寶[冊𦥑]
4180	豐乍父辛爵三	豐乍父辛寶[冊𦥑]
4195	𢍉乍父辛爵	𢍉大乍父辛寶尊彝
4199	𩚁乍白父辛爵	𩚁乍召白父辛寶尊彝
4203	御正良爵	用乍父辛尊彝[__]
4222	𡚱父辛角	[𡚱]父辛
4238	索諆爵(角)	索(索)諆乍有羔日辛𩰫彝
4240	亞未乍父辛角	用乍父辛彝[亞吴]
4318	酉父辛斝	[酉]父辛
4324	𦍒父辛斝	[𦍒]父辛
4324.	乍父辛斝	乍父辛
4332	辛亞中𤔲斝	辛[亞𩀱]
4385	亞𡥈父辛盉	[亞𡥈]父辛
4422	亞𡨦乍仲子辛盉	[亞𡨦]乍中子辛彝
4432	白害乍召白父辛盉	白害乍召白父辛寶尊彝
4447	臣辰冊冊𠧪乍冊父癸盉	才五月既望辛酉
4523	父辛尊	父辛
4524	父辛尊	父辛
4547	尹辛尊	尹辛
4554	且辛尊	且辛
4567	舟且辛尊	[舟]且辛
4601	𢊁父辛尊	[𢊁]父辛
4603	卯父辛尊	[卯]父辛
4644	亞父辛__尊	亞父辛[d7]
4645	亞𡚱父辛尊	[亞𡚱]父辛
4649	子且辛步尊	[子]且辛[步]
4661	__𡚲父辛尊	[b8𡚲]父辛
4662	天黽父辛尊	[天黽]父辛
4664	𩣡乍父辛尊	[𩣡]乍父辛
4665	亞𢍉父辛尊	[亞𢍉]父辛
4672	辛乍寶彝尊	辛乍寶彝
4693	車父辛尊	夫車父辛

辛

4698	衛箙父辛尊	[衛箙]父辛
4702	宰乍父辛尊	宰乍父辛旅
4704	_父辛主雞尊	[az]父辛[主雞]
4705	乍父辛尊	乍父辛寶尊
4706	受父辛尊	受父辛且乙
4707	亞fk子父辛尊	[亞fk子徙父辛]
4722	冊口宁父辛方尊	[冊口宁]父辛
4732	乍父辛尊	_乍父辛寶尊彝
4734	小臣豸辰父辛尊	小臣[豸]辰父辛
4735	_乍父辛尊	_乍父辛尊彝
4737	口乍父辛尊	口乍父辛寶尊彝
4776	此尊	此乍父辛寶尊彝
4777	鐵乍父辛尊	鐵乍父辛寶尊彝
4778	費乍父辛尊	費乍父辛寶尊彝
4783	亞共尊一	[亞旱乙日辛甲共受]
4784	亞共尊二	[亞旱日乙受日辛日甲共]
4787	烏矢乍辛尊	烏矢乍父辛寶彝
4791	屯乍兄辛尊	屯乍兄辛寶尊彝[騾]
4798	厥子乍父辛尊	氒子乍父辛寶尊彝
4808	亞貴吴嫛乍母辛尊	[亞貴吴]嫛乍母辛寶彝
4810	子変乍母辛尊	子変乍母辛尊彝[奘]
4811	嶅嗣土幽乍且辛旅尊	嶅司土幽乍且辛旅彝
4822.	衛帙尊	衛帙乍父辛彝尊[亞旓]
4835	鄦仲尊	鄦中_乍氒文考寶尊彝、日辛
4841	守宮乍父辛雞形尊	乍父辛尊
4842	啟乍文父辛尊	用乍文父辛尊彝[奘]
4845	服方尊	乍文考日辛寶尊彝
4854	_車僰乍公日辛尊	用乍公日辛寶彝[st]
4868	趞乍姞尊	隹十又三月辛卯、王才庌
4871	醽麥豐尊	用乍父辛寶尊彝
4881	䙷方尊	用乍辛公寶尊彝
4883	耳尊	隹六月初吉辰才辛卯
4887	蔡侯䵼尊	元年正月初吉辛亥
4907	后母辛四足觥一	后母辛
4908	后母辛四足觥二	后母辛
4912	亞父辛_觥	[亞]父辛[d7]
4915	舟父辛觥	[舟]父辛寶尊彝
4918	辛猒乍父辛觥	[猒]乍父辛寶尊彝[辛]
4923	守宮乍父辛觥	守宮乍父辛尊彝其永寶
4965	辛猒乍父辛方彝一	辛猒乍父辛寶尊彝
4966	辛猒乍父辛方彝二(器)	辛猒乍父辛寶尊彝
5103	辛舟卣	[辛舟]
5107	竟且辛卣	[竟]且辛
5112	鳶且辛卣	[鳶]且辛
5158	帚隻父庚卣	[帚隻]、父庚、父辛[酉]
5160	弔父辛卣	[弔]父辛
5161	旅父辛卣	[旅]父辛
5162	䆃父辛卣	[䆃]父辛
5163	㣇父辛卣一	[㣇]父辛
5164	㣇父辛卣二(蓋)	[㣇]父辛

5165	舟父辛卣一	[舟]父辛
5166	舟父辛卣二	[舟]父辛
5167	賁父辛卣	[賁]父辛
5168	天父辛卣	[天]父辛
5169	刀父辛卣	[刀]父辛
5170	父辛黽卣	父辛[黽]
5171	䶂父辛卣(蓋)	[䶂]父辛
5180	子辛__卣	子辛[fl]
5211	埶父辛卣	[埶]父辛
5220	亞醜父辛卣	[亞醜]父辛
5243	令__父辛卣	[cv令]父辛
5244	孛舟父辛卣	[孛舟]父辛
5278	天黿父辛卣	[天黽]父辛
5289	會且己父辛卣	且己父辛[會]
5299	䶂叙父辛卣	[䶂叙]父辛彝
5300	守宮乍父辛卣	守宮乍父辛
5302	㸚木父辛冊卣	[㸚木父辛冊]
5323	考乍父辛卣	考乍父辛尊彝
5325	__乍父辛卣	__乍父辛彝
5327	寇乍父丁卣	寇乍父辛寶彝
5355	犬且辛且癸享卣	[犬]且辛、且癸[享]
5358	亞__䶂且辛禹卣	[䶂]且辛禹[亞bn]
5367	亞其吴乍母辛卣一	[亞其吴]母辛彝
5368	亞其吴乍母辛卣二	[亞其吴]母辛彝
5369	亞其吴乍母辛卣三	[亞其吴]母辛彝
5384	賁乍父辛卣	賁乍父辛寶尊彝
5385	𩰫乍父辛卣	𩰫乍父辛寶尊彝
5386	____乍父辛卣	[uutt]乍父辛尊彝
5387	亞__夾乍父辛卣	夾乍父辛尊彝[亞b3]
5388	亞艅窰乍父辛卣	窰乍父辛尊彝[亞俞]
5396	季卣	季乍父辛寶尊彝
5405	__矢乍父辛卣	__矢乍父辛寶彝
5412	𨍭屯乍兄辛卣	屯乍兄辛寶尊彝[𨍭]
5416	闢卣	闢乍皇陽日辛尊彝
5422	嫠嗣土幽旅卣	嫠司土幽乍且辛旅彝
5424	束乍父辛卣	公賞束、用乍父辛于彝
5426	亞旛剌乍兄日辛卣	剌乍兄日辛尊彝[亞旛]
5444	守宮卣	守宮乍父辛尊彝
5445	廣寓卣	辛卯子易寓貝
5450	天黿盄乍父辛卣	用乍父辛尊彝[天黽]
5451	無仲奔乍文考日辛卣	無中奔乍𡚱文考寶尊彝、日辛
5460	戠御乍父己卣	戠、辛巳、王易馭(御)八貝一具
5460	戠御乍父己卣	戠、辛巳、王易馭(御)八貝一具
5466	顯乍母辛卣一	顯乍母辛尊彝
5467	顯乍母辛卣二	顯乍母辛尊彝
5472	乍毓且丁卣	辛亥、王才廙
5472	乍毓且丁卣	辛亥、王才廙
5476	趞乍姞寶卣	隹十又三月辛卯
5480	冊𠦪冊豐卣	用乍父辛寶尊彝[冊𠦪]
5480	冊𠦪冊豐卣	用乍父辛寶尊彝[冊𠦪]

辛

辛

5494	𠫑冀乍母辛卣	[𠫑]母辛
5494	𠫑冀乍母辛卣	冀用乍母辛彝
5501	臣辰冊冊𠂤卣一	才五月既望辛酉
5502	臣辰冊冊𠂤卣二	才五月既望辛酉
5503	競卣	正月既生霸辛丑、才坏
5510	乍冊嗌卣	乍冊嗌乍父辛尊
5557	𠫑且辛禹罍	且辛禹[bn𠫑]
5636	𠀠父辛壺	[𠀠]父辛
5680	恆乍且辛壺	恆乍且辛壺[戉]
5696	𢈭冊冊𢽴乍父辛壺	𢽴乍父辛彝[𢈭冊]
5700	_壺	_客、之官_、辛、五官
5909	𣍝辛觚	[𣍝辛]
5967	_觚	[辛门]
6008	且辛觚一	且辛
6009	且辛觚二	且辛
6158	_父辛觚	_父辛
6159	旅父辛觚	[旅]父辛
6160	𡨦父辛觚	[𡨦]父辛
6161	弔父辛觚	[弔]父辛
6162	口父辛觚	[口]父辛
6163	攼父辛觚	[攼]辛父
6164	梳父辛觚	[梳]父辛
6165	犬未父辛觚	[犬未]父辛
6179	兄辛亞觚	兄辛[亞]
6196	戈且辛觚	[戈]且辛
6200	竝父辛觚	父辛[竝]
6201	斐父辛觚	父辛[斐]
6205	辛卿宁觚	辛[卿宁]
6213	且辛戉刀觚	且辛[戉刀]
6235	天黽父辛觚	[天黽]父辛
6236	𠫑子父辛觚	[𠫑子]父辛
6244	辛乍從彝觚	辛乍從彝
6265	亞吴乍父辛尊觚	乍父辛尊[亞吴]
6274	𡨦亥召乍父辛觚	𡨦亥召乍父辛彝
6281	天口逐攼宁觚	天口逐攼宁用乍父辛寶尊彝
6346	且辛觶	且辛
6362	父辛觶一	父辛
6363	父辛觶二	父辛
6364	父辛觶三	父辛
6365	父辛觶四	父辛
6372	舟辛觶	[舟]辛
6375	戈辛觶	[戈]辛
6418	亞且辛觶	[亞𠨍]且辛
6474	榭父辛觶	[榭]父辛
6480	子父辛觶	[子]父辛
6481	立父辛觶	[立]父辛
6482	竟父辛觶	[竟]父辛
6483	𠀠父辛觶	[𠀠]父辛
6484	𠂤父辛觶	[𠂤]父辛
6485	周奴父辛觶	[周奴]父辛

6486	子父辛觶	[子]父辛
6487	𡚸父辛觶	[𡚸]父辛
6488	__父辛觶	[虍徙]父辛
6489	賁父辛觶	[賁]父辛
6490	𡚸父辛觶	[𡚸]父辛
6491	䶂父辛觶	[䶂]父辛
6492	𥃝父辛觶一	[𥃝]父辛
6493	冎父辛觶	[冎]父辛
6494	𠀠父辛觶	[𠀠]父辛
6495	父辛𠀠觶	父辛[𠀠]
6496	羊父辛觶	[羊]父辛
6497	吳父辛觶	[吳]父辛
6498	㾊父辛觶	[㾊]父辛
6519	𡚸母辛觶	[𡚸]母辛
6574	逆__父辛觶	[逆f2]父辛
6575	____父辛觶	[chf0]父辛
6576	六乍父辛觶	[六]乍父辛
6577	亞俞父辛觶	[亞俞]父辛
6579	光乍母辛觶	[岢]乍母辛
6588	亞孳父辛觶	[亞孳]父辛
6606	____乍禦父辛觶	[usut]乍禦父辛
6612	亞㠱侯匕辛吳觶	[亞㠱侯匕辛吳]
6618	𡚸𦅫__乍且辛觶	[𡚸𦅫vr]乍且辛彝
6619	子徒乍兄日辛觶	子徒乍兄日辛彝
6627	鼓𦎫乍父辛觶	[鼓𦎫]乍父辛寶尊彝
6629	齊史疑乍且辛觶	齊史疑乍且辛寶彝
6675	父辛盤	父辛
6716	京隩仲__盤	[京]隩中wb乍父辛寶尊彝
6722	彭生盤	彭生乍氒文考辛寶尊彝[冊光白尹]
6788	蔡侯𦣞盤	元年正月初吉辛亥
6792	史墻盤	亞且且辛
6799	戈父辛匜	[戈]父辛
7038	應侯見工鐘一	辛未王各于康
7159	瘐鐘二	追孝于高且辛公
7259	辛戈一	[辛]
7260	辛戈二	[辛]
7261	辛戈三	[辛]
7262	辛戈四	[辛]
7362	亞又攸辛戈	[辛、亞又攸]
7446	成陽辛城里戈	成陽辛城里戈
7575	且日乙戈	父日辛
7620	辛邑陕矛	辛邑陕
7992	后母辛方形高圈足器	后母辛
7004	家父辛	家父辛
M143	𩒨壺	𩒨乍母辛尊彝
M191	繁卣	雩旬又一日辛亥
M191	繁卣	公啻(禘)彡辛公祀
M191	繁卣	用乍文考辛公寶尊彝
M423.	趞鼎	佳十又九年四月既望辛卯

小計：共 493 筆

辠 2371

1331	中山王嚳鼎	隹（雖）有死辠
1331	中山王嚳鼎	詒死辠之有若（赦）
2857	牧段	以今既司匐氒辠召故
3090	𥄳盨（器）	雩邦人、正人、師氏人又辠又故

小計：共 4 筆

辜 2372

5803	𪒠嗣𧉉壺	以㥨氒民之隹不辜

小計：共 1 筆

辪 2373 參辥字條下

1178	宗婦鄁𡡚鼎一	保辪鄁國
1179	宗婦鄁𡡚鼎二	保辪鄁國
1180	宗婦鄁𡡚鼎三	保辪鄁國
1181	宗婦鄁𡡚鼎四	保辪鄁國
1182	宗婦鄁𡡚鼎五	保辪鄁國
1183	宗婦鄁𡡚鼎六	保辪鄁國
1318	晉姜鼎	辪我萬民
1327	克鼎	諫辭王家
1327	克鼎	保辭周邦
1332	毛公鼎	亦唯先正ht辭氒辪
1332	毛公鼎	命女辭我邦我家內外
2614	宗婦鄁𡡚段一	保辪鄁國
2615	宗婦鄁𡡚段二	保辪鄁國
2616	宗婦鄁𡡚段三	保辪鄁國
2617	宗婦鄁𡡚段四	保辪鄁國
2618	宗婦鄁𡡚段五	保辪鄁國
2619	宗婦鄁𡡚段六	保辪鄁國
2620	宗婦鄁𡡚段七	保辪鄁國
2856	師訇段	邦佑潢辪
4891	何尊	自𨑒辪民
5508	弔趯父卣	唯女燮其敬辪乃身
5770	宗婦鄁𡡚壺一	保辪鄁國
5771	宗婦鄁𡡚壺二	保辪鄁國
6771	宗婦鄁𡡚盤	保辭鄁國
6925	晉邦盦	保辪王國
6925	晉邦盦	整辪爾家

小計：共 26 筆

辭 2374

0901	白六辪方鼎	白六辪乍祈寶尊鼐
1318	晉姜鼎	用__(召)匹辞(辞)辟
2423	亘__戮㲃	用囫辞(辞)其皇且癸文考
6634	郐王義楚祭耑	永保辪(台)身
7084	邾公牼鐘一	鑄辞(辪)龢鐘二
7085	邾公牼鐘二	鑄辞(辪)龢鐘二
7086	邾公牼鐘三	鑄辞(辪)龢鐘二
7087	邾公牼鐘四	鑄辞(辪)龢鐘二
7183	叔夷編鐘二	女敬共辪命
7183	叔夷編鐘二	余命女辞(辪)釐絢
7213	㪉鎛	枼萬至於辞(辪)孫子
7214	叔夷鎛	余命女辞(辪)釐絢
7214	叔夷鎛	女敬共辪命

小計：共　13 筆

辭 2375 參考𤔲字

辭
𤔲

2703	免乍旅殷	令免乍𤔲（辭司）土
2713	㾓殷一	㾓曰：䫚皇且考𤔲（司辭）威義
2714	㾓殷二	㾓曰：䫚皇且考𤔲（司辭）威義
2715	㾓殷三	㾓曰：䫚皇且考𤔲（司辭）威義
2716	㾓殷四	㾓曰：䫚皇且考𤔲（司辭）威義
2717	㾓殷五	㾓曰：䫚皇且考𤔲（司辭）威義
2718	㾓殷六	㾓曰：䫚皇且考𤔲（司辭）威義
2719	㾓殷七	㾓曰：䫚皇且考𤔲（司辭）威義
2720	㾓殷八	㾓曰：䫚皇且考𤔲（司辭）威義
2743	䚄殷	命女𤔲（辭）成周里人
2762	免殷	令女足周師、𤔲（司辭）㪇
2765	𣪕殷	王才師𤔲（司辭）馬宮大室即立
6791	兮甲盤	王令甲征辭成周四方責
6854	辭馬南弔匜	辭馬南弔乍𡢁姬賸它
6877	儹乍旅盉	女亦既從辭從䚻
6877	儹乍旅盉	牧牛辭䚻成、'罰金
6914	𤔲料盆一	辭料朿所寺
6915	𤔲料盆二	辭料朿所寺

小計：共 18 筆

𤔲 2375 參考辭字

1116	晉司徒白𨛭父鼎	晉𤔲徒白𨛭父乍周姬寶尊鼎
1127	𤔲鼎	㴔公蔑𤔲曆
1127	𤔲鼎	易馬□□＿𤔲□□休
1151	㠱侯鼎	㠱侯易弟＿𤔲戒
1173	羌乍文考鼎	□令羌死𤔲□官
1239	＿鼎一	以師氏眔有𤔲後或㲋伐Ld
1240	＿鼎二	以師氏眔有𤔲後或㲋伐Ld
1262	㝬鼎	趞中令㝬𩁹𤔲鄭田
1276	＿季鼎	曰、用又（左）右俗父𤔲寇
1280	康鼎	王命死𤔲王家
1283	微䜌鼎	王令𢿌䜌𩁹𤔲九陂
1288	令鼎一	有𤔲眔師氏小子卿射
1289	令鼎二	王射、有𤔲眔師氏小子卿射
1300	南宮柳鼎	王乎乍冊尹冊令柳𤔲六自牧、陽、大□
1300	南宮柳鼎	𤔲羲夷陽、佃史
1305	師奎父鼎	𤔲馬井白右師奎父
1305	師奎父鼎	用𤔲乃父官友
1306	無叀鼎	𤔲徒南中右無叀內門
1306	無叀鼎	王乎史翏冊令無叀曰：官𤔲Lk王iJ側虎臣
1311	師晨鼎	𤔲馬共右師晨入門、立中廷
1311	師晨鼎	王乎乍冊尹冊令師晨足師俗𤔲邑人
1312	此鼎一	𤔲土毛弔右此入門、立中廷
1313	此鼎二	𤔲土毛弔右此入門、立中廷
1314	此鼎三	𤔲土毛弔右此入門、立中廷
1317	善夫山鼎	王曰：山、令女官𤔲歙獻人于冕

1319	頌鼎一	王曰：頌、令女官𤔲成周貯廿家、監𤔲新寤
1320	頌鼎二	王曰：頌、令女官𤔲成周貯廿家、監𤔲新寤
1321	頌鼎三	王曰：頌、令女官𤔲成周、貯廿家、監𤔲新寤
1322	九年裘衛鼎	舍顏有𤔲壽商圝、裘盠冟
1325	五祀衛鼎	迺令參有𤔲𤔲土邑人趙
1325	五祀衛鼎	𤔲馬頮人邦
1325	五祀衛鼎	𤔲工隥矩
1325	五祀衛鼎	厲有𤔲鷛季、慶癸、燹□、荊人敢、井人偈屖
1328	盂鼎	王曰：盂、迺召夾死𤔲戎
1328	盂鼎	易女邦𤔲四白
1328	盂鼎	易夷𤔲王臣十又三白
1330	曶鼎	□若曰：㫚（曶）、令女更乃且考𤔲卜事
1332	毛公鼎	命女辥𤔲公族
1332	毛公鼎	雩參有𤔲、小子、師氏、虎臣雩朕褻事
1462	榮有𤔲爯齍鬲	榮又（有）𤔲爯乍齍鬲
1524	□大𤔲攻鬲	□大□□𤔲攻單□□鑄其鬲
1529	仲枏父鬲一	師湯父有𤔲中枏父乍寶鬲
1530	仲枏父鬲二	師湯父有𤔲中枏父乍寶鬲
1531	仲相父鬲三	師湯父有𤔲中相父乍寶鬲
1532	仲相父鬲四	師湯父有𤔲中相父乍寶鬲
2304	㫋𤔲土□殷	㫋𤔲土□乍寶尊殷
2319	𤔲土𤔲乍𠮧考殷	𤔲土𤔲乍𠮧丂（考）寶尊彝
2685	仲枏父殷一	師湯父有𤔲中枏父乍寶殷
2686	仲枏父殷二	師湯父有𤔲中枏父乍寶殷
2699	公臣殷一	虢中令公臣𤔲朕百工
2700	公臣殷二	虢中令公臣𤔲朕百工
2701	公臣殷三	虢中令公臣𤔲朕百工
2702	公臣殷四	虢中令公臣𤔲朕百工
2703	免乍旅殷	令免乍𤔲（辭司）土
2703	免乍旅殷	𤔲奠還𢽾
2713	瘨殷一	瘨曰：覭皇且考𤔲（司辭）威義
2714	瘨殷二	瘨曰：覭皇且考𤔲（司辭）威義
2715	瘨殷三	瘨曰：覭皇且考𤔲（司辭）威義
2716	瘨殷四	瘨曰：覭皇且考𤔲（司辭）威義
2717	瘨殷五	瘨曰：覭皇且考𤔲（司辭）威義
2718	瘨殷六	瘨曰：覭皇且考𤔲（司辭）威義
2719	瘨殷七	瘨曰：覭皇且考𤔲（司辭）威義
2720	瘨殷八	瘨曰：覭皇且考𤔲（司辭）威義
2726	曶殷	乍𤔲土
2728	恆殷一	令女更崇克𤔲直啚
2729	恆殷二	令女更崇克𤔲直啚
2743	𩰫殷	命女𤔲（辭）成周里人
2762	免殷	令女足周師、𤔲（司辭）𢽾
2765	殺殷	土才師𤔲（司辭）馬宮人室即立
2768	楚殷	𤔲莽啚官內師舟
2770	𢦏殷	王曰：𢦏、令女乍𤔲土
2770	𢦏殷	官𤔲耤田
2773	即殷	曰：𤔲琱宮人虢旛、用吏
2774.	南宮弔殷	迺召夾死𤔲 ??戌
2774.	南宮弔殷	天子𤔲（司）昜（賜）女䜌旂、用狩

𤔲

𤔲

2783	趞毁	命女乍𤼈𠂤家𤔲馬
2784	申毁	官𤔲豐人眔九𩰫祝
2787	望毁	死𤔲畢王家
2789	同毁一	王命周左右吳大父𤔲昜林吳牧
2790	同毁二	王命周左右吳大父𤔲昜林吳牧
2791	豆閉毁	𤔲𡘇俞邦君
2792	師俞毁	𤔲馬共右師俞入門立中廷
2796	諫毁	𤔲馬共又右諫入門立中廷
2796	諫毁	先王既命女𤕌𤔲王宥
2796	諫毁	今余隹或𤔲命女
2796	諫毁	𤔲馬共又右諫入門立中廷
2796	諫毁	先王既命女𤕌𤔲王宥
2796	諫毁	今余隹或𤔲命女
2798	師瘨毁一	𤔲馬井白𣪘右師瘨入門立中廷
2799	師瘨毁二	𤔲馬井白𣪘右師瘨入門立中廷
2802	六年召白虎毁	余目邑訊有𤔲
2802	六年召白虎毁	今余既訊有𤔲曰㕙令
2803	師酉毁一	𤔲乃且啻官邑人、虎臣
2804	師酉毁二	𤔲乃且啻官邑人、虎臣
2804	師酉毁二	𤔲乃且啻官邑人、虎臣
2805	師酉毁三	𤔲乃且啻官邑人、虎臣
2806	師酉毁四	𤔲乃且啻官邑人、虎臣
2806.	師酉毁五	𤔲乃且啻官邑人、虎臣
2810	揚毁一	𤔲徒單白內、右揚
2811	揚毁二	𤔲徒單白內、右揚
2814	烏冊夨令毁一	戍冀、𤔲气
2814.	夨令毁二	戍冀、𤔲气
2815	師𣪕毁	𤕌𤔲我西㣺東㣺
2817	師𩔼毁	𤔲工液白入右師𩔼
2817	師𩔼毁	才先王既令女乍𤔲土
2817	師𩔼毁	官𤔲㳄闇
2829	師虎毁	𤔲ナ右戲𦥃緐㣇(荊)
2829	師虎毁	𤔲ナ右戲𦥃緐㣇(荊)
2830	三年師兌毁	𤔲ナ右走馬
2830	三年師兌毁	今女𤕌𤔲走馬
2835	訇毁	𤔲邑人
2836	𢦚毁	𢦚達有𤔲師氏奔追御戎于𩁹林
2838	師𠭯毁一	既令女更乃且考𤔲(司)
2838	師𠭯毁一	今女𤔲(司)乃且舊官小輔鼓鐘
2838	師𠭯毁一	既令女更乃且考𤔲(司)小輔
2838	師𠭯毁一	今女𤔲乃且舊官小輔眔鼓鐘
2839	師𠭯毁二	既令女更乃且考𤔲(司)
2839	師𠭯毁二	今女𤔲(司)乃且舊官小輔鼓鐘
2839	師𠭯毁二	既令女更乃且考𤔲(司)小輔
2839	師𠭯毁二	今女𤔲乃且舊官小輔眔鼓鐘
2840	番生毁	王令𤕌𤔲(司)公族卿吏、大史寮
2842	卯毁	𤕌乃先且考死𤔲(司)㚇公室
2842	卯毁	今余隹令女死𤔲(司)𦰡宮𦰡人
2844	頌毁一	令女官𤔲(司)成周賈
2844	頌毁一	監𤔲(司)新寤(造)賈用宮御

2845	頌𣪘二	令女官𤔲(司)成周賈
2845	頌𣪘二	監𤔲(司)新𡨄(造)賈用宮御
2845	頌𣪘二	令女官𤔲(司)成周賈
2845	頌𣪘二	監𤔲(司)新𡨄(造)賈用宮御
2846	頌𣪘三	令女官𤔲(司)成周賈
2846	頌𣪘三	監𤔲(司)新𡨄(造)賈用宮御
2847	頌𣪘四	令女官𤔲(司)成周賈
2847	頌𣪘四	監𤔲(司)新𡨄(造)賈用宮御
2848	頌𣪘五	令女官𤔲(司)成周賈
2848	頌𣪘五	監𤔲(司)新𡨄(造)賈用宮御
2849	頌𣪘六	令女官𤔲(司)成周賈
2849	頌𣪘六	監𤔲(司)新𡨄(造)賈用宮御
2850	頌𣪘七	令女官𤔲(司)成周賈
2850	頌𣪘七	監𤔲(司)新𡨄(造)賈用宮御
2851	頌𣪘八	令女官𤔲(司)成周賈
2851	頌𣪘八	監𤔲(司)新𡨄(造)賈用宮御
2854	蔡𣪘	昔先王既令女乍宰、𤔲王家
2854	蔡𣪘	死𤔲王家外內
2854	蔡𣪘	𤔲百工、出入姜氏令
2857	牧𣪘	牧、昔先王既令女乍𤔲土
2879	大𤔲馬飤𠤳	大𤔲(司)馬孝述自乍飤𠤳
2968	奠白大𤔲工召弔山父旅𠤳一	奠白大𤔲工召弔山父乍旅𠤳
2969	奠白大𤔲工召弔山父旅𠤳二	奠白大𤔲工召弔山父乍旅𠤳
3035	魯𤔲徒旅𣪘(盨)	魯𤔲徒白吳敢肇乍旅𣪘
3083	瘨𣪘(盨)一	𤔲馬共右瘨
3084	瘨𣪘(盨)二	𤔲馬共右瘨
3088	師克旅盨一(蓋)	紈𤔲左右虎臣
3089	師克旅盨二	紈𤔲左右虎臣
3118	魯大𤔲徒厚氏元善匯一	魯大𤔲徒厚氏元乍善籚
3119	魯大𤔲徒厚氏元善匯二	魯大𤔲徒厚氏元乍善籚
3120	魯大𤔲徒厚氏元善匯三	魯大𤔲徒厚氏元乍善籚
3977	𤔲工丁爵	𤔲工丁
4449	裘衛盉	單白遹令參有司;𤔲土𢼸邑
4449	裘衛盉	𤔲馬單旟、司工邑人服眔受田燹趞
4869	次尊	公姞令次𤔲田人
4880	免尊	乍𤔲工
4890	盠方尊	曰、用𤔲六𠂤
4890	盠方尊	王行參有𤔲
4890	盠方尊	𤔲土、𤔲馬、𤔲工
4890	盠方尊	紈𤔲六𠂤眔八𠂤埶
4978	吳方彝	𤔲旃眔叔金
4979	盠方彝一	曰：用𤔲六𠂤
4979	盠方彝一	王行參有𤔲
4979	盠方彝一	𤔲土、𤔲馬、𤔲工
4979	盠方彝一	紈𤔲六𠂤眔八𠂤埶
4980	盠方彝二	曰：用𤔲六𠂤
4980	盠方彝二	王行參有𤔲
4980	盠方彝二	𤔲土
4980	盠方彝二	𤔲馬
4980	盠方彝二	𤔲工

4980	盠方彝二	耦嗣六自眔八自埶
5478	次卣	公姞令次嗣田人
5597	次觚	公姞令次嗣田
5740	嗣寇良父壺	嗣寇良父乍為衛姬壺
5768	虞嗣寇白吹壺一	虞嗣寇白吹乍寶壺
5769	虞嗣寇白吹壺二	虞嗣寇白吹乍寶壺
5791	十三年㾓壺一	王才成周嗣土虒宮
5792	十三年㾓壺一	王才成周嗣土虒宮
5798	曶壺	更乃且考乍冢嗣土于成周八自
5799	頌壺一	令女官嗣成周賈廿家
5799	頌壺一	監嗣新造賈用宮御
5800	頌壺二	令女官嗣成周賈廿家
5800	頌壺二	監嗣新造賈用宮御
5801	洹子孟姜壺一	于上天子用璧玉備一嗣（笥）
5801	洹子孟姜壺一	于大無嗣折于大嗣命用璧
5801	洹子孟姜壺一	玉二嗣（笥）
5802	洹子孟姜壺二	于上天子用璧玉備一嗣
5802	洹子孟姜壺二	于大無嗣折于與大嗣命用璧
5802	洹子孟姜壺二	玉二嗣
5804	齊侯壺	商之台邑嗣衣裘車馬
5809	弘乍旅鉼	樂大嗣徒子蔡之子引乍旅鉼
6772	魯少司寇封孫宅盤	魯少嗣寇封孫宅乍其子孟姬嬰朕般也（匜）
6793	矢人盤	矢人有嗣履田
6793	矢人盤	小門人繇、原人虞艿、淮嗣工虎、孝龠
6793	矢人盤	豐父、㕤人有嗣刑丂
6793	矢人盤	嗣土qhjz、嗣馬單邦
6793	矢人盤	邦人嗣工駷君
6793	矢人盤	襄之有嗣
6793	矢人盤	凡散有嗣十夫
6872	魯大嗣徒子仲白匜	魯大嗣徒子中白其庶女厲孟姬賸它
6903	魯大嗣徒元歓盂	魯大嗣徒元乍歓盂
6910	師永盂	公迺命鄭嗣徒函父
6910	師永盂	周人嗣工眉、亞史、師氏
6925	晉邦盦	廣嗣四方
7062	柞鐘	嗣五邑佃人事
7063	柞鐘二	嗣五邑佃人事
7064	柞鐘三	嗣五邑佃人事
7065	柞鐘四	嗣五邑佃人事
7067	柞鐘六	嗣五邑佃人事
7083	鮮鐘	王才成周嗣□虒宮
7116	南宮乎鐘	嗣土南宮乎乍大林協鐘
7354	□嗣馬戈	＿＿嗣馬
7491	郝大嗣馬之造戈	郝大嗣馬之造戈
7986	大司馬鐏	□横大嗣馬
M252	免簠	嗣奠還歡眔吳眔牧

小計：共　220 筆

壬　2376

0210	父壬鼎	壬父

0429	木父壬鼎	[木]父壬
0834	烏壬侜鼎	烏壬侜乍尊彝
0925	𢿌乍且壬鼎	𢿌乍且壬寶尊彝□金
1216	貿鼎	隹十又二月初吉壬午
1218	彝兒鼎	隹正八月初吉壬申
1259	都公䧹鼎	既死霸壬午
1263	呂方鼎	唯五月既死霸辰才壬戌
1268	梁其鼎一	隹五月初吉壬申
1269	梁其鼎二	隹五月初吉壬申
1278	十五年趞曹鼎	隹十又五年五月既生霸壬午
1310	鬲攸從鼎	隹卅又一年三月初吉壬辰
2311.	__父毀	um父乍寶尊彝、父壬
2327	弔窺乍日壬毀	弔窺乍日壬寶尊彝[舟]
2559	白中父毀	隹五月辰才壬寅
2648	仲㰤父毀一	壬母遲姬尊毀
2649	仲㰤父毀二	壬母遲姬尊毀
2650	仲㰤父毀三	壬母遲姬尊毀
2661	競毀一	隹六月既死霸壬申
2662	競毀二	隹六月既死霸壬申
2684	__竈乎毀	隹正二月既死霸壬戌
2731	小臣宅毀	隹五月壬辰
2739	無㠱毀一	隹十又三年正月初吉壬寅
2740	無㠱毀二	隹十又三年正月初吉壬寅
2741	無㠱毀三	隹十又三年正月初吉壬寅
2742	無㠱毀四	隹十又三年正月初吉壬寅
2742.	無㠱毀五	隹十又三年正月初吉壬寅
2742.	無㠱毀五	隹十又三年正月初吉壬寅
2744	五年師旋毀一	隹王五年九月既生霸壬午
2745	五年師旋毀二	隹王五年九月既生霸壬午
2786	縣妃毀	隹十又二月既望辰才壬午
D4278	鬲攸從鼎	隹卅又一年三月初吉壬辰
3421	且壬爵	且壬
3481	父壬爵一	父壬
3482	父壬爵二	父壬
3483	父壬爵三	父壬
3484	父壬爵四	父壬
3485	父壬爵五	父壬
3753	山且壬爵	[山]且壬
3756	㒼且壬爵	[㒼]且壬
3934	糸父壬爵	[糸]父壬
3979	趞母壬爵	[趞]母壬
3980	趞母壬爵	[趞]母壬
4000	㝅且壬爵	[㝅]且壬
4050	亞__父壬爵	父壬[亞鹿]
4116	王冊父丁爵	[壬冊]父丁
4118	子刀父壬爵	[子刀]父壬
4128.	目__且壬爵	目tm且壬
4145.	子東壬父辛爵	[子東]壬父辛
4365	子且壬盉	[子]且壬
4449	裘衛盉	隹三年三月既生霸壬寅

壬

4549	且壬尊	且壬
4604	舟父壬尊	[舟]父壬
4605	山父壬尊	[山]父壬
4606	史父壬尊	[史]父壬
4820	__何乍兄日壬尊	qn乍兄日壬寶尊彝[dk]
4843	冉員父壬尊	員乍父壬寶尊彝
5113	子且壬卣	[子]且壬
5394	史戍乍父壬卣	史戍乍父壬尊彝
5425	何乍兄日壬卣	qn乍兄日壬寶尊彝[dk]
5691	甚父乍父壬壺	甚父乍父壬寶壺
5708	__何乍兄日壬壺	qn乍兄日壬寶尊彝[dk]
5787	汈其壺一	隹五月初吉壬申
5788	汈其壺二	隹五月初吉壬申
6245	子妹壬心觚	[子妹壬心]
6499	__父壬觶	[fb]父壬
6580	何兄日壬觶	[何]兄日壬
6610	且壬觚	且壬
6773	__湯弔盤	隹正月初吉壬午
7026	邾再鐘	隹王六初吉壬午
7556	大兄日乙戈	兄日壬
7735	少虡劍一	吉日壬午
7736	少虡劍二	吉日壬午
7874	蔡太史鉌	隹王正月初吉壬午
M361	井伯南殷	隹八月初吉壬午
M508	虞侯政壺	隹王二月初吉壬戌
M548	吳王孫無壬鼎	吳王孫無壬之脰鼎

小計：共 77 筆

癸 2377

0211	父癸方鼎一	父癸
0212	父癸鼎二	父癸
0213	父癸鼎三	父癸
0214	父癸鼎四	父癸
0231	癸冉方鼎一	癸[冉]
0232	癸冉方鼎二	癸[冉]
0245	啚癸鼎	[啚]癸
0333	戈且癸鼎一	[戈]且癸
0334	戈且癸鼎二	[戈]且癸
0428	魚父癸方鼎	[魚]父癸
0430	鳥父癸鼎	[鳥]父癸
0431	旱父癸方鼎	[旱]父癸
0432	守父癸鼎	[守]父癸
0433	__父癸鼎	[GG]父癸
0434	串父癸鼎	[串]癸父
0435	會父癸鼎	[會]父癸
0436	嬰父癸鼎	[嬰]父癸
0437	嬰父癸鼎	[嬰]父癸
0438	卬父癸鼎	[卬]父癸
0439	__父癸鼎	[ad]父癸

0440	戈父癸鼎	[戈]父癸
0441	弓父癸鼎	[弓]父癸
0442	__父癸鼎	[ab]父癸
0443	𡚸父癸方鼎	[𡚸]匕癸
0444	子父癸鼎	[子]父癸
0445	冎父癸鼎	[冎]父癸
0446	衠父癸鼎	[衠]父癸
0447	𡥜父癸鼎	[𡥜]父癸
0448	卿宁癸鼎	[卿宁]癸
0449	卿宁癸鼎	[卿宁]癸
0552	且丁癸□鼎	且丁癸□
0553	且己父癸鼎	且己父癸
0554	毌亞且癸鼎	[毌亞]且癸
0585	天黿父癸鼎一	[天黽]父癸
0586	天黿父癸鼎二	[天黽]父癸
0588	子探父癸鼎	[子探]父癸
0589	____父癸鼎	[cp]父癸
0590	戚乍父癸鼎	[戚]乍父癸
0591	疋父癸__鼎一	[疋]父癸fy
0592	疋父癸__鼎二	[疋]父癸fy
0593	又敎父癸鼎	[又養]父癸
0594	𡚸祝父癸鼎	[𡚸祝]父癸
0644	疋癸父冊鼎	[疋冊]父癸
0685	句𦋀父癸鼎	[句𦋀]父癸
0686	𦋀父癸庴鼎	[𦋀庴]癸父
0687	孔乍父癸旅鼎	孔乍父癸旅
0688	魚父癸鼎	[魚]父癸𡚸[d4]
0689	𡚸母关父癸鼎	[𡚸]母关父癸
0753	犬且辛且癸鼎	犬且辛且癸[亯]
0765	冉乍父癸鼎	冉乍父癸寶鼎
0766	刀糸子__父癸鼎	[刀糸子cv]父癸
0810	臣㝊乍父癸鼎	[臣]㝊乍父癸彝
0823	__乍父癸方鼎	乍父癸尊彝[rr]
0845	毌乍父癸鼎	[毌]乍父癸寶尊彝
0846	臣辰父癸鼎	[臣辰𦋀𡖅]父癸
0861	亞受丁旂若癸鼎	[亞受丁旂若癸止乙自乙]
0862	亞受丁旂若癸鼎二	[亞受丁旂若癸止乙自乙]
0878	亞㠱吴𠷎乍母癸鼎	[亞㠱吴]𠷎乍母癸
0894	__乍父癸鼎	sb季乍父癸寶尊彝
0897	𡚸𡖅乍父癸鼎	𡖅乍父癸寶尊彝[𡚸]
0912	北子乍母癸方鼎	北子乍母癸寶尊彝
0922	𥁰婦方鼎	[cm]己且丁父癸𥁰婦尊
0953	婦闟乍文姑日癸鼎	婦闟乍文姑日癸尊彝
0986	中乍且癸鼎	用乍且癸寶鼎
1032	𠂤乍父丁鼎	遘于□癸□□月[𠂤]
1089	女䜌方鼎	癸日、商䜌貝二朋
1187	員乍父甲鼎	唯正月既望癸酉
1191	堇乍大子癸鼎	用乍大子癸寶尊䵼[句毌句]
1193	新邑鼎	癸卯王來奠新邑
1219	戍嗣子鼎	用乍父癸寶䵼

癸

1260	我方鼎	我乍禦Gx且乙、匕乙、且己、匕癸
1261	我方鼎二	我乍禦Gx且乙、匕乙、且己、匕癸
1266	鄀公平侯鼎一	隹鄀八月初吉癸未
1267	鄀公平侯鼎二	隹鄀八月初吉癸未
1271	史獸鼎	十又一月癸未
1312	此鼎一	用乍朕皇考癸公尊鼎
1313	此鼎二	用乍朕朕皇考癸公尊鼎
1314	此鼎三	用乍朕朕皇考癸公尊鼎
1325	五祀衛鼎	厲有嗣𤔲季、慶癸、燹□、荊人敢、井人倡屖
1326	多友鼎	癸未、戎伐筍、衣孚
1352	冉癸鬲	[冉]癸
1579	䵼父癸甗	[䵼]父癸
1580	狄母癸甗	[狄]母癸
1597	箙戉父癸甗	[箙戉]父癸
1637	乍父癸甗	乍父癸寶尊甗[am]
1801	父癸毁一	父癸
1802	父癸毁二	父癸
1809	癸山毁	癸[山]
1893	探父癸毁	[探]父癸
1894	㠯父癸毁	[㠯]父癸
1895	㠯父癸毁	[㠯]父癸
1897	冉父癸毁一	[冉]父癸
1898	冉父癸毁二	[冉]父癸
1922	臤父癸毁	[臤]父癸
1923	㚸父癸毁	[㚸]父癸
1954	魚父癸毁	[魚]父癸
1955	弔弔母癸毁	[弔弔]母癸
1959	酉父癸毁	[酉]父癸
1959.	䵼父癸毁	[䵼]父癸
1960	八冊父癸毁	[八冊]父癸
1966	史母癸毁	[史]母癸
1967	父癸嬰毁	父癸[嬰]
1983	亞共父癸毁	[亞共]父癸
1986	亞㔾父癸毁	[亞㔾]父癸
1987	且癸父丁毁	且癸父丁
2007	衡天父癸毁	[衡天]父癸
2009	何父癸毁	[何]父癸[寝?]
2010	乍父癸歺毁	乍父癸[歺]
2012	卿父癸宁毁	[卿]父癸[宁]
2091	綫乍父癸毁	[綫]乍父癸彝
2095	王乍母癸障毁	王乍母癸尊
2173	敫乍父癸毁	[敫]乍父癸尊彝
2239	俑缶乍且癸毁	俑缶乍且癸尊彝
2258	臣辰冊歺冊父癸毁一	臣辰[䵼歺]父癸
2259	臣辰冊歺冊父癸毁二	臣辰[䵼歺]父癸
2280	亞高亢乍父癸毁	亞高亢乍父癸尊彝
2281	亞受丁旃若癸毁	[亞若癸自乙受丁旃乙]
2283	䵼□乍癸毁	䵼□乍且癸寶尊彝
2289	弜__乍父癸宗毁	q2乍父癸宗尊彝[弜]
2290	__黃乍父癸毁	[dw]黃乍父癸寶尊彝戈

2291	𡚬向乍父癸寶𣪘	向乍父癸寶尊彝[𡚬]
2292	集𠈌乍父癸𣪘一	集𠈌乍父癸寶尊彝
2293	集𠈌乍父癸𣪘二	集𠈌乍父癸寶尊彝
2296	子令乍父癸寶𣪘	子令乍父癸寶尊彝
2301	□乍父癸寶𣪘	□乍父癸寶尊彝[旅]
2318	刐凶龔乍父癸𣪘	刐凶龔乍父癸寶尊彝
2331	杴冊_乍丁癸𣪘	vovp乍丁癸尊彝[杴冊]
2339	臤鳥乍且癸𣪘	𡛷易鳥玉、用乍且癸彝[臤]
2423	亘_戜𣪘	用匽辪其皇且癸文考
2452	女𩰫𣪘	母𩰫董于王、癸日
2525	寧敄𣪘	用乍且癸寶尊
2571	穌公子癸父甲𣪘	穌公子癸父甲乍尊𣪘
2571.	穌公子癸父甲𣪘二	穌公子癸父甲乍尊𣪘
2627	伊𣪘	六月初吉癸卯
2646	仲辛父𣪘	皇考日癸尊𣪘
2654	𡚬乍文父丁𣪘	癸巳、□賓小子□貝十朋
2665	_弔𣪘	隹王三月初吉癸卯
2778	格白𣪘一	隹正月初吉癸巳
2778	格白𣪘一	隹正月初吉癸巳
2779	格白𣪘二	隹正月初吉癸巳
2780	格白𣪘三	隹正月初吉癸巳
2781	格白𣪘四	隹正月初吉癸巳
2782	格白𣪘五	隹正月初吉癸巳
2782.	格白𣪘六	𣪘隹正月初吉癸巳
2818	此𣪘一	用乍朕皇考癸公尊𣪘
2819	此𣪘二	用乍朕皇考癸公尊𣪘
2820	此𣪘三	用乍朕皇考癸公尊𣪘
2821	此𣪘四	用乍朕皇考癸公尊𣪘
2822	此𣪘五	用乍朕皇考癸公尊𣪘
2823	此𣪘六	用乍朕皇考癸公尊𣪘
2824	此𣪘七	用乍朕皇考癸公尊𣪘
2825	此𣪘八	用乍朕皇考癸公尊𣪘
3100	𨻰侯因資錞	隹正六月癸未
3275	癸爵	[癸]
3422	且癸爵一	且癸
3423	且癸爵二	且癸
3424	且癸爵三	且癸
3425	且癸爵	且癸
3486	父癸爵一	父癸
3487	父癸爵二	父癸
3488	父癸爵三	父癸
3489	父癸爵四	父癸
3490	父癸爵五	父癸
3491	父癸爵六	父癸
3492	父癸爵七	父癸
3493	父癸爵八	父癸
3494	父癸爵九	癸父
3495	父癸爵十	父癸
3496	母癸爵一	母癸
3497	母癸爵二	母癸

癸

3501	癸乙爵	癸乙
3526	癸屰爵	癸[屰]
3527	癸舟爵	癸[舟]
3528	癸企爵	癸[企]
3529	衛癸爵	[衛]癸
3530	舟癸爵	[舟]癸
3531	豊癸爵	[豊]癸
3532	夕癸爵	[夕]癸
3533	亯癸爵	[亯]癸
3534	仔癸爵	[仔癸]
3717	史癸爵	史癸
3757	鍪且癸爵	[鍪]且癸
3758	止且癸爵	[止]且癸
3759	㚖且癸爵	[㚖]且癸
3760	卬且癸爵	[卬]且癸
3921	戲作父癸爵	戲作父癸
3935	天父癸爵一	[天]父癸
3936	天父癸爵二	[天]父癸
3937	㚤父癸爵	[㚤]父癸
3938	子父癸爵	[子]父癸
3939	𦓤父癸爵	[𦓤]父癸
3940	__父癸爵	[aa]父癸
3941	隹父癸爵	[鳥]父癸
3942	鳥父癸爵	[鳥]父癸
3943	雎父癸爵	[雎]父癸
3944	集父癸爵	[集]父癸
3945	隻父癸爵	[隻]父癸
3946	探父癸爵	[探]父癸
3947	戈父癸爵一	[戈]父癸
3948	戈父癸爵二	[戈]父癸
3949	矢父癸爵一	[矢]父癸
3950	矢父癸爵二	[矢]父癸
3951	缶父癸爵	[缶]父癸
3952	幺父癸爵	[幺]父癸
3953	矨父癸爵	[矨]父癸
3954	__父癸爵	[dp]父癸
3955	舟父癸爵一	[舟]父癸
3956	舟父癸爵二	[舟]父癸
3957	舟父癸爵	[舟]父癸
3958	父癸舟爵	父癸[舟]
3959	舟父癸爵	[舟]父癸
3960	卒父癸爵一	[卒]父癸
3961	卒父癸爵二	[卒]父癸
3962	𡘋父癸爵一	[𡘋]父癸
3963	𡘋父癸爵二	[𡘋]父癸
3964	穷父癸爵	[穷]父癸
3965	𡘋父癸爵	[𡘋]父癸
3966	𡘋父癸爵	[𡘋]父癸
3966.	𡘋父癸爵一	[𡘋]父癸
3967	__父癸爵一	[呆]父癸

3967.	__父癸爵二	[呆]父癸
3968	戚父癸爵	[戚]父癸
3969	__父癸爵	[cl]父癸
3970	__父癸爵	[主]父癸
3971	__父癸爵	[▲丫]父癸
3972	父癸一爵	父癸[一]
3973	歺父癸爵	[歺]父癸
3974	亘父癸爵	[亘]父癸
3974.	䝞父癸爵	[䝞]父癸
3974.	學父癸爵	[學]父癸
3974.	亯父癸爵	[亯]父癸
4001	田且癸爵	[田]卜且癸
4008	__父癸爵	[耶]父癸
4009	__父癸爵	[bf]父癸
4010	廌兄癸爵	[廌]兄癸
4054	父癸亞血爵	父癸[亞血]
4090	父癸__宁爵	父癸[bk宁]
4092	天棘父癸爵	[天曹]父癸
4093	屰目父癸爵三	[屰目]父癸
4094	屰目父癸爵一	[屰目]父癸
4095	屰目父癸爵二	[屰目]父癸
4096	白乍父癸爵	白乍父癸
4097	庚壴父癸爵	[庚壴]父癸
4098	____父癸爵	[e5]父癸
4099	獸父癸爵	父癸[獸]
4100	舃畫父癸爵	父癸[畫舃]
4101	□父癸爵	[䄪戈]父癸
4102	毌倗父癸爵	[毌倗]父癸
4109	禾子父癸爵	[禾子]父癸
4119	般父癸爵	[般]父癸
4144	癸旻乍考戊爵	癸旻乍考戊
4146	□父癸尊彝爵一	□父癸尊彝
4147	□父癸尊彝爵二	□父癸尊彝
4148	_乍父癸爵	[ff]乍父癸
4149	__䣄父癸爵一	[bf䣄]父癸
4150	__䣄父癸爵二	[bf䣄]父癸
4151	虘爵	虘乍父癸虹
4152	子木工父癸爵	[木子工]父癸
4152.	庚寅父癸爵	庚寅父癸[鳥]
4176	友敄父癸爵一	友養父癸妣止母
4177	友敄父癸爵二	友養父癸妣止母
4191.	亞戣丫父癸爵	亞戣□□[丫]父癸
4197.	相爵	癸卯
4214	嬰且癸角一	[嬰]且癸
4215	嬰且癸角二	[嬰]且癸
4228	□竹且癸角	□竹且癸
4234.	亞古父癸角	[亞古]父癸
4236	王乍母癸角	王乍母癸尊
4239	天黿垦乍父癸角	用乍父癸尊彝[天黽]
4241	箙亞__乍父癸角	用乍父癸彝[蟬]

癸

癸

4283	父癸斝	父癸
4316	周奴父癸斝	[周奴]父癸
4319	㚔父癸斝	[㚔]父癸
4329	荷戈形父癸斝	何乍父癸
4334.	玐_父癸斝	玐_父癸[六]
4337	般乍兄癸斝	[般]乍兄癸尊彝
4338	般兄癸乍斝	[般]兄癸乍尊彝
4340	亞吴㝬乍母癸斝	亞曩吴㝬乍母癸
4342	㚔婦闒斝	婦闒乍文姑日癸尊彝[㚔]
4343	亞吴小臣邑斝	癸己王易小臣邑貝十朋
4343	亞吴小臣邑斝	用乍母癸尊彝
4386	鍌父辛盉	[鍌]父癸
4387	鍌父癸盉	[鍌]父癸
4389	史父癸盉	[史]父癸
4393	句父癸盉	[句]父癸
4406	父癸臣辰㝵盉	父癸[臣辰㝵]
4447	臣辰冊冊㝵乍冊父癸盉	用乍父癸寶尊彝
4524.	父癸尊	父癸
4531	癸鳥尊	癸[鳥]
4564	㚔且癸尊	[㚔]且癸
4607	_父癸尊	[_]父癸
4608	㚔父癸尊	[㚔]父癸
4609	夰父癸尊	[夰]父癸
4610	特戈父癸尊	[ad]父癸
4611	鳥父癸尊	[鳥]父癸
4612	酉父癸尊	[酉]父癸
4613	父癸魚尊	父癸[魚]
4614	豕父癸尊	[豕]父癸
4615	㞢父癸尊	[㞢]父癸
4616	探父癸尊	[探]父癸
4617	舟父癸尊	[舟]父癸
4618	㗊父癸尊	[㗊]父癸
4619	史父癸尊	[史]父癸
4620	執爵形父癸尊	[爵]父癸
4641	后學母方尊一	[后學]母癸
4642	后學母方尊二	[后學]母癸
4647	亞天父癸尊	[亞天]父癸
4666	天黽父癸尊	[天黽]父癸
4667	父癸告品尊	父癸[告品]
4668	弓卒父癸尊	[弓卒]父癸
4669	荷戈形父癸尊一	[_]父癸[㾸]
4670	荷戈形父癸尊二	[_]父癸[㾸]
4692	㗊父癸尊	[㗊]父癸
4736	朕乍父癸尊	朕乍父癸尊彝
4762	竟乍且癸尊	竟乍且癸寶尊彝
4786	亞曩_乍母癸尊	亞曩吴㝬乍母癸
4789	亞受丁㫃若癸尊一	[亞受旅丁乙止若自癸乙]
4790	亞受丁㫃若癸尊二	[亞受㫃乙止若自癸乙]
4799	___乍父癸尊	貍乍父癸寶尊彝[單]
4800	宿父乍父癸尊	宿父乍父癸寶尊彝

4801	單異乍父癸尊	單異乍父癸寶尊彝
4814	偁乍父癸尊	偁乍父癸寶尊彝用旅
4815	白乀薛乍日癸尊	[白乀]薛乍日癸公寶尊彝
4844	口乍父癸尊	口口父癸寶尊彝
4867	鋻睘尊	用乍朕文考日癸旅寶[鋻]
4876	保尊	用乍文父癸宗寶尊彝
4893	矢令尊	隹十月月吉癸未
4906	癸萬觥	[癸萬]
4924	奘婦闢乍文姑日癸觥	[奘]婦闢乍文姑日癸尊彝
4964	亞受丁斿若癸方彝	[亞受丁斿若癸]
4971	__乍父癸方彝(蓋)	癸亥王才圃藋京
4971	__乍父癸方彝(蓋)	用乍父癸寶彝
4974	__方彝	用乍高文考父癸寶尊彝
4981	矞冊令方彝	隹十月月吉癸未
4997	衛卣	[衛冊戏]癸
5068	癸飲卣一	癸[飲]
5069	癸飲卣二	癸[飲]
5073	父癸卣	父癸
5104	癸A卣	[癸A]
5115	且癸卬卣	且癸[卬]
5116	奘且癸卣	[奘]且癸
5172	爵父癸卣(蓋)	[爵]父癸
5173	令父癸卣	[令]父癸
5174	史父癸卣	[史]父癸
5175	取父癸卣	[取]父癸
5176	奘父癸卣	[奘]父癸
5181	癸衛冊卣	癸[衛冊戏]
5205	魚父癸卣	[魚]父癸
5245	刀网父癸卣	[剛]父癸
5246	尭父癸__卣	[尭]父癸[fz]
5247	天黿父癸卣	[天黽]父癸
5279	乍父癸歺卣	乍父癸[歺]
5297	奘父己母癸卣(蓋)	[奘]父己母癸
5303	奘父癸母关卣	[奘]父癸母[关]
5304	戈父癸卣	[戈]父癸
5326	乍父癸卣	乍父癸尊彝[集]
5355	犬且辛且癸享卣	[犬]且辛、且癸[享]
5372	兹且丁父癸卣	[兹cm己]且丁父癸
5389	矢白隻乍父癸卣	矢白隻乍父癸彝
5398	亞㠱侯矣乍母癸卣	[亞㠱侯矣]乍母癸
5400	__饕乍匕癸卣	饕乍父癸尊彝[fn]
5409	㗊__乍且癸卣	__乍且癸寶尊彝[㗊]
5427	偁乍父癸卣	偁乍父癸寶尊彝、用旅
5428	____乍父考癸卣	uv乍文考癸寶尊彝[ev]
5433	奘亞束窴鼓乍父癸卣	[亞束]窴鼓乍父癸寶尊彝[奘]
5434	亞集算乍文考父丁卣	父癸
5435	婦闢焱乍文姑日癸卣一	婦闢乍文姑日癸尊彝[奘]
5436	婦闢焱乍文姑日癸卣二	婦闢乍文姑日癸尊彝[奘]
5448	天黿饕乍父癸卣	子易饕用乍父癸尊彝[天黽]
5475	六祀卲其卣	用乍且癸尊彝

癸

5477	單光壴乍父癸觶卣	文考日癸乃_子壴乍父癸旅宗尊彝
5477	單光壴乍父癸觶卣	其日父癸夙夕鄉爾百婚遺[單光]
5484	乍冊睘卣	用乍文考癸寶尊器
5484	乍冊睘卣	用乍文考癸寶尊器
5495	保卣	用乍文父癸宗寶尊彝
5495	保卣	用乍文父癸宗寶尊彝
5501	臣辰冊冊犭卣一	用乍父癸寶尊彝[臣辰冊犭]
5502	臣辰冊冊犭卣二	用乍父癸寶尊彝[臣辰冊犭]
5531	丁癸罍	丁癸
5551	荷戈父癸罍	[尧]父癸_
5573	盋_己且丁方罍	[亞盋]且丁cm己父癸
5575	娸婦闢乍文姑日癸罍	婦闢文姑日癸尊彝[娸]
5582	對罍	對乍文考日癸寶尊罍(罍)
J2773	敵作父匕癸觚	匕癸
5633	魚父癸壺	[魚]父癸
5656	周収句父癸壺	[周収句]父癸
6025	癸重觚	癸[重]
6063	癸𠂤觚	癸[𠂤]
6082	馭癸觚	[馭]癸
6166	_父癸觚	[d6]父癸
6167	戈父癸觚	[戈]父癸
6168	㬪父癸觚	[㬪]父癸
6169	□父癸觚	□父癸
6170	父癸幸旅幸觚	父癸[幸旅幸]
6202	隻父癸觚	[隻]父癸
6216	黽且癸觚	[弔黽]且癸
6237	_尧父癸觚一	父癸[尧fz]
6238	_尧父癸觚二	父癸[尧fz]
6239	天黿父癸觚	[天黽]父癸
6241	亞戉□癸方觚	[亞戉]□癸
6275	執戉執乍且癸句觚	[執戉執]乍且癸[句]寶彝
6276	犾趣乍日癸觚	趣乍日癸寶尊彝[犾]
6279	亞受丁若癸觚一	亞受斿若癸丁乙止自乙
6280	亞受丁若癸觚二	亞受斿若癸丁乙止自乙
6316	癸觶一	[癸]
6317	癸觶二	[癸]
6318	癸觶三	[癸]
6366	父癸觶一	父癸
6367	父癸觶二	父癸
6500	娰父癸觶一	[娰]父癸
6501	娰父癸觶二	[娰]父癸
6502	矧父癸觶一	[矧]父癸
6503	矧父癸觶二	[矧]父癸
6504	重父癸觶	[重]父癸
6505	爰父癸觶	[爰]父癸
6506	弓父癸觶	[弓]父癸
6507	戈父癸觶	[戈]父癸
6508	史父癸觶	[史]父癸
6509	敄父癸觶	[敄]父癸
6510	矢父癸觶	[矢]父癸

6511	舟父癸觶	[舟]父癸
6512	__父癸觶	[fp]父癸
6513	䇂父癸觶一	[䇂]父癸
6514	䇂父癸觶二	[䇂]父癸
6515	亞父癸觶	[亞]父癸
6516	魚父癸觶	[魚]父癸
6517	䀠父癸觶	[䀠]父癸
6518	知父癸觶一	[知]父癸
6518.	般父癸觶	[般]父癸
6523	子癸蟲觶	[子]癸[蟲]
6534	㫃父癸觶	[㫃]父癸
6541	犾父癸觶	[犾]父癸
6548	弔龜且癸觶	[弔龜]且癸
6578	__乍父癸觶	[fz]乍父癸
6608	舟敄乍父癸觶	敄乍父癸彝[舟]
6709	癸白矩盤	癸白矩乍寶尊彝
6798	探父癸匜	[探]父癸
6802	天黽父癸匜	[天黽]父癸
7121	郐王子旃鐘	隹正月初吉元日癸亥
7361	亞若癸亞𡧊乙戈	[亞若癸、亞𡧊乙]
7370	乙癸丁戈	乙癸丁
7556	大兄日乙戈	兄日癸
7556	大兄日乙戈	兄日癸
7575	且日乙戈	大父日癸
7575	且日乙戈	大父日癸
7575	且日乙戈	中父日癸
7575	且日乙戈	父日癸
7750	癸斧	癸
7867.	龍__	集尹陳夏、少集尹龔則、少攻(工)差(佐)孝癸
7981.	父癸器	父癸[獸]
M191	繁卣	隹九月初吉癸丑

小計：共 451 筆

2378

0050	子鼎	[子]
0087	__鼎	[爿爿子]
0147	__鼎	[子刀刀]
0216	子乙鼎	[子]乙
0217	子𦃟鼎	[子𦃟]
0218	子京鼎	[子京]
0219	子韋鼎一	[子衛]
0220	子韋鼎二	[子衛]
0221	子廟鼎	[子廟]
0222	子妥鼎一	[子妥]
0223	子妥鼎二	[子妥]
0224	子戊鼎	[子]戊
0225	子韓鼎一	[子韓]
0226	子韓鼎二	[子韓]

子

0246	長子鼎	[長子]
0328.	子媚鼎	[子媚]
0392	子父己鼎	[子]父己
0411	子父辛鼎	[子]父辛
0444	子父癸鼎	[子]父癸
0454	子雨己鼎	[子雨]己
0458	子__鼎	[子ec__]
0459	子鼎	[子ec□]
0527	北子__鼎	北子[d8]
0530	國子鼎	大國、ム官、國子
0566	子羊父丁鼎	[子羊]父丁
0587	子刀父辛方鼎	[子刀]父辛
0588	子探父癸鼎	[子探]父癸
0595	亞肘史母子鼎	[亞肘史]母子
0641	子𥃝君妻鼎	子𥃝君妻
0651	弔乍穌子鼎	弔乍穌子
0656	子申父己鼎	子申父己
0667	哀子鼎	□子哀乍是鼎
0684	子冊__父辛鼎	[子冊__]父辛
0729	集脰大子鼎一	大子鼎、集脰
0730	集脰大子鼎二	集脰大子鼎
0737	蔡子鼎	蔡子__之貞(鼎)
0743	小子乍父己鼎一	小子乍父己
0744	小子乍父乙鼎二	小子乍父乙
0766	刀糸子__父癸鼎	[刀糸子cv]父癸
0806	沖子行鼎	沖子ja之行貞(鼎)
0817	王子臺鼎	王子臺自酢(乍)飤貞(鼎)
0837	楚子適之飤鐈	楚子適之飤鐈
0837.	北子鼎	北子LJ乍車彝
0859	邛小子句鼎	邛小子句乍寶鼎
0875	子陡□之孫鼎	□□□□行□子旓□□之孫□
0905	解子乍𠭯宄團宮鼎	解子乍𠭯宄團鼎
0912	北子乍母癸方鼎	北子乍母癸寶尊彝
0916	__鼎	rs乍寶鼎、子孫永用
0921	余子鼎	余子__之鼎
0940	乍寶鼎	乍寶鼎子子孫永寶用
0947	𩐁茲乍旅鼎	𩐁茲乍旅鼎孫子永寶
0962	互乍寶鼎	互乍寶鼎子子孫永寶用
0964	萬仲鼎	子孫永寶用
0965	曾侯仲子斿父鼎	曾侯中子游父自乍𪕕彝
0971	內大子鼎一	內大子乍鑄鼎
0971	內大子鼎一	子孫永用享
0972	內大子鼎二	內大子乍鑄鼎
0972	內大子鼎二	子孫永用享
0977	□子每刅乍寶鼎	□子每刅乍寶鼎
0980	__君鼎	pi君婦媿霝乍旅__其子孫用
0982	己華父鼎	子子孫永用
0989	仲宦父鼎	子子孫永寶用
0992	𪚰討鼎	子子孫孫永寶用
0993	𨻶生隺鼎	孫子其永寶用

0995	內公鈚鼎	子孫永寶用享
0996	子適鼎	子適乍寶鼎
0996	子適鼎	子子孫孫永寶用
1000	邿造鼎	子子孫孫用享
1001	鄭子石鼎	鄭子石乍鼎
1001	鄭子石鼎	子孫永寶用
1002	二年寧鼎	二年寧__子得治__為__四分__
1014	乍寶鼎	其子子孫孫萬年永寶
1016	廟孱鼎	其子子孫孫永寶用
1020	鄭雝原父鼎	其萬年子孫永用
1023	從乍寶鼎	其萬年子孫孫永寶用
1024	大師人__子鼎	其子孫孫用
1025	奠姜白寶鼎	子子孫孫其永寶用
1027	番君召鼎	子孫永□
1030	鄬子員鼎	鄬子夷為其行器
1033	榮子旅乍父戊鼎	榮子旅乍父戊寶尊彝
1033	榮子旅乍父戊鼎	其孫子永寶
1034	仲殷父鼎一	其萬年子子孫寶用
1035	仲殷父鼎二	其萬年子子孫寶用
1036	史宜父鼎	其萬年子子孫永寶用
1038	白執父鼎	其子子孫孫永用[井]
1039	兼咯父旅鼎	子子孫孫其永寶用
1040	弔荼父鼎	子孫孫其萬年永寶用
1042	白庙父鼎	其萬年孫子永寶用
1044	寶__生乍成媿鼎	其子孫永寶用
1045	專車季鼎	其子孫永寶用
1048	鼬乍母乙鼎	其萬年子孫孫永寶用
1050	白筍父鼎一	其萬年子孫永寶用
1051	白筍父鼎二	其萬年子子孫孫永寶用
1053	白考父鼎	其萬年子子孫永寶用
1054	杞白每亡鼎一	子子孫永寶用
1055	杞白每亡鼎二	子子孫永寶用
1057	會娟鼎	其萬年子子孫永寶用享
1060	輔白雁父鼎	子子孫永寶用
1061	交君子__鼎	交君子qf肇乍寶鼎
1062	袒鼎	其萬年子孫永寶用享
1064	武生__弔羞鼎一	子子孫孫永寶用之
1065	武生__弔羞鼎二	子子孫孫寶用之
1066	穌吉妊鼎	子子孫孫永寶用
1070	鄲孝子鼎	王四月、鄲孝子台(以)庚寅之日
1071	鼄白御戎鼎	子子孫孫永寶用
1072	痎乍其鬲鼎	子孫永寶用之
1074	奠戒句父鼒	其子孫孫永寶用
1075	黃季乍季嬴鼎	其萬年子孫永寶用享
1077	曾仲子__鼎	曾中子__用其吉金自乍寶鼎
1077	曾仲子__鼎	子孫永用亯
1078	犀白魚父旅鼎一	其萬年子子孫孫永寶用
1079	犀白魚父旅鼎二	其萬年子子孫孫永寶用
1080	華仲義父鼎一	其子子孫孫永寶用[華]
1081	華仲義父鼎二	其子子孫孫永寶用[華]

1082	華仲義父鼎三	其子子孫孫永寶用[華]
1083	華仲義父鼎四	其子子孫孫永寶用[華]
1084	華仲義父鼎五	其子子孫孫永寶用[華]
1085	曾者子乍鬻鼎	曾者子鑄用乍鬻鼎
1085	曾者子乍鬻鼎	用享于且、子子孫永壽
1086	內子仲□鼎	內子中□肇乍弔媿尊鼎
1086	內子仲□鼎	子子孫孫永寶用
1087	鑄子弔黑臣鼎	鑄子弔黑叵肇乍寶貞(鼎)
1088	師麻斿弔旅鼎	其萬年子子孫孫永寶用
1090	十三年梁上官鼎	十三年、梁陰命率上官__子疾冶乘鑄
1093	奠登白鼎	其子子孫孫永寶用之
1095	函皇父鼎	子子孫孫其永寶用
1097	白庫父乍羊鼎	其子子孫孫萬年永寶用享
1098	善夫白辛父鼎	其萬年子子孫永寶用
1099	仲旳父鼎	其萬年子子孫孫永寶用享
1100	白尚鼎	尚其萬年子子孫孫永寶
1104	辛中姬皇母鼎	其子子孫孫用享孝于宗老
1105	鑯季乍嬴氏行鼎	子子孫其譽壽萬年永用享
1106	曾孫無朞乍飤鼎	子孫永寶用之
1107	番仲吳生鼎	子子孫孫永寶用
1108	師賸父鼎	其萬年子子孫孫永寶用
1109	師眚乍甗鼎	其萬年子子孫孫永寶用[cx]
1110	鼄白原鼎	子子孫孫其萬年永用亯
1111	□魯宰鼎	其子子孫孫永寶用之
1118	宋莊公之孫趄亥鼎	子子孫孫永壽用之
1120	淉白鼎	子孫永寶用之
1122	昶白乍石鬶	子子孫孫永寶用
1123	伯夏父鼎	其萬年子子孫孫
1123.	番□伯者鼎	其萬年子孫永寶用□
1125.	郳季宿車鼎	郳季宿車自乍行鼎子子孫孫永寶萬年無疆用
1129	寒姒好鼎	□事小子__乍寒姒(始)好尊鼎
1129	寒姒好鼎	其萬年子子孫孫永寶用
1130	虢文公子钕鼎一	虢文公子钕乍弔改鼎
1130	虢文公子钕鼎一	子孫永寶用亯
1131	虢文公子钕鼎二	虢文公子钕乍弔改鼎
1131	虢文公子钕鼎二	子子孫孫永寶用亯
1132	邿白祀乍善鼎	子子孫永寶用亯
1133	邿白乍孟妊善鼎	子子孫孫永寶用
1138	白陶乍父考宮弔鼎	子子孫孫其永寶
1140	衛鼎	衛其萬年子子孫孫永寶用
1141	善夫旅白鼎	其萬年子子孫孫永寶用亯
1142	杞白每亡鼎	子子孫孫永寶用亯
1143	曾子仲謱鼎	隹曾子中謱
1143	曾子仲謱鼎	子子孫孫其永用之
1145	舍父鼎	子子孫孫其永寶
1146	□者生鼎一	其萬年子子孫孫永寶用亯
1147	□者生鼎二	其萬年子子孫孫永寶用亯
1148	鼄姜白鼎一	子子孫孫永寶用
1149	鼄姜白鼎二	子子孫孫永寶用
1150	小臣缶方鼎	缶用乍享大子乙家祀尊

1151	曩侯鼎	其萬年子子孫孫永寶用
1153	白頵父鼎	其萬年子子孫孫永寶用
1154	黃孫子螇君弔單鼎	唯黃孫子螇君弔單自乍鼎
1154	黃孫子螇君弔單鼎	子子孫孫永寶用亯 子
1158	小子__鼎	乙亥、子易小子Jn
1161	白吉父鼎	其萬年子子孫孫永寶用
1162	乃子克鼎	效辛白蔑乃子克曆
1165	大師鐘白乍石鬳	其子子孫永寶用之
1166	茲太子鼎	囗茲大子乍孟姬寶鼎
1166	茲太子鼎	子子孫永寶用之
1169	平安邦鼎	卅三年單父上官{冢子}喜所受坪安君者也(蓋)
1169	平安邦鼎	卅三年單父上官{冢子}喜所受坪安君者也(器)
1171	魯白車鼎	子子孫孫永寶用亯
1175	白鮮乍旅鼎一	子子孫孫永寶用
1176	白鮮乍旅鼎二	子子孫孫永寶用
1177	白鮮乍旅鼎三	子子孫孫永寶用
1178	宗婦鄁嬰鼎一	王子剌公之宗婦鄁嬰為宗彝䵼彝
1179	宗婦鄁嬰鼎二	王子剌公之宗婦鄁嬰為宗彝䵼彝
1180	宗婦鄁嬰鼎三	王子剌公之宗婦鄁嬰為宗彝䵼彝
1181	宗婦鄁嬰鼎四	王子剌公之宗婦鄁嬰為宗彝䵼彝
1182	宗婦鄁嬰鼎五	王子剌公之宗婦鄁嬰為宗彝䵼彝
1183	宗婦鄁嬰鼎六	王子剌公之宗婦鄁嬰為宗彝䵼彝
1188	斿弔樊乍易姚鼎	子子孫永寶用
1189	諆鼎	子孫永寶用亯
1191	堇乍大子癸鼎	用乍大子癸寶尊䵼[句冊句]
1192	亞囗伐__乍父乙鼎	丁卯、王令宜子迨西方
1194	郐王腬鼎	子子孫孫
1195	戈弔朕鼎一	子子孫孫永寶用之
1196	戈弔朕鼎二	子子孫孫永寶用之
1197	戈弔朕鼎三	子子孫孫永寶用之
1198	姬䵼彝鼎	其萬年子子孫孫永寶用
1199	虢宣公子白鼎	虢宣公子白乍尊鼎
1199	虢宣公子白鼎	子子孫孫永用囗寶
1200	散白車父鼎一	其萬年子子孫永寶
1201	枚白車父鼎二	其萬年子子孫永寶
1202	枚白車父鼎三	其萬年子子孫永寶
1203	枚白車父鼎四	其萬年子子孫永寶
1204	淮白鼎	__其及卑妻子孫丁之__鐈鬲肉
1205.	遽鼎	遽其萬年子子孫孫永寶用
1206	䐭鼎	子子孫其永寶
1211	庚兒鼎一	郐王之子庚兒自乍飤緐
1212	庚兒鼎二	郐王之子庚兒自乍飤緐
1213	師趛鼎一	__其萬年子孫永寶用
1214	師趛鼎二	__其萬年子孫永寶用
1220	鄀公鼎	子子孫孫永寶用亯
1224	王子吳鼎	王子吳擇其吉金
1224	王子吳鼎	子子孫孫永保用之
1225	膚大史申鼎	子孫是若
1226	師餘鼎	孫子子寶用
1227	衛鼎	子孫永寶

子

1229	厚趠方鼎	其子子孫永寶[㦸]
1230	師器父鼎	子子孫孫永寶用
1233	__鼎	子子孫孫其永寶
1238	曾子仲宣鼎	曾子中宣__用其吉金
1238	曾子仲宣鼎	子子孫孫永寶用
1241	蔡大師䐭鼎	子子孫孫永寶用之
1243	仲__父鼎	其萬年子子孫孫永寶用
1245	仲師父鼎一	其子子孫萬年永寶用亯
1246	仲師父鼎二	其子子孫萬年永寶用亯
1247	圅皇父鼎	琱娟其萬年子子孫孫永寶用
1248	庚贏鼎	丁子、王蔑庚贏曆
1249	寍鼎	寍萬年子子孫孫寶
1250	曾子斿鼎	曾子斿羿其吉金
1259	鄀公諴鼎	子子孫孫永寶用
1262	㝛鼎	其孫孫子子其永寶
1263	呂方鼎	其子子孫孫永用
1265	㪤弔鼎	子子孫永寶
1266	鄀公平侯鼎一	子子孫孫永寶用亯
1267	鄀公平侯鼎二	子子孫孫永寶用亯
1268	梁其鼎一	其百子千孫
1268	梁其鼎一	其子子孫孫永寶用
1269	梁其鼎二	其百子千孫
1269	梁其鼎二	其子子孫孫永寶用
1272	剌鼎	天子萬年
1272	剌鼎	其孫孫子子永寶用
1273	師湯父鼎	其萬年孫孫子子永寶用
1275	師同鼎	子子孫孫其永寶用
1276	__季鼎	其萬年子子孫孫永用
1277	七年趞曹鼎	敢對揚天子休
1278	十五年趞曹鼎	敢對揚天子休
1280	康鼎	敢對揚天子不顯休
1280	康鼎	子子孫孫其萬　年永寶用
1281	史頌鼎一	隹三年五月丁子(巳)
1281	史頌鼎一	日遅天子䙡令
1281	史頌鼎一	子子孫孫永寶用
1282	史頌鼎二	隹三年五月丁子(巳)
1282	史頌鼎二	日遅天子䙡令
1282	史頌鼎二	子子孫孫永寶用
1283	微䜌鼎	䜌子子孫永寶用享
1285	㦰方鼎一	其子子孫孫永寶
1286	大夫始鼎	大夫始敢對揚天子休
1286	大夫始鼎	孫孫子子永寶用
1288	令鼎一	有嗣眔師氏小子卿射
1288	令鼎一	日：小子迺學
1289	令鼎二	王射、有嗣眔師氏小子卿射
1289	令鼎二	日：小子迺學
1290	利鼎	對揚天子不顯皇休
1290	利鼎	利其萬年子孫永寶用
1291	善夫克鼎一	克其子子孫孫永寶用
1292	善夫克鼎二	克其子子孫孫永寶用

1293	善夫克鼎三	克其子子孫孫永寶用
1294	善夫克鼎四	克其子子孫孫永寶用
1295	善夫克鼎五	克其子子孫孫永寶用
1296	善夫克鼎六	克其子子孫孫永寶用
1297	善夫克鼎七	克其子子孫孫永寶用
1299	鼉侯鼎一	敢＿＿天子不顯休釐
1299	鼉侯鼎一	其萬年子孫永寶用
1300	南宮柳鼎	對揚天子休
1300	南宮柳鼎	其萬年子子孫孫永寶用
1301	大鼎一	對揚王天子不顯休
1301	大鼎一	大其子子孫孫萬年永寶用
1302	大鼎二	對揚王天子不顯休
1302	大鼎二	大其子子孫孫萬年永寶用
1303	大鼎三	對揚王天子不顯休
1303	大鼎三	大其子子孫孫萬年永寶用
1304	王子午鼎	王子午翼其吉金
1304	王子午鼎	命尹子庚殹民之所亟
1304	王子午鼎	子孫是利
1305	師奎父鼎	對揚天子不杯魯休
1305	師奎父鼎	師奎父其萬年子子孫孫永寶用
1306	無叀鼎	無叀敢對揚天子不顯魯休
1306	無叀鼎	子孫永寶用
1307	師望鼎	大師小子師望曰
1307	師望鼎	望敢對揚天子不顯魯休
1307	師望鼎	師望其萬年子子孫孫永寶用
1308	白晨鼎	子子孫孫其萬年永寶用
1309	寰鼎	敢對揚天子不顯叚休令
1309	寰鼎	寰其萬年子子孫孫永寶用
1310	鬲攸從鼎	鬲攸从其萬年子子孫孫永寶用
1311	師晨鼎	敢對揚天子不顯休令
1311	師晨鼎	子子孫孫其永寶用
1312	此鼎一	此敢對揚天子不顯休令
1312	此鼎一	畯（ 允 ）臣天子霝冬
1312	此鼎一	子子孫孫永寶用
1313	此鼎二	此敢對揚天子不顯休令
1313	此鼎二	畯（ 允 ）臣天子霝冬
1313	此鼎二	子子孫孫永寶用
1314	此鼎三	此敢對揚天子不顯休令
1314	此鼎三	畯（ 允 ）臣天子霝冬
1314	此鼎三	子子孫孫永寶用
1315	善鼎	對揚皇天子不杯休
1315	善鼎	余其用各我宗子雩百生
1316	彧方鼎	王用肇事乃子彧率虎臣禦淮戎
1316	彧方鼎	安永宕乃子彧心
1316	彧方鼎	卑復享于天子
1316	彧方鼎	唯卑事乃子彧萬年辟事天子
1316	彧方鼎	其子子孫孫永寶茲剌
1317	善夫山鼎	山敢對揚天子休令
1317	善夫山鼎	子子孫孫永寶用
1318	晉姜鼎	妥懷遠釟（ 邇 ）君子

子

1318	晉姜鼎	畯(允)保其孫子
1319	頌鼎一	頌敢對揚天子不顯魯休
1319	頌鼎一	畯(允)臣天子、霝冬
1319	頌鼎一	子子孫孫寶用
1320	頌鼎二	頌敢對揚天子不顯魯休
1320	頌鼎二	畯(允)臣天子、霝冬
1320	頌鼎二	子子孫孫寶用
1321	頌鼎三	頌敢對揚天子不顯魯休
1321	頌鼎三	畯(允)臣天子、霝冬
1321	頌鼎三	子子孫孫寶用
1322	九年裘衛鼎	顏小子具叀夆
1322	九年裘衛鼎	衛小子__逆者
1323	師訊鼎	叀余小子肇盄先王德
1323	師訊鼎	天子亦弗謹公上父猷德
1323	師訊鼎	小子夙夕專古先且刺德
1323	師訊鼎	白亦克緣古先且壘孫子一斷皇辟懿德
1323	師訊鼎	訊敢釐王卑天子萬年whwi
1323	師訊鼎	白大師武臣保天子
1324	禹鼎	其萬年子子孫孫寶用
1325	五祀衛鼎	厲叔子夙
1325	五祀衛鼎	衛小子逆其卿飼
1326	多友鼎	其子子孫孫永寶用
1327	克鼎	永念于氒孫辟天子
1327	克鼎	天子明哲
1327	克鼎	不顯天子
1327	克鼎	天子其萬年無疆
1327	克鼎	敢對揚天子不顯魯休
1327	克鼎	子子孫孫永寶用
1328	盂鼎	古天異臨子
1330	曶鼎	子子孫孫其永寶
1330	曶鼎	□吏氒小子𣪕目限訟于井弔
1331	中山王嚳鼎	昔者郾君子噲親(叡)弇夫猎(悟)
1331	中山王嚳鼎	猶粯(眯迷)惑烏(於)子之而亡其邦
1331	中山王嚳鼎	而皇(況)才烏(於){ 小子 }(少)君虐
1331	中山王嚳鼎	旋(事){ 小子 }(少) 女(如)長
1331	中山王嚳鼎	子子孫孫永定保之
1332	毛公鼎	司余小子弗役
1332	毛公鼎	烏虖、懼余小子
1332	毛公鼎	雩參有嗣、小子、師氏、虎臣雩朕褻事
1332	毛公鼎	毛公厝對揚天子皇休
1332	毛公鼎	子子孫孫永寶用
1359	__王子鬲	[o9]子
1409	乍寶彝鬲	子其永寶
1424	榮子鬲	榮子□乍父戊寶彝
1443	宋𩰫父乍寶子媵鬲	宋𩰫父乍豐子媵鬲
1454	𨟭肇家鬻	其永子孫寶
1458	庶鬲	其萬年子孫永寶用
1463	呂王尊鬲	子子孫孫永寶用亯
1464	王乍姬□母女尊鬲	子子孫孫永寶用
1466	亞𥎦彝母辛鬲	[亞俞]彝入餗于女子

1467	呂䬂姬乍鬲	其子子孫孫寶用
1468	白家父乍孟姜鬲	其子孫永寶用
1469	戲白餗齍一	其萬年子子孫永寶用
1470	戲白餗齍二	其萬年子子孫永寶用
1476	鼄白乍朕鬲	其萬年子子孫孫永寶用
1477	右戲仲夏父豐鬲	子子孫孫永寶用
1478	齊不趄鬲	子子孫孫永寶用
1479	召仲乍生妣奠鬲一	其子子孫孫永寶用
1480	召仲乍生妣奠鬲二	其子子孫孫永寶用
1481	咏仲無龍寶鼎一	其子子孫永寶用亯
1482	咏仲無龍寶鼎二	其萬年子子孫永寶用亯
1483	虢季氏子組鬲	虢季氏子緵(組)乍鬲
1483	虢季氏子組鬲	子子孫孫永寶用亯
1484	邘叔鬲	子子孫孫永寶用之
1487	白先父鬲一	其子子孫孫永寶用
1488	白先父鬲二	其子子孫孫永寶用
1489	白先父鬲三	其子子孫孫永寶用
1490	白先父鬲四	其子子孫孫永寶用
1491	白先父鬲五	其子子孫孫永寶用
1492	白先父鬲六	其子子孫孫永寶用
1493	白先父鬲七	其子子孫孫永寶用
1494	白先父鬲八	其子子孫孫永寶用
1495	白先父鬲九	其子子孫孫永寶用
1496	白先父鬲十	其子子孫孫永寶用
1497	虢仲乍虢妃鬲	其萬年子子孫孫永寶用
1498	鼄友父鬲	鼄友父媵其子胙婞(曹)寶鬲
1499	□季鬲	其萬年子子孫用
1500	＿白鬲	其萬年子子孫孫永寶用
1501	虢季氏子钕鬲	虢季氏子钕乍寶鬲
1501	虢季氏子钕鬲	子子孫孫永寶用享
1502	成白孫父鬲	子子孫孫永寶用
1505	番君酌白鼎	萬年無彊子孫永寶
1506	杜白乍弔嫞鬲	其萬年子子孫孫永寶用
1507	善夫吉父乍京姬鬲一	其子子孫孫永寶用
1508	善夫吉父乍京姬鬲二	其子子孫孫永寶用
1509	虢文公子钕乍弔妃鬲	虢文公子钕乍弔改鬲鼎
1509	虢文公子钕乍弔妃鬲	其萬年子孫永寶用亯
1510	內公鑄弔姬鬲一	子子孫孫永寶用享
1511	內公鑄弔姬鬲二	子子孫孫永寶用亯
1512	虢白乍姬夨母鬲	其萬年子子孫孫永寶用
1513	睽土父乍蓼妃鬲	其萬年子子孫孫永寶用
1514	白夏父乍畢姬鬲一	其萬年子子孫孫永寶用亯
1515	白夏父乍畢姬鬲二	其萬年子子孫孫永寶用亯
1516	白夏父乍畢姬鬲三	其萬年子子孫孫永寶用亯
1517	白夏父乍畢姬鬲四	其萬年子子孫孫永寶用亯
1518	白夏父乍畢姬鬲六	其萬年子子孫孫永寶用亯
1519	白夏父乍畢姬鬲五	其萬年子子孫孫永寶用亯
1520	奠白荀父鬲	其萬年子子孫孫永寶用
1521	單白遵父鬲	子子孫孫其萬年永寶用享
1522	孟辛父乍孟姞鬲一	其萬年子子孫孫永寶用

子

1523	孟辛父乍孟姞鬲二	其萬年子子孫孫永寶用
1524	□大嗣攻鬲	子子孫孫永保用之
1525	隮子奠白尊鬲	隮(鄁)子子奠白乍尊鬲
1525	隮子奠白尊鬲	子子孫孫永寶用
1526	琱生乍宄仲尊鬲	琱生其萬年子子孫孫用寶用享
1527	鼈先父鬲	其萬年子孫永寶
1528	公姞鬲鼎	子中漁□池
1529	仲枏父鬲一	子孫其永寶用
1530	仲枏父鬲二	子孫其永寶用
1531	仲枏父鬲三	子孫其永寶用
1532	仲枏父鬲四	子孫其永寶用
1600	_北子冎甗	uh北子[冎]
1615	解子乍鬻甗	解子乍旅獻(甗)
1616.	子商亞羌乙甗	子商[亞羌乙]
1643	亞醜者女甗	[亞醜]者母乍大子尊彝
1647	井乍寶甗	嬰乍旅甗子孫孫永寶用、豐井
1649	刪夕乃子乍父辛甗	乃子乍父辛寶尊彝[刪夕]
1650	榮子旅乍且乙甗	榮子旅乍且乙寶彝子孫永寶
1652	弔碩父旅甗	子子孫孫永寶用
1653	敎父甗	其萬年子子孫永寶用
1654	子邦父旅甗	子邦父乍旅甗
1654	子邦父旅甗	其子子孫孫永寶用
1655	奠氏白高父旅甗	其萬年子子孫孫永寶用
1656	尌仲甗	子子孫孫永寶用
1658	奠大師小子甗	奠大師小子侯父乍寶獻(甗)
1658	奠大師小子甗	子子孫孫永寶用
1659	白鮮旅甗	子子永寶用
1660	曾子仲誨旅甗	隹曾子中誨用其吉金
1660	曾子仲誨旅甗	子子孫孫其永用之
1662	寶甗	其萬年子子孫孫永寶用貞
1663	鬳五世孫矩甗	子子孫孫永寶用之
1664	邕子良人歙甗	邕子良人擇其吉金自乍飤獻(甗)
1664	邕子良人歙甗	其萬年無疆、其子子孫永寶用
1665	王孫壽飤甗	子子孫孫永保用之
1667	陳公子弔遼父甗	敶公子子弔(叔)原父乍旅獻(甗)
1667	陳公子弔遼父甗	子子孫孫是尚
1813	子刀毁	[子刀]
1814	子畫毁一	[子畫]
1815	子畫毁二	[子畫]
1816	子_毁	[子dd]
1834	龏子毁	[龏]子
1836	子_毁	子_
1856	子父乙毁一	[子]父乙
1857	父乙子毁	父乙[子]
1869	子父丁毁	[子]父丁
1882	子父戊毁	[子]父戊
2001	子龢父丁毁	子龢父丁
2085	子眉_父乙毁	子o9父乙
2157	子乍父乙寶毁	[子]乍父乙寶彝
2180	弔弔仲子日乙毁	[弔弔]中子日乙

2212	榮子旅乍寶設	榮子旅乍寶設
2296	子令乍父癸寶設	子令乍父癸寶尊彝
2299	白乍氒譚子設	白乍氒譚子寶尊彝
2308	子邡乍父己設	子邡乍父己寶尊彝
2317	趨子冉乍父庚設	趨子冉乍父庚寶尊彝
2338	乍寶設	乍寶設其子孫萬年永寶
2343	酋乍寶設	酋乍寶設其萬年孫子寶
2344	季假乍旅設	季假乍旅設隹子孫乍寶
2350	楞乍父甲設	楞乍父甲寶設萬年孫子寶
2360	白乍寶設	子子孫孫永寶用
2361	乍寶尊設	孫孫子子其萬年用
2362	__設	__子子孫其萬年用享
2372	夆乍豐觚設	子子孫孫永用
2375	旂設	其子子孫孫永寶用
2376	□□設	其萬年子子孫孫寶用
2377	晉人吏寓乍寶設	其孫子永寶
2378	辰乍餗設	其子子孫孫永寶用
2379	中友父設一	子子孫永寶用
2380	中友父設二	子子孫永寶用
2381	友父設一	子子孫孫永寶用
2382	友父設二	子子孫孫永寶用
2386	白__乍白幽設二	子子孫孫永用亯
2387	白__乍白幽設一	世子孫孫寶用
2389	叡琵妊乍寶設	子孫孫永寶用亯
2390	吹乍寶設二	其萬年子子孫孫永用
2391	冠乍寶設一	其萬年子子孫孫永用
2393	白喬父飤設	子子孫孫永寶用
2394	己侯乍姜縈設一	子子孫其永寶用
2395	丂保子達設	保子達乍寶設
2395	丂保子達設	其子子孫永用[丂]
2396	仲競設	其萬年子子孫永用
2402	敔設	用餗氒孫子
2407	白開乍尊設一	其子子孫孫萬年寶用
2408	白開乍尊設二	其子子孫孫萬年寶用
2410	遣小子鄃設	遣小子鄃目其友乍𨟭男王姬𪕒彝
2411	史寏設	其萬年子子孫孫永寶
2415	降人𨟭寶設	其子子孫孫萬年用
2416	降人𨟭寶設	其子子孫孫萬年用
2417	齊嫚姬寶設	其萬年子子孫孫永用
2418	乎乍姞氏設	子子孫孫其永寶用
2420.	改敨設一	子子孫孫其永寶用
2420.	改敨設二	子子孫孫其永寶用
2422	舟洹秦乍且乙設	其萬年子孫寶用[舟]
2424	白莽寶設	其萬年子子孫孫永寶用
2425	兮仲寶設一	其萬年子子孫孫永寶用
2426	兮仲寶設二	其萬年子子孫孫永寶用
2427	兮仲寶設三	其萬年子子孫孫永寶用
2428	兮仲寶設四	其萬年子子孫孫永寶用
2429	兮仲寶設五	其萬年子子孫孫永寶用
2430	倗白__尊設	其子子孫孫永寶用亯

子

2431	__弔侯父乍尊毀一	其子子孫孫永寶用
2432	__弔侯父乍尊毀二	其子子孫孫永寶用
2433	害弔乍尊毀一	其萬年子子孫孫永寶用
2434	害弔乍尊毀二	其萬年子子孫孫永寶用
2435	散車父毀一	其萬年子子孫孫永寶
2436	散車父毀二	其萬年孫子子永寶
2437	散車父毀三	其萬年孫子子永寶
2438	散車父毀四	其萬年孫子子永寶
2438.	散車父毀五	其萬年孫子子永寶
2438.	楸車父乍䢼陆諫毀	其萬年孫子子永寶
2438.	楸車父乍䢼陆諫毀二	其萬年孫子子永寶
2439	寺季故公毀一	子子孫孫永寶用亯
2440	寺季故公毀二	子子孫孫永寶用亯
2441	姞衍毀	其萬年子子孫孫永寶用
2442	虢號遣生旅毀	其萬年子孫永寶用
2443	孟弨父毀一	其萬年子子孫永寶用
2444	孟弨父毀二	其萬年子子孫孫永寶用
2445	孟弨父毀三	其萬年子子孫孫永寶用
2447	白汈父乍孆姞毀一	子子孫孫永寶用
2448	白汈父乍孆姞毀二	子子孫孫永寶用
2449	白汈父乍孆姞毀三	子子孫孫永寶用
2454	亢僕乍父己毀	子子孫其萬年永寶用
2455	条乍文考乙公毀	子子孫其永寶
2456	的白迹毀一	期(箕其)萬年孫孫子子其永用
2457	的白迹毀二	其萬年孫子其永用
2458	孟奠父毀一	其萬年子子孫孫永寶用
2459	孟奠父毀二	其萬年子子孫孫永寶用
2460	孟奠父毀三	其萬年子子孫孫永寶用
2461	白家父乍孟姜毀	其子子孫孫永寶用
2462	弔向父乍婞妀毀一	其子子孫孫永寶用
2463	弔向父乍婞妀毀二	其子子孫孫永寶用
2464	弔向父乍婞妀毀三	其子子孫孫永寶用
2465	弔向父乍婞妀毀四	其子子孫孫永寶用
2466	弔向父乍婞妀毀五	其子子孫孫永寶用
2467	妣__母乍南旁毀	子子孫孫其永寶用
2468	齊癸姜尊毀	其萬年子子孫永寶用
2473	__乍皇母尊毀一	其子子孫孫萬年永寶用
2474	__乍皇母尊毀二	其子子孫孫萬年永寶用
2475	衛始毀	子子孫孫其萬年永寶用
2476	董毀	其子子孫孫萬年永用[eL]
2477	董父丁毀	其子子孫孫萬年永用[eL]
2478	白賓父毀(器)一	其萬年子子孫孫永寶用
2479	白賓父毀二	其萬年子子孫孫永寶用
2480	是要毀	其子孫永寶用
2481	是要毀	其子孫永寶用
2482	陳侯乍嘉姬毀	其萬年子子孫孫永寶用
2483	曩侯毀	子子孫萬年永寶毀勿喪
2484	仳鷸父毀	子子孫萬年其永寶用
2484.	夨王毀	子子孫孫其萬年永寶用
2485	隚仲孝毀	子子孫其永寶用[主]

2486	□□且辛毁	其萬年孫孫子子永寶用[費]
2488	杞白每亡毁一	子子孫孫永寶用亯
2489	杞白每亡毁二	子子孫孫永寶用亯
2490	杞白每亡毁三	子子孫孫永寶用亯
2491	杞白每亡毁四	子子孫孫永寶用亯
2492	杞白每亡毁五	子子孫孫永寶用亯
2493	鄦其肇乍毁一	子子孫孫永寶用
2494	鄦其肇乍毁二	子子孫孫永寶用
2495	季_父徹毁	其萬年子子孫孫永寶用
2496	廣乍弔彭父毁	其萬年子子孫孫永寶用
2497	鼄侯乍王姞毁一	王姞其萬年子子孫孫永寶
2498	鼄侯乍王姞毁二	王姞其萬年子子孫孫永寶
2499	鼄侯乍王姞毁三	王姞其萬年子子孫孫永寶
2500	鼄侯乍王姞毁四	王姞其萬年子子孫孫永寶
2501	旛嫼乍尊毁一	旛嫼其萬年子子孫孫永寶用
2502	旛嫼乍尊毁二	旛嫼其萬年子子孫孫永寶用
2503	旛嫼乍尊毁三	旛嫼其萬年子子孫孫永寶用
2504	旛賸毁	子子孫孫永寶用
2505	白疑父乍嬉毁	其萬年子子孫孫永寶用
2505.	井姜大宰毁	子子孫孫永寶用亯
2506	奠牧馬受毁一	其子子孫孫萬年永寶用
2507	尊牧馬受毁二	其子子孫孫萬年永寶用
2509	旅仲毁	其萬年子子孫孫永用亯孝
2511	矢王毁	子子孫孫其年永寶用
2513	爯乍季日乙妻毁一	子子孫孫永寶用
2514	爯乍季日乙妻毁二	子子孫孫永寶用
2515	小子野乍父丁毁	乙未卿旋易小子野貝二百
2516	鄧公餗毁	其萬年子子孫孫永壽用之
2517	是□乍乙公毁	子子孫孫永寶用[鼎]
2518	白田父毁	其萬年子子孫孫永寶用
2519	周雛生賸毁	其孫孫子子永寶用[eL]
2520	大自事良父毁	其萬年子子孫孫永寶用
2521	姞氏自乍毁	其邁(萬)年子子孫孫永寶用
2522	孟弢父毁	其萬年子子孫孫永寶用
2523	孟弢父毁	其萬年子子孫孫永寶用
2527	東仲賚父毁	其萬年子子孫永寶用亯
2529	豐井弔乍白姬毁	其萬年子子孫孫永寶用
2529.	_生毁	uw生乍寶尊毁、uw生其壽考萬年子孫永寶用
2530	漾姬乍父辛毁	孫子其萬年永寶
2533	己侯貉子毁	己侯貉子分己姜寶、乍毁
2535	仲殷父毁一	其子子孫孫永用
2536	仲殷父毁二	其子子孫孫永用
2537	仲殷父毁三	其子子孫孫永用
2537	仲殷父毁四	其子子孫孫永寶用
2538	仲殷父毁五	其子子孫孫永用
2539	仲殷父毁六	其子子孫孫永寶用
2540	仲殷父毁六	其子子孫孫永寶用
2541	仲殷父毁七	其子子孫孫永寶用
2541.	仲殷父毁七	其子子孫孫永寶用
2541.	仲殷父毁八	其子子孫孫永寶用

子

子

2542	辰才寅□□毁	其子孫其永寶
2545	季鬳乍井弔毁	子子孫孫其永寶用
2546	聖毁	用乍大子丁[獨]
2547	格白乍晉姬毁	子子孫孫其永寶用
2548	仲惠父餗毁一	其萬年子子孫孫永寶用
2549	仲惠父餗毁二	其萬年子子孫孫永寶用
2550	兌乍弔氏毁	兌其萬年子子孫孫永寶用
2551	弔角父乍宕公毁一	其子子孫孫永寶用[cx]
2552	弔角父乍宕公毁二	其子子孫孫永寶用[cx]
2553	虢季氏子組毁一	虢季氏子組乍毁
2553	虢季氏子組毁一	子子孫孫永寶用亯
2554	虢季氏子組毁二	虢季氏子組乍毁
2554	虢季氏子組毁二	子子孫孫永寶用亯
2555	虢季氏子組毁三	虢季氏子組乍毁
2555	虢季氏子組毁三	子子孫孫永寶用亯
2556	復公子白舍毁一	復公子白舍曰
2557	復公子白舍毁二	復公子白舍曰
2558	復公子白舍毁三	復公子白舍曰
2560	吳彭父毁一	其萬年子子孫孫永寶用
2561	吳彭父毁二	其萬年子子孫孫永寶用
2562	吳彭父毁三	其萬年子子孫孫永寶用
2563	德克乍文且考毁	克其萬年子子孫孫永寶用亯
2564	𦎫且日庚乃孫毁一	其子子孫孫永寶用[𦎫]
2565	且日庚乃孫毁二	其子子孫孫永寶用[𦎫]
2566	寧毁一	世孫子寶
2567	寧毁二	世孫子寶
2567.	戊寅毁	王商易天子休
2569	鼎卓林父毁	其子子孫孫永寶用[鼎]
2570	榮毁	對揚天子休
2571	穌公子癸父甲毁	穌公子癸父甲乍尊毁
2571	穌公子癸父甲毁	子子孫孫永寶用亯
2571.	穌公子癸父甲毁二	穌公子癸父甲乍尊毁
2571.	穌公子癸父甲毁二	子子孫孫永寶用亯
2572	毛白嘰父毁	子子孫孫永寶用亯
2573	洙白寺毁	其萬年子子孫孫永寶用亯
2574	豐兮毁一	夷其萬年子孫永寶、用亯考
2575	豐兮毁二	夷其萬年子子孫永寶、用亯考
2576	白偍□寶毁	子子孫永寶用
2577	害客毁	客其萬年子子孫孫永寶用
2578	兮吉父乍仲姜毁	子子孫永寶用亯
2579	白喜乍文考剌公毁	喜其萬年子子孫孫其永寶用
2580	꽏乍北子毁	꽏乍北子柞毁
2580	꽏乍北子毁	其萬年子子孫孫永寶
2581	曹伯狄毁	子子孫孫永寶用亯
2582	內弔_毁	子子孫永寶用
2583	鄁公毁	子子孫永用亯
2588	毛关毁	其子子孫孫萬年永寶用
2589	孫弔多父乍孟姜毁一	其萬年子子孫孫永寶用
2590	孫弔多父乍孟姜毁二	其萬年子子孫孫永寶用
2591	孫弔多父乍孟姜毁三	其萬年子子孫孫永寶用

2595	奠虢仲𣪘一	子子孫孫彶永用
2596	奠虢仲𣪘二	子子孫孫彶永用
2597	奠虢仲𣪘三	子子孫孫彶永用
2600	白𤔲父𣪘	其萬年子子孫孫永寶用
2601	向𣄰乍旅𣪘一	孫子子永寶用
2602	向𣄰乍旅𣪘二	孫子永寶用
2603	白吉父𣪘	其萬年子孫孫永寶用
2604	黃君𣪘	子子孫孫永寶用亯
2605	邿＿𣪘	子子孫孫永寶用亯
2605	邿＿𣪘	子子孫孫永寶用亯
2608	官差父𣪘	孫孫子子永寶用
2609	筥小子𣪘一	筥小子徒家弗受
2609	筥小子𣪘一	其萬年子子孫孫永寶用
2610	筥小子𣪘二	筥小子徒家弗受
2610	筥小子𣪘二	其萬年子子孫孫永寶用
2613	白梳乍宄寶𣪘	孫孫子子永寶
2614	宗婦邯𡢁𣪘一	王子剌公之宗婦邯𡢁為宗彝𩰫彝
2615	宗婦邯𡢁𣪘二	王子剌公之宗婦邯𡢁為宗彝𩰫彝
2616	宗婦邯𡢁𣪘三	王子剌公之宗婦邯𡢁為宗彝𩰫彝
2617	宗婦邯𡢁𣪘四	王子剌公之宗婦邯𡢁為宗彝𩰫彝
2618	宗婦邯𡢁𣪘五	王子剌公之宗婦邯𡢁為宗彝𩰫彝
2619	宗婦邯𡢁𣪘六	王子剌公之宗婦邯𡢁為宗彝𩰫彝
2620	宗婦邯𡢁𣪘七	王子剌公之宗婦邯𡢁為宗彝𩰫彝
2621	雁侯𣪘	其萬年子子孫孫永寶用
2622	琱伐父𣪘一	子子孫孫永寶用
2623	琱伐父𣪘二	子子孫孫永寶用
2623.	琱伐父𣪘	子子孫孫永寶用
2623.	琱伐父𣪘	子子孫孫永寶用
2624	琱伐父𣪘三	子子孫孫永寶用
2625	曾白文𣪘	其萬年子子孫孫永寶用亯
2626	𪒠乍父乙𣪘	其子孫永寶
2628	畢鮮𣪘	鮮其萬年子子孫孫永寶用
2629	牧師父𣪘一	其萬年子子孫孫永寶用亯
2630	牧師父𣪘二	其萬年子子孫孫永寶用亯
2631	牧師父𣪘三	其萬年子子孫孫永寶用亯
2632	陳逆𣪘	子孫是保
2633	相侯𣪘	其萬年子子孫孫□□侯
2633.	食生走馬谷𣪘	子孫永寶用亯
2634	訧叔𣪘	子子孫孫其萬年永寶用
2639	遡𣪘	遡其萬年子子孫孫永寶用
2640	弔皮父𣪘	其萬年子子孫永寶用[引]
2641	伯椃虘𣪘一	子子孫孫永寶
2642	伯椃虘𣪘二	子子孫孫永寶
2643	史旊𣪘	其子子孫孫永寶用
2643	史旊𣪘	其子子孫孫永寶用
2644.	伯椃虘𣪘	子子孫孫永寶
2646	仲辛父𣪘	子孫孫永寶用亯
2647	魯士商𫸩𣪘	子子孫孫永寶用亯
2648	仲𫸩父𣪘一	其萬年子子孫孫永寶用亯于宗室
2649	仲𫸩父𣪘二	其萬年子子孫孫永寶用亯于宗室

子

2650	仲皾父𣪘三	其萬年子子孫孫永寶用亯于宗室
2651	内白多父𣪘	其萬年子子孫孫永寶用亯
2652	__𣪘	p6其萬年孫孫子子永寶
2653.	弔__孫父𣪘	子子孫永寶用亯
2654	䵼乍文父丁𣪘	癸巳、囗賫小子囗貝十朋
2655	小臣靜𣪘	揚天子休
2656	師害𣪘一	子子孫孫永寶用
2657	師害𣪘二	子子孫孫永寶用
2658	白㦰𣪘	子子孫孫永寶
2658.	大𣪘	其子子孫永寶用
2660	彔乍辛公𣪘	其子子孫孫永寶
2662.	宴𣪘一	子子孫孫永寶用
2662.	宴𣪘二	子子孫孫永寶用
2663	宴𣪘一	子子孫孫永寶用
2664	宴𣪘二	子子孫孫永寶用
2665	__弔𣪘	子子孫孫其萬年永寶用
2666	鑄弔皮父𣪘	其妻子用亯考于弔皮父
2666	鑄弔皮父𣪘	子子孫孫寶皇
2667	尌仲𣪘	子子孫孫永寶用
2668	散季𣪘	子子孫永寶
2669	__妊小𣪘	其子子孫孫永寶用[cx]
2671	利𣪘	佳甲子朝
2672	伯芀父𣪘	其子子孫孫永寶用
2672	伯芀父𣪘	其子子孫孫永寶用[cx]
2673	囗弔買𣪘	買其子子孫孫永寶用亯
2674	弔𣃼𣪘	用侃喜百生倗友眔子婦{ 子孫 }永寶用
2675	大保𣪘	王伐彔子耶(聽)、𠭰氒反
2678	函皇父𣪘一	琱娟其萬年子子孫孫永寶用
2679	函皇父𣪘二	琱娟其萬年子子孫孫永寶用
2680	函皇父𣪘三	琱娟其萬年子子孫孫永寶用
2680.	函皇父殷四	琱娟其萬年子子孫孫永寶用
2681	酄侯𣪘	酄(筥)侯少子析乙孝孫不巨
2683	白家父𣪘	子孫永寶用亯
2685	仲枏父𣪘一	其萬年子孫孫其永寶用
2686	仲枏父𣪘二	用敢鄉考子皇且
2686	仲枏父𣪘二	其萬年子子孫孫
2690.	相侯𣪘	其萬年子孫孫用亯侯
2691	善夫梁其𣪘一	孫子子孫孫永寶用亯
2692	善找梁其𣪘二	孫子子孫孫永寶用亯
2693	𦫵𣪘	其萬年孫子寶
2695	䣄兌𣪘	子子孫孫永寶用亯
2696	孟𣪘一	氒子子孫孫其永寶
2697	孟𣪘二	氒子子孫孫其永寶
2698	陳肪𣪘	肇弔和子
2705	君夫𣪘	子子孫孫其永用止
2706	䣄公敄人𣪘	子子孫孫永寶用亯
2707	小臣守𣪘一	守敢對揚天子休令
2707	小臣守𣪘一	子子孫孫永寶用
2708	小臣守𣪘二	守敢對揚天子休令
2708	小臣守𣪘二	子子孫孫永寶用

2709	小臣守𣪕三	守敢對揚天子休令
2709	小臣守𣪕三	子子孫孫永寶用
2710	肆自乍寶器一	萬年以氒孫子寶用
2711	肆自乍寶器二	萬年以氒孫子寶用
2711.	乍冊般𣪕	對揚天子不顯王休命
2711.	乍冊般𣪕	子子孫孫萬年福
2712	虢姜𣪕	子子孫孫永寶用
2721	𢼸𣪕	𢼸對揚天子休
2722	𡨦弔乍豐姞旅𣪕	子孫其永寶用
2723	𠭯𣪕	友眔氒子孫永寶
2724	𩛥白㦰𣪕	其萬年子子孫孫其永寶用
2725	師毛父𣪕	其萬年子子孫其永寶用
2725.	𦻶星𣪕	子子孫孫永寶用亯
2726	𣪕	子子孫孫其永寶
2727	㮚姞乍尹弔𣪕	子子孫永寶用亯
2728	恆𣪕一	敢對揚天子休
2728	恆𣪕一	其萬年世子子孫虞寶用
2729	恆𣪕二	敢對揚天子休
2729	恆𣪕二	其萬年世子子孫虞寶用
2730	𪒠𣪕	朕辟天子
2730	𪒠𣪕	受天子休
2731	小臣宅𣪕	子子孫永寶
2732	曾仲大父𧕮𣪕	其萬年子子孫孫永寶用亯
2733	何𣪕	對揚天子魯命
2733	何𣪕	子子孫孫其永寶用
2734	適𣪕	其孫孫子子永寶
2735	屖敖𣪕	戎獻金于子牙父百車
2735	屖敖𣪕	其右子歆、吏孟
2735	屖敖𣪕	屖敖其子子孫永寶
2736	師遽𣪕	敢對揚天子不杯休
2736	師遽𣪕	世孫子永寶
2737	段𣪕	念畢中孫子
2737	段𣪕	孫孫子子萬年用亯祀
2737	段𣪕	孫子tp□
2738	衛𣪕	衛敢對揚天子不顯休
2738	衛𣪕	衛其萬年子子孫孫永寶用
2739	無㠱𣪕一	曰敢對揚天子魯休令
2739	無㠱𣪕一	無㠱其萬年子孫永寶用
2740	無㠱𣪕二	曰敢對揚天子魯休令
2740	無㠱𣪕二	無㠱其萬年子孫永寶用
2741	無㠱𣪕三	曰敢對揚天子魯休令
2741	無㠱𣪕三	無㠱其萬年子孫永寶用
2742	無㠱𣪕四	曰敢對揚天子魯休令
2742	無㠱𣪕四	無㠱其萬年子孫永寶用
2742.	無㠱𣪕五	敢對揚天子魯休令
2742.	無㠱𣪕五	無㠱其萬年子孫永寶用
2742.	無㠱𣪕五	敢對揚天子魯休令
2742.	無㠱𣪕五	無㠱其萬年子孫永寶用
2743	𩰫𣪕	其子子孫孫寶用
2744	五年師旋𣪕一	子子孫孫永寶用

子

2745	五年師旋毁二	子子孫孫永寶用
2746	追毁一	天子多易追休
2746	追毁一	追敢對天子覨揚
2746	追毁一	畯(允)臣天子霝冬
2746	追毁一	追其萬年子子孫孫永寶用
2747	追毁二	天子多易追休
2747	追毁二	追敢對天子覨揚
2747	追毁二	畯(允)臣天子霝冬
2747	追毁二	追其萬年子子孫孫永寶用
2748	追毁三	天子多易追休
2748	追毁三	追敢對天子覨揚
2748	追毁三	畯(允)臣天子霝冬
2748	追毁三	追其萬年子子孫孫永寶用
2749	追毁四	天子多易追休
2749	追毁四	追敢對天子覨揚
2749	追毁四	畯(允)臣天子霝冬
2749	追毁四	追其萬年子子孫孫永寶用
2750	追毁五	天子多易追休
2750	追毁五	追敢對天子覨揚
2750	追毁五	畯(允)臣天子霝冬
2750	追毁五	追其萬年子子孫孫永寶用
2751	追毁六	天子多易追休
2751	追毁六	追敢對天子覨揚
2751	追毁六	畯(允)臣天子霝冬
2751	追毁六	追其萬年子子孫孫永寶用
2752	史頌毁一	日遅天子覨令
2752	史頌毁一	子子孫孫永寶用
2753	史頌毁二	日遅天子覨令
2753	史頌毁二	子子孫孫永寶用
2754	史頌毁三	日遅天子覨令
2754	史頌毁三	子子孫孫永寶用
2755	史頌毁四	日遅天子覨令
2755	史頌毁四	子子孫孫永寶用
2756	史頌毁五	日遅天子覨令
2756	史頌毁五	子子孫孫永寶用
2757	史頌毁六	日遅天子覨令
2757	史頌毁六	子子孫孫永寶用
2758	史頌毁七	日遅天子覨令
2758	史頌毁七	子子孫孫永寶用
2759	史頌毁八	日遅天子覨令
2759	史頌毁八	子子孫孫永寶用
2759	史頌毁九	日遅天子覨令
2759	史頌毁九	子子孫孫永寶用
2763	弔向父禹毁	余小子司朕皇考
2764	艾毁	拜稽首、魯天子迨厥瀕福
2764	艾毁	朕臣天子
2765	殺毁	敢對揚天子休
2765	殺毁	其萬年子子孫孫永寶用
2766	三兒毁	啟□□歐子
2766	三兒毁	歐子□□塱中□□□母气

2766	三兒𣪘	子子孫永保用亯
2767	虘𣪘一	虘拜𩒨首敢對揚天子不顯休
2768	楚𣪘	疐揚天子不顯休
2768	楚𣪘	其子子孫孫萬年永寶用
2769	師耤𣪘	其萬年子孫永寶用
2770	戠𣪘	其子子孫孫永用
2771	弭弔師𫹳𣪘一	敢對揚天子休
2771	弭弔師𫹳𣪘一	弭弔其萬年子子孫孫永寶用
2772	弭弔師𫹳𣪘二	敢對揚天子休
2772	弭弔師𫹳𣪘二	弭弔其萬年子子孫孫永寶用
2773	即𣪘	即敢對揚天子不顯休
2773	即𣪘	即其萬年子子孫孫永寶用
2774	臣諫𣪘	母弟引𡩁又長子□
2774.	南宮弔𣪘	天子𤔲(司)睗(賜)女緇旂、用狩
2774.	南宮弔𣪘	揚天子休
2775	裘衛𣪘	衛拜𩒨首敢對揚天子不顯休
2775	裘衛𣪘	衛其子子孫孫永寶用
2775.	害𣪘一	其子子孫孫永寶用
2775.	害𣪘二	其子子孫孫永寶用
2776	走𣪘	徒其眔氒子子孫孫萬年永寶用
2778	格白𣪘一	其萬年子子孫孫永保用[eL]
2778	格白𣪘一	其萬年子子孫孫永保用[eL]
2779	格白𣪘二	其萬年子子孫孫永保用[eL]
2780	格白𣪘三	其萬年子子孫孫永保用[eL]周
2781	格白𣪘四	其萬年子子孫孫永保用[eL]周
2782	格白𣪘五	其萬年子子孫孫永保用[eL]周
2782.	格白𣪘六	其萬年子子孫孫永保用[eL]周
2783	趞𣪘	其子子孫孫萬年寶用
2784	申𣪘	申敢對揚天子休令
2784	申𣪘	子子孫孫其永寶
2785	王臣𣪘	不敢顯天子對揚休
2786	緜妃𣪘	其自今日孫孫子子母敢朢白休
2787	望𣪘	對揚天子不顯休
2787	望𣪘	其萬年子子孫孫永寶用（蓋）
2787	望𣪘	敢對揚天子不顯休
2787	望𣪘	朢萬年子子孫孫永寶用（器）
2788	靜𣪘	小子眔服眔小臣眔氒僕學射
2788	靜𣪘	對揚天子不顯休
2788	靜𣪘	子子孫孫其萬年用
2789	同𣪘一	世孫孫子子左右吳大父
2789	同𣪘一	對揚天子氒休
2789	同𣪘一	其萬年子子孫孫永寶用
2790	同𣪘二	世孫孫子子左右吳大父
2790	同𣪘二	對揚天子氒休
2790	同𣪘二	其萬年子子孫孫永寶用
2791	豆閉𣪘	敢對揚天子不顯休命
2791.	史密𣪘	對揚天子休
2791.	史密𣪘	子子孫孫其永寶用
2792	師俞𣪘	天子其萬年釁壽黃耇
2792	師俞𣪘	俞敢揚天子不顯休

子

2792	師俞𣪘	臣天子
2793	元年師旋𣪘一	敢對揚天子不顯魯休命
2793	元年師旋𣪘一	其萬年子子孫孫永寶用
2794	元年師旋𣪘二	敢對揚天子不顯魯休命
2794	元年師旋𣪘二	其萬年子子孫孫永寶用
2795	元年師旋𣪘三	敢對揚天子不顯魯休命
2795	元年師旋𣪘三	其萬年子子孫孫永寶用
2796	諫𣪘	敢對揚天子不顯休
2796	諫𣪘	諫其萬年子子孫孫永寶用（蓋）
2796	諫𣪘	敢對揚天子不顯休
2796	諫𣪘	諫其萬年子子孫孫永寶用（器）
2797	輔師𤼈𣪘	𤼈其萬年子子孫孫永寶用吏
2798	師𤸫𣪘一	敢對揚天子不顯休
2798	師𤸫𣪘一	其萬年孫孫子子其永寶
2799	師𤸫𣪘二	敢對揚天子不顯休
2799	師𤸫𣪘二	其萬年孫孫子子其永寶
2800	伊𣪘	對易天子休
2800	伊𣪘	子子孫孫永寶用亯
2802	六年召白虎𣪘	隹六年四月甲子
2802	六年召白虎𣪘	其萬年子子孫孫寶用亯于宗
2803	師酉𣪘一	對揚天子不顯休命
2803	師酉𣪘一	酉其萬年子子孫孫永寶用
2804	師酉𣪘二	對揚天子不顯休命
2804	師酉𣪘二	酉其萬年子子孫孫永寶用（蓋）
2804	師酉𣪘二	對揚天子不顯休命
2804	師酉𣪘二	酉其萬年子子孫孫永寶用（器）
2805	師酉𣪘三	對揚天子不顯休命
2805	師酉𣪘三	酉其萬年子子孫孫永寶用
2806	師酉𣪘四	對揚天子不顯休命
2806	師酉𣪘四	酉其萬年子子孫孫永寶用
2806.	師酉𣪘五	對揚天子不顯休命
2806.	師酉𣪘五	酉其萬年子子孫孫永寶用
2807	郳𣪘一	子子孫孫永寶用亯
2808	郳𣪘二	子子孫孫永寶用亯
2809	郳𣪘三	子子孫孫永寶用亯
2809	郳𣪘三	子子孫孫永寶用亯
2810	揚𣪘一	敢對揚天子不顯休
2810	揚𣪘一	子子孫孫其萬年永寶用
2811	揚𣪘二	敢對揚天子不顯休
2811	揚𣪘二	子子孫孫其萬年永寶用
2812	大𣪘一	睽令豖曰天子
2812	大𣪘一	敢對揚天子
2812	大𣪘一	其子子孫孫永寶用
2813	大𣪘二	睽令豖曰天子
2813	大𣪘二	敢對揚天子
2813	大𣪘二	其子子孫孫永寶用
2814	鳥冊夨令𣪘一	用𩚁寮人婦子
2814.	夨令𣪘二	用𩚁寮人婦子
2815	師㝨𣪘	女有隹小子
2815	師㝨𣪘	㝨其萬年子子孫孫永寶用亯

2816	彔白𢦚𣪘	對揚天子不顯休
2816	彔白𢦚𣪘	子子孫孫其帥井受茲休
2817	師顈𣪘	顈拜䭫首敢對揚天子不顯休
2817	師顈𣪘	師顈其萬年子子孫孫永寶用
2818	此𣪘一	此敢對揚天子不顯休令
2818	此𣪘一	畯臣天子霝冬
2818	此𣪘一	子子孫孫永寶用
2819	此𣪘二	此敢對揚天子不顯休令
2819	此𣪘二	畯臣天子霝冬
2819	此𣪘二	子子孫孫永寶用
2820	此𣪘三	此敢對揚天子不顯休令
2820	此𣪘三	畯臣天子霝冬
2820	此𣪘三	子子孫孫永寶用
2821	此𣪘四	此敢對揚天子不顯休令
2821	此𣪘四	畯臣天子霝冬
2821	此𣪘四	子子孫孫永寶用
2822	此𣪘五	此敢對揚天子不顯休令
2822	此𣪘五	畯臣天子霝冬
2822	此𣪘五	子子孫孫永寶用
2823	此𣪘六	此敢對揚天子不顯休令
2823	此𣪘六	畯臣天子霝冬
2823	此𣪘六	子子孫孫永寶用
2824	此𣪘七	此敢對揚天子不顯休令
2824	此𣪘七	畯臣天子霝冬
2824	此𣪘七	子子孫孫永寶用
2825	此𣪘八	此敢對揚天子不顯休令
2825	此𣪘八	畯臣天子霝冬
2825	此𣪘八	子子孫孫永寶用
2826	師𡋖𣪘一	其萬年子子孫孫永寶用亯（蕎）
2826	師𡋖𣪘一	其萬年子子孫孫永寶用亯（器）
2827	師𡋖𣪘二	其萬年子子孫孫永寶用亯
2829	師虎𣪘	對揚天子不杯魯休
2829	師虎𣪘	子子孫孫其永寶用
2830	三年師兌𣪘	敢對揚天子不顯魯休
2830	三年師兌𣪘	師兌其萬年子子孫孫永寶用
2831	元年師兌𣪘一	敢對揚天子不顯魯休
2831	元年師兌𣪘一	師兌其萬年子子孫孫永寶用
2832	元年師兌𣪘二	敢對揚天子不顯魯休
2832	元年師兌𣪘二	師兌其萬年子子孫孫永寶用
2833	秦公𣪘	余雖{ 小子 }
2834	㝬𣪘	王曰：有余隹{ 小子 }
2835	訇𣪘	訇䭫首對揚天子休令
2835	訇𣪘	訇萬年子子孫永寶用
2836	𢦚𣪘	乃子𢦚拜䭫首
2836	𢦚𣪘	卑乃子𢦚萬年
2836	𢦚𣪘	其子子孫孫永寶
2837	敔𣪘一	敔敢對揚天子休
2837	敔𣪘一	敔其萬年子子孫孫永寶用
2838	師𡘇𣪘一	敢對揚天子休
2838	師𡘇𣪘一	𡘇其萬年子子孫永寶用(蕎)

2854	綮𣪕	敢對揚天子不顯魯休
2854	綮𣪕	子孫永寶用
2855	班𣪕一	子子孫多世其永寶
2855.	班𣪕二	子子孫多世其永寶
2856	師𩰫𣪕	妥立余小子𤔲乃吏
2856	師𩰫𣪕	𩰫䭫首、敢對揚天子休
2856	師𩰫𣪕	子子孫孫永寶用
2857	牧𣪕	牧其萬年壽考子子孫孫永寶用
2864	曾子遇行匠	曾子遇之行匠
2865	曾匠二	曾子遇之行匠
2875	衛子弔旡父旅匠	衛子弔旡父乍旅匠
2876	慶孫之子蛛𩞁匠	慶孫之子蛛之𩞁匠
2878.	蔡公子義工𩚘匠	蔡公子義工之𩚘匠
2894	曾子𢎵行器一	曾子𢎵自作行器
2895	曾子𢎵行器二	曾子𢎵自乍行器
2896	曾子𢎵行器三	曾子𢎵自乍行器
2903	𡩜匠	其子子孫孫永寶用
2905	吉__匲	子子孫孫永寶用
2907	王子申匠	王子申乍嘉𡣕
2911	奢虎匠一	子子孫孫永寶用
2912	奢虎匠二	子子孫孫永寶用
2913	旅虎匠一	子子孫孫永寶用
2914	旅虎匠二	子子孫孫永寶用
2915	旅虎匠三	子子孫孫永寶用
2916	𥨊姒旅匠	其子子孫孫永寶用
2917	冑乍𩞁匠	其子子孫孫永寶用亯
2918	內大子白匠	內(芮)大子自乍匠
2918	內大子白匠	其萬年子子孫永用
2920	胖子仲安旅匠	薛子中安乍旅匠
2920	胖子仲安旅匠	其子子孫永寶用亯
2921	__弔乍吳姬匠	其萬年子子孫孫永寶用
2925	交君子__匠一	交君子qf肇乍寶匠
2926	交君子__匠二	交君子qf肇乍寶匠
2927	商丘弔旅匠一	其萬年子子孫孫永寶用
2928	商丘弔旅匠一二	其萬年子子孫孫永寶用
2929	師麻孝弔旅匠(匡)	其萬年子子孫孫永寶用
2930	尹氏賈良旅匠(匡)	其萬年子子孫孫永寶用
2931	鑄子弔黑臣匠一	鑄子弔黑臣肇乍寶匠
2932	鑄子弔黑臣匠二	鑄子弔黑臣肇乍寶匠
2933	鑄子弔黑臣匠三	鑄子弔黑臣肇乍寶匠
2934	曾子遽彝匠	曾子遽魯為孟姬郐鑄賸匠
2935	鄐侯乍弔姬寺男賸匠	子子孫孫永寶用亯
2936	走馬胖仲赤匠	子子孫孫永保用亯
2937	仲義昱乍縣妃𩰫一	其萬年子子孫孫永寶用之
2938	仲義昱乍縣妃𩰫二	其萬年子子孫孫永寶用之
2939	季良父乍宗娟賸匠一	其萬年子子孫孫永寶用
2940	季良父乍宗娟賸匠二	其萬年子子孫孫永寶用
2941	季良父乍宗娟賸匠三	其萬年子子孫孫永寶用
2942	楚子__𩚘匠一	楚子o4鑄其𩚘匠
2942	楚子__𩚘匠一	子孫永保之

子

2982	長子口臣乍媵匠	子子孫孫永保用之
2984	伯公父盤	白大師小子白公父乍盤
2984	伯公父盤	其子子孫孫永寶用喜(蓋)
2984	伯公父盤	白大師小子白公父乍盤
2984	伯公父盤	其子子孫孫永寶用喜(器)
2985	陳逆匠一	少子陳逆曰
2985	陳逆匠一	子子孫孫羕(永)保用
2985.	陳逆匠二	少子陳逆曰
2985.	陳逆匠二	子子孫孫羕(永)保用
2985.	陳逆匠三	少子陳逆曰
2985.	陳逆匠三	子子孫孫羕(永)保用
2985.	陳逆匠四	少子陳逆曰
2985.	陳逆匠四	子子孫孫羕(永)保用
2985.	陳逆匠五	少子陳逆曰
2985.	陳逆匠五	子子孫孫羕(永)保用
2985.	陳逆匠六	少子陳逆曰
2985.	陳逆匠六	子子孫孫羕(永)保用
2985.	陳逆匠七	少子陳逆曰
2985.	陳逆匠七	子子孫孫羕(永)保用
2985.	陳逆匠八	少子陳逆曰
2985.	陳逆匠八	子子孫孫羕(永)保用
2985.	陳逆匠九	少子陳逆曰
2985.	陳逆匠九	子子孫孫羕(永)保用
2985.	陳逆匠十	少子陳逆曰
2985.	陳逆匠十	子子孫孫羕(永)保用
2986	曾白霥旅匠一	子子孫孫永寶用之喜
2987	曾白霥旅匠二	子子孫孫永寶用之喜
3010	立為旅須	子子孫孫永寶用
3015	仲彤盨一	子子孫孫永寶用
3016	仲彤盨二	子子孫孫永寶用
3019	弔賓父盨	子子孫孫永用
3020	剳弔旅盨	子子孫孫永寶用
3024	仲大師旅盨	中大師子為其旅永寶用
3028	虢弔行盨	子子孫孫永寶用喜
3029	周駱旅盨	子子孫孫永寶用
3030	奠義白旅盨(器)	子子孫孫其永寶用
3031	奠義羌父旅盨一	子子孫孫永寶用
3032	奠義羌父旅盨二	子子孫孫永寶用
3032.	奠登弔旅盨	奠登弔及子子孫孫永寶用
3033	昜弔旅盨	其子子孫孫永寶用喜
3034	白孝_旅盨	永其萬年子子孫孫寶用白孝kd鑄旅盨(須)
3034	白孝_旅盨	其萬年子子孫孫永寶用
3036	奠井弔康旅盨	子子孫孫其永寶用
3036.	奠井弔康旅盨二	子子孫孫其永寶用
3037	華季嗌乍寶設(盨)	其萬年子子孫永寶用
3038	鬲弔興父旅盨	其子子孫孫永寶用
3040	白庶父盨設(蓋)	其萬年子子孫孫永寶用
3041	諫季獻旅須	其萬年子孫孫永寶用
3042	項變旅盨	其萬年子子孫孫永寶用喜
3043	遣弔吉父旅須一	子子孫孫永寶用

子

子

3044	遣弔吉父旅須二	子子孫孫永寶用
3045	遣弔吉父旅須三	子子孫孫永寶用
3046	筍白大父寶盨	其子子孫永寶用
3047	改乍乙公旅盨(蓋)	子子孫孫永寶用
3048	鑄子弔黑臣盨	鑄子弔黑臣肇乍寶盨
3049	單子白旅盨	單子白乍弔姜旅盨
3049	單子白旅盨	其子子孫孫萬年永寶用
3051	兮白吉父旅盨(蓋)	其萬年無疆子子孫孫永寶用
3052	走亞虢孟延盨一	延其萬年永寶子子孫孫用
3053	走亞虢孟延盨二	延其萬年永寶子子孫孫用
3054	滕侯穌乍旅毁	其子子孫萬年永寶用
3056	師趛乍槐姬旅盨	子孫其萬年永寶用
3056	師趛乍槐姬旅盨	子孫其萬年永寶用
3057	仲自父鍨(盨)	其子孫萬年永寶用亯
3058	曼龏父盨一	其萬年無疆子子孫孫永寶用
3059	曼龏父盨三	子子孫孫永寶用
3060	曼龏父盨二	子子孫孫永寶用
3061	弭弔旅盨	其子子孫孫永寶用
3063	遡乍姜淠盨	子子孫永寶用
3063	遡乍姜淠盨	子子孫永寶用
3064	曩白子𡨦父征盨一	曩白子𡨦父乍其征盨
3065	曩白子𡨦父征盨二	曩白子𡨦父乍其征盨
3066	曩白子𡨦父征盨三	曩白子𡨦父乍其征盨
3067	曩白子𡨦父征盨四	曩白子𡨦父乍其征盨
3068	白寬父盨一	子子孫孫永用
3069	白寬父盨二	子子孫孫永用
3075	白汈其旅盨一	畯臣天子、萬年唯極
3075	白汈其旅盨一	子子孫孫永寶用
3076	白汈其旅盨二	畯臣天子、萬年唯極
3076	白汈其旅盨二	子子孫孫永寶用
3077	弔專父乍奠季盨一	奠季其子子孫孫永寶用
3078	弔專父乍奠季盨二	奠季其子子孫孫永寶用
3079	弔專父乍奠季盨三	奠季其子子孫孫永寶用
3080	弔專父乍奠季盨四	奠季其子子孫孫永寶用
3083	瘨毁(盨)一	敢對揚天子休
3083	瘨毁(盨)一	瘨其萬年子子孫孫其永寶[圉䦒]
3084	瘨毁(盨)二	敢對揚天子休
3084	瘨毁(盨)二	瘨其萬年子子孫孫其永寶[圉䦒]
3086	善夫克旅盨	敢對天子不顯魯休揚
3086	善夫克旅盨	畯臣天子
3086	善夫克旅盨	子子孫孫永寶用
3087	鬲从盨	其子子孫孫永寶用[丫]
3088	師克旅盨一(蓋)	克敢對揚天子不顯魯休
3088	師克旅盨一(蓋)	克其萬年子子孫孫永寶用
3089	師克旅盨二	克敢對揚天子不顯魯休
3089	師克旅盨二	克其萬年子子孫孫永寶用
3090	㝬盨(器)	對揚天子不顯魯休
3090	㝬盨(器)	弔邦父、弔姞萬年子子孫孫永寶用
3091	楚子敦	楚子□□之飤□
3096	齊侯乍孟姜善𦎫	子子孫孫永保用之

3100	陬侯因𬘡錞	世萬子孫、永為典尚
3110.	元祀豆	子孫永
3110.	弔賓父豆?	子子孫孫永用
3112	拁陵君王子申豆一	拁陵君王子申
3113	拁陵君王子申豆二	拁陵君王子申
3118	魯大嗣徒厚氏元誻匿一	子孫永寶用之
3119	魯大嗣徒厚氏元誻匿二	子孫永寶用之
3120	魯大嗣徒厚氏元誻匿三	子孫永寶用之
3121	王子嬰次盧	王子嬰次之炒盧
3121.	義子鑪	〼義子丙〼盧考□
3129	子爵一	[子]
3130	子爵二	[子]
3131	子爵四	[子]
3132	子爵三	[子]
3133	子爵五	[子]
3404	亞子爵	[亞子]
3535	子守爵	子[守]
3536	子雨爵一	子[雨]
3537	子雨爵二	子[雨]
3538	子䴡爵	子[䴡]
3539	子蝠形爵一	子[蝠]
3540	子蝠形爵二	子[蝠]
3541	子蝠形爵三	子[蝠]
3542	子蝠形爵四	子[蝠]
3543	子蝠形爵五	子[蝠]
3544	子蝠形爵六	子[蝠]
3545	子□爵	子□
3545.	子圍爵	子[衛]
3546	子配爵	子[配]
3547	子媚爵一	子[媚]
3548	子媚爵二	子[媚]
3549	子媚爵三	子[媚]
3550	子媚爵四	子[媚]
3551	子媚爵五	子[媚]
3552	子媚爵六	子[媚]
3553	子媚爵七	子[媚]
3554	子媚爵八	子[媚]
3555	糸厶爵	糸厶(子)
3556	子糸爵	子[糸]
3557	子禾爵	子[禾]
3558	子左爵	子[左]
3559	子＿爵	子[at]
3560	子＿爵	子[ax]
3561	子■爵	子[■]
3562	子不爵	子[不]
3563	子何爵	子[何]
3564	子母爵	子[母]
3565	子母爵二	子＿[母]
3566	子母爵三	子＿[母]
3567	子母爵四	子＿[母]

子

3568	子母爵五	子__[母]
3569	子__爵	子[ec]
3570	子__爵	子[ec]
3571	子__爵	子[__]
3572	庚子爵	[庚子]
3574	羌子爵	[羌子]
3600	子京爵	[子京]
3659	__子爵	__子
3694	子衛爵一	子[衛]
3695	子衛爵二	子[衛]
3696	子爵三	子[衛]
3701	子卒爵	子[卒]
3747	子且辛爵	[子]且辛
3800	子父丁爵	[子]父丁
3801	子八父丁爵	[子八]父丁
3844	子父戊爵一	[子]父戊
3845	子父戊爵二	[子]父戊
3888	子父己爵	[子]父己
3891	子父庚爵	[子]父庚
3897	子父辛爵一	[子]父辛
3898	子父辛爵二	[子]父辛
3899	子父辛爵三	[子]父辛
3938	子父癸爵	[子]父癸
3984	子__爵	子[d5]__
4013	子▇__爵	[子▇et]
4022	子父乙爵	[子]父乙
4057	唐子且乙爵一	唐子且乙
4058	唐子且乙爵二	唐子且乙
4059	唐子且乙爵三	唐子且乙
4060	唐子且乙爵四	唐子且乙
4064	子刀父乙爵	[子刀]父乙
4106	子工父丁爵	子工父丁
4109	禾子父癸爵	[禾子]父癸
4110	子工乙酉爵	[子▇乙辛]
4118	子刀父壬爵	[子刀]父壬
4145.	子東壬父辛爵	[子東]壬父辛
4152	子木工父癸爵	[木子工]父癸
4196	子舂爵	子舂
4197	亞醜方爵	[亞醜]者(諸)始日大子尊彝
4200	呂仲僕乍毓子爵	呂中僕乍毓子寶尊彝或
4219	子父乙角	[子]父乙
4239	天黿埅乍父癸角	甲寅、子易埅貝
4292	子媚罍	[子媚]
4292.	子蝠罍	[子蝠]
4293	子漁罍	[子漁]
4323.	子東泉爵	[子東泉]
4344	嘉仲父罍	子子孫孫永寶用
4356	子蝠形盉	[子蝠]
4365	子且壬盉	[子]且壬
4367	子父乙盉一	[子]父乙

4368	子父乙盉二	[子]父乙
4368.	子父乙盉三	[子]父乙
4369	子父乙盉四	[子]父乙
4379	父丁子盉	父丁[子]
4379	父丁子盉	丁父[子]
4404	子___父甲盉	[子cndt]父甲
4407	榮子乍父戊盉一	榮子乍父戊
4408	榮子乍父戊盉二	榮子乍父戊
4422	亞㠱乍仲子辛盉	[亞㠱]乍中子辛彝
4431	史孔盉	子子孫孫永寶用
4434	師子旅盉	師子下湛乍旅盉
4439	白衛父盉	孫孫子子邁(萬)年永寶
4440	白章父盉	其萬年子子孫孫永寶用
4442	季良父盉	其萬年子子孫孫永寶用
4443	王仲皇父盉	其萬年子子孫孫永寶用
4448	長由盉	敢對揚天子不顯休
4449	裘衛盉	衛 {小子}px逆者其鄉
4542	子京尊	[子京]
4543	子漁尊	[子漁]
4547	子韓尊	[子韓]
4636	子束泉尊一	[子束泉]
4637	子束泉尊二	[子束泉]
4649	子且辛步尊	[子]且辛[步]
4659	__父已尊	[刀子刀]父已
4691	子乍弄鳥鳥形尊	子乍弄鳥
4695	女子匕丁尊	[母子]匕丁
4707	亞fk子父辛尊	[亞fk子徙父辛]
4755	榮子尊	榮子乍寶尊彝
4770	□子乍父丁尊	□子乍父丁尊彝
4794	鬼乍且乙尊	鬼乍且乙寶彝[子廟]
4798	厥子乍父辛尊	氒子乍父辛寶尊彝
4806	亞醜方尊	[亞醜]者始以大子尊彝
4807	王子啟彊尊	王子啟疆自乍酉彝
4810	子孌乍母辛尊	子孌乍母辛尊彝[獎]
4822.	__尊	q6乍宗尊氒孫子永寶
4826	呂仲僕尊	呂仲僕乍毓子寶尊彝[或]
4834	白乍氒文考尊	白乍氒文考尊彝其子孫永寶
4839	史喪尊	孫子其永彝
4842	啟乍文父辛尊	子光□啟貝
4843	舟員父壬尊	子子孫孫其永寶[舟]
4844	□乍父癸尊	孫孫子子永用
4847	小子夫尊	𠬝賞小子夫貝二朋
4849	鄣敢方尊	子子孫孫其永寶
4851	黃尊	其{ 百世 }孫孫子子永寶
4855	弔爽父乍鼄白尊	子子孫孫其永寶
4857	乍文考日己尊	其子子孫孫萬年永寶用[天]
4858	甾睸尊	其萬年子孫永寶用亯
4861	嗷士卿尊	[子p3]
4865	氒方尊	其用匄永福萬年子孫
4872	古白尊	日古白子日p7v2氒父彝

子

子

4875	斦折尊	隹五月王才庠、戊子
4877	小子生尊	小子生易金、鬱鬯
4881	䲨方尊	子子孫孫其萬年永寶
4882	匡乍文考日丁尊	對揚天子不顯休
4882	匡乍文考日丁尊	其子子孫孫永寶用
4883	耳尊	京公孫子寶
4884	臤尊	其子子孫孫永用
4885	效尊	公易厥涉子效王休貝廿朋
4885	效尊	亦其子子孫孫永寶
4886	趞尊	世孫子毋敢豕、永寶
4887	蔡侯䌛尊	肇佐天子
4887	蔡侯䌛尊	子孫蕃昌
4888	盠駒尊一	王弗望厥舊宗小子
4888	盠駒尊一	盠曰、余其敢對揚天子之休
4888	盠駒尊一	盠曰、其萬年、世子孫永寶之
4888	盠駒尊一	uy雷騅子
4889	盠駒尊二	uy雷騅子
4890	盠方尊	盠曰：天子不假不其
4891	何尊	王誥宗小子于京室曰
4891	何尊	烏虖、爾有唯小子亡識
4892	麥尊	唯歸、遅天子休、告亡尤
4892	麥尊	唯天子休于麥辟侯之年
4892	麥尊	__孫孫子子
4893	矢令尊	王令周公子明保尹三事四方
4919	亞醜者姛觥一	[亞醜]者始大子尊彝
4920	亞醜者姛觥二	[亞醜]者始大子尊彝
4921	子𦍒乍父乙觥	子𦍒才嵒
4925	臤仲子引觥	中子曩引乍文父丁尊彝[鑊]
4927	乍文考日己觥	其子子孫孫萬年永寶用[天]
4928	折觥	隹五月王才庠、戊子
4942	子蝠形方彝	[子蝠]
4961	榮子方彝	榮子乍寶尊彝
4968	𨚕方彝一	子子孫孫其永寶
4969	𨚕方彝二	子子孫孫其永寶
4972	過从父彝	子子孫孫其永寶
4973	乍文考日工夫方彝	其子子孫孫萬年永寶用[天]
4974	__方彝	孫子寶[爻]
4975	麥方彝	用鬲(嗝)井侯出入遅令、孫孫子子其永寶
4976	折方彝	隹五月王才庠、戊子
4977	師遽方彝	對揚天子不顯休
4977	師遽方彝	百世孫子永寶
4978	吳方彝	吳其世子孫永寶用
4979	盠方彝一	盠曰：天子不假不其
4980	盠方彝二	盠曰：天子不假不其
4981	鼻冊令方彝	王令周公子明保尹三事四方
4985	子医卣	[子、侯]
4986	子卣	[子]
5070	子𠁣卣	子[𠁣]
5109	子且丁卣(蓋)	[子]且丁
5111	子且己卣	[子]且己

5113	子且壬卣	[子]且壬
5156	子父庚卣	[子]父庚
5157	子刀子父庚卣	[子刀子]父庚
5180	子辛__卣	子辛[fi]
5182	子自犬卣	[子臭]
5183	子廟圖卣一	[子廟圖]
5184	子廟圖卣二	[子廟圖]
5284	遣冊子鬻卣	遣冊子鬻
5313	小子乍母己卣一	小子乍母己
5314	小子乍母己卣二	小子乍母己
5352	榮子旅卣	榮子旅乍旅彝
5399	子__乍父丁卣	子__用乍父丁彝
5437	奘女子小臣兒乍己卣	女子{ 小臣 }兒乍己尊彝[奘]
5438	敄乍旅彝卣	孫子用言出入
5445	廙寤卣	辛卯子易寤貝
5448	天黿䪡乍父癸卣	子易䪡用乍父癸尊彝[天黽]
5452	豚乍父庚卣	其子子孫孫永寶
5454	孿卣	其萬年孫子子永寶
5455	觳乍丁師卣	子易觳褱玗一
5456	冀子乍婦姛卣	子乍婦姛彝
5456	冀子乍婦姛卣	女子母庚宊[冀]
5468	子寡子卣	烏虖、誐帝家以寡子作永寶
5468	子寡子卣	子
5468	子寡子卣	烏虖、誐帝家以寡子乍永寶
5471	奘小子省乍父己卣	甲寅子商小子省貝五朋
5471	奘小子省乍父己卣	甲寅子商小子省貝五朋
5477	單光壴乍父癸齍卣	文考日癸乃__子壴乍父癸旅宗尊彝
5483	周乎卣	孫孫子子其永寶用[eL]
5483	周乎卣	孫子子其永保用周[eL]
5485	貉子卣一	歸貉子鹿三
5485	貉子卣一	貉子對揚王休
5486	貉子卣二	歸貉子鹿三
5486	貉子卣二	貉子對揚王休
5487	靜卣	其子子孫孫永寶用
5488	靜卣二	其子子孫孫永寶用
5490	戉稚卣	其子子孫永福[戉]
5490	戉稚卣	其子子孫永福[戉]
5494	奘䜌乍母辛卣	乙巳、子令{ 小子 }先以人于堇
5494	奘䜌乍母辛卣	子光商䜌貝二朋
5494	奘䜌乍母辛卣	子曰：貝、唯蔑女曆
5494	奘䜌乍母辛卣	子曰
5497	農卣	迺槀氒奴、氒小子小大事
5503	競卣	子子孫孫永寶
5504	庚贏卣一	其子子孫孫萬年永寶用
5505	庚贏卣二	其子子孫孫萬年永寶用
5506	小臣傳卣	隹五月既望甲子
5508	弔趯父卣一	毌尚為小子
5509	麩卣	曩侯吳其子子孫孫寶用
5510	乍冊嗌卣	子子孫孫寶
5510	乍冊嗌卣	不彔 嗌子

子

子

5510	乍冊嗌卣	子子引有孫
5511	效卣一	公易氒涉子效王休貝廿朋
5511	效卣一	亦其子子孫孫永寶
5568	亞醜者姛方罍一	[亞醜]者姛(始)以大子尊彝
5569	亞醜者姛方罍二	[亞醜]者姛(始)以大子尊彝
5578	戈蘇乍且乙罍	其子子孫永寶[戈]
5580	沿__罍	子子孫孫永寶用享
5581	甾且罍	其萬年子孫永寶用享
5582	對罍	子子孫孫其萬年永寶
5583	不白夏子罍一	不白夏子自乍尊罍(罍)
5583	不白夏子罍一	子子孫孫永寶用之
5584	不白夏子罍二	不白夏子自乍尊罍(罍)
5584	不白夏子罍二	子子孫孫永寶用之
5621	子媚壺	[子媚]
5630	子父乙壺	[子]父乙
5647	毌子弓箙壺	[毌子弓箙]
5651	公子裙壺	{ 公子 }裙on
5669	子媘迺子壺	子媘迺子壺
5670	遅子壺	遅子輿尊壺
5692	__子__壺	__子氏之__壺
5706	子弔乍弔姜壺一	子弔乍弔姜尊壺永用
5707	子弔乍弔姜壺二	子弔乍弔姜尊壺永用
5707	子弔乍弔姜壺二	子弔尊
5715	白多父行壺	用子孫永
5721	蔡侯壺	子子孫永保用享
5731	邛君婦龢壺	子子孫孫永匋(寶) 用之
5732	鄧孟乍監曼壺	子子孫孫永寶用
5734	咼乍旅壺	其萬年子子孫孫永用(器蓋)
5735	內大子白壺	內大子白乍鑄寶壺
5735	內大子白壺	萬子孫永用享(蓋)
5735	內大子白壺	內大子白乍鑄寶壺、永享
5735	內大子白壺	子子孫用(器)
5738	____壺	其萬年孫孫子子永寶用
5739	鄭楙弔賓父醴壺	子子孫孫永寶用
5740	嗣寇良父壺	子子孫永保用
5743	齊良壺	子孫永寶用
5744	仲南父壺一	其萬年子子孫孫永寶用
5745	仲南父壺二	其萬年子子孫孫永寶用
5746	史僕壺一	其萬年子子孫孫永寶用享
5747	史僕壺二	其萬年子子孫孫永寶用享
5748	虢季子組壺	虢季子組乍寶壺
5748	虢季子組壺	子孫孫永寶其用享
5749	矩弔乍仲姜壺一	其萬年子子孫孫永用
5750	矩弔乍仲姜壺二	其萬年子子孫孫永用
5751	白公父乍弔媿醴壺	萬年子子孫孫永寶用
5752	陳侯壺	子子孫孫永寶是尚
5753	大師小子師聖壺	大師{ 小子 }師望乍寶壺
5753	大師小子師聖壺	其萬年子孫孫永寶用
5755	散氏車父壺一	其萬年子子孫孫永寶用
5756	中白乍朕壺一	其萬年子子孫孫永寶用

5757	中白乍朕壺二	其萬年子子孫孫永寶用
5758	匽君壺	匽君茲旅者其成公鑄子孟改賸盥壺
5760	蓮花壺蓋	子子孫孫其永用之
5761	兮熬壺	其萬年子子孫孫永用
5763	殷句壺	其萬年子子孫孫永寶用享
5764	杞白每亡壺一	子子孫永寶用享
5765	杞白每亡壺二	子子孫永寶用享
5766	周寥壺一	其子子孫孫萬年永寶用[eL](器蓋)
5767	周寥壺二	其子子孫孫萬年永寶用[eL](器蓋)
5768	虞嗣寇白吹壺一	子子孫孫永寶用之(器蓋)
5769	虞嗣寇白吹壺二	子子孫孫永寶用之(器蓋)
5770	宗婦鄁嬰壺一	王子剌公之宗婦鄁嬰為宗彝𩰫彝
5771	宗婦鄁嬰壺二	王子剌公之宗婦鄁嬰為宗彝𩰫彝
5774	楙車父壺	白車父其萬年子子孫孫永寶
5775	蔡公子壺	蔡公子□□乍尊壺
5775	蔡公子壺	子子孫孫萬年永寶用享
5776	異公壺	異公乍為子弔姜盥壺
5776	異公壺	子孫永保用之
5777	孫弔師父行具	子子孫永寶用之
5778	番匊生鑄賸壺	用賸厥元子孟改𦉢
5778	番匊生鑄賸壺	子子孫孫永寶用
5780	公孫竈壺	公子土斧乍子中姜Lw之盤壺
5780	公孫竈壺	子子孫孫羕保用之
5783	曾白陭壺	子子孫孫用受大福無彊
5786	旻季良父壺	子子孫孫是永寶
5787	洌其壺一	其百子千孫永寶用
5787	洌其壺一	其子子孫永寶用
5788	洌其壺二	其百子千孫永寶用
5788	洌其壺二	其子子孫永寶用
5789	命瓜君厚子壺一	命瓜君厚子乍鑄尊壺
5789	命瓜君厚子壺一	子之子
5790	命瓜君厚子壺二	命瓜君厚子乍尊壺
5790	命瓜君厚子壺二	子之子
5793	幾父壺一	其萬年孫孫子子永寶用
5794	幾父壺二	其萬年孫孫子子永寶用
5795	白克壺	克克其子子孫孫永寶用享
5796	三年瘓壺一	隹三年九月丁子
5796	三年瘓壺一	拜䭫首敢對揚天子休
5797	三年瘓壺二	隹三年九月丁子
5797	三年瘓壺二	拜䭫首敢對揚天子休
5798	曶壺	敢對揚天子不顯魯休令
5798	曶壺	子子孫孫其永寶
5799	頌壺一	頌敢對揚天子不顯魯休
5799	頌壺一	畯臣子霝冬
5799	頌壺一	子子孫孫寶用
5800	頌壺二	頌敢對揚天子不顯魯休
5800	頌壺二	畯臣子霝冬
5800	頌壺二	子子孫寶用
5801	洹子孟姜壺一	齊侯命大子乘__來句宗白
5801	洹子孟姜壺一	聽命于天子

子

5801	洹子孟姜壺一	于上天子用璧玉備一嗣（笥）
5801	洹子孟姜壺一	于南宮子用璧二備
5801	洹子孟姜壺一	齊侯既濟洹子孟姜喪其人民都邑
5801	洹子孟姜壺一	用御天子之事
5801	洹子孟姜壺一	洹子孟姜用嘉命
5802	洹子孟姜壺二	齊侯命大子乘dw來句宗白聽命于天子
5802	洹子孟姜壺二	于上天子用璧玉備一嗣
5802	洹子孟姜壺二	于南宮子用璧二備
5802	洹子孟姜壺二	齊侯既濟洹子孟姜喪其人民都邑
5802	洹子孟姜壺二	用御天子之事
5802	洹子孟姜壺二	洹子孟姜用嘉命
5803	胤嗣好蛮壺	子之大Lf不宜
5803	胤嗣好蛮壺	子子孫孫
5804	齊侯壺	__王之孫右市之子武弔曰庚睪其吉金
5804	齊侯壺	冉子執鼓
5805	中山王譽方壺	以施及子孫
5805	中山王譽方壺	僪（適）曹（遭）郾君子徻
5805	中山王譽方壺	外之則將使上勤於天子之廟
5805	中山王譽方壺	郾故君子徻
5805	中山王譽方壺	新君子之
5805	中山王譽方壺	天子不忘其有勛
5805	中山王譽方壺	子之子
5808	孟城行鈃	子子孫孫永寶用之
5809	弘乍旅鈃	樂大嗣徒子蔡之子引乍旅鈃
5809	弘乍旅鈃	其釁壽、子子孫孫永寶用
5810	喪鈃	子子孫孫
5812	仲義父𦉜一	其萬年子子孫孫永寶用
5813	仲義父𦉜二	其萬年子子孫孫永寶用
5814	白夏父𦉜一	其萬年子子孫孫永寶用
5815	白夏父𦉜二	其萬年子子孫孫永寶用
5816	奠義白𦉜	易釁壽、孫子__永寶
5816.	伯亞臣𦉜	黃孫馬pr子白亞臣自乍𦉜
5816.	伯亞臣𦉜	子孫永寶是尚
5825	繇書缶	繇書之子孫
5826	國差罎	子子孫孫永保用之
5931	子觚一	[子]
5932	子觚二	[子]
5933	子觚三	[子]
5934	子觚四	[子]
6027	子媚觚	[子媚]
6028	子__觚	[子公奴]
6029	子糸觚	[子糸]
6030	子䨿觚	[子䨿]
6031	子衛觚一	[子衛]
6032	子衛觚二	[子衛]
6033	子規觚一	[子規]
6034	子規觚二	[子規]
6035	子蝠形觚 一	[子蝠]
6036	子雨觚	[子雨]
6036.	子__觚	[子ec]

6087	子房觚	[子房]
6091	子保觚	[子保]
6135	子父丙觚	[子]父丙
6171	庚子父觚	[庚子]父
6172	子蝠形何觚一	[子蝠何]
6173	子蝠形何觚二	[子蝠何]
6174	子束爵一	[子束泉]
6175	子束爵二	[子束泉]
6236	𡖊子父辛觚	[𡖊子]父辛
6245	子妹壬心觚	[子妹壬心]
6246	子工冊木觚	[冊木子工]
6267	王子耶乍父丁觚	王子耶乍父丁彝
6282	召乍父戊觚	子子孫孫其永寶用
6377	子纍觶一	[子纍]
6378	子纍觶二	[子纍]
6379	子刀觶	[子刀]
6380	子弓觶	[子弓]
6448	子父丙觶	[子]父丙
6454	子父丁觶	[子]父丁
6478	子父庚觶	[子]父庚
6480	子父辛觶	[子]父辛
6486	子父辛觶	[子]父辛
6523	子癸蟲觶	[子]癸[蟲]
6542	𢍰母子觶	[𢍰母子][𢍰子]
6544	唐子且乙觶	[唐子]且乙
6550	子廠父乙觶	[子廠]父乙
6570	子__父己觶	[子Gf]父己
6596	聅子乍父丁觶	[聅子]乍父丁
6619	子徒乍兄日辛觶	子徒乍兄日辛彝
6626	犬山刀子乍父戊觶	子乍父戊[犬山刀]
6632	白乍蔡姬觶	其萬年、世孫子永寶
6634	郐王義楚祭耑	子孫寶
6647	𢍰子勺	[𢍰子]
6663	白公父金勺一	子孫永寶用者
6681	子刀盤	[子刀]
6704	滎子盤	滎子乍寶尊彝
6719	京弔盤	子孫永寶用
6720	來__乍__盤	孫孫子子其寶用
6721	曾中盤	子孫永寶用之
6724	周棘生盤	孫子寶用
6727	貞盤	其萬年子子孫孫永寶用
6728	虢𡣕□盤	子子孫孫永寶用
6729	奠登弔旅盤	及子子孫孫永寶用
6731	奠白盤	其子子孫孫永寶用
6732	陶子盤	陶子武易____金一鈞
6733	史頌盤	其萬年子孫孫永寶用
6735	虢金氒孫盤	子子孫孫永寶用
6739	中友父盤	其萬年子子孫孫永寶用
6740	白駟父盤	子子孫孫永寶用
6741	衵盤	其萬年子孫永寶用亯

子

6742	弔五父盤	其萬年子子孫孫永寶用
6744	鮇吉妊盤	子子孫孫永寶用之
6745	白考父盤	其萬年子子孫孫永寶用
6746.	郳季宿車盤	郳季宿車自乍行盤子子孫孫永寶用之
6747	師寏父盤	其萬年子子孫孫永寶用
6748	德盤	子子孫孫永寶用
6749	弔高父盤	其萬年子子孫孫永寶用
6751	衵白章盤	子孫永寶用亯
6752	取膚子商盤	子子孫永寶用
6754	楚季苟盤	其子子孫孫永寶用亯
6755	毛叔盤	子子孫孫永保用
6756	番君白龏盤	萬年子孫永用之亯
6757	干氏弔子盤	干氏弔子乍中姬客母賸般
6757	干氏弔子盤	子子孫孫永寶用之
6758	殷穀盤一	子子孫孫永壽之
6759	殷穀盤二	子子孫孫永壽用之
6760	中子化盤	中子化用保楚王
6761	白者君盤	其萬年子孫永寶用亯
6762	薛侯盤	子子孫孫永寶用
6763	句它盤	子子孫孫永寶用亯
6764	般仲__盤	子子孫孫永寶用之
6765	齊弔姬盤	子子孫孫永受大福用
6766	黃韋艅父盤	子子孫孫其永用之
6767	齊縈姬之嬛盤	子子孫孫永寶用亯
6770	醫白盤	其萬年子子孫孫永用之
6771	宗婦鄁嬰盤	王子剌公之宗婦鄁嬰為宗彝䵼彝
6772	魯少司寇封孫宅盤	魯少嗣寇封孫宅乍其子孟姬嬰朕般也（ 匜 ）
6773	__湯弔盤	子子孫孫永寶
6775	__仲乍父丁盤	孫子其永寶弔休
6777	邛仲之孫白戔盤	子子孫孫永寶用之
6779	齊侯盤	子子孫孫永保用之
6780	黃大子白克盤	黃大子白□乍中19□賸盤
6780	黃大子白克盤	子子孫孫永寶用之
6782	者尚余卑盤	子子孫孫永寶用之
6783	函皇父盤	琱娟其萬年子子孫孫永寶用
6784	三十四祀盤（ 祼盤 ）	對王休、用乍子孫其永寶
6785	守宮盤	其百世子子孫孫永寶用奔走
6786	__弔多父盤	用及孝婦嫼氏百子千孫
6786	__弔多父盤	兄弟者子聞（ 婚 ）媾無不喜
6786	__弔多父盤	多父其孝子
6786	__弔多父盤	子子孫孫永寶用
6787	走馬休盤	敢對揚天子不顯休令
6787	走馬休盤	休其萬年子子孫孫永寶
6788	蔡侯𨟭盤	肇佐天子
6788	蔡侯𨟭盤	子孫蕃昌
6789	寰盤	敢對揚天子不顯叚休令
6789	寰盤	寰其萬年子子孫孫永寶用
6790	虢季子白盤	虢季子白乍寶盤
6790	虢季子白盤	不顯子白
6790	虢季子白盤	趄趄子白

6790	虢季子白盤	王孔嘉子白義
6790	虢季子白盤	子子孫孫萬年無彊
6791	兮甲盤	子子孫孫永寶用
6792	史墻盤	緟窋天子
6792	史墻盤	天子圝饡文武長剌
6792	史墻盤	天子釁無匄
6792	史墻盤	上帝司vu尢保受天子綰令厚福豐年
6792	史墻盤	子厥𢦏明
6792	史墻盤	𣪘毓子孫
6792	史墻盤	對揚天子不顯休令
6793	矢人盤	散人小子履田戎
6806	王子__之遵盥匜	王子ie之遵盤
6807	乍子□匜	乍子□□匜永寶用
6813	蔡子□自乍會匜	蔡子□自乍會尊匜
6815	亞醜者姛匜	[亞醜]者始㠯大子尊匜
6819	__匜	__乍寶匜、用子孫亯
6824	曾子白匜	佳曾子白及父自乍尊匜
6833	□弔穀匜	□子弔穀自乍賸匜
6834	__周匜	{ 子孫 }永寶用
6836	史頌匜	其萬年子子孫孫永寶用
6837	虢金氐孫匜	子子孫孫永寶用
6838	荀侯匜	其萬壽、子孫永寶用
6839	函皇父乍周娟匜	其子子孫孫永寶用
6840	__子匜	k8子乍行彝
6840	__子匜	子孫永保用
6843	白吉父乍京姬匜	其子子孫孫永寶用
6844	中友父匜	其萬年子子孫孫永寶用
6845	弔__父乍師姬匜	其萬年子子孫永寶用
6846	白正父旅它	其萬年子子孫孫永寶用
6849	䢅白匜	其萬年子子孫孫永寶用亯
6849.	郛季宿車匜	郛季宿車自乍行匜子子孫孫永寶用之
6849.	郛季宿車匜	郛季宿車自乍行匜子子孫孫永寶用之
6849.	郛季宿車匜	郛季宿車自乍行匜子子孫孫永寶用之
6850	弔高父匜一	其萬年子子孫孫永寶用
6851	弔高父匜二	其萬年子子孫孫永寶用
6852	__邑𢦏白匜	子子孫孫永寶用之
6853	取膚__商它	用賸之麗妃子孫永寶用
6854	辭馬南弔匜	子子孫孫永寶用亯
6855	貯子匜	賈子己父乍寶匜
6855	貯子匜	其子子孫孫永用
6856	番仲榮匜	其萬年子子孫永寶用亯
6857	蔡白㳄匜	子子孫永用之
6858	樊君首匜	子子孫孫其永寶用亯
6859	白者君匜一	其萬年子孫永寶用享tG
6860	陳白元匜	陳白vm之子白元乍西孟媯㛿母賸匜
6861	異甫人匜	子子孫孫永寶用
6862	薛侯乍弔妊㚸匜	子子孫永寶用
6863	白君黃生匜	其萬年子子孫孫永寶用
6864	番__匜	其萬年子子孫永寶用亯
6865	楚嬴匜	其萬年子孫永用亯

6866	齊侯乍虢孟姬匜	子子孫孫永寶用
6867	弔男父乍為霍姬匜	其子子孫孫其萬年永寶用[井]
6868	大師子大孟姜匜	大師子大孟姜乍般匜
6868	大師子大孟姜匜	子子孫孫用為元寶
6869	浮公之孫公父宅匜	其萬年子子孫永寶用之
6870	算公孫誥父匜	子子孫孫永寶用之
6871	陳子匜	陳子子乍㢊孟嬀穀母媵匜
6872	魯大嗣徒子仲白匜	魯大嗣徒子中白其庶女厲孟姬賸它
6872	魯大嗣徒子仲白匜	子子孫孫永保用之
6873	齊侯乍孟姜盥匜	子子孫孫永用之
6874	鄭大內史弔上匜	子子孫孫永寶用之
6875	慶弔匜	慶弔作朕子孟姜盥匜
6875	慶弔匜	子子孫孫羕保用之
6880	智君子之弄鑑一	智君子之弄鑑
6881	智君子之弄鑑二	智君子之弄鑑
6887	揤陵君王子申鑑	揤陵君王子申
6888	吳王光鑑一	孫子勿忘
6889	吳王光鑑二	孫子勿忘
6898	_子斆行盞	wp子斆之行盞
6901	白盂	其萬年孫孫子子永寶用亯
6902	白公父旅盂	其萬年子子孫孫永寶用
6904	善夫吉父盂	其萬年子子孫孫永寶用
6905	要君餗盂	子子孫孫寶是尚
6906	王子申盞盂	王子申乍嘉嫺盞盂
6907	齊侯乍朕子仲姜盂	齊侯乍朕子中姜寶盂
6907	齊侯乍朕子仲姜盂	子子孫孫永保用之
6908	郐宜同歓盂	孫子永壽用之
6910	師永盂	益公內即命于天子
6910	師永盂	對揚天子休命
6910	師永盂	孫孫子子永其率寶用
6917	郥子行飤盆	郥子行自乍飤盆
6919	子弔嬴內君寶器	子弔嬴內君乍寶器
6919	子弔嬴內君寶器	子孫永用
6919.	郳季宿車盆	郳季宿車自乍行盆子子孫孫永寶用之
6920	曾大保旅盆	子子孫孫永用之
6921	鄧子仲盆	鄧子中羼其吉金
6921	鄧子仲盆	子子孫孫永寶用之
6923	庚午盨	□□子季□□□自乍鑄_
6923	庚午盨	子子孫孫永寶用之
6924	江仲之孫白戔餗盨	子子孫孫永保用之(器)
6925	晉邦盨	公曰：余隹小子
6925	晉邦盨	隹今小子
6926	杞白每亡盨	其子子孫孫永寶用
6940	子鐃	[子]
6980	內公鐘	子孫永寶用
6989	_鐘	其萬年子子孫孫永寶
6994	楚公豙鐘一	孫孫子子其永寶
6995	楚公豙鐘二	孫子其永寶
6996	楚公豙鐘三	孫孫子子其永寶
6997	楚公豙鐘四	孫孫子子其永寶

6998	楚公冢鐘五	孫孫子子其永寶
6999	昆疕王鐘	其萬年子孫永寶
7002	鑄侯求鐘	其子子孫孫永享用之
7005	邾公鐘	子孫永□□
7009	兮仲鐘一	子孫永寶用亯
7010	兮仲鐘二	子孫永寶用亯
7012	兮仲鐘四	子子孫孫永寶用亯
7013	兮仲鐘五	子子孫孫永寶用亯
7015	兮仲鐘七	子子孫孫永寶用亯
7016	楚王鐘	子孫永保用之
7019	郑太宰鐘	蠶大宰欉子懿自乍其御鐘
7019	郑太宰鐘	子孫孫永保用享
7020	單伯鐘	余小子肇帥井朕皇且考懿德
7026	郑甲鐘	子子孫孫永寶用亯
7028	臧孫鐘	坪之子臧孫
7028	臧孫鐘	子子孫孫永保是從
7029	臧孫鐘二	坪之子臧孫
7029	臧孫鐘二	子孫孫永保是從
7030	臧孫鐘三	坪之子臧孫
7030	臧孫鐘三	子孫孫永保是從
7031	臧孫鐘四	坪之子臧孫
7031	臧孫鐘四	子孫孫永保是從
7032	臧孫鐘五	坪之子臧孫
7032	臧孫鐘五	子孫孫永保是從
7033	臧孫鐘六	坪之子臧孫
7033	臧孫鐘六	子孫孫永保是從
7034	臧孫鐘七	坪之子臧孫
7034	臧孫鐘七	子孫孫永保是從
7035	臧孫鐘八	坪之子臧孫
7035	臧孫鐘八	子孫孫永保是從
7036	臧孫鐘九	坪之子臧孫
7036	臧孫鐘九	子子孫孫永保是從
7037	遲父鐘	子子孫孫亡彊寶
7039	應侯見工鐘二	見工敢對揚天子休
7039	應侯見工鐘二	子子孫孫永寶用
7043	克鐘四	尃奠王令克敢對揚天子休
7043	克鐘四	克其萬年子子孫孫永寶
7044	克鐘五	尃奠王令克敢對揚天子休
7044	克鐘五	克其萬年子子孫孫永寶
7046	□□自乍鐘二	以樂君子
7049	井人鐘三	妄其萬年子子孫孫永寶用享
7050	井人鐘四	妄其萬年子子孫孫永寶用享
7051	子璋鐘・	群孫斨子子璋
7051	子璋鐘一	子子孫孫永保鼓之
7052	子璋鐘二	群孫斨子子璋
7052	子璋鐘二	子子孫孫永保鼓之
7053	子璋鐘三	群孫斨子子璋
7053	子璋鐘三	子子孫孫永保鼓之
7054	子璋鐘四	群孫斨子子璋
7054	子璋鐘四	子子孫孫永保鼓之

子

子

7055	子璋鐘五	群孫斨子子璋
7055	子璋鐘五	子子孫孫永保鼓之
7056	子璋鐘六	群孫斨子子璋
7056	子璋鐘六	子子孫孫永保鼓之
7057	子璋鐘八	群孫斨子子璋
7057	子璋鐘八	子子孫孫永保鼓之
7058	邾公孫班鐘	子子孫孫永保用之
7062	柞鐘	其子子孫孫永寶
7063	柞鐘二	其子子孫孫永寶
7064	柞鐘三	其子子孫孫永寶
7065	柞鐘四	其子子孫孫永寶
7068	柞鐘七	其子子孫孫永寶
7076	者沕鐘八	子孫永保
7079	者沕鐘十一	子孫永保
7080	者沕鐘十二	子孫永保
7082	齊鮑氏鐘	子子孫孫永保鼓之
7083	鮮鐘	敢對揚天子休
7083	鮮鐘	孫子永寶
7088	士父鐘一	子子孫孫永寶
7089	士父鐘二	子子孫孫永寶
7090	士父鐘三	子子孫孫永寶
7091	士父鐘四	子子孫孫永寶
7092	驫羌鐘一	昭于天子
7093	驫羌鐘二	昭于天子
7094	驫羌鐘三	昭于天子
7095	驫羌鐘四	昭于天子
7096	驫羌鐘五	昭于天子
7108	篖弔之仲子平編鐘一	篖弔之中子平自乍鑄游鐘
7108	篖弔之仲子平編鐘一	子子孫孫永保用之
7109	篖弔之仲子平編鐘二	篖弔之中子平自乍鑄游鐘
7109	篖弔之仲子平編鐘二	子子孫孫永保用之
7110	篖弔之仲子平編鐘三	篖弔之中子平自乍鑄游鐘
7110	篖弔之仲子平編鐘三	子子孫孫永保用之
7111	篖弔之仲子平編鐘四	篖弔之中子平自乍鑄游鐘
7111	篖弔之仲子平編鐘四	子子孫孫永保用之
7112	者減鐘一	工䱷王皮然之子者減睪其吉金
7112	者減鐘一	子子孫孫永保是尚
7113	者減鐘二	工䱷王皮然之子者減睪其吉金
7113	者減鐘二	子子孫孫永保是尚
7114	者減鐘三	工䱷王皮然之子者減自乍＿鐘
7114	者減鐘三	子子孫孫永保用之
7115	者減鐘四	工䱷王皮然之子者減自乍＿鐘
7115	者減鐘四	子子孫孫永保用之
7116	南宮乎鐘	天子其萬年釁壽
7116	南宮乎鐘	敢對揚天子不顯魯休
7117	郐黴兒鐘一	余炫佫之元子
7117	郐黴兒鐘一	孫子用之
7118	郐儔兒鐘二	余炫佫之元子
7119	郐儔兒鐘三	孫子用之
7120	郐儔兒鐘四	孫子用之

7121	郘王子旃鐘	郘王子旃羼其吉金
7121	郘王子旃鐘	子子孫孫
7122	梁其鐘一	虔夙夕、辟天子
7122	梁其鐘一	天子肩事
7122	梁其鐘一	用天子寵、蔑汈其
7122	梁其鐘一	汈其敢對天子不顯休揚
7123	梁其鐘二	虔夙夕、辟天子
7123	梁其鐘二	天子肩事
7123	梁其鐘二	用天子寵、蔑汈其
7123	梁其鐘二	汈其敢對天子不顯休揚
7124	沇兒鐘	徐王庚之子沇兒
7124	沇兒鐘	子子孫孫永保鼓之
7125	蔡侯[?]紐鐘一	余唯末少子
7125	蔡侯[?]紐鐘一	均子大夫
7125	蔡侯[?]紐鐘一	子孫鼓之
7126	蔡侯[?]紐鐘二	余唯末少子
7126	蔡侯[?]紐鐘二	均子大夫
7126	蔡侯[?]紐鐘二	子孫鼓之
7131	蔡侯[?]紐鐘七	子孫鼓之
7132	蔡侯[?]紐鐘八	余唯末少子
7132	蔡侯[?]紐鐘八	均子大夫
7132	蔡侯[?]紐鐘八	子孫鼓之
7133	蔡侯[?]紐鐘九	余唯末少子
7133	蔡侯[?]紐鐘九	均子大夫
7133	蔡侯[?]紐鐘九	子孫鼓之
7134	蔡侯[?]甬鐘	余唯末少子
7134	蔡侯[?]甬鐘	均子大夫
7134	蔡侯[?]甬鐘	子孫鼓之
7135	逆鐘	小子室家
7136	郘鐘一	郘白之子
7136	郘鐘一	世世子孫
7137	郘鐘二	郘白之子
7137	郘鐘二	世世子孫
7138	郘鐘三	郘白之子
7138	郘鐘三	世世子孫
7139	郘鐘四	郘白之子
7139	郘鐘四	世世子孫
7140	郘鐘五	郘白之子
7140	郘鐘五	世世子孫
7141	郘鐘六	郘白之子
7141	郘鐘六	世世子孫
7142	郘鐘七	郘白之子
7142	郘鐘七	世世子孫
7143	郘鐘八	郘白之子
7143	郘鐘八	世世子孫
7144	郘鐘九	郘白之子
7144	郘鐘九	世世子孫
7145	郘鐘十	郘白之子
7145	郘鐘十	世世子孫
7146	郘鐘十一	郘白之子

子

7146	邵鐘十一	世世子孫
7147	邵鐘十二	邵白之子
7147	邵鐘十二	世世子孫
7148	邵鐘十三	邵白之子
7148	邵鐘十三	世世子孫
7149	邵鐘十四	邵白之子
7149	邵鐘十四	世世子孫
7150	虢叔旅鐘一	寵御于天子
7150	虢叔旅鐘一	迺天子多易旅休
7150	虢叔旅鐘一	旅對天子魯休揚
7150	虢叔旅鐘一	旅其萬年子子孫孫永寶用享
7151	虢叔旅鐘二	寵御于天子
7151	虢叔旅鐘二	迺天子多易旅休
7151	虢叔旅鐘二	旅對天子魯休揚
7151	虢叔旅鐘二	旅其萬年子子孫孫永寶用享
7152	虢叔旅鐘三	寵御于天子
7152	虢叔旅鐘三	迺天子多易旅休
7152	虢叔旅鐘三	旅對天子魯休揚
7152	虢叔旅鐘三	旅其萬年子子孫孫永寶用享
7153	虢叔旅鐘四	寵御于天子
7153	虢叔旅鐘四	迺天子多易旅休
7153	虢叔旅鐘四	旅對天子魯休揚
7153	虢叔旅鐘四	旅其萬年子子孫孫永寶用享
7155	虢叔旅鐘六	寵御于天子
7155	虢叔旅鐘六	迺天子多易旅休
7155	虢叔旅鐘六	旅對天子魯休揚
7156	虢叔旅鐘七	旅其萬年子子孫孫永寶用享
7157	邾公華鐘一	台宴士庶子
7157	邾公華鐘一	子子孫孫永保用享
7174	秦公鐘	公及王姬曰：余小子
7175	王孫遺者鐘	枼萬孫子
7176	㝬鐘	南或𠬝子敢陷虐我土
7176	㝬鐘	𠬝子迺遣閒來逆卲王
7176	㝬鐘	保余小子
7177	秦公及王姬編鐘一	公及王姬曰：余小子
7184	叔夷編鐘三	女尸毋曰余少子
7188	叔夷編鐘七	子孫永保用享
7202	楚公逆鎛	孫子其永寶
7204	克鎛	克敢對揚天子休
7204	克鎛	克其萬年子孫永寶
7205	蔡侯䌛編鎛一	余唯末少子
7205	蔡侯䌛編鎛一	均子大夫
7205	蔡侯䌛編鎛一	子孫鼓之
7206	蔡侯䌛編鎛二	余唯末少子
7206	蔡侯䌛編鎛二	均子大夫
7206	蔡侯䌛編鎛二	子孫鼓之
7207	蔡侯䌛編鎛三	余唯末少子
7207	蔡侯䌛編鎛三	均子大夫
7207	蔡侯䌛編鎛三	子孫鼓之
7208	蔡侯䌛編鎛四	余唯末少子

7208	蔡侯𨿽編鎛四	均子大夫
7208	蔡侯𨿽編鎛四	子孫鼓之
7209	秦公及王姬鎛	公及王姬曰：余小子
7210	秦公及王姬鎛二	公及王姬曰：余小子
7211	秦公及王姬鎛三	公及王姬曰：余小子
7212	秦公鎛	曰余雖小子
7213	𪒠鎛	躋中之子𪒠作子中姜寶鎛
7213	𪒠鎛	保𤉲子姓
7213	𪒠鎛	枼萬至於辝孫子
7213	𪒠鎛	鮑子𪒠曰
7213	𪒠鎛	子孫永保用享
7214	叔夷鎛	女尸毋曰余少子
7214	叔夷鎛	子孫永保用喜
7215	其次勾鑃一	子子孫孫永保用之
7216	其次勾鑃二	子子孫孫永保用之
7217	姑馮勾鑃	姑wd昏同之子羼𨻰吉金
7217	姑馮勾鑃	子子孫孫永保用之
7218	𨥑𨟭尹征城	枼萬子孫
7219	冉鉦鋮（南疆征）	□□其之子□□□吉金□作鉦□
7219	冉鉦鋮（南疆征）	羕子孫余冉鑄此鉦□
7219	冉鉦鋮（南疆征）	萬枼之外子子孫孫□堋作台□□
7220	喬君鉦	子子孫孫永寶用之
7336	滕子戈	滕子
7344	造子戈一	造子
7345	造戈二	造子
7374	子𢡺子戈	子𢡺子
7391	子備造戈	子備造戈
7398	鳥篆戈	□□公子□□用
7410	子鑄戈	子淵𩰬之戈
7413	陳子戈	陳子_戈
7414	陳子戈	陳子_造
7415	□子戈	□子之造
7418	陳麗子造戈	陳麗子𢊁（造）戈
7422	羊子之造戈	羊子之造戈
7423	陳子翼徒戈	陳子翼徒戈
7427	子賏之用戈	子賏之用戈
7430	_子戈	_子之造戈
7433	陳子戈	陳子山徒戟
7450	蔡公子果之用戈一	蔡公子果之用
7451	蔡公子果之用戈二	蔡公子果之用戈
7452	蔡公子果之用戈三	蔡公子果之用
7453	蔡公子加戈	蔡公子加之用
7454	蔡加子之用戈	蔡公子加之用
7457	虢大子元徒戈一	虢太子元徒戈
7458	虢大子元徒戈二	虢太子元徒戈
7459	宮氏白子戈一	宮氏白子元戈_
7460	宮氏白子戈二	宮氏白子元相
7469	王子□戈	王子□之共戈
7470	君子友戈	君子□造戟
7477	王子孜戈	王子孜之用戈、q5

子

7506	郐王之子戈	郐王之子__之元用__
7545	亲子戈	亲子乍造公族元用左右市御用逸宜_
7555	二年戈	宗子攻五旼我左工帀__
7649	部降矛	部降棘余子之貳金
7651	亲子矛	亲子乍□公族元用
7684	□命劍	子申□省尹命
7690	蔡公子永之用劍	蔡公子永之用
7690	蔡公子永之用劍	蔡公子永之用
7698	越王勾踐之子劍一	越王越王、勾踐之子
7717	吳季子之子劍	吳季子之子逞之永用劍
7744	工獻太子劍	王獻大子姑發__反
7871	子禾子釜一	子禾子□□內者御命陳得
7911	子車鑾一	[子]
7912	子車鑾二	[子]
7930	衱用乍寶缶一	其萬年子子孫永寶用享
7931	衱□乍寶缶二	其萬年子子孫永寶用享
7932	集脰大子鎬	集脰大子之鎬
7933	大府鎬	泰客王子齊之歲
7975	中山王墓兆域圖	殃遊子孫
7990	季老□	子子孫孫其萬年永寶用
7996.	上官登	富子之上官隻之畫sp□鉄十
M151	北子宋盤	北子宋乍文父乙寶尊彝
M160	□貯段	□□賈罙子鼓冨鑄旅段
M171	小臣靜卣	揚天子休
M177.	兹段	子子孫孫其萬年永寶用[co]
M282	師餘尊	孫孫子子寶
M341	魯中齊鼎	子子孫孫永寶用亯
M342	魯中齊甗	子子孫孫永寶用
M343	魯司徒中齊盨	子子孫孫永寶用亯
M345	魯司徒中齊匜	子子孫孫永寶用亯
M361	井伯南段	其萬年子子孫孫永寶
M379	夆伯鬲	其萬年子子孫孫永寶用□
M423.	趞鼎	敢對揚天子不顯魯休
M423.	趞鼎	子子孫孫永寶
M457	鄭虢仲念鼎	子子孫孫永寶用
M466	無男鼎	子子孫孫永寶用
M478	大宰巳段	子子孫孫永寶用亯
M508	虞侯政壺	其萬年子子孫孫永寶用
M545	配兒勾鑃	吳王□□□□□子配兒曰
M545	配兒勾鑃	子孫用之
M553	越王者旨於賜鐘	□順余子孫
M561	越王大子□鬷矛	於戉□王弋医之大子□鬷
M581	陳公子中慶簠蓋	陳公子中慶自乍匡𠤳
M581	陳公子中慶簠蓋	用祈顧壽萬年無疆子子孫孫永壽用之
M599	蔡公子義工簠	蔡公子義工之飤𠤳
M602	蔡侯匜	子子孫孫永寶用之、匜
M612	無子鐘	無子__目羼其吉金
M612	無子鐘	子子孫孫永保鼓之
M617	番白享匜	子孫永寶用
M685	曾子伯__鼎	曾子伯__鑄行器

M693	曾大工尹戈	穆侯之子
M773	鄧子午鼎	鄧子午之飤鐈
M782	曹公子沱戈	曹公子沱之造戈
M792	宋公繺簠	乍其妹句敔(敔)夫人季子賸匿
M883	中山侯鉞	天子建邦
		小計：共 2169 筆

2379

0648	字角父戊鼎	[字角]戊父
2691	善夫梁其段一	百字千孫
2692	善找梁其段二	百字千孫
6467	字父己解	[字]父己
6888	吳王光鑑一	隹王五月既字白期吉日初庚
6889	吳王光鑑二	隹王五月既字白期吉日初庚
7117	郐𫊣兒鐘一	而__之字父
7119	郐儔兒鐘三	之字父
7188	叔夷編鐘七	卑百斯男而埶斯字
7189	叔夷編鐘八	斯男而埶斯字
7214	叔夷鎛	卑百斯男而埶斯字
		小計：共 11 筆

2380

0270	㝅乍鼎	㝅乍
1653	㝅父甗	㝅乍父寶甗
2842	卯段	易女瓚章、㝅、宗彝一造、寶
2874	虢弔匿一	虢弔乍弔殷㝅尊匿
2874.	虢弔匿二	虢弔乍弔段㝅尊匿
4803	虢弔尊	虢弔乍弔殷㝅尊朕
5493	召乍__宮旅卣	休王自㝅㝅事
6758	殷㝅盤一	儕孫殷㝅乍䪾盤
6759	殷㝅盤二	儕孫殷㝅乍䪾
6833	□弔㝅匜	□子弔㝅自乍賸匜
6871	陳子匜	陳子子乍㢊孟媯㝅母媵匜
		小計：共 11 筆

季 2381

季

0661	季乍寶彝鼎	季乍寶彝
0668	虘北鼎	虘北□季□
0804	井季夐乍旅鼎	井季夐乍旅鼎
0882	王乍康季鬲	王乍康季寶尊鬲
0886	亞醜季乍兄己鼎	[亞醜]季乍兄己尊彝
0894	__乍父癸鼎	sb季乍父癸寶尊彝
0900	季鄦乍宮白方鼎	季盨(鄦)乍宮白寶尊盨
0935	季念乍旅鼎	季念乍旅鼎其永寶用
0941	義仲方鼎	義中乍㕚父周季尊彝
1045	專車季鼎	專車季乍寶鼎
1075	黃季乍季嬴鼎	黃季乍季嬴寶鼎
1076	王伯姜鼎	王白姜乍季姬寶尊鼎
1076	王伯姜鼎	季姬其永寶用
1105	鏚季乍嬴氏行鼎	鏚季乍嬴氏行鼎
1125.	郳季宿車鼎	郳季宿車自乍行鼎子子孫孫永寶萬年無疆用
1245	仲師父鼎一	中師父乍季㚸始(始)寶尊鼎
1246	仲師父鼎二	中師父乍季㚸始(始)寶尊鼎
1270	小臣夌鼎	用乍季娟 (妘) 寶尊彝
1276	__季鼎	白俗父右uJ季
1276	__季鼎	uJ季拜䭫首
1291	善夫克鼎一	克乍朕皇且釐季寶宗彝
1292	善夫克鼎二	克乍朕皇且釐季寶宗彝
1293	善夫克鼎三	克乍朕皇且釐季寶宗彝
1294	善夫克鼎四	克乍朕皇且釐季寶宗彝
1295	善夫克鼎五	克乍朕皇且釐季寶宗彝
1296	善夫克鼎六	克乍朕皇且釐季寶宗彝
1297	善夫克鼎七	克乍朕皇且釐季寶宗彝
1323	師䄄鼎	乍公上父尊于朕考虢季易父wu宗
1325	五祀衛鼎	厲有嗣𤔲季、慶癸、燹□、荊人敢、井人𨜒屖
1327	克鼎	𤔲季右善夫克入門立中廷、北卿
1330	曶鼎	以匡季告東宮
1330	曶鼎	𦥑(曶)或目匡季告東宮
1376	季貞尊鬲	季貞乍尊鬲
1398	季右父尊鬲	季右父乍尊鬲
1446	白㹠父乍井姬鬲	白㹠父乍井姬季姜尊鬲
1460	奠羌白乍季姜鬲	鄭羌白乍季姜尊鬲
1483	虢季氏子組鬲	虢季氏子緄(組)乍鬲
1499	□季鬲	__季乍孟姬__女__鬲
1501	虢季氏子㪔鬲	虢季氏子㪔乍寶鬲
2122	季楚乍寶毁	季楚乍寶毁
2124	季夐乍旅毁	季夐乍旅毁
2181	季保乍寶隩毁	季屖乍寶尊彝
2183	嬴季乍寶毁	嬴季乍寶尊彝
2222	季姒乍用毁	季始(姒)乍用毁[眲]
2302	噩季奞父毁	噩(咢)季奞父乍寶尊彝
2303	噩侯毁	噩侯uo厝季自𣪕毁
2328	師㝨父乍季姞毁	師㝨父乍季姞寶尊毁
2344	季假乍旅毁	季假乍旅毁隹子孫乍寶

2358	陈侯為季姬毁	陈侯白為季姬毁
2439	寺季故公毁一	寺季故公乍寶毁
2440	寺季故公毁二	寺季故公乍寶毁
2495	季_父徼毁	季oG父徼乍寶毁
2513	冉乍季日乙㚸毁一	用乍季日乙㚸
2514	冉乍季日乙㚸毁二	用乍季日乙㚸
2528	魯白大父乍媵毁	魯白大父乍季姬rk媵毁
2534	魯大宰邍父毁一	魯大宰原父乍季姬牙媵毁
2534.	魯大宰邍父毁二	魯大宰原父乍季姬牙媵毁
2545	季𪒠乍井弔毁	季𪒠肇乍氒文考井弔寶尊彝
2553	虢季氏子組毁一	虢季氏子組乍毁
2554	虢季氏子組毁二	虢季氏子組乍毁
2555	虢季氏子組毁三	虢季氏子組乍毁
2604	黃君毁	黃君乍季嬴vz媵毁
2640	弔皮父毁	眔朕文母季姬尊毁
2668	散季毁	㪔季肇乍朕王母弔姜寶毁
2668	散季毁	㪔(散)季其萬年
2695	𨚕兒毁	皇考季氏尊毁
2721	𦒻毁	用乍尊毁季姜
2739	無㠱毁一	無㠱用乍朕皇且釐季尊毁
2740	無㠱毁二	無㠱用乍朕皇且釐季尊毁
2741	無㠱毁三	無㠱用乍朕皇且釐季尊毁
2742	無㠱毁四	無㠱用乍朕皇且釐季尊毁
2742.	無㠱毁五	無㠱用乍朕皇且釐季尊毁
2742.	無㠱毁五	無㠱用乍朕皇且釐季尊毁
2783	趞毁	用乍季姜尊彝
2798	師𤸫毁一	用乍朕文考外季尊毁
2799	師𤸫毁二	用乍朕文考外季尊毁
2800	伊毁	𤔲(緟)季內、右伊立中廷北鄉
2842	卯毁	榮季入右卯立中廷
2939	季良父乍宗娟媵匿一	季良父乍宗娟媵匿
2940	季良父乍宗娟媵匿二	季良父乍宗娟媵匿
2941	季良父乍宗娟媵匿三	季良父乍宗娟媵匿
2947	季宮父乍媵匿	季宮父乍中姊㛸姬媵(佚)匿
2957	子季匿	子季□子畧其吉金
2985	陳逆匿一	台(以)乍氒元配季姜之祥器
2985.	陳逆匿二	台(以)乍氒元配季姜之祥器
2985.	陳逆匿三	台(以)乍氒元配季姜之祥器
2985.	陳逆匿四	台(以)乍氒元配季姜之祥器
2985.	陳逆匿五	台(以)乍氒元配季姜之祥器
2985.	陳逆匿六	台(以)乍氒元配季姜之祥器
2985.	陳逆匿七	台(以)乍氒元配季姜之祥器
2985.	陳逆匿八	台(以)乍氒元配季姜之祥器
2985.	陳逆匿九	台(以)乍氒元配季姜之祥器
2985.	陳逆匿十	台(以)乍氒元配季姜之祥器
3037	華季嗌乍寶毁(盨)	華季嗌乍寶毁
3041	諫季獻旅須	諫季獻乍旅盨(須)
3057	仲自父鍨(盨)	中自父乍季恭□寶尊盨
3077	弔專父乍奠季盨一	弔專父乍奠季寶鐘六、金尊盨四、鼎十
3077	弔專父乍奠季盨一	奠季其子子孫孫永寶用

季

季

3078	弔專父乍奠季盨二	弔專父乍奠季寶鐘六、金尊盨四、鼎十
3078	弔專父乍奠季盨二	奠季其子子孫孫永寶用
3079	弔專父乍奠季盨三	弔專父乍奠季寶鐘六、金尊盨四、鼎十
3079	弔專父乍奠季盨三	奠季其子子孫孫永寶用
3080	弔專父乍奠季盨四	弔專父乍奠季寶鐘六、金尊盨四、鼎十
3080	弔專父乍奠季盨四	奠季其子子孫孫永寶用
4425	季飆需德盉	季飆需德乍寶盉
4442	季良父盉	季良父乍kh姒(始)寶盉
4747	飆季尊	飆季乍寶尊彝
4748	邢季㚸旅尊	邢季㚸乍旅彝
4804	衛乍季衛父尊	衛乍季衛父寶尊彝
4818	季盀尊	季盀乍寶尊彝用□__
4823	愫季遽父尊	愫季遽父乍豐姬寶尊彝
4856	季受尊	vd休于tv季
5316	漁季卣	漁季乍寶旅彝
5340	井季㚸旅卣	井季㚸乍旅彝
5341	飆季卣	飆季乍寶尊彝
5396	季卣	季乍父辛寶尊彝
5406	衛卣	衛乍季衛父寶尊彝
5420	匽侯弟曆季旅卣	匽侯弟曆季乍旅彝
5441	愫季遽父卣一	愫季遽父乍豐姬寶尊彝
5442	愫季遽父卣二	愫季遽父乍豐姬寶尊彝
5661	矪季父乙壺	季畄父乙[矪]
5682	鄭右__盛季壺	鄭右wc盛季壺
5748	虢季子組壺	虢季子組乍寶壺
5786	㚤季良父壺	㚤季良父乍kh姒(始)尊壺
5825	繼書缶	正月季春元日己丑
6689	季乍寶盤	季乍寶
6746.	郳季宿車盤	郳季宿車自乍行盤子子孫孫永寶用之
6747	師寏父盤	師寏父乍季姬般(盤)
6754	楚季苟盤	楚季苟乍嬭尊賸盥般
6781	夆弔盤	夆弔乍季改盥般(盤)
6786	__弔多父盤	pL弔多父乍朕皇考季氏寶般
6790	虢季子白盤	虢季子白乍寶盤
6822	奠義白乍季姜匜	奠義白乍季姜寶它(匜)用
6849.	郳季宿車匜	郳季宿車自乍行匜子子孫孫永寶用之
6849.	郳季宿車匜	郳季宿車自乍行匜子子孫孫永寶用之
6849.	郳季宿車匜	郳季宿車自乍行匜子子孫孫永寶用之
6876	夆弔乍季妃盥盤(匜)	夆弔乍季改盥般
6908	郐宜同歃盂	郐王季檑之孫宜桐乍鑄歃盂
6919.	郳季宿車盆	郳季宿車自乍行盆子子孫孫永寶用之
6923	庚午盞	□□子季□□□自乍鑄__
7002	鑄侯求鐘	鑄侯求乍季姜朕鐘
7059	師臾鐘	師臾肁乍朕剌且虢季宄公幽弔
7499	邛季之孫戈	邛季之孫□方或之元
7717	吳季子之子劍	吳季子之子逞之永用劍
7990	季老□	季老或乍文考大白□□
M158	曆季尊	匽侯弟曆季乍寶彝
M361	井伯南㲃	井南白乍鄭季姚好尊㲃
M602	蔡𦣞匜	蔡弔季之孫𦣞賸孟臣有止嬭盥盤

M693	曾大工尹戈	季怡之用
M792	宋公緣簠	乍其妹句敔(敔)夫人季子媵匿
		小計：共 150 筆

孟 2382

0777	孟淠父鼎	孟淠父乍寶鼎
1028	央__鼎	央__姬昌乍孟田用___鼎
1060	輔白雁父鼎	輔白雁父乍豐孟妘媵鼎
1096	弗奴父鼎	弗奴父乍孟姒(始)存媵鼎
1133	郜白乍孟妊善鼎	郜白肇乍孟妊善寶鼎
1166	玆太子鼎	□絲大子乍孟姬寶鼎
1468	白家父乍孟姜鬲	白家父乍孟姜媵鬲
1499	□季鬲	__季乍孟姬__女__鬲
1522	孟辛父乍孟姞鬲一	u0馬孟辛父乍孟姞寶尊鬲
1523	孟辛父乍孟姞鬲二	u0馬孟辛父乍孟姞寶尊鬲
2220	卜孟乍寶毁	卜孟乍寶尊彝
2324	孟𢾊父毁	孟肅父乍寶毁其永用
2383	侯氏毁	侯氏乍孟姬尊毁
2443	孟弢父毁一	孟弢父乍寶毁
2444	孟弜父毁二	孟弜父乍寶毁
2445	孟弜父毁三	孟弜父乍寶毁
2450	禾乍皇母孟姬毁	禾肇乍皇母懿恭孟姬餗彝
2458	孟奠父毁一	孟奠父乍尊毁
2459	孟奠父毁二	孟奠父乍尊毁
2460	孟奠父毁三	孟奠父乍尊毁
2461	白家父乍孟姜毁	白家父乍{ 公孟 }姜媵毁
2522	孟弢父毁	孟弢父乍幻白姻媵毁八
2523	孟弢父毁	孟弢父乍幻白姻媵毁八
2531	魯白大父乍孟□姜毁	魯白大父乍孟姬姜媵毁
2556	復公子白舍毁一	臤新乍我姑鄧(鄧)孟媿媵毁
2557	復公子白舍毁二	臤新乍我姑鄧(鄧)孟媿媵毁
2558	復公子白舍毁三	臤新乍我姑鄧(鄧)孟媿媵毁
2560	吳彭父毁一	吳彭父乍皇且考庚孟尊毁
2561	吳彭父毁二	吳彭父乍皇且考庚孟尊毁
2562	吳彭父毁三	吳彭父乍皇且考庚孟尊毁
2589	孫弔多父乍孟姜毁一	孫弔多父乍孟姜尊毁
2590	孫弔多父乍孟姜毁二	孫弔多父乍孟姜尊毁
2591	孫弔多父乍孟姜毁三	孫弔多父乍孟姜尊毁
2653.	弔__孫父毁	弔__孫父乍孟姜尊毁
2696	孟毁一	孟曰：朕文考眔毛公遣中征無需
2697	孟毁二	孟曰：朕文考眔毛公遣中征無需
2735	戾敖毁	其右子歆、吏孟
2735	戾敖毁	戾敖蔑用□弔于吏孟
2766	三兒毁	用□□__羊□□□其遮孟□□廿斉
2784	申毁	用乍朕皇考孝孟尊毁
2852	不嬰毁一	用乍朕皇且公白孟姬尊毁
2853	不嬰毁二	用作朕皇且公白孟姬尊毁
2862	剳白鋁	剳白乍孟姬鋁

孟

2934	曾子遷彝匿	曾子遷魯為孟姬鄬鑄賸匿
2959	鑄公乍朕匿一	鑄公乍孟妊東母朕匿
2960	鑄公乍朕匿二	鑄公乍孟妊東母朕匿
2967	敶侯乍孟姜朕匿	陳侯乍孟姜䞣匿
2975	鄦子妝匿	用賸(媵)孟姜秦嬴
2982	長子口臣乍媵匿	乍其子孟之母賸(媵)匿
2982	長子口臣乍媵匿	乍其子孟之母賸(媵)匿
3052	走亞虓孟延盨一	走亞虓孟延乍盨
3053	走亞虓孟延盨二	走亞虓孟延乍盨
3096	齊侯乍孟姜善𦎫	齊侯乍朕寶薦孟膳𦎫
3110.	孟_旁豆	孟uC旁乍父旅克豆
4037	孟爵	孟乍旅
4430	白百父乍孟姬朕鎜	白百父乍孟姬朕鎜
4449	衰衛盉	衛用乍朕文考惠孟寶般
4821	蔡侯𩢝乍大孟姬尊	蔡侯𩢝乍大孟姬賸尊
4887	蔡侯𩢝尊	用詐(乍)大孟姬賸彝_
5683	孟𢦏父鬱壺	孟𢦏父乍鬱壺
5687	孟姬嬇壺	孟姬嬇之尊缶
5713	孟上父尊壺	孟上父乍尊壺
5732	鄧孟乍監曼壺	鄧孟乍監曼尊壺
5758	匽君壺	匽君𢆶旅者其成公鑄子孟改賸盥壺
5759	趙孟壺	為趙孟庎(介)
5772	陳璋方壺	孟冬戊辰
5778	番匊生鑄賸壺	用賸𠦪元子孟改芣
5801	洹子孟姜壺一	齊侯既濟洹子孟姜喪其人民都邑
5801	洹子孟姜壺一	洹子孟姜用嘉命
5802	洹子孟姜壺二	齊侯既濟洹子孟姜喪其人民都邑
5802	洹子孟姜壺二	洹子孟姜用嘉命
5808	孟城行鈃	若公孟城乍為行缾(鈃)
5823	蔡侯𩢝乍大孟姬盥缶	蔡侯𩢝乍大孟姬賸盥缶
5824	孟縢姬賸缶	孟縢姬擇其吉金
J2372	父乙孟觚	父乙孟
6710	白百父乍孟姬盤	白百父乍孟姬朕盤
6719	京弔盤	京弔乍孟嬴盤
6746	齊侯乍孟姬盤	齊侯乍皇氏孟姬寶般(盤)
6755	毛叔盤	毛弔朕彪氏孟姬寶般
6765	齊弔姬盤	齊弔姬乍孟庚寶般
J3547	姬念母盤	(拓本未見)
6772	魯少司寇封孫宅盤	魯少𤔲寇封孫宅乍其子孟姬嫛朕般也(匜)
6779	齊侯盤	齊侯乍賸寡v1孟姜盥般
6788	蔡侯𩢝盤	用詐大孟姬賸彝盤
6842	王婦䵼孟姜旅匜	王婦䵼孟姜乍旅它
6860	敶白元匜	陳白vm之子白元乍西孟嬀𡡉母塍匜
6866	齊侯乍虢孟姬匜	齊侯乍虢孟姬良女寶它
6868	大師子大孟姜匜	大師子大孟姜乍般匜
6871	敶子匜	陳子子乍𢊁孟嬀㝅母塍匜
6872	魯大𤔲徒子仲白匜	魯大𤔲徒子中白其庶女厲孟姬賸它
6873	齊侯乍孟姜盥匜	齊侯乍賸寡v1孟姜盥𥁰
6875	慶弔匜	慶弔作朕子孟姜盥匜
6918	曾孟嬭諫盆	曾孟嬭諫乍𩰫盆

7125	蔡侯䌛紐鐘一	隹正五月初吉孟庚
7126	蔡侯䌛紐鐘二	隹正五月初吉孟庚
7132	蔡侯䌛紐鐘八	隹正五月初吉孟庚
7133	蔡侯䌛紐鐘九	隹正五月初吉孟庚
7134	蔡侯䌛甬鐘	隹正五月初吉孟庚
7205	蔡侯䌛編鎛一	隹正五月初吉孟庚
7206	蔡侯䌛編鎛二	隹正五月初吉孟庚
7207	蔡侯䌛編鎛三	隹正五月初吉孟庚
7208	蔡侯䌛編鎛四	隹正五月初吉孟庚
7731	王立事劍一	□□命孟卯左庫工帀司馬部
7732	王立事劍二	□□命孟卯左庫工帀司馬部
7733	王立事劍三	□□命孟卯左庫工帀司馬部
7884	五年司馬權	與下庫工帀孟
M379	夆伯鬲	夆白乍郜孟姬尊鬲
M602	蔡睯匜	蔡弔季之孫睯賸孟臣有止𡢁盥盤

小計：共 108 筆

孳 2383

J1442	叩孳𣪕	（拓本未見）
4385	亞孳父辛盉	[亞孳]父辛
6588	亞孳父辛觶	[亞孳]父辛
7176	㝬鐘	南或𠬝子<孳?>敢臽（陷）虐（處?)我土

小計：共 4 筆

疑 2384

1152	私官鼎	卅六年工師瘨工疑
2505	白疑父乍嬞𣪕	白疑父乍嬞寶𣪕
6609	䀠疑_觶	疑乍寶尊彝[䀠]
6629	齊史疑乍且辛觶	齊史疑乍且辛寶彝
7868	商鞅方升	法度量則不壹歉疑者

小計：共 5 筆

孛 2385

5244	孛舟父辛卣	[孛舟]父辛
5454	孛卣	孛乍寶尊彝

小計：共 2 筆

好 2386

5803	𤔲嗣好盗壺	𤔲嗣好盗敢明易（揚）告

小計：共 1 筆

孟
孳
疑
孛
好

𠭰𢀛 2387

2389	𠭰𢀛妊乍寶段	𠭰𢀛妊乍寶段
		小計：共 1 筆

㐬毓 2388

1635	天黿乍婦姑甗	[天黽]乍毓姑䵼彝
2855	班段一	毓文王、王姒(始)聖孫
2855.	班段二	毓文王
4200	呂仲僕乍毓子爵	呂中僕乍毓子寶尊彝或
4826	呂仲僕尊	呂仲僕乍毓子寶尊彝[或]
5472	乍毓且丁卣	用乍毓且丁尊[卬]
5472	乍毓且丁卣	用乍毓且丁尊[卬]
6792	史墻盤	䜌毓子孫
		小計：共 8 筆

丑 2389

1139	寓鼎	隹二月既生霸丁丑
1255	作冊大鼎一	隹四月既生霸己丑
1256	作冊大鼎二	隹四月既生霸己丑
1257	作冊大鼎三	隹四月既生霸己丑
1258	作冊大鼎四	隹四月既生霸己丑
1265	𤔲弔鼎	隹王正月初吉乙丑
1285	或方鼎一	隹九月既望乙丑、才𠂤
2706	䣄公敄人段	隹䣄正二月初吉乙丑
2777	天亡段	丁丑、王鄉大宜、王降
2789	同段一	隹十又二月初吉丁丑
2790	同段二	隹十又二月初吉丁丑
2801	五年召白虎段	隹五正月己丑
2814	鳥冊夨令段一	隹九月既死霸丁丑
2814.	夨令段二	隹九月既死霸丁丑
2843	沈子它段	烏虖隹考取丑念自先王先公
3095	拍乍祀彝(蓋)	隹正月吉日乙丑
5485	貉子卣一	唯正月丁丑
5486	貉子卣二	唯正月丁丑
5503	競卣	正月既生霸辛丑、才坏
5504	庚嬴卣一	隹王十月既望辰才己丑
5505	庚嬴卣二	隹王十月既望辰才己丑
5796	三年㾓壺一	己丑、王才句陵
5797	三年㾓壺二	己丑、王才句陵
5825	䜌書缶	正月季春元日己丑
6055	丑宄觚一	[丑宄]
6056	丑宄觚二	[丑宄]
7522	卅三年大梁左庫戈	卅三年大梁左庫工帀丑冶办
M191	繁卣	隹九月初吉癸丑

小計：共 28 筆

㙚 2390

0060	羞鼎一	[羞]
0061	羞鼎二	[羞]
0462	羞乍寶鼎	羞乍寶
0973	白__乍妣羞鼎一	白oq乍嫊(曹)妹oq羞鼎
0974	白__乍妣羞鼎二	白oq乍嫊(曹)妹oq羞鼎
0975	白__乍妣羞鼎三	白oq乍嫊(曹)妹oq羞鼎
0976	白__乍妣羞鼎四	白oq乍嫊(曹)妹oq羞鼎
1064	武生__弔羞鼎一	武生kJ弔乍其羞鼎
1065	武生__弔羞鼎二	武生kJ弔乍其羞鼎
1275	師同鼎	判用lz王羞于黽
1326	多友鼎	命武公遣乃元士羞追于京𠂤
1326	多友鼎	武公命多友逹公車羞追于京𠂤
1389	仲姞羞鬲一	中姞乍羞鬲[華]
1390	仲姞羞鬲二	中姞乍羞鬲[華]
1391	仲姞羞鬲三	中姞乍羞鬲[華]
1392	仲姞羞鬲四	中姞乍羞鬲[華]
1393	仲姞羞鬲五	中姞乍羞鬲[華]
1394	仲姞羞鬲六	中姞乍羞鬲[華]
1395	仲姞羞鬲七	中姞乍羞鬲[華]
1396	仲姞羞鬲八	中姞乍羞鬲[華]
1397	仲姞羞鬲九	中姞乍羞鬲[華]
1421	時白鬲一	時白乍□中□羞鬲
1422	時白鬲二	時白乍□中□羞鬲
1423	時白鬲三	時白乍□中□羞鬲
1425	鄭弔蒦父羞鬲	鄭弔蒦父乍羞鬲
1432	郳始□母鑄羞鬲	郳始ir母鑄其羞鬲
1471	魯白愈父鬲一	魯白愈乍鼄姬仁朕(媵)羞鬲
1472	魯白愈父鬲二	魯白愈父乍鼄姬仁朕(媵)羞鬲
1473	魯白愈父鬲三	魯白愈父乍鼄姬仁朕(媵)羞鬲
1474	魯白愈父鬲四	魯白愈父乍鼄姬仁朕(媵)羞鬲
1475	魯白愈父鬲五	魯白愈父乍鼄姬仁朕(媵)羞鬲
1668	中甗	肆厎又羞余□□□
2345	穌公乍王妃𡚬毀	穌公乍王改𡚬(羞)盂毀永寶用
2744	五年師旋毀一	令女羞追于齊
2745	五年師旋毀二	令女羞追于齊
2852	不嬰毀一	王令我羞追于西
2853	不嬰毀二	王令我羞追于西
3513	丁羞爵	丁[羞]
3783	戉父乙爵一	[戉(羞)]父乙
3784	戉父乙爵二	戉(羞)]父乙
J3444	羞罍	[羞]
5593	羞父觚	[羞]父
5801	洹子孟姜壺一	用鑄爾羞銅
5802	洹子孟姜壺二	用鑄爾羞銅
J3894	羞鉞	[羞]
M236	單昊生豆	單昊生乍羞豆、用亯

小計：共 44 筆

寅 寅 2391

1070	鄲孝子鼎	王四月、鄲孝子台（以）庚寅之日
1101	亞受乍父丁方鼎	戊寅王Jbsx馬耏、易貝
1139	寓鼎	戊寅、王蔑寓曆事廞大人
1213	師趛鼎一	隹九月初吉庚寅
1214	師趛鼎二	隹九月初吉庚寅
1228	斁䣊方鼎	隹二月初吉庚寅
1279	中方鼎	隹十又三月庚寅
1286	大夫始鼎	隹三月初吉甲寅、王才龢宮
1300	南宮柳鼎	隹王五月初吉甲寅
1305	師奎父鼎	隹六月既生霸庚寅
1309	寰鼎	隹廿又八年五月既望庚寅
1503	御鬲	[亞]庚寅、御寅□、才寢
1659	白鮮旅甗	隹正月初吉庚寅
1666	遹乍旅甗	隹六月既死霸丙寅
2542	辰才寅□□段	隹七月既生霸辰才寅
2559	白中父段	隹五月辰才壬寅
2567.	戊寅段	隹王八月、才貝、戊寅
2601	向𥃝乍旅段一	隹王五月甲寅
2602	向𥃝乍旅段二	隹王五月甲寅
2662.	宴段一	隹正月初吉庚寅
2662.	宴段二	隹正月初吉庚寅
2663	宴段一	隹正月初吉庚寅
2664	宴段二	隹正月初吉庚寅
2698	陳肪段	龏寅鬼神
2726	智段	隹元年三月丙寅
2730	獻段	隹九月既望庚寅
2739	無㠱段一	隹十又三年正月初吉壬寅
2740	無㠱段二	隹十又三年正月初吉壬寅
2741	無㠱段三	隹十又三年正月初吉壬寅
2742	無㠱段四	隹十又三年正月初吉壬寅
2742.	無㠱段五	隹十又三年正月初吉壬寅
2742.	無㠱段五	隹十又三年正月初吉壬寅
2769	師楷段	隹八月初吉戊寅
2776	走段	隹王十又二年三月既望庚寅
2783	趞段	唯二月、王才宗周、戊寅
2785	王臣段	隹二年三月初吉庚寅
2788	靜段	雩八月初吉庚寅
2791	豆閉段	辰才戊寅
2793	元年師旋段一	甲寅、王各廟即立
2794	元年師旋段二	甲寅、王各廟即立
2795	元年師旋段三	甲寅、王各廟即立
2796	諫段	隹五年三月初吉庚寅
2796	諫段	隹五年三月初吉庚寅
2797	輔師嫠段	隹王九月既生霸甲寅
2798	師痶段一	隹二月初吉戊寅

2799	師㾓㲃二	隹二月初吉戊寅
2810	揚㲃一	隹王九月既眚霸庚寅
2811	揚㲃二	隹王九月既眚霸庚寅
2816	彔白𢦚㲃	隹王正月辰才庚寅
2831	元年師兌㲃一	隹元年五月初吉甲寅
2832	元年師兌㲃二	隹元年五月初吉甲寅
2841	芇白㲃	隹王九年九月甲寅
2856	師訇㲃	隹元年二月既望庚寅
2857	牧㲃	隹王七年又三月既生霸甲寅
2908	楚王酓肯匿一	以共歲嘗、戊寅
2909	楚王酓肯匿二	以共歲嘗、戊寅
2910	楚王酓肯匿三	以共歲嘗、戊寅
2982.	甲午匿	隹甲午八月丙寅
2985	陳逆匿一	余寅吏齊侯
2985.	陳逆匿二	余寅吏齊侯
2985.	陳逆匿三	余寅吏齊侯
2985.	陳逆匿四	余寅吏齊侯
2985.	陳逆匿五	余寅吏齊侯
2985.	陳逆匿六	余寅吏齊侯
2985.	陳逆匿七	余寅吏齊侯
2985.	陳逆匿八	余寅吏齊侯
2985.	陳逆匿九	余寅吏齊侯
2985.	陳逆匿十	余寅吏齊侯
3086	善夫克旅盨	隹十又八年十又二月初吉庚寅
3100	陳侯因資錞	者（諸）侯寅（寅）薦吉金
4152.	庚寅父癸爵	庚寅父癸[鳥]
4239	天黿𡉈乍父癸角	甲寅、子易𡉈貝
4447	臣辰冊冊乡乍冊父癸盉	王令士上眔史寅殷于成周
4449	裘衛盉	隹三年三月既生霸壬寅
4873	臣辰冊肯冊乍父癸尊	王令士□□寅殷于□
5453	_卣	丙寅王易_貝朋
5471	𡚬小子省乍父己卣	甲寅子商小子省貝五朋
5471	𡚬小子省乍父己卣	甲寅子商小子省貝五朋
5487	靜卣	隹四月初吉丙寅
5488	靜卣二	隹四月初吉丙寅
5598	寅壺	[寅]
5785	史懋壺	隹八月既死霸戊寅
5791	十三年㾓壺一	隹十又三年九月初吉戊寅
5702	十三年㾓壺一	九月初吉戊寅
5803	胤嗣好盗壺	寅祗承祀
5804	齊侯壺	_伐陸寅其王驅執方_賸相
5979	寅觚	[寅]
6789	寰盤	隹廿又八年五月既望庚寅
6791	兮甲盤	隹五年三月既死霸庚寅
7040	克鐘一	隹十又六年九月初吉庚寅
7041	克鐘二	隹十又六年九月初吉庚寅
7042	克鐘三	隹十又六年九月初吉庚寅
7062	柞鐘	隹王三年四月初吉甲寅
7063	柞鐘二	隹王三年四月初吉甲寅
7064	柞鐘三	隹王三年四月初吉甲寅

寅

寅
卯

7065	柞鐘四	隹王三年四月初吉甲寅
7066	柞鐘五	隹王三年四月初吉甲寅
7083	鮮鐘	__寅
7182	叔夷編鐘一	隹王五月辰才戊寅
7204	克鎛	隹十又六年九月初吉庚寅
7214	叔夷鎛	隹王五月辰才戊寅
7494	方寅戈一	方寅用鍛金乍吉用
7495	方寅戈二	方寅用鍛金乍吉用
7554	楚王酓璋戈	楚王酓璋嚴龔寅乍su戈
7564	五年相邦呂不韋戈	詔吏圖丞__工寅
7565	八年相邦呂不韋戈	詔事圖丞__工寅
7870	陳純釜	__月戊寅
7871	子禾子釜一	pG寅□□

小計：共 108 筆

卯 2392

0172	亞卯方鼎	[亞卯]
1011	膺乍父丁鼎	丁卯、尹商膺貝三朋
1164	旂乍文父日乙鼎	唯八月初吉辰才乙卯
1192	亞□伐__乍父乙鼎	丁卯、王令宜子迨西方
1193	新邑鼎	癸卯王來奠新邑
1193	新邑鼎	__旬又四日丁卯
1221	井鼎	辛卯、王漁于nqui
1272	剌鼎	辰才丁卯
1284	尹姞鼎	隹六月既生霸乙卯
1298	師旂鼎	唯三月丁卯
1312	此鼎一	隹十又七年十又二月既生霸乙卯
1313	此鼎二	隹十又七年十又二月既生霸乙卯
1314	此鼎三	隹十又七年十又二月既生霸乙卯
1323	師訊鼎	唯王八祀正月辰才丁卯
1533	尹姞竇鬲一	隹六月既生霸乙卯
1534	尹姞竇鬲二	隹六月既生霸乙卯
2156	安父乙卯婦□殷	[安]父乙卯婦□[安]
2608	官差父殷	隹王正月既死霸乙卯
2627	伊殷	六月初吉癸卯
2665	__弔殷	隹王三月初吉癸卯
2693	釁殷	丁卯
2703	免乍旅殷	隹三月既生霸乙卯
2723	沓殷	隹四月初吉丁卯
2737	段殷	唯王十又四祀十又一月丁卯
2774.	南宮弔殷	隹三月初吉□卯
2784	申殷	隹正月初吉丁卯
2788	靜殷	丁卯、王令靜司射學宮
2818	此殷一	隹十又七年十又二月既生霸乙卯
2819	此殷二	隹十又七年十又二月既生霸乙卯
2820	此殷三	隹十又七年十又二月既生霸乙卯
2821	此殷四	隹十又七年十又二月既生霸乙卯

2822	此毁五	隹十又七年十又二月既生霸乙卯
2823	此毁六	隹十又七年十又二月既生霸乙卯
2824	此毁七	隹十又七年十又二月既生霸乙卯
2825	此毁八	隹十又七年十又二月既生霸乙卯
2842	卯毁	榮季入右卯立中廷
2842	卯毁	榮白乎令卯曰
2842	卯毁	卯拜手頁(䭫)首
2842	卯毁	卯其萬年子子孫孫永寶用
2853.	__毁	隹王三月初吉辛卯
3068	白寬父盨一	隹卅又三年八月既死辛卯
3069	白寬父盨二	隹卅又三年八月既死辛卯
3611	鳥卯爵	[鳥卯]
4197.	相爵	癸卯
4868	趞乍姞尊	隹十又三月辛卯、王才序
4869	次尊	隹二月初吉丁卯
4871	𦉢䇂豐尊	隹六月既生霸乙卯
4876	保尊	乙卯、王令保及殷東或(國)五侯
4883	耳尊	隹六月初吉辰才辛卯
4884	臤尊	隹十又三月既生霸丁卯
4886	趩尊	隹三月初吉乙卯
5445	廣寑卣	辛卯子易寑貝
5476	趞乍姞寶卣	隹十又三月辛卯
5478	次卣	隹二月初吉丁卯
5480	冊䇂冊豐卣	隹六月既生霸乙卯
5480	冊䇂冊豐卣	隹六月既生霸乙卯
5493	召乍__宮旅卣	隹十又二月初吉丁卯
5495	保卣	乙卯、王令保及殷東或五侯
5495	保卣	乙卯、王令保及殷東或五侯
5597	次瓿	隹二月初吉丁卯
5778	番匊生鑄賸壺	隹廿又六年十月初吉己卯
6793	夨人盤	唯王九月辰才乙卯
6910	師永盂	隹十又二年初吉丁卯
7347	右卯戈	右卯
7731	王立事劍一	□□命孟卯左庫工币司馬部
7732	王立事劍二	□□命孟卯左庫工币司馬部
7733	王立事劍三	□□命孟卯左庫工币司馬部
M252	免簠	隹三月既生霸乙卯
M423.	趩鼎	隹十又九年四月既望辛卯

小計：共　69 筆

卯 辰

2393

0508	臣辰方鼎一	臣辰[𦉢]
0509	臣辰方鼎二	臣辰[𦉢]
0672	父乙臣辰鼎一	父乙[臣辰]
0673	父乙臣辰鼎二	父乙[臣辰]
0754	臣辰冊父乙鼎	[臣辰冊]父乙
0846	臣辰父癸鼎	[臣辰𦉢]父癸
1146	□者生鼎一	□者生□辰用吉金乍寶鼎

辰

1147	□者生鼎二	□者生□辰用吉金乍寶鼎
1164	旂乍文父日乙鼎	唯八月初吉辰才乙卯
1235	不栺方鼎一	隹八月既望戊辰
1236	不栺方鼎甲二	隹八月既望戊辰
1242	珥方鼎	戊辰
1263	呂方鼎	唯五月既死霸辰才壬戌
1272	剌鼎	辰才丁卯
1308	白晨鼎	隹王八月辰才丙午
1310	鬲攸從鼎	隹卅又一年三月初吉壬辰
1315	善鼎	唯十又一月初吉辰才丁亥
1322	九年裘衛鼎	隹九年正月既死霸庚辰
1323	師訊鼎	唯王八祀正月辰才丁卯
1326	多友鼎	甲申之辰搏于郑
1330	曶鼎	隹王四月既生霸、辰才丁酉
1485	白矩鬲	才戊辰
1976	臣辰毀	[臣辰𠕋𠫓]
2115	父乙臣辰𠫓毀一	父乙臣辰[𠫓]
2116	父乙臣辰𠫓毀二	父乙臣辰[𠫓]
2258	臣辰冊𠫓冊父癸毀一	臣辰[𠕋𠫓]父癸
2259	臣辰冊𠫓冊父癸毀二	臣辰[𠕋𠫓]父癸
2378	辰乍餗毀	辰乍餗毀
2542	辰才寅□□毀	隹七月既生霸辰才寅
2559	白中父毀	隹五月辰才壬寅
2612	不壽毀	隹九月初吉戊辰
2672	伯芳父毀	辰乍餗毀
2676	旅肄乍父乙毀	戊辰、弜師易肄專、q1贏貝
2711.	乍冊般毀	隹正月初吉戊辰
2722	寏弔乍豐姞旅毀	唯王五月辰才丙戌
2731	小臣宅毀	隹五月壬辰
2737	段毀	戊辰曾
2743	䰜毀	唯王正月辰才甲午
2786	縣妃毀	隹十又二月既望辰才壬午
2791	豆閉毀	辰才戊寅
2816	彔白㦰毀	隹王正月辰才庚寅
2828	宜侯夨毀	隹四月辰才丁未
2853.	尹毀	辰才庚口口歙口宮
4133	臣辰𠫓父乙爵一	父乙臣辰[𠫓]
4134	臣辰𠫓父乙爵二	父乙臣辰[𠫓]
4135	臣辰𠫓父乙爵三	父乙臣辰[𠫓]
4136	臣辰𠫓父乙爵四	父乙臣辰[𠫓]
4182	父乙庚辰為爵	庚辰象乍彝、父乙
4395	臣辰𠫓𠕋盉	臣辰[𠫓𠕋]
4406	父癸臣辰𠫓盉	父癸[臣辰𠫓]
4406.	臣辰𠫓父乙爵五	父乙臣辰[𠫓]
4447	臣辰冊冊𠫓乍冊父癸盉	臣辰[𠕋𠫓]
4734	小臣𠫓辰父辛尊	小臣[𠫓]辰父辛
4827	兀乍高㽙日乙__尊	兀乍高㽙日乙__尊[臣辰𠫓𠕋]
4870	㝬商尊	隹五月辰才丁亥
4873	臣辰冊㞢冊乍父癸尊	[臣辰𠕋㞢]
4883	耳尊	隹六月初吉辰才辛卯

4888	盠駒尊一	隹王十又三月、辰才甲申
4893	矢令尊	隹八月、辰才甲申
4981	矞冊令方彝	隹八月、辰才甲申
4995	辰卣(蓋)	[辰]
5290	父乙臣辰㐅卣一	父乙臣辰[㐅]
5291	父乙臣辰㐅卣二	父乙臣辰[㐅]
5479	奘商乍文辟日丁卣	隹五月辰才丁亥
5491	亞獏二祀𠨘其卣	丙辰、王令𠨘其兄wG于夆田
5501	臣辰冊冊㐅卣一	用乍父癸寶尊彝[臣辰冊㐅]
5502	臣辰冊冊㐅卣二	用乍父癸寶尊彝[臣辰冊㐅]
5504	庚嬴卣一	隹王十月既望辰才己丑
5505	庚嬴卣二	隹王十月既望辰才己丑
5509	㯱卣	辰才庚申
5643	辰乍父己壺	辰乍父己
5665	臣辰冊㐅壺	[臣辰冊㐅]
5772	陳璋方壺	孟冬戊辰
6313	辰觶	辰
6446	辰父乙觶	[辰]父乙
6793	矢人盤	唯王九月辰才乙卯
7058	邾公孫班鐘	辰才丁亥
7084	邾公牼鐘一	辰才乙亥
7085	邾公牼鐘二	辰才乙亥
7086	邾公牼鐘三	辰才乙亥
7087	邾公牼鐘四	辰才乙亥
7182	叔夷編鐘一	隹王五月辰才戊寅
7214	叔夷鎛	隹王五月辰才戊寅

小計：共　83 筆

巳　2394

1205	公朱左自鼎	乙巳□
1262	寍鼎	隹王九月既望乙巳
1281	史頌鼎一	隹三年五月丁子(巳)
1282	史頌鼎二	隹三年五月丁子(巳)
1332	毛公鼎	王曰：父厝、巳曰及茲卿事寮
2546	聖毀	辛巳、王盦(歓)多亞聖亯京
2626	奢乍父乙毀	隹十月初吉辛巳
2654	奘乍文父丁毀	癸巳、□賞小子□貝十朋
2688	大毀	唯六月初吉丁巳
2766	三兒毀	隹王二年□月初吉丁巳
2770	𢦏毀	隹正月乙巳
2778	格白毀一	隹正月初吉癸巳
2778	格白毀一	隹正月初吉癸巳
2779	格白毀二	隹正月初吉癸巳
2780	格白毀三	隹正月初吉癸巳
2781	格白毀四	隹正月初吉癸巳
2782	格白毀五	隹正月初吉癸巳
2782.	格白毀六	毀隹正月初吉癸巳
4861	噉士卿尊	丁巳、王才新邑初wa

巳 目

4866	小臣艅尊	丁巳、王省夒且
4892	麥尊	巳夕、侯易者刭臣二百家
5460	戠御乍父己卣	戠、辛巳、王易馭(御)八貝一具
5460	戠御乍父己卣	戠、辛巳、王易馭(御)八貝一具
5492	亞獏四祀邲其卣	乙巳、王曰
5494	虢𢇛乍母辛卣	乙巳、子令{ 小子 }先以人于堇
5825	䜌書缶	余畜孫書巳羃其吉金
6788	蔡侯𣪘盤	祐受母巳
6874	鄭大內史弔上匜	隹十又二月初吉乙巳
6888	吳王光鑑一	往巳弔姬
6889	吳王光鑑二	往巳弔姬
7188	叔夷編鐘七	毋疾毋巳
7214	叔夷鎛	毋疾毋巳
M478	大宰巳毀	井姜大宰巳鑄其寶毀

小計：共 33 筆

目 2395

0653	后母目康方鼎	后母目康
1005	楚王酓肯釶鼎	目(以)共歲嘗
1067	雁公方鼎一	曰奄目(以)乃弟
1068	雁公方鼎二	曰奄目(以)乃弟
1069	雁公方鼎三	曰奄目(以)乃弟
1115	楚王酓肯釶鼎	目(以)共歲嘗
1126	弔夜鼎	目(以)征目(以)行
1137	郘鐘二	永目(以)為寶
1142	郘鐘七	永目(以)為寶
1143	郘鐘八	永目(以)為寶
1144	郘鐘九	永目(以)為寶
1145	郘鐘十	永目(以)為寶
1146	郘鐘十一	永目(以)為寶
1147	郘鐘十二	永目(以)為寶
1148	郘鐘十三	永目(以)為寶
1149	郘鐘十四	永目(以)為寶
1167	__父鼎一	隹女率我友目(以)事
1168	__父鼎二	隹女率我友目(以)事
1178	宗婦鄁嬰鼎一	目(以)降大福
1179	宗婦鄁嬰鼎二	目(以)降大福
1180	宗婦鄁嬰鼎三	目(以)降大福
1181	宗婦鄁嬰鼎四	目(以)降大福
1182	宗婦鄁嬰鼎五	目(以)降大福
1183	宗婦鄁嬰鼎六	目(以)降大福
1231	楚王酓忓鼎一	目(以)共胾棠
1231	楚王酓忓鼎一	目(以)共胾棠
1232	楚王酓忓鼎二	目(以)共胾棠
1232	楚王酓忓鼎二	目(以)共胾棠
1239	__鼎一	目(以)師氏眔有嗣後或發伐Ld
1239	__鼎一	目(以)師氏眔有嗣後或發伐Ld
1240	__鼎二	目(以)師氏眔有嗣後或發伐Ld

1240	__鼎二	目(以)師氏眾有嗣後或𢦏伐Ld
1298	師旂鼎	靁(雷)事氒友引目(以)告于白懋父
1301	大鼎一	大目氒友守
1301	大鼎一	王乎善夫騕召大目氒友入孜
1302	大鼎二	大目氒友守
1302	大鼎二	王乎善夫騕召大目氒友入孜
1303	大鼎三	大目氒友守
1303	大鼎三	王乎善夫騕召大目氒友入孜
1304	王子午鼎	用享目(以)考于我皇且文考
1310	鬲攸從鼎	鬲从目攸衛牧告于王
1310	鬲攸從鼎	王令眚史南目即虢旅
1317	善夫山鼎	受冊佩目出
1319	頌鼎一	受令冊、佩目(以)出
1320	頌鼎二	受令冊、佩目(以)出
1321	頌鼎三	受令冊、佩目(以)出
1324	禹鼎	雩禹目武公徒馭至于噩
1325	五祀衛鼎	衛目邦君厲告于井白
1326	多友鼎	凡目公車折首二百又□又五人
1326	多友鼎	唯孚車不克目、卒焚
1327	克鼎	目(以)氒臣妾
1329	小字盂鼎	盂目多旂佩
1329	小字盂鼎	告曰、王□□目□□伐鬼方
1329	小字盂鼎	□趞白□□虘旛虘目新□從、咸
1329	小字盂鼎	□白告咸盂目□侯眔侯田□□□□盂征
1329	小字盂鼎	王乎𧶠(贊)□于目□□□進賓□□
1329	小字盂鼎	王乎□□□盂目區入
1330	曶鼎	□吏氒小子𤔲目限訟于井弔
1330	曶鼎	吏寽目(以)告㕚
1330	曶鼎	迺卑□目舀(曶)酉彶羊
1330	曶鼎	目(以)匡季告東宮
1330	曶鼎	舀(曶)或目匡季告東宮
1331	中山王嚳鼎	目(以)左右寡人
1331	中山王嚳鼎	目(以)譁道寡人
1331	中山王嚳鼎	目(以)憂勞邦家
1331	中山王嚳鼎	目(以)征不宜(義)之邦
1331	中山王嚳鼎	氏(是)目(以)賜之氒命
1331	中山王嚳鼎	目(以)明其悳(德)
1331	中山王嚳鼎	氏(是)目(以)寡許之謀慮㿝(皆)從
1331	中山王嚳鼎	氏(是)目(以)寡人委(委)賃(任)之邦
1332	毛公鼎	俗(欲)女弗目乃辟圅于䩡
1332	毛公鼎	目(以)乃族干(扞)吾王身
1431	衛姒乍鬲	目(以)從永征
1568	亞醜者姛方罍一	[亞醜]者姛(始)目大子尊彝
1668	中甗	史兒至、目(以)王令曰
1668	中甗	白買父目(以)自氒人戍漢中州
2410	遣小子𩛥毀	遣小子𩛥目其友乍𩛥男王姬𩰫彝
2614	宗婦鄁嬰毀一	永寶用、目(以)降大福
2615	宗婦鄁嬰毀二	永寶用、目(以)降大福
2616	宗婦鄁嬰毀三	永寶用、目(以)降大福
2617	宗婦鄁嬰毀四	永寶用、目(以)降大福

目

2618	宗婦鄁嫛毀五	永寶用、目(以)降大福
2619	宗婦鄁嫛毀六	永寶用、目(以)降大福
2620	宗婦鄁嫛毀七	目(以)降大福，保辥鄁國
2632	陳逆毀	目(以)匄羕(永)令儨壽
2644	命毀	命其永目(以)多友毀飤
2656	師害毀一	目以召其辟
2657	師害毀二	目(以)召其辟
2677	居_敝毀一	余目(以)鑄此𠈌兒
2678	居_敝毀二	余目(以)鑄此𠈌兒
2710	緈自乍寶器一	萬年目(以)孚孫子寶用
2711	緈自乍寶器二	萬年目(以)孚孫子寶用
2736	□自父壺	其用友罘目倗友歆
2760	小臣謎毀一	白懋父目毀八自征東尸(夷)
2761	小臣謎毀二	白懋父目毀八自征東尸(夷)
2766	三兒毀	余邑目□□之孫
2774	臣諫毀	祉令臣諫目□□亞旅處于軝
2788	靜毀	王目吳桒、呂剛
2801	五年召白虎毀	余獻寢氏目壺
2801	五年召白虎毀	告日：目君氏令日
2802	六年召白虎毀	余目邑訊有嗣
2812	大毀一	豖目睽履大易里
2813	大毀二	豖目睽履大易里
2833	秦公毀	目卲皇且
2833	秦公毀	目受屯魯多釐
2834	㝬毀	肆余目餧士獻民
2843	沈子它毀	休同公克成妥吾考目于顯受令
2844	頌毀一	佩目出
2845	頌毀二	佩目出
2845	頌毀二	佩目出
2846	頌毀三	佩目出
2847	頌毀四	佩目出
2848	頌毀五	佩目出
2849	頌毀六	佩目出
2850	頌毀七	佩目出
2851	頌毀八	佩目出
2852	不娶毀一	女目(以)我車宕伐厰允于高陵
2852	不娶毀一	女休、弗目(以)我車圅(陷)于鄭
2853	不娶毀二	女目(以)我車宕伐厰㚟于高陶
2853	不娶毀二	女休、弗目(以)我車圅于鄭
2855	班毀一	王令毛公目(以)邦冢君、土(徒)馭、戭人
2855	班毀一	目(以)乃自右从毛父
2855	班毀一	目(以)乃自右从毛父
2855	班毀一	趞令日：目(以)乃族从父征
2855.	班毀二	王令毛公目(以)邦冢君土
2855.	班毀二	目(以)乃自右从毛父
2855.	班毀二	目(以)乃自右从毛父
2855.	班毀二	目(以)乃族從父征
2856	師訇毀	率目(以)乃友干吾王身
2856	師訇毀	欲女弗目(以)乃辟圅于鄭
2857	牧毀	目(以)今既司訇孚辠召故

2908	楚王酓肯匿一	目(以)共歲嘗、戊寅
2909	楚王酓肯匿二	目(以)共歲嘗、戊寅
2910	楚王酓肯匿三	目(以)共歲嘗、戊寅
2976	盤公匿	目旟覺壽
2979	弔朕自乍薦匿	目(以)敍稻粱
2979.1	弔朕自乍薦匿	目(以)敍稻粱
2986	曾白霥旅匿一	目(以)征目(以)行
2987	曾白霥旅匿二	目(以)征目(以)行
3055	虢仲旅盨	虢中目(以)王南征
3064	曩白子妊父征盨一	其陰其陽、目(以)延(征)目(以)行
3064	曩白子妊父征盨一	慶其目(以)臧
3065	曩白子妊父征盨二	其陰其陽、目(以)延(征)目(以)行
3065	曩白子妊父征盨二	割覺壽無彊、慶其目(以)臧
3065	曩白子妊父征盨二	其陰其陽、目(以)延(征)目(以)行
3065	曩白子妊父征盨二	割覺壽無彊、慶其目(以)臧
3066	曩白子妊父征盨三	其陰其陽、目(以)延(征)目(以)行
3066	曩白子妊父征盨三	割覺壽無彊、慶其目(以)臧
3066	曩白子妊父征盨三	其陰其陽、目(以)延(征)目(以)行
3066	曩白子妊父征盨三	割覺壽無彊、慶其目(以)臧
3067	曩白子妊父征盨四	其陰其陽、目(以)延(征)目(以)行
3067	曩白子妊父征盨四	割覺壽無彊、慶其目(以)臧
3067	曩白子妊父征盨四	其陰其陽、目(以)延(征)目(以)行
3067	曩白子妊父征盨四	割覺壽無彊、慶其目(以)臧
3112	掷陵君王子申豆一	目(以)祀皇祖
3112	掷陵君王子申豆一	目(以)會父侃
3113	掷陵君王子申豆二	目(以)祀皇祖
3113	掷陵君王子申豆二	目(以)會父侃
3121.	大宰歸父鑪	目(以)旟覺壽
4197	亞醜方爵	[亞醜]者(諸)始目大子尊彝
4448	長由盉	穆王蔑長由目(以)逑即井白氏
4806	亞醜方尊	[亞醜]者始目大子尊彝
4879	彔戜尊	女其目(以)成周師氏戍于古自
4892	麦尊	之日、王目侯內于寢
4893	矢令尊	奭左右于乃寮目(以)乃友事
4981	矢冊令方彝	奭左右于乃寮、目(以)乃友事
5468	子寡子卣	烏虖、誎帝家目(以)寡子作永寶
5468	子寡子卣	烏虖、誎帝家目(以)寡子乍永寶
5477	單光す乍父癸簫卣	其目父癸夙夕鄉爾百婚遘[單光]
5494	敤卣乍母辛卣	乙巳、子令{小子}先目人于堇
5498	彔戜卣	女其目(以)成周師氏戍于古自
5499	彔戜卣二	女其目(以)成周師氏戍于古自
5503	競卣	隹白犀父目(以)成自即東
5568	亞醜者姛方罍一	[亞醜]者姛(始)目大子尊彝
5569	亞醜者姛方罍二	[亞醜]者姛(始)目大子尊彝
5759	趙孟壺	台(目)為祠器
5760	蓮花壺蓋	□弔□_□_目(以)其吉□寶壺
5770	宗婦邯嬰壺一	目(以)降大福
5771	宗婦邯嬰壺二	目(以)降大福
5784	林氏壺	虞目(以)為弄壺
5784	林氏壺	虞目(以)匽歙

目

5799	頌壺一	受令冊佩目(以)出
5800	頌壺二	受令冊佩目(以)出
5803	胤嗣好蚉壺	目(以)憙(憂)氒民之隹不辜
5803	胤嗣好蚉壺	目(以)取鮮鯗(槁)
5803	胤嗣好蚉壺	目(以)追庸先王之工刺(烈)
5805	中山王嚳方壺	目(以)鄉上帝
5805	中山王嚳方壺	目(以)祀先王
5805	中山王嚳方壺	目(以)憼(警)嗣王
5805	中山王嚳方壺	目(以)阤(施)及子孫
5805	中山王嚳方壺	目(以)輔相氒身
5805	中山王嚳方壺	氏(是)目(以)遊夕歈飤
5805	中山王嚳方壺	目(以)佐右氒闢
5805	中山王嚳方壺	目(以)明辟光
5805	中山王嚳方壺	目(以)內絕郘公之業
5805	中山王嚳方壺	目(以)請(靖)圀疆
5805	中山王嚳方壺	氏(是)目(以)身蒙伞(甲)胄
5805	中山王嚳方壺	目(以)栽(誅)不順
5805	中山王嚳方壺	目(以)戒嗣王
5816	奠義白𦉜	目(以)行目(以)征
5816	奠義白𦉜	我用目(以)____永歲
5816	奠義白𦉜	目(以)鬙狩用
5825	䜌書缶	目(以)乍鑄缶
5825	䜌書缶	目(以)祭我皇祖
5825	䜌書缶	虞目(以)祈𩓣壽
6730	仲礼盤	中u2臣tiu7i0目金
6771	宗婦𨚕𡚬盤	目(以)降大福
6776	楚王酓忓盤	目(以)共歲嘗
6790	虢季子白盤	是目(以)先行
6793	矢人盤	自瀋涉目(以)南
6793	矢人盤	目(以)陟、二封
6793	矢人盤	陟雩叡sh𨻰目(以)西
6793	矢人盤	目(以)東封于mk東彊右
6793	矢人盤	目(以)南封于qx逨道
6793	矢人盤	目(以)西至于难莫
6793	矢人盤	道目(以)東、一封
6793	矢人盤	還、目(以)西一封
6793	矢人盤	降目(以)南封于同道
6815	亞醜者姛匜	[亞醜]者始目大子尊匜
6877	𠑇乍旅盉	女敢目(以)乃師訟
6877	𠑇乍旅盉	乃師或目(以)女告
6877	𠑇乍旅盉	乃目(以)告吏𠑇吏曶于會
6887	𨚕陵君王子申鐳	目(以)祀皇祖
6887	𨚕陵君王子申鐳	目(以)會父兄
6908	郐宜同歈盂	目(以)__妹
6925	晉邦盦	目(以)答皇鄉
7026	邾𠦪鐘	目(以)乍其皇且皇考
7027	邾公釛鐘	揚君靈、君目(以)萬年
7051	子璋鐘一	用匽目(以)喜
7052	子璋鐘二	用匽目(以)喜
7053	子璋鐘三	用匽目(以)喜

7054	子璋鐘四	用匽目(以)喜
7055	子璋鐘五	用匽目(以)喜
7056	子璋鐘六	用匽目(以)喜
7057	子璋鐘八	用匽目(以)喜
7121	郐王子旃鐘	目(以)臨盟祀
7121	郐王子旃鐘	目(以)樂嘉賓
7121	郐王子旃鐘	兼目(以)父兄庶士
7121	郐王子旃鐘	目(以)宴目(以)喜
7124	沇兒鐘	歔目(以)匽目(以)喜
7124	沇兒鐘	目(以)樂嘉賓
7136	郘鐘一	我目(以)享孝樂我先且
7136	郘鐘一	目(以)祈釁壽
7136	郘鐘一	永目(以)為寶
7137	郘鐘二	我目(以)享孝樂我先且
7137	郘鐘二	目(以)祈釁壽
7138	郘鐘三	我目(以)享孝樂我先且
7138	郘鐘三	目(以)祈釁壽
7138	郘鐘三	永目(以)為寶
7139	郘鐘四	我目(以)享孝樂我先且
7139	郘鐘四	目(以)祈釁壽
7139	郘鐘四	永目(以)為寶
7140	郘鐘五	我目(以)享孝樂我先且
7140	郘鐘五	目(以)祈釁壽
7140	郘鐘五	永目(以)為寶
7141	郘鐘六	我目(以)享孝樂我先且
7141	郘鐘六	目(以)祈釁壽
7141	郘鐘六	永目(以)為寶
7142	郘鐘七	我目(以)享孝樂我先且
7142	郘鐘七	目(以)祈釁壽
7143	郘鐘八	我目(以)享孝樂我先且
7143	郘鐘八	目(以)祈釁壽
7144	郘鐘九	我目(以)享孝樂我先且
7144	郘鐘九	目(以)祈釁壽
7145	郘鐘十	我目(以)享孝樂我先且
7145	郘鐘十	目(以)祈釁壽
7146	郘鐘十一	我目(以)享孝樂我先且
7146	郘鐘十一	目(以)祈釁壽
7147	郘鐘十二	我目(以)享孝樂我先且
7147	郘鐘十二	目(以)祈釁壽
7148	郘鐘十三	我目(以)享孝樂我先且
7148	郘鐘十三	目(以)祈釁壽
7149	郘鐘十四	我目(以)享孝樂我先且
7149	郘鐘十四	目(以)祈釁壽
7164	瘐鐘七	武王則令周公舍寓目(以)五十頌處
7177	秦公及王姬編鐘一	目(以)虩事繺方
7177	秦公及王姬編鐘一	目(以)受多福
7177	秦公及王姬編鐘一	目(以)康奠協朕或
7178	秦公及王姬編鐘二	目(以)匽皇公
7178	秦公及王姬編鐘二	目(以)受大福
7209	秦公及王姬鎛	目(以)虩事繺方

目
以

7209	秦公及王姬鎛	目(以)受多福
7209	秦公及王姬鎛	目(以)康奠䜌朕或
7209	秦公及王姬鎛	目(以)匽皇公
7209	秦公及王姬鎛	目(以)受大福
7210	秦公及王姬鎛二	目(以)虩事蠻方
7210	秦公及王姬鎛二	目(以)受多福
7210	秦公及王姬鎛二	目(以)康奠䜌朕或
7210	秦公及王姬鎛二	目(以)匽皇公
7210	秦公及王姬鎛二	目(以)受大福
7211	秦公及王姬鎛三	目(以)虩事蠻方
7211	秦公及王姬鎛三	目(以)受多福
7211	秦公及王姬鎛三	目(以)康奠䜌朕或
7211	秦公及王姬鎛三	目(以)匽皇公
7211	秦公及王姬鎛三	目(以)受大福
7212	秦公鎛	目(以)受多福
7212	秦公鎛	目(以)卲格孝享
7212	秦公鎛	目(以)受屯魯多釐
7220	喬君鉦	喬君淲虘與朕目(以)wL
7554	楚王酓璋戈	目(以)卲昜文武之戊(茂)用
7723	__公劍	其目(以)作為用元劍
7741	越王劍	目(以)俟君子
7744	工歔太子劍	目(以)用目(以)獲
7761	郘大叔斧一	郘大叔目(以)新金為貣車之斧十
7884	五年司馬權	目(以)__禾石
7886	新郪虎符	用兵五十人目(以)上
7887	杜虎符	用兵五十人目(以)上
7975	中山王墓兆域圖	從丘欧目至內宮六步
7975	中山王墓兆域圖	從丘欧目至內宮六步
7975	中山王墓兆域圖	從丘欧目至內宮六步
7975	中山王墓兆域圖	從丘欧目至內宮六步
7975	中山王墓兆域圖	從丘欧目至內宮六步
7975	中山王墓兆域圖	從丘欧目至內宮六步
7975	中山王墓兆域圖	從內宮目至中宮卅步
7975	中山王墓兆域圖	從內宮目至中宮卅步
7975	中山王墓兆域圖	從內宮目至中宮卅六步
M160	□貯段	隹巢來钕王令東宮追目六自之年
M545	配兒勾鑃	目宴賓客
M545	配兒勾鑃	目樂我者父
M553	越王者旨於賜鐘	目樂□□
M553	越王者旨於賜鐘	其目鼓之
M612	鄦子鐘	鄦子__目羼其吉金
M612	鄦子鐘	用匽目喜
M883	中山侯鉞	目敬氒眾

小計：共 324 筆

以 2395+

2857	牧段	以今既司匐氒辠召故

小計：共 1 筆

2396

1317	善夫山鼎	山，今女官嗣歙獻人于晃

小計：共 1 筆

2397

1172	征人乍父丁鼎	丙午天君鄉Gz酉才斤
1175	白鮮乍旅鼎一	隹正月初吉庚午
1176	白鮮乍旅鼎二	隹正月初吉庚午
1177	白鮮乍旅鼎三	隹正月初吉庚午
1210	寏_鼎	庚午王命寏_省北田四品
1216	貿鼎	隹十又二月初吉壬午
1219	戍嗣子鼎	丙午、王賞戍嗣貝廿朋
1244	瘨鼎	隹三年四月庚午
1259	都公鼒鼎	既死霸壬午
1273	師湯父鼎	隹十又二月初吉丙午
1274	哀成弔鼎	正月庚午、嘉曰
1276	_季鼎	隹五月既生霸庚午
1278	十五年趞曹鼎	隹十又五年五月既生霸壬午
1304	王子午鼎	王子午羼其吉金
1308	白晨鼎	隹王八月辰才丙午
1958	庚午鑄毀	庚午鑄
2516	鄧公餗毀	鄧公午□自乍餗毀
2598	燮乍宮仲念器	隹八月初吉庚午
2635	賢毀一	唯九月初吉庚午
2636	賢毀二	唯九月初吉庚午
2637	賢毀三	唯九月初吉庚午
2638	賢毀四	唯九月初吉庚午
2681	鄦侯毀	隹五年正月丙午
2682	陳侯午毀	陳侯午台群者侯□鑄乍皇妣□大妃祭器
2695	㽙兒毀	隹正月初吉甲午
2733	何毀	隹三月初吉庚午
2743	虢毀	唯王正月辰才甲午
2744	五年師旋毀一	隹王五年九月既生霸壬午
2745	五年師旋毀二	隹王五年九月既生霸壬午
2767	虘毀一	正月既望甲午
2786	縣妃毀	隹十又二月既望辰才壬午
2979	弔朕自乍薦匿	隹十月初吉庚午
2979.	弔朕自乍薦匿二	十月初吉庚午
2982.	甲午匿	佳甲午八月丙寅
2986	曾白桼旅匿一	隹王九月初吉庚午
2987	曾白桼旅匿二	隹王九月初吉庚午
3061	弭弔旅盨	隹五月既霸庚午
3097	陳侯午錞錞一	陳侯午台群者侯獻金
3098	陳侯午錞錞二	陳侯午台群者侯獻金
3099	十年陳侯午臺（器）	陳侯午朝群邦者侯于齊

午未

4878	召尊	隹九月才炎自、甲午
4882	匽乍文考日丁尊	隹四月初吉甲午
4885	效尊	隹四月初吉甲午
5492	亞獏四祀邲其卣	遘乙昱日丙午、才𨜶
5496	召卣	唯九月才炎自、甲午
5497	農卣	隹正月甲午、王才s2広
5507	乍冊䰧卣	雩四月既生霸庚午
5511	效卣一	隹四月初吉甲午
5574	女姬罍	啟兄午匚帚
5726	華母𩰫壺	隹正月初吉庚午
5775	蔡公子壺	隹正月初吉庚午
5793	幾父壺一	隹五月初吉庚午
5794	幾父壺二	隹五月初吉庚午
6770	𨜶白盤	隹正月初吉庚午
6773	＿湯弔盤	隹正月初吉壬午
6784	三十四祀盤（裸盤）	隹王卅又四祀唯五月既望戊午
6865	楚𧍻匜	隹王正月初吉庚午
6869	浮公之孫公父宅匜	唯王正月初吉庚午
6870	寬公孫𢥐父匜	隹正月初吉庚午
6923	庚午𥂴	隹正九月初吉庚午
6924	江仲之孫白戔𨌲𥂴	隹八月初吉庚午
7026	邾弔鐘	隹王六初吉壬午
7108	𪈁弔之仲子平編鐘一	隹正月初吉庚午
7109	𪈁弔之仲子平編鐘二	隹正月初吉庚午
7110	𪈁弔之仲子平編鐘三	隹正月初吉庚午
7111	𪈁弔之仲子平編鐘四	隹正月初吉庚午
7735	少虡劍一	吉日壬午
7736	少虡劍二	吉日壬午
7871	子禾子釜一	稷月丙午
7874	蔡太史鈚	隹王正月初吉壬午
M361	井伯南㲃	隹八月初吉壬午
M545	配兒勾鑃	□□□初吉庚午
M773	鄧子午鼎	鄧子午之飤𩰫

小計：共　73 筆

未　2398

0645	天黿婦于未鼎一	［天黽］婦于未
0646	天黿婦于未鼎二	［天黽］婦于未
0961	乙未鼎	乙未王賞貝始□□□在寢
1117	豐乍父丁鼎	乙未、王商宗庚豐貝二朋
1266	郘公平侯鬲一	隹郘八月初吉癸未
1267	郘公平侯鬲二	隹郘八月初吉癸未
1271	史獸鼎	十又一月癸未
1326	多友鼎	癸未、戎伐笱、衣孚
1331	中山王礜鼎	寡人幼童未甬（通）智
2409	㚸父丁㲃	辛未吏□易㚸貝十朋
2515	小子𠭯乍父丁㲃	乙未卿旋易小子𠭯貝二百
2671	利㲃	辛未

2707	小臣守𣪕一	隹五月既死霸辛未
2708	小臣守𣪕二	隹五月既死霸辛未
2709	小臣守𣪕三	隹五月既死霸辛未
2828	宜侯夨𣪕	隹四月辰才丁未
2841	茾白𣪕	己未、王命中到歸茾白or裘
3100	𨹟侯因𬯀錞	隹正六月癸未
4202.	＿爵	乙未王賫(賞貝合文)㚸母申才寢
4240	亞未乍父辛角	丁未𢦏商征貝
4405	宁未父乙冊盉	父乙[宁未冊]
4893	夨令尊	隹十月月吉癸未
4971	＿乍父癸方彝(蓋)	癸未王才圃雚京
4981	𩁹冊令方彝	隹十月月吉癸未
5492	亞獏四祀𠨘其卣	丁未、m8
5795	白克壺	隹十又六年七月既生霸乙未
6165	犬未父辛觚	[犬未]父辛
6785	守宮盤	隹正月既生霸乙未
7038	應侯見工鐘一	辛未王各于康
7738	十七年相邦春平侯劍	邦左庫□工帀□戊未□冶執齊
		小計：共　30 筆

未申

2399

0656	子申父己鼎	子申父己
1191	堇乍大子癸鼎	庚申、大保賞堇貝
1195	戜弔朕鼎一	隹八月初吉庚申
1196	戜弔朕鼎二	隹八月初吉庚申
1197	戜弔朕鼎三	隹八月初吉庚申
1218	𢐗兒鼎	隹正八月初吉壬申
1225	𥫞大史申鼎	郘安(申)之孫𥫞(筥)大吏申
1234	旅鼎	才十又一月庚申
1268	梁其鼎一	隹五月初吉壬申
1269	梁其鼎二	隹五月初吉壬申
1312	此鼎一	用享孝于文申(神)用
1313	此鼎二	用享孝于文申(神)
1314	此鼎三	用享孝于文申(神)、用丐𩓥壽
1326	多友鼎	甲申之辰搏于郗
1327	克鼎	䪷孝于申
2568	＿玗乍父辛𣪕	隹八月甲申、公中才宗周
2570	榮𣪕	隹正月甲申榮各
2584	邗正衛𣪕	五月初吉甲申
2588	毛关𣪕	隹大月初吉丙申
2644	命𣪕	隹十又一月初吉甲申
2661	競𣪕一	隹六月既死霸壬申
2662	競𣪕二	隹六月既死霸壬申
2732	曾仲大父蛕𣪕	唯五月既生霸庚申
2773	即𣪕	隹王三月初吉庚申
2784	申𣪕	益公內右申中廷
2784	申𣪕	王命尹冊命申更乃且考
2784	申𣪕	申敢對揚天子休令
2784	申𣪕	申其萬年用

申

2818	此段一	用享孝于文申
2819	此段二	用享孝于文申
2820	此段三	用享孝于文申
2821	此段四	用享孝于文申
2822	此段五	用享孝于文申
2823	此段六	用享孝于文申
2824	此段七	用享孝于文申
2825	此段八	用享孝于文申
2852	不嬰段一	唯九月初吉戊申
2853	不嬰段二	唯九月初吉戊申
2907	王子申匿	王子申乍嘉嬭
2934	曾子遷彝匿	隹九月初吉庚申
2942	楚子＿臥匿一	隹八月初吉庚申
2943	楚子＿臥匿二	隹八月初吉庚申
2944	楚子＿臥匿三	隹八月初吉庚申
3070	杜白盨一	其用享孝于皇申且考、于好倗友
3071	杜白盨二	其用享孝于皇申且考、于好倗友
3072	杜白盨三	其用享孝于皇申且考、于好倗友
3073	杜白盨四	其用享孝于皇申且考、于好倗友
3074	杜白盨五	其用享孝于皇申且考、于好倗友
3112	郳陵君王子申豆一	郳陵君王子申
3113	郳陵君王子申豆二	郳陵君王子申
4108	乳申乍寶爵	埶申乍寶
4202.	＿＿爵	乙未王賚(賞貝合文)婀母申才寢
4241	箙亞＿乍父癸角	丙申王易箙亞Jb奚貝、才
4242	庸冊宰椃乍父丁角	庚申、王才闌
4888	盠駒尊一	隹王十又三月、辰才甲申
4893	矢令尊	隹八月、辰才甲申
4893	矢令尊	甲申、明公用牲于京宮
4981	犅冊令方彝	隹八月、辰才甲申
4981	犅冊令方彝	甲申、明公用牲于京宮
5509	楚卣	辰才庚申
5510	乍冊嗌卣	用乍大禦于卒且考父母多申
5787	沕其壺一	隹五月初吉壬申
5788	沕其壺二	隹五月初吉壬申
6766	黃韋俞父盤	隹元月初吉庚申
6877	儆乍旅盉	隹三月既死霸甲申
6887	郳陵君王子申鑑	郳陵君王子申
6906	王子申盞盂	王子申乍嘉嬭盞盂
7045	□□自乍鐘一	隹王正月初吉庚申
7135	逆鐘	仕王元年三月既生霸庚申
7202	楚公逆鎛	隹八月甲申
7542	廿四年右馬令戈	廿四年申陰令右庫工帀蔑冶豎
7684	□命劍	子申□省尹命
M706	曾侯乙編鐘下一・二	其才𧼈(申)號為遲則
M711	曾侯乙編鐘下二・四	其才𧼈(申)號為遲則
M743	曾侯乙編鐘中三・四	妥賓之才𧼈(申)號為遲則
M746	曾侯乙編鐘中三・七	其才𧼈(申)號為遲則

小計：共 76 筆

2400

J232	聿臾鼎	聿臾
7059	師臾鐘	師臾肁乍朕剌且虢季宄公幽弔
7059	師臾鐘	師臾其萬年永寶用享

小計 :共 3 筆

2401

0238	酉乙鼎	[酉]乙
0578	亞酉父丁鼎	[亞酉]父丁
1172	征人乍父丁鼎	丙午天君鄉Gz酉才斤
1187	員乍父甲鼎	唯正月既望癸酉
1248	庚贏鼎	隹廿又二年四月既望己酉
1249	寓鼎	隹九月既生霸辛酉、才匽
1299	噩侯鼎一	王宴、畬酉
1326	多友鼎	丁酉、武公在獻宮
1328	盂鼎	酉無敢醺(酖)
1328	盂鼎	率肄于酉(酒)
1329	小字盂鼎	三ナ(左)三右多君入服酉
1329	小字盂鼎	大采、三□入服酉
1329	小字盂鼎	雩若昱乙酉
1329	小字盂鼎	□三事□□入服酉
1330	曶鼎	隹王四月既生霸、辰才丁酉
1330	曶鼎	迺卑□目旨(曶)酉彶羊
1504	奠師□父鬲	隹五月初吉丁酉
1781	亞保酉毀	[亞保酉]
1810	戈酉毀一	[戈酉]
1811	戈酉毀二	[戈酉]
1959	酉父癸毀	[酉]父癸
2599	宰甫毀	王鄉酉
2734	適毀	王鄉酉、適御亡遣
2736	師遽毀	隹王三祀四月既生霸辛酉
2803	師酉毀一	右師酉立中廷
2803	師酉毀一	王乎史牆冊命師酉
2803	師酉毀一	師酉拜韻首
2803	師酉毀一	酉其萬年子子孫孫永寶用
2804	師酉毀二	右師酉立中廷
2804	師酉毀二	王乎史牆冊命師酉
2804	師酉毀二	師酉拜韻首
2804	師酉毀二	酉其萬年子子孫孫永寶用 (蓋)
2804	師酉毀二	右師酉立中廷
2804	師酉毀二	王乎史牆冊命師酉
2804	師酉毀二	師酉拜韻首
2804	師酉毀二	酉其萬年子子孫孫永寶用 (器)
2805	師酉毀三	右師酉立中廷
2805	師酉毀三	王乎史牆冊命師酉
2805	師酉毀三	師酉拜韻首
2805	師酉毀三	酉其萬年子子孫孫永寶用

酉

2806	師酉𣪘四	右師酉立中廷
2806	師酉𣪘四	王乎史牆冊命師酉
2806	師酉𣪘四	師酉拜稽首
2806	師酉𣪘四	酉其萬年子子孫孫永寶用
2806.	師酉𣪘五	右師酉立中廷
2806.	師酉𣪘五	王乎史牆冊命師酉
2806.	師酉𣪘五	師酉拜稽首
2806.	師酉𣪘五	酉其萬年子子孫孫永寶用
2836	㦰𣪘	隹六月初吉乙酉、才堂(𠂤)自
3378	酉爵	[酉]
3779	酉父乙爵	[酉]父乙
3912	酉父辛爵	[酉]父辛
3913	酉父辛爵	[酉]父辛
4282	亞酉斝	[亞酉]
4318	酉父辛斝	[酉]父辛
4447	臣辰冊冊%乍冊父癸盉	才五月既望辛酉
4612	酉父癸尊	[酉]父癸
4788	亞䣓酉乍父乙尊	[亞䣓]酉乍父乙尊彝
4807	王子啟疆尊	王子啟疆自乍酉彝
4873	臣辰冊岢冊乍父癸尊	才五月既◻◻◻酉
4893	矢令尊	乙酉、用牲于康宮
4977	師遽方彝	隹正月既生霸丁酉
4981	矢冊令方彝	乙酉、用牲于康宮
5149	酉父己卣一	[酉]父己
5150	酉父己卣二	[酉]父己
5158	帚隻父庚卣	[帚隻]、父庚、父辛[酉]
5198	酉乍旅卣	酉乍旅
5492	亞獏四祀𠨍其卣	己酉、王才梌
5501	臣辰冊冊%卣一	才五月既望辛酉
5502	臣辰冊冊%卣二	才五月既望辛酉
5635	酉父己壺	[酉]父己
5773	陳喜壺	陳喜再立事歲pf月己酉
5786	旻季良父壺	用盛旨酉
5796	三年㾓壺一	鄉逆酉
5797	三年㾓壺二	鄉逆酉
5807	緻_君鉼	酉、炑、緻qm君刀鉼二ta
5816	奠義白𦉜	我酉既清
5826	國差𦉜	用實旨酉
5988	亞酉觚	[亞酉]
6634	郄王義楚祭耑	隹正月吉日丁酉
6908	郄宜同歓盂	隹正月初吉日己酉
6910	師永盂	公廼命酉(鄭)𤔲徒函父
6925	晉邦盦	媵盦四酉
7108	𦿊弔之仲子平編鐘一	台濼其大酉
7109	𦿊弔之仲子平編鐘二	台濼其大酉
7110	𦿊弔之仲子平編鐘三	台濼其大酉
7111	𦿊弔之仲子平編鐘四	台濼其大酉
7124	沇兒鐘	用盤歓酉
7316	酉癸戈	[酉冎]
7867.	龍_	亯月己酉之日

7868	商鞅方升	冬十二月乙酉
7894	鷹節二	句酉
7899	鄂君啟車節	適兔禾、適酉焚、適繁陽
		小計：共 93 筆

酉 2402 酒酉同字，參酉字條下

1328	盂鼎	率肄于酉（酒）
1332	毛公鼎	母（毋）敢qs于酒
		小計：共 2 筆

醴 2403

1301	大鼎一	王卿（饗）醴
1302	大鼎二	王卿（饗）醴
1303	大鼎三	王卿（饗）醴
2704	穆公段	夕鄉醴于□室
4977	師遽方彝	王才周康宮、鄉醴
5678	觴仲多醴壺	觴中多乍醴壺
5739	鄭楙弔賓父醴壺	鄭楙弔賓父乍醴壺
5751	白公父乍弔姬醴壺	白公父乍弔姬醴壺
5783	曾白陭壺	用自乍醴壺
5796	三年瘋壺一	王才鄭、鄉醴
5797	三年瘋壺二	王才鄭、鄉醴
		小計：共 11 筆

配 2404

1332	毛公鼎	配我有周
1332	毛公鼎	不巩先王配命
2834	㝬段	用配皇天
2985	陳逆簠一	台（以）乍氒元配季姜之祥器
2985.	陳逆簠二	台（以）乍氒元配季姜之祥器
2985.	陳逆簠三	台（以）乍氒元配季姜之祥器
2985.	陳逆簠四	台（以）乍氒元配季姜之祥器
2985.	陳逆簠五	台（以）乍氒元配季姜之祥器
2985.	陳逆簠六	台（以）乍氒元配季姜之祥器
2985.	陳逆簠七	台（以）乍氒元配季姜之祥器
2985.	陳逆簠八	台（以）乍氒元配季姜之祥器
2985.	陳逆簠九	台（以）乍氒元配季姜之祥器
2985.	陳逆簠十	台（以）乍氒元配季姜之祥器
3095	拍乍祀彝（蓋）	拍乍朕配平姬𩫖宮祀彝
3546	子配爵	子［配］
4881	䣄方尊	用夙夕配宗
4887	蔡侯𦅫尊	上下陟配
4887	蔡侯𦅫尊	敬配吳王
6788	蔡侯𦅫盤	上下陟配

酉
酒
醴
配

6788	蔡侯盤	敬配吳王
7116	南宮乎鐘	畯永保四方、配皇天
7176	㝬鐘	我隹司配皇天
7186	叔夷編鐘五	其配襄公之__
7189	叔夷編鐘八	其配襄公之__
7214	叔夷鎛	其配襄公之__
7862	配量	[配]
M545	配兒勾鑃	吳王□□□□□□子配兒曰
		小計：共　27 筆

酌　2405

6663	白公父金勺一	用獻用酌
		小計：共　1 筆

酢　2406

0817	王子臺鼎	王子臺自酢(乍)飤貞(鼎)
6634	郳王義楚祭耑	自酢(乍)祭耑
		小計：共　2 筆

牆　2407

5805	中山王方壺	牆(將)與吾君並立於世
7675	中山王墓兆域圖	大牆宮方百乇
		小計：共　2 筆

酓　2408

1003	楚王酓肯鉈鼎	楚王酓肯(胐)鑄鉈(匜)鼎
1005	楚王酓肯喬鼎	楚王酓胐吏鑄喬鼎
1115	楚王酓肯喬鼎	楚王酓胐乍鑄喬鼎
1231	楚王酓忓鼎一	楚王酓忓戰隻銅
1232	楚王酓忓鼎二	楚王酓忓戰隻銅
1242	方鼎	酓(歆)秦(酓)歆
1299	匽侯鼎一	王宴、酓西
2546	聖段	辛巳、王酓(歆)多亞聖喜京
2908	楚王酓肯匿一	楚王酓肯(胐)乍鑄金匿
2909	楚王酓肯匿二	楚王酓肯(胐)乍鑄金匿
2910	楚王酓肯匿三	楚王酓肯(胐)乍鑄金匿
5509	𤞷卣	王酓(歆)西宮、烝、咸
5666	白乍姬酓壺	白乍姬酓(歆)壺
5672	白彧壺	白彧乍酓(歆)壺
J3610	鄱伯酓匜	(拓本未見)
J3614	番伯酓匜	隹番白酓自它
6723	楚王酓肯盤	楚王酓肯乍為鑄盤

6776	楚王酓忎盤	楚王酓忎戰隻兵銅
7017	楚王酓章鐘一	楚王酓章乍曾侯乙宗彝
7201	楚王酓章乍曾侯乙鎛	楚王酓章乍曾侯乙宗彝
7554	楚王酓璋戈	楚王酓璋嚴龔寅乍su戈
7711	楚王酓章劍	楚王酓章為從士鑄

小計：共 22 筆

彡 2409

1101	亞受乍父丁方鼎	戊寅王jbsx馬彭、易貝
1208	乙亥乍父丁方鼎	王饗彭、尹pa避
4788	亞醜酉乍父乙尊	[亞醜]酉〈 彭 〉乍父乙尊彝
4892	麥尊	王客莽京彭祀
M191	繁卣	公彭祀
M191	繁卣	公啻(禘)彭辛公祀

小計：共 6 筆

夕 2410

1505	番君酌白鼎	隹番君酌白自乍寶鼎

小計：共 1 筆

戈 2411

1810	戈酉𣪘一	[酨]
1811	戈酉𣪘二	[酨]
5460	酨御乍父己卣	酨、辛巳、王易馭(御)八貝一具
5460	酨御乍父己卣	酨、辛巳、王易馭(御)八貝一具
6435	酨父乙觶	[酨]父乙

小計：共 5 筆

2412

1206	旟鼎	師㭬酤兄

小計：共 1 筆

2413

5805	中山王嚳方壺	飤于醒醣

小計：共 1 筆

2414

1328	盂鼎	酉無敢醻(酖)

酓
彭
酌
酨
酤
醒
醻

醒
醻
醾
酋
尊

		小計：共 1 筆
醒 2415		
1264	𧾧鼎	休朕皇君弗醒（忘）氒寶臣
		小計：共 1 筆
醻 2416		
2659	郾侯庫𣪕	休台馬醻皇民
5805	中山王嚳方壺	飤于醽醻
		小計：共 2 筆
醾 2417		
1318	晉姜鼎	用康醾
1328	盂鼎	無敢醾（醻）
		小計：共 2 筆
酋 2417+		
4382.	酋父戊盉	[酋]父戊
		小計：共 1 筆
尊 2418		
0456	成王方鼎	成王尊
0523	_乍尊方鼎	[c5]乍尊
0604	北白乍尊鼎	北白乍尊
0608	弔乍尊鼎	弔乍尊鼎
0634	乍寶尊彝鼎	乍寶尊彝
0671	乍父甲鼎	乍父甲尊彝
0677	乍父乙鼎	乍父乙尊彝
0696	醻鼎	醻乍寶尊彝
0697	遷鼎	遷乍寶尊彝
0698	丂隻鼎	丂隻乍尊彝
0701	散姬方鼎	散姬乍尊鼎
0713	立鼎	立乍寶尊彝
0716	小臣鼎	小臣乍尊彝
0717	旁攸乍尊諆鼎	旁攸乍尊諆
0725	□乍氒鼎	□乍氒尊彝
0734	㦰鼎	㦰乍氒尊貞（鼎）
0735	叔乍寶尊鼎一	叔乍寶尊彝
0736	叔乍寶尊鼎二	叔乍寶尊彝
0741	乍□鼎	乍□寶尊彝

0742	己方鼎	己乍寶尊彝
0745	犇鼎	犇乍旅尊鼎
0763	剌乍父庚鼎	剌乍父庚尊彝
0764	乍父辛方鼎	乍父辛寶尊彝
0767	田告乍母辛方鼎	田告乍母辛尊
0768	堇白乍旟鼎	堇白乍旅尊彝
0770	康侯丰鼎	康侯丰乍寶尊
0771	夨王方鼎蓋	夨王乍寶尊鼎
0772	白魚鼎	白魚乍寶尊彝
0773	雁公方鼎	雁公乍寶尊彝
0774	白卿鼎	白卿乍寶尊彝
0778	仲義父鼎一	中義父乍尊鼎
0779	仲義父鼎二	中義父乍尊鼎
0780	仲義父鼎三	中義父乍尊鼎
0781	弔旟鼎	弔旟(旅)乍寶尊鼎
0782	雁弔乍寶鼎	雁弔乍寶尊鼒
0783	鮮父鼎	鮮父乍寶尊彝
0785	才僁父鼎	才僁父乍尊彝
0787	考乍友父鼎	考乍友父尊鼎
0789	毌逘鼎一	[毌]逘乍寶尊彝
0790	毌逘鼎二	[毌]逘乍寶尊彝
0791	事戎鼎	吏戎乍寶尊鼎
0794	霸姞鼎	霸姞乍寶尊彝
0795	大保__鼎一	i4乍尊彝大保
0796	大保__鼎二	i4乍尊彝大保
0797	大保__鼎三	i4乍尊彝大保
0799	鬣鉰鼎	鬣鉰乍寶尊彝
0800	㚔乍__婦方鼎	乍h4婦尊彝[㚔]
0808	安父鼎	安父乍寶尊彝
0809	木乍父辛鼎	木乍父辛寶尊
0811	田農鼎	田農乍寶尊彝
0818	外弔鼎	外弔乍寶尊彝
0819	王乍仲姜鼎	王乍中姜寶尊
0823	__乍父癸方鼎	乍父癸尊彝[rr]
0824	隥白方鼎	隥白乍寶尊彝
0826	白指乍旟鼎	白指乍旅尊鼎
0828	𢿨史鼎	𢿨史乍考尊鼎
0834	鳥壬侜鼎	鳥壬侜乍尊彝
0836	㠱女鼎	㠱女尊彝[亞㠱]
0841	麔乍且乙鼎	麔乍且乙寶尊彝
0843	__乍父丁鼎	亞__乍父丁寶尊
0844	匽侯旨乍父辛鼎	匽侯旨乍父辛尊
0845	毌乍父癸鼎	[毌]乍父癸寶尊彝
0849	吹乍𡟰妊鼎	吹乍𡟰妊尊彝
0850	王乍垂姬鼎	王乍__姬寶尊鼎
0852	自乍隥仲方鼎一	自乍隥中寶尊彝
0853	自乍隥仲方鼎二	自乍隥中寶尊彝
0854	自乍隥仲方鼎三	自乍隥中寶尊彝
0855	自乍隥仲方鼎四	自乍隥中寶尊彝
0856	大保冊鼎	[冊]乍寶尊彝[大保]

尊

0860	__鼎	ne乍尊彝、用匄永福
0863	弓𩫖乍公尊鼎	乍公尊彝[𢏳]
0880	弔乍單公方鼎	弔乍單公寶尊彝
0882	王乍康季鬲	王乍康季寶尊鬲
0886	亞䣄季乍兄己鼎	[亞䣄]季乍兄己尊彝
0887	𢓊乍且丁鼎	𢓊乍且丁尊彝永寶
0888	咸妹早乍且丁鼎	咸𢼸乍且丁尊彝
0889	伯㦰方鼎	白㦰乍氒父寶尊彝
0890	堇臨乍父乙鼎	堇臨乍父乙寶尊彝
0891	堇臨乍父乙方鼎	堇臨乍父乙寶尊彝
0893	亞牧乍父辛鼎	乍父辛寶尊彝[亞牧]
0894	__乍父癸鼎	sb季乍父癸寶尊彝
0897	䠠𡚫乍父癸鼎	𡚫乍父癸寶尊彝[䠠]
0898	姞𥎦母鼎	姞𣍘(𥎦)母乍氒寶尊鼎
0899	弔具乍氒考鼎	弔具乍氒考寶尊彝
0900	季𨟻乍宮白方鼎	季𥂕(𨟻)乍宮白寶尊齍
0901	白六䢅方鼎	白六䢅乍祈寶尊齍
0902	弔__肇乍南宮鼎	弔sa肇乍南宮寶尊
0903	𤰔湆白鼎	[𤰔]湆白□乍寶尊彝
0904	旅日戊乍長鼎	乍長寶尊彝
0908	宥乍父辛鼎	宥乍父辛尊彝[亞俞]
0910	亞毫乍父乙方鼎	[亞弘]毫乍父乙尊彝
0912	北子乍母癸方鼎	北子乍母癸寶尊彝
0913	大保乍宗室鼎	大保乍宗室寶尊彝
0914	汝乍氒姑日辛鼎	汝乍氒姑日辛尊彝
0915	亞叀弜乍父辛鼎	[亞叀弜]乍父辛尊彝
0917	游鼎	游乍氒文考寶尊彝
0922	𨙶婦方鼎	[cm]己且丁父癸𨙶婦尊
0924	𦣻奪乍父丁鼎一	奪乍父丁寶尊彝[𦣻]
0925	𤔲乍且壬鼎	𤔲乍且壬寶尊彝□金
0926	䢔乍文父戊鼎	䢔乍文父戊尊彝[䶊冊]
0927	若㜏乍文嫛宗鼎	若㜏乍文嫛宗尊■彝
0932	木乍母辛鼎	乍母辛尊彝[木工冊]
0933	遂攸諆鼎	遂攸諆乍廟弔寶尊彝
0934	中斿父鼎	中斿父乍寶尊彝貞(鼎)[七五八]
0936	天黿𢼸𢿇乍丁侯鼎	𢼸𢿇乍丁侯尊彝[天黽]
0941	義仲方鼎	義中乍氒父周季尊彝
0950	羊甚諆臧鼎	甚諆臧聿乍父丁尊彝[羊]
0952	戈囧𦳣陶父辛鼎	戈囧𦳣陶乍父辛寶尊彝
0953	婦闟乍文姑日癸鼎	婦闟乍文姑日癸尊彝
0954	白__乍氒宗方鼎	白m0乍氒宗寶尊彝v8
0957	弔盂父鼎	弔盂父乍尊鼎其永寶用
0958	弔師父鼎	弔師父乍尊鼎其永寶用
0963	白旬乍尊鼎	白旬乍尊鼎萬年永寶用
0967	䠠____乍文父甲鼎	p5u3用乍文父甲寶尊彝[䠠]
0979	__君鼎	pl君婦媿霝乍旅尊鼎
0981	德鼎	用乍寶尊彝
0983(	羊庚鼎	La乍氒文考尸弔寶尊彝
0997	__父鼎一	用乍氒寶尊彝
0998	__父鼎二	用乍氒寶尊彝

0999	__父鼎三	用乍𠂻寶尊彝
1011	彥乍父丁鼎	用乍父丁尊彝
1012(	康紭鼎	La乍𠂻文考尸弔寶尊彝
1017	剌䵼鼎	剌䵼乍寶尊
1021	虢弔大父鼎	虢弔大父乍尊鼎
1026	奄望鼎	奄望聿乍寶尊鼎
1029	罴乍且乙鼎	用乍且乙尊[田告亞]
1033	榮子旅乍父戊鼎	榮子旅乍父戊寶尊彝
1036	史宜父鼎	史宜父乍尊鼎
1040	弔荼父鼎	弔荼父乍尊鼎
1041	且方鼎	用乍𠂻□□寶鬻尊鼎
1046	圉方鼎	用乍寶尊彝
1047	雝白鼎	雝白乍寶尊彝
1048	雝乍母乙鼎	雝乍母乙尊鼎
1058	復鼎	復用乍父乙寶尊彝[𠬝]
1059	旂乍父戊鼎	旂用乍父戊寶尊彝
1067	雁公方鼎一	雁公乍寶尊彝
1068	雁公方鼎二	雁公乍寶尊彝
1069	雁公方鼎三	雁公乍寶尊彝
1073	白鼎	乍帚寶鼎尊彝
1076	王伯姜鼎	王白姜乍季姬寶尊鼎
1086	內子仲□鼎	內子中□肇乍弔媿尊鼎
1089	女䙴方鼎	用乍䙴尊彝
1092	小臣建鼎	用乍寶尊彝
1095	函皇父鼎	圅(函)皇父乍琱妘尊ps鼎
1098	善夫白辛父鼎	善夫白辛父乍尊鼎
1099	仲旳父鼎	中旳父乍尊鼎
1101	亞受乍父丁方鼎	用乍父丁尊[亞受]
1104	辛中姬皇母鼎	辛中姬皇母乍尊鼎
1107	番仲吳生鼎	番中吳生乍尊鼎
1116	晉司徒白郜父鼎	晉嗣徒白郜父乍周姬寶尊鼎
1119	曆方鼎	曆肇對元德考友隹井乍寶尊彝
1123	伯夏父鼎	白夏父乍畢姬尊鼎
1129	寒姒好鼎	□事小子__乍寒姒(始)好尊鼎
1135	獻侯乍丁侯鼎	用乍丁侯尊彝[天黽]
1136	獻侯乍丁侯鼎二	用乍丁侯尊彝[天黽]
1137	匽侯旨鼎一	用乍姒(始)寶尊彝
1139	寓鼎	用乍尊彝
1141	善夫旅白鼎	善夫旅白乍毛中姬尊鼎
1144	__猷鼎	__猷乍朕考寶尊鼎
1148	龕姜白鼎一	龕姜白乍此羸尊鼎
1149	龕姜白鼎二	龕姜白乍此羸尊鼎
1150	小臣缶方鼎	缶用乍享大子乙家祀尊
1155	戜者乍旅鼎	用乍文考宮白寶尊彝
1156	毫鼎	用乍尊鼎
1158	小子__鼎	Jn用乍父己寶尊[𠬝]
1161	白吉父鼎	白吉父乍毅尊鼎
1162	乃子克鼎	用乍父辛寶尊彝
1164	旂乍文父日乙鼎	旂用乍文父日乙寶尊彝[𠬝]
1172	征人乍父丁鼎	用乍父丁尊彝[天黽]

尊

1184	德方鼎	用乍寶尊彝
1190	內史鼎	其萬年用為考寶尊
1191	堇乍大子癸鼎	用乍大子癸寶尊𩰬[句毌句]
1199	虢宣公子白鼎	虢宣公子白乍尊鼎
1200	散白車父鼎一	㪔白車父乍𨙶姞尊鼎
1201	㪔白車父鼎二	㪔白車父 乍𨙶姞尊鼎
1202	㪔白車父鼎三	㪔白車父乍𨙶姞尊鼎
1203	㪔白車父鼎四	㪔白車父乍𨙶姞尊鼎
1204	淮白鼎	淮白乍鄁__寶尊__
1205.	逋鼎	䵼乍文考胤白尊鼎(貞)
1209	㜻方鼎	用乍母己尊𩰬
1210	寗__鼎	用乍父乙尊[羊𦉍]
1213	師趛鼎一	文母聖姬尊
1214	師趛鼎二	文母聖姬尊
1221	井鼎	用乍寶尊鼎
1228	𣪘𣪕方鼎	用乍己公寶尊彝
1229	厚趠方鼎	趠用乍𠭯文考父辛寶尊齍
1230	師器父鼎	師器父乍尊鼎
1233	__鼎	用乍寶尊彝
1234	旅鼎	旅用乍父尊彝
1239	__鼎一	nt用乍𥨊公寶尊鼎
1240	__鼎二	nt用乍𥨊公寶尊鼎
1242	𦥑方鼎	用乍尊鼎
1245	仲師父鼎一	中師父乍季㚸𡚬(始)寶尊鼎
1246	仲師父鼎二	中師父乍季㚸𡚬(始)寶尊鼎
1247	函皇父鼎	函皇父乍琱娟般、盉尊器、鼎、𣪘具
1249	𡨦鼎	用乍召白父辛寶尊彝
1255	作冊大鼎一	用乍且丁寶尊彝[鳥𦉍]
1256	作冊大鼎二	用乍且丁寶尊彝[鳥𦉍]
1257	作冊大鼎三	用乍且丁寶尊彝[鳥𦉍]
1258	作冊大鼎四	用乍且丁寶尊彝[鳥𦉍]
1259	鄀公䜌鼎	下鄀䜌公諴乍尊鼎
1260	我方鼎	用乍父己寶尊彝
1261	我方鼎二	用乍父己寶尊彝
1262	㝉鼎	用乍朕文考釐弔尊鼎
1264	𧊒鼎	對揚、用乍寶尊
1266	鄀公平侯鼑一	鄀公平侯自乍尊鼑
1267	鄀公平侯鼑二	鄀公平侯自乍尊鼑
1268	梁其鼎一	梁其乍尊鼎
1269	梁其鼎二	梁其乍尊鼎
1270	小臣夌鼎	用乍季娟（妘）寶尊彝
1271	史獸鼎	用乍父庚永寶尊彝
1272	剌鼎	用乍黃公尊𩰫彝
1275	師同鼎	用鑄玆尊鼎
1279	中方鼎	𩰫父乙尊
1280	康鼎	用乍朕文考釐白寶尊鼎
1283	微䜌鼎	䜌乍朕皇考𩰫彝尊鼎
1285	㲋方鼎一	用乍寶𩰫尊鼎
1290	利鼎	用作朕文考__白尊鼎
1298	師旂鼎	旂對𠭯賀(貿?)于尊彝

尊

1299	䍃侯鼎一	__乍尊鼎
1300	南宮柳鼎	用乍朕剌考尊鼎
1305	師奎父鼎	用乍尊鼎
1306	無叀鼎	用乍尊鼎
1307	師望鼎	用乍朕皇考宄公尊鼎
1308	白晨鼎	用乍朕文考h8公宮尊鼎
1309	寰鼎	用乍朕皇考鄭白姬尊鼎
1310	鬲攸從鼎	从乍朕皇且丁公皇考叀公尊鼎
1311	師晨鼎	用乍朕文且辛公尊鼎
1312	此鼎一	用乍朕皇考癸公尊鼎
1313	此鼎二	用乍朕朕皇考癸公尊鼎
1314	此鼎三	用乍朕朕皇考癸公尊鼎
1315	善鼎	用乍宗室寶尊
1316	㦰方鼎	用乍文母日庚寶尊鼎彝
1316	㦰方鼎	用穆穆夙夜尊享孝妥福
1317	善夫山鼎	用乍朕皇考叔碩父尊鼎
1318	晉姜鼎	用乍寶尊鼎
1319	頌鼎一	皇母龏姒(始)寶尊鼎
1320	頌鼎二	皇母龏姒(始)寶尊鼎
1321	頌鼎三	生母龏姒(始)寶尊鼎
1323	師訊鼎	乍公上父尊于朕考虢季易父wu宗
1326	多友鼎	乍尊鼎
1329	小字盂鼎	征邦賓尊其旅服、東鄉
1332	毛公鼎	用乍尊鼎
1354	乍尊彝鬲	乍尊彝
1370	同姜尊鬲	同姜乍尊鬲
1371	鈴鬲	鈴乍寶尊彝
1374	虢弔尊鬲	虢弔乍尊鬲
1376	季貞尊鬲	季真乍尊鬲
1379	𣪘鬲	𣪘乍寶尊彝
1380	白__鬲	白uf乍尊彝
1398	季右父尊鬲	季右父乍尊鬲
1401	大乍rL鬲	大乍rL寶尊彝
1402	虢仲乍姞鬲一	虢中乍姞尊鬲
1403	虢仲乍姞鬲二	虢中乍姞尊鬲
1408	苟鬲	苟乍父丁尊盤
1411	□□母尊鬲	□□母乍寶尊鬲
1412	伽乍羲妣鬲	伽乍羲妣寶尊彝
1413	戒乍萶宮鬲	戒乍萶宮明尊彝
1416	吾乍滕公鬲	吾乍滕公寶尊彝
1426	叔皇父鬲	弔皇父乍中姜尊鬲
1429	魯姬乍尊鬲	魯姬乍尊鬲永寶用
1430.	伯窺父鬲	白窺父乍姞尊鬲
1433	召白毛尊鬲	召白毛乍王母尊鬲
1436	王白姜尊鬲一	王白姜乍尊鬲永寶用
1437	王白姜尊鬲二	王白姜乍尊鬲永寶用
1438	王白姜尊鬲三	王白姜乍尊鬲永寶用
1439	王白姜尊鬲四	王白姜乍尊鬲其萬年永寶用
1440	亞俞林𠮯鬲	林𠮯乍父辛寶尊彝[亞俞]
1441	𢦏弔慶父鼎	𢦏弔慶父乍弔姬尊鬲

尊

1446	白狺父乍井姬鬲	白狺父乍井姬季姜尊鬲
1447	弔霝鬲	弔霝乍己白父丁寶尊彝
1450	庚姬乍弔娊尊鬲一	庚姬乍弔娊尊鬲
1451	庚姬乍弔娊尊鬲二	庚姬乍弔娊尊鬲
1452	庚姬乍弔娊尊鬲三	庚姬乍弔娊尊鬲
1453	nu嫞鬲	nu嫞乍尊鬲
1456	京姜鬲	京姜年母乍尊鬲
1459	白上父乍姜氏鬲	白上父乍姜氏尊鬲
1460	奠羌白乍季姜鬲	鄭羌白乍季姜尊鬲
1463	呂王尊鬲	呂王乍尊鬲
1464	王乍姬口母女尊鬲	王乍姬口母尊鬲
1466	亞餘彝母辛鬲	用乍又(孚)母辛尊彝
1478	齊不趄鬲	齊不趄乍床白尊鬲
1479	召仲乍生妣奠鬲一	召中乍生妣尊鬲
1480	召仲乍生妣奠鬲二	召中乍生妣尊鬲
1484	邛叔鬲	邛弔𨥺乍其尊鬲
1485	白矩鬲	用乍父戊尊彝
1487	白先父鬲一	白先父乍𡚬尊鬲
1488	白先父鬲二	白先父乍𡚬尊鬲
1489	白先父鬲三	白先父乍𡚬尊鬲
1490	白先父鬲四	白先父乍𡚬尊鬲
1491	白先父鬲五	白先父乍𡚬尊鬲
1492	白先父鬲六	白先父乍𡚬尊鬲
1493	白先父鬲七	白先父乍𡚬尊鬲
1494	白先父鬲八	白先父乍𡚬尊鬲
1495	白先父鬲九	白先父乍𡚬尊鬲
1496	白先父鬲十	白先父乍𡚬尊鬲
1497	虢仲乍虢妃鬲	虢中乍虢改尊鬲
1500	_白鬲	口白乍弔姬尊鬲
1502	成白孫父鬲	成白孫父乍浠嬴尊鬲
1506	杜白乍弔嫞鬲	杜白乍叔嫞尊鬲
1507	善夫吉父乍京姬鬲一	善夫吉父乍京姬尊鬲
1508	善夫吉父乍京姬鬲二	善吉父乍京姬尊鬲
1512	虢白乍姬夨母鬲	虢白乍姬夨母尊鬲
1513	睽士父乍蓼妃鬲	睽士士父乍蓼改尊鬲
1514	白夏父乍畢姬鬲一	白夏父畢姬尊鬲
1515	白夏父乍畢姬鬲二	白夏父乍畢姬尊鬲
1516	白夏父乍畢姬鬲三	白夏父乍畢姬尊鬲
1517	白夏父乍畢姬鬲四	白夏父乍畢姬尊鬲
1518	白夏父乍畢姬鬲六	白夏父乍畢姬尊鬲
1519	白夏父乍畢姬鬲五	白夏父乍畢姬尊鬲
1520	奠白荀父鬲	奠白荀父乍弔姬尊鬲
1521	單白遽父鬲	單白遽父乍中姞尊鬲
1522	孟辛父乍孟姞鬲一	u0馬孟辛父乍孟姞寶尊鬲
1523	孟辛父乍孟姞鬲二	u0馬孟辛父乍孟姞寶尊鬲
1525	隮子奠白尊鬲	隮(鄫)子子奠白乍尊鬲
1526	琱生乍完仲尊鬲	琱生乍文考完中尊鷊
1527	薑先父鬲	薑先父乍姜姬尊鬲
1604	乍戲尊彝甗	乍戲尊彝
1607	丫射乍尊甗	[丫]射乍尊

尊

1609	雷甗	雷乍寶尊彝
1612	白盧甗	白盧乍尊彝
1617	鼎乍父乙甗	鼎乍父乙尊彝
1626	田農甗	田農乍寶尊彝
1629	應監甗	雁監乍寶尊彝
1630	伯矩甗	白矩乍寶尊彝
1631	師__方甗	師h2乍旅甗尊
1633	戣彊乍父乙甗	戣彊乍父乙尊彝
1637	乍父癸甗	乍父癸寶尊甗[am]
1642	尹白乍且辛甗	尹白乍且辛寶尊彝
1643	亞䣃諸女甗	[亞䣃]者母乍大子尊彝
1644	大史友乍召公甗	大史友乍召公寶尊彝
1649	冊𠬝乃子乍父辛甗	乃子乍父辛寶尊彝[冊𠬝]
1657	圉甗	用乍寶尊彝
1661	乍冊般甗	用乍父己尊[來冊]
1911	乍隣彝毁一	乍尊彝
1912	乍隣彝毁二	乍尊彝
1913	乍隣彝毁三	乍尊彝
1969	乍尊彝毁	乍尊彝
2017	乍母尊彝毁	乍母尊彝
2031	弔乍妃隣毁	弔乍姒(始)尊
2033	尹乍寶隣毁	尹乍寶尊
2043	乍寶隣彝毁	乍寶尊彝
2044	乍寶隣彝毁二	乍寶尊彝
2045	乍寶隣彝毁三	乍寶尊彝
2046	乍寶隣彝毁四	乍寶尊彝
2047	作寶隣彝毁五	乍寶尊彝
2048	乍寶隣彝毁六	乍寶尊彝
2062	乍旅毁	乍旅毁尊
2072	乍寶隣彝毁一	乍寶尊彝
2073	乍寶隣彝毁二	乍寶尊彝
2074	乍寶隣毁	乍寶尊毁
2093	弔乍寶隣彝毁一	弔乍寶尊彝
2094	弔乍寶隣彝毁二	弔乍寶尊彝
2095	王乍母癸隣毁	王乍母癸尊
2100	事父乍隣彝毁	吏父乍尊彝
2104	閣乍寶隣彝毁	閣乍寶尊彝
2105	__乍寶隣彝毁	nd乍寶尊彝
2106	从乍寶隣彝毁	从乍寶尊彝
2108	__乍寶彝毁	q8乍寶尊彝
2109	戔㚇乍尊彝毁	[戔]㚇乍尊彝
2110	乍姬寶隣彝毁	乍姬寶尊彝
2111	農乍寶隣彝毁	農乍寶尊彝[皇]
2128	文乍寶隣彝毁	文乍寶尊彝
2130	姜婦乍隣彝毁	姜婦乍尊彝
2131	乍尊車寶彝毁	乍尊車寶彝
2132	白乍寶尊毁	白乍寶尊毁
2133	御乍寶隣彝毁	御乍寶尊彝
2134	白乍寶隣彝毁一	白乍寶尊彝
2135	白乍寶隣彝毁二	白乍寶尊彝

尊

2136	白乍寶障彝毁三	白乍寶尊彝
2137	事父乍障彝毁	吏父乍尊彝
2140	朳乍尊彝㪔毁	朳乍尊彝[㪔]
2145	皿㝨毁	皿㝨乍尊彝
2163	壽乍父戊毁	壽乍父戊尊彝
2166	＿乍父己毁	[ef]乍父己尊彝
2169	埶乍父辛毁	埶乍父辛尊彝
2173	敳乍父癸毁	[敳]乍父癸尊彝
2174	白魚乍寶障毁	白魚乍寶尊彝
2175	白矩乍寶障毁	白矩乍寶尊彝
2177	白艖乍寶毁	白艖乍寶尊彝
2178	白丙乍寶毁	白㕤乍寶尊彝
2181	季保乍寶障毁	季㢑乍寶尊彝
2182	鼬㛒毁	鼬㛒乍寶尊彝
2183	㿝季乍寶毁	㿝季乍寶尊彝
2184	霸姞乍寶毁	霸姞乍寶尊彝
2185	安父乍寶毁	安父乍寶尊彝
2186	師高乍寶毁	師高乍寶尊毁
2187	𤔲㚸乍寶毁	𤔲始(㚸)乍寶尊彝
2189	㚄向乍㕹障毁一	向乍㕹尊彝[㚄]
2190	㚄向乍㕹障毁二	向乍㕹尊彝[㚄]
2193	艅白乍寶毁	艅白乍寶尊彝
2195	白魚乍寶毁一	白魚乍寶尊彝
2196	白魚乍寶毁二	白魚乍寶尊彝
2197	白魚乍寶毁三	白魚乍寶尊彝
2198	白魚乍寶毁四	白魚乍寶尊彝
2199	白矩乍寶毁一	白矩乍寶尊彝
2200	白矩乍寶毁二	白矩乍寶尊彝
2202	白乍寶用障彝毁一	白乍寶用尊毁
2203	白乍寶用障彝毁二	白乍寶用尊毁
2206	弔㹜乍寶障毁一	弔㹜乍寶尊毁
2207	弔虢乍寶障毁二	弔虢乍寶尊毁
2217	戚姬乍寶障毁	戚姬乍寶尊毁
2220	卜孟乍寶毁	卜孟乍寶尊彝
2221	田農乍寶毁	田農乍寶尊彝
2225	長甶乍寶毁一	長甶乍寶尊毁
2226	長甶乍寶毁二	長甶乍寶尊毁
2228	䨓弔乍寶毁	䨓弔乍寶尊彝
2229	＿乍乙毁	＿攸乍乙尊彝
2230	王乍姜氏障毁	王乍姜氏尊毁
2232	虘毁	虘乍父辛尊彝
2233	橿仲乍寶毁	橿中乍寶尊彝
2234	白乍乙公障毁	白乍乙公尊毁
2235	陵白乍寶毁	陵白乍寶尊彝
2236	㝬白乍寶毁	㝬白乍寶尊彝
2237	利毁	利乍寶尊𩰫彝
2239	㣈缶乍且癸毁	㣈缶乍且癸尊彝
2240	用毁	用乍父乙尊彝
2241	天禾乍父乙毁	天禾乍父乙尊彝

2244	__乍父戊寶毁	sw乍父戊寶尊彝
2245	廣乍父己毁	廣乍父己寶尊[旅]
2246	山知乍父乙毁	山知乍父乙尊彝
2248	延乍笒廿寶毁	延乍笒廿寶尊彝
2249	__乍皁考寶毁	__乍皁考寶尊彝
2250	八五一／堇白乍旅毁	堇白乍旅尊彝[八五一]
2251	比乍白婦__毁	比乍白婦tf尊彝
2252	伊生乍公女毁	伊生乍公女尊彝
2253	畢□毁	畢□□父□尊毁
2256	弔乍父丁毁	弔乍父丁寶尊彝
2257	哦乍父辛毁	哦乍父辛寶尊彝
2263	寧蚉乍甲始毁	寧蚉乍甲始尊毁
2265	皦乍寶毁	皦乍寶尊彝用餗
2266	自乍陧仲寶毁	自乍陧中寶尊彝
2270	垙乍父戊寶毁	垙乍父戊寶尊彝
2271	陸婦乍高姑毁	陸婦乍高姑尊彝
2273	衛乍父庚毁	衛乍父庚寶尊彝
2277	弔單毁	弔單乍義公尊彝
2280	亞高亣乍父癸毁	亞高亣乍父癸尊彝
2283	奘□乍癸毁	奘□乍且癸寶尊彝
2284	____乍父丁寶毁一	co乍父丁寶尊彝
2285	____乍父丁寶毁二	co乍父丁寶尊彝
2286	____乍父丁寶毁三	co乍父丁寶尊彝
2287	堇臨乍父乙毁	堇臨乍父乙寶尊彝
2288	圃田乍父己毁	田乍父己寶尊彝[卣]
2289	弜__乍父癸宗毁	q2乍父癸宗尊彝[弜]
2290	__黃乍父癸毁	[dw]黃乍父癸寶尊彝戈
2291	奘向乍父癸寶毁	向乍父癸寶尊彝[奘]
2292	集僣乍父癸毁一	集僣乍父癸寶尊彝
2293	集僣乍父癸毁二	集僣乍父癸寶尊彝
2294	倗万乍義妣毁	倗万乍義妣寶尊彝
2295	弍者乍宮白毁	弍者乍宮白寶尊彝
2296	子令乍父癸寶毁	子令乍父癸寶尊彝
2299	白乍皁謹子毁	白乍皁謹子寶尊彝
2301	□乍父癸寶毁	□乍父癸寶尊彝[旅]
2302	嚻季奞父毁	嚻(咢)季奞父乍寶尊彝
2304	旇嗣土□毁	旇嗣土□乍寶尊毁
2308	子邴乍父己毁	子邴乍父己寶尊彝
2309	__乍皁母毁	__乍皁母寶尊毁
2311.	__父毁	um父乍寶尊彝、父壬
2312	剳函乍且癸毁	剳函乍且戊寶尊彝狄(戰)
2313	騺辨乍父己毁一	辨乍文父己寶尊彝[騺]
2314	騺辨乍父己毁二	辨乍文父己寶尊彝[騺]
2315	騺辨乍父己毁三	辨乍文父己寶尊彝[騺]
2316	宒父丁毁	宒父丁尊彝[cc]
2317	趨子冉乍父庚毁	趨子冉乍父庚寶尊彝
2318	刊凼冀乍父癸毁	刊凼冀乍父癸寶尊彝
2319	嗣土嗣乍皁考毁	嗣土嗣乍皁丂(考)寶尊彝
2320	戕乍尊毁一	戕乍尊毁其壽考寶用
2321	戕乍尊毁二	戕乍尊毁其壽考寶用

尊

2322	庚姬乍𤔲女𣪘	庚姬乍𤔲母寶尊彝[𤰈]
2323	彔乍文考乙公𣪘	彔乍文考乙公寶尊𣪘
2326	師奐父乍弔姞𣪘	師奐父乍弔姞寶尊𣪘
2327	弔寇乍日壬𣪘	弔寇乍日壬寶尊彝[冎]
2328	師奐父乍季姞𣪘	師奐父乍季姞寶尊𣪘
2331	柀冊__乍丁癸𣪘	vovp乍丁癸尊彝[柀冊]
2335	告田乍且乙𧆨侯弔尊𣪘	乍且乙𧆨侯弔尊彝[告田]
2336	冊戈䍌鄧乍父辛𣪘	[戈䍌𦘕]鄧乍父辛尊彝
2340	弔𨨈父𣪘	弔𨨈父乍尊𣪘、其萬年用
2341	仲乍寶𣪘	中乍寶尊彝其萬年永用
2347	𢧚𣪕頁駒乍父乙𣪘	𣪕頁駒用乍父乙尊彝[𢧚]
2349	翼乍𠂤且𣪘	翼乍𠂤且寶尊彝[𦕒㱙]
2361	乍寶尊𣪘	乍寶尊𣪘
2364	𢓊𣪘	用乍寶尊彝
2383	侯氏𣪘	侯氏乍孟姬尊𣪘
2388	大保乍父丁𣪘	用乍父丁尊彝
2397	__乍父辛𣪘	G3乍父辛皇母匕乙寶尊彝
2398	𨙶弔山父𣪘一	𨙶弔山父乍𡢁姬尊𣪘
2399	𨙶弔山父𣪘二	𨙶弔山父乍𡢁姬尊𣪘
2400	𨙶弔山父𣪘三	𨙶弔山父乍𡢁姬尊𣪘
2403	遽白還𣪘	s4白睘乍寶尊彝
2404	效父𣪘一	用乍𠂤寶尊彝[五八六]
2405	效父𣪘二	用乍𠂤寶尊彝[五八六]
2406	五八六效父𣪘三	用乍𠂤寶尊彝[五八六]
2407	白閈乍尊𣪘一	白閈(闢)乍尊𣪘
2408	白閈乍尊𣪘二	白閈(闢)乍尊𣪘
2409	𡚬父丁𣪘	𡚬用乍父丁尊彝
2412	塍虎乍𠂤皇考𣪘一	塍(賸)虎敢肇乍𠂤皇考公命中寶尊彝
2413	塍虎乍𠂤皇考𣪘二	塍(賸塍)虎敢肇乍𠂤皇考公命中寶尊彝
2414	塍虎乍𠂤皇考𣪘三	塍(賸)虎敢肇乍𠂤皇考公命中寶尊彝
242.0	雁侯𣪘	雁侯乍姬原母尊彝
2421	冎宊𤔲乍父乙𣪘	用乍父乙寶尊彝[冎宊]
2430	倗白__尊𣪘	倗白__自乍尊𣪘
2431	__弔侯父乍尊𣪘一	弔侯父乍尊𣪘
2432	__弔侯父乍尊𣪘二	弔侯父乍尊𣪘
2433	害弔乍尊𣪘一	害弔乍尊𣪘
2434	害弔乍尊𣪘二	害弔乍尊𣪘
2446	亞古乍父己𣪘	用乍父己尊彝[亞古]
2447	白汈父乍嬶姞𣪘一	白汈父乍嬶姞尊𣪘
2448	白汈父乍嬶姞𣪘二	白汈父乍嬶姞尊𣪘
2449	白汈父乍嬶姞𣪘三	白汈父乍嬶姞尊𣪘
2451	過白𣪘	用乍宗室寶尊彝
2452	女䵼𣪘	用作䵼尊彝
2454	亢僕乍父己𣪘	亢僕乍父己尊𣪘
2455	彔乍文考乙公𣪘	彔乍𠂤文考乙公寶尊𣪘
2458	孟奠父𣪘一	孟奠父乍尊𣪘
2459	孟奠父𣪘二	孟奠父乍尊𣪘
2460	孟奠父𣪘三	孟奠父乍尊𣪘
2462	弔向父乍婞姛𣪘一	弔向父乍母辛姒(始)尊𣪘
2463	弔向父乍婞姛𣪘二	弔向父乍母辛姒(始)尊𣪘

2464	弔向父乍婞娼𣪘三	弔向父乍母辛㚸(始)尊𣪘
2465	弔向父乍婞娼𣪘四	弔向父乍母辛㚸(始)尊𣪘
2466	弔向父乍婞娼𣪘五	弔向父乍母辛㚸(始)尊𣪘
2468	齊癸姜尊𣪘	齊巫姜乍尊𣪘
2473	__乍皇母尊𣪘一	Je乍皇母尊𣪘
2474	__乍皇母尊𣪘二	Je乍皇母尊𣪘
2475	衛始𣪘	衛㚸(始)乍寶尊𣪘
2476	堇𣪘	堇乍父寶尊𣪘
2477	堇父丁𣪘	堇乍父丁寶尊𣪘
2483	量侯𣪘	量侯豺作寶尊𣪘
2484	伯緉父𣪘	白緉父乍周羌尊𣪘
2484.	矢王𣪘	矢王乍奠姜尊𣪘
2485	陵仲孝𣪘	陵中孝乍父日乙尊𣪘
2487	白𩋓乍文考幽仲𣪘	白𩋓(祈)父乍文考幽中尊𣪘
2501	旛嫼乍尊𣪘一	旛嫼乍尊𣪘
2502	旛嫼乍尊𣪘二	旛嫼乍尊𣪘
2503	旛嫼乍尊𣪘三	旛嫼乍尊𣪘
2508	攸𣪘	攸用乍父戊寶尊彝
2511	矢王𣪘	矢王乍奠姜尊𣪘
2515	小子野乍父丁𣪘	用乍父丁尊𣪘[契]
2517	是口乍乙公𣪘	是𦗽乍朕文考乙公尊𣪘
2521	姞氏自作𣪘	姞氏自牧(作)為寶尊𣪘
2525	寯叙𣪘	用乍且癸寶尊
2526	弔䢌𣪘	用乍寶尊彝
2529	豐井弔乍白姬𣪘	豐井弔乍白姬尊𣪘
2529.	__生𣪘	uw生乍寶尊𣪘、uw生其壽考萬年子孫永寶用
2530	𨑻姬乍父辛𣪘	𨑻姬乍父辛尊𣪘
2543	䜴敔𣪘	用乍父戊寶尊彝[吳]
2545	季𩰫乍井弔𣪘	季𩰫肇乍𠂤文考井弔寶尊彝
2550	兌乍弔氏𣪘	兌乍朕皇考弔𠂤尊𣪘
2551	弔角父乍宕公𣪘一	弔角父乍朕皇孝宄公尊𣪘
2552	弔角父乍宕公𣪘二	弔角父乍朕皇考宄公尊𣪘
2559	白中父𣪘	用乍𠂤寶尊𣪘
2560	吳彭父𣪘一	吳彭父乍皇且考庚孟尊𣪘
2561	吳彭父𣪘二	吳彭父乍皇且考庚孟尊𣪘
2562	吳彭父𣪘三	吳彭父乍皇且考庚孟尊𣪘
2563	德克乍文且考𣪘	德克乍朕文且考尊𣪘
2566	𡨦𣪘一	𡨦屖諆乍乙考尊𣪘
2567	𡨦𣪘二	𡨦屖諆乍乙考尊𣪘
2567.	戊寅𣪘	用乍父丁寶尊彝
2568	__豣乍父辛𣪘	用乍父辛尊彝[__]
2570	榮𣪘	用乍寶尊彝
2571	穌公子癸父甲𣪘	穌公子癸父甲乍尊𣪘
2571.	穌公子癸父甲𣪘二	穌公子癸父甲乍尊𣪘
2574	豐兮𣪘一	豐兮夷作朕皇考尊𣪘
2575	豐兮𣪘二	豐兮夷作朕皇考尊𣪘
2577	害客𣪘	害客乍朕文考日辛寶尊𣪘
2578	兮吉父乍仲姜𣪘	兮吉父乍中姜寶尊𣪘
2579	白喜乍文考剌公𣪘	白喜父乍朕文考剌公尊𣪘
2581	曹伯狄𣪘	曹白狄乍夙㚸公尊𣪘

尊

2584	㺇正衛毁	用乍父戊寶尊彝
2589	孫弔多父乍孟姜毁一	孫弔多父乍孟姜尊毁
2590	孫弔多父乍孟姜毁二	孫弔多父乍孟姜尊毁
2591	孫弔多父乍孟姜毁三	孫弔多父乍孟姜尊毁
2592	鄧公毁	用為夫人尊諆毁
2600	白䢅父毁	白䢅父乍朕皇考屖白吳姬尊毁
2603	白吉父毁	白吉父乍毅尊毁
2606	昜_乍父丁毁一	對乎休、用乍父丁尊彝
2607	昜_乍父丁毁二	用乍父丁尊彝
2609	笸小子毁一	徒用乍乎文考尊毁
2610	笸小子毁二	徒用乍乎文考尊毁
2611	田湆嗣土吳毁	湆司土吳眔啚乍乎考尊彝[田]
2621	雁侯毁	雁侯乍生杙姜尊毁
2622	琱伐父毁一	琱伐父乍交尊毁
2623	琱伐父毁二	琱伐父乍交尊毁
2623.	琱伐父毁	琱伐父乍交尊毁
2623.	琱伐父毁	琱伐父乍交尊毁
2624	琱伐父毁三	琱伐父乍交尊毁
2627	伊毁	用乍父丁尊彝
2628	畢鮮毁	畢鮮乍皇且益公尊毁
2633	相侯毁	告于文考、 用乍尊毁
2633.	食生走馬谷毁	唯食生走馬谷自乍吉金用尊毁
2639	逋毁	逋乍朕文考胤白尊毁
2640	弔皮父毁	眔朕文母季姬尊毁
2641	伯椃虘毁一	伯椃虘肇乍皇考剌公尊毁
2642	伯椃虘毁二	伯椃虘肇乍皇考剌公尊毁
2644.	伯椃虘毁	白椃虘肇乍皇考剌公尊毁
2646	仲辛父毁	皇考日癸尊毁
2647	魯士商叡毁	魯士商叡肇乍朕皇考弔猒父尊毁
2648	仲叡父毁一	壬母遟姬尊毁
2649	仲叡父毁二	壬母遟姬尊毁
2650	仲叡父毁三	壬母遟姬尊毁
2652	_毁	p6乍文且考尊寶毁
2653.	弔_孫父毁	弔_孫父乍孟姜尊毁
2654	𢍉乍文父丁毁	□□用乍文父丁尊彝
2655	小臣靜毁	用乍父丁寶尊彝
2656	師害毁一	師害乍文考尊毁
2657	師害毁二	師害乍文考尊毁
2661	競毁一	用乍父乙寶尊彝毁
2662	競毁二	用乍父乙寶尊彝毁
2666	鑄弔皮父毁	乍鑄弔皮父尊毁
2667	尌仲毁	尌中乍朕皇考趄中䵼彝尊毁
2671	利毁	用乍旃公寶尊彝
2673	□弔買毁	ky弔買自乍尊毁
2674	弔妣毁	弔妣乍寶尊毁
2678	函皇父毁一	盤、盉、尊器、毁、鼎
2679	函皇父毁二	盤、盉、尊器、毁、鼎
2680	函皇父毁三	盤、盉、尊器、毁、鼎
2680.	函皇父毁四	盤、盉、尊器、毁、鼎
2688	大毁	用乍朕皇考大中尊毁

2690.	相侯毁	用乍尊毁
2691	善夫梁其毁一	皇母惠[illegible]尊毁
2692	善夫梁其毁二	皇母惠[illegible]尊毁
2694	𢊁乍且考毁	用乍且考寶尊彝
2695	[illegible]兒毁	皇考季氏尊毁
2699	公臣毁一	用乍尊毁
2700	公臣毁二	用乍尊毁
2701	公臣毁三	用乍尊毁
2702	公臣毁四	用乍尊毁
2706	鄀公敄人毁	上鄀公敄人乍尊毁
2711.	乍冊般毁	用乍父丁寶尊彝
2712	虢姜毁	虢姜乍寶尊毁
2721	南毁	用乍尊毁季姜
2723	沓毁	用乍[illegible]文考尊毁
2724	𩫖白[illegible]毁	用乍朕文考寶尊毁
2727	蔡姞乍尹弔毁	蔡姞乍皇兄尹弔尊[illegible]彝
2731	小臣宅毁	用乍乙公尊彝
2734	遹毁	用乍文考父乙尊彝
2736	師遽毁	用乍文考旄弔尊毁
2738	衛毁	用乍朕文且考寶尊毁
2739	無𠭯毁一	無𠭯用乍朕皇且釐季尊毁
2740	無𠭯毁二	無𠭯用乍朕皇且釐季尊毁
2741	無𠭯毁三	無𠭯用乍朕皇且釐季尊毁
2742	無𠭯毁四	無𠭯用乍朕皇且釐季尊毁
2742.	無𠭯毁五	無𠭯用乍朕皇且釐季尊毁
2742.	無𠭯毁五	無𠭯用乍朕皇且釐季尊毁
2746	追毁一	用乍朕皇且考尊毁
2747	追毁二	用乍朕皇且考尊毁
2748	追毁三	用乍朕皇且考尊毁
2749	追毁四	用乍朕皇且考尊毁
2750	追毁五	用乍朕皇且考尊毁
2751	追毁六	用乍朕皇且考尊毁
2760	小臣謎毁一	用乍寶尊彝
2761	小臣謎毁二	用乍寶尊彝
2762	免毁	用乍尊毁
2763	弔向父禹毁	乍朕皇且幽大弔尊毁
2768	楚毁	用乍尊毁
2769	師𤔲毁	弭白用乍尊毁
2774	臣諫毁	令𨑶服乍朕皇文考寶尊
2774.	南宮弔毁	用乍尊彝
2776	走毁	用自乍寶尊毁
2777	天亡毁	每揚王休于尊毁
2783	趞毁	用乍季姜尊彝
2784	申毁	用乍朕皇考孝孟尊毁
2785	王臣毁	用乍朕文考易中尊毁
2788	靜毁	用乍文母外姞尊毁
2789	同毁一	用乍朕文丂叀中尊寶毁
2790	同毁二	用乍朕文丂叀中尊寶毁
2791.	史密毁	用乍朕文考乙白尊毁
2793	元年師旋毁一	用乍朕文且益中尊毁

尊

尊

2794	元年師旋𣪘二	用乍朕文且益中尊𣪘
2795	元年師旋𣪘三	用乍朕文且益中尊𣪘
2796	諫𣪘	用乍朕文考叀公尊𣪘
2796	諫𣪘	用乍朕文考叀公尊𣪘
2798	師瘨𣪘一	用乍朕文考外季尊𣪘
2799	師瘨𣪘二	用乍朕文考外季尊𣪘
2803	師酉𣪘一	用乍朕文考乙白宄姬尊𣪘
2804	師酉𣪘二	用乍朕文考乙白宄姬尊𣪘
2804	師酉𣪘二	用乍朕考乙白宄姬尊𣪘
2805	師酉𣪘三	用乍朕文考乙白宄姬尊𣪘
2806	師酉𣪘四	用乍朕文考乙白宄姬尊𣪘
2806.	師酉𣪘五	用乍朕文考乙白宄姬尊𣪘
2807	鄦𣪘一	鄦用乍朕皇考龏白尊𣪘
2808	鄦𣪘二	鄦用乍朕皇考龏白尊𣪘
2809	鄦𣪘三	鄦用乍朕皇考龏白尊𣪘
2812	大𣪘一	用乍朕皇考剌白尊𣪘
2813	大𣪘二	用乍朕皇考剌白尊𣪘
2814	鳥冊夨令𣪘一	乍冊夨令尊俎于王姜
2814	鳥冊夨令𣪘一	用尊史于皇宗
2814.	夨令𣪘二	乍冊夨令尊俎于王姜
2814.	夨令𣪘二	用尊史于皇宗
2816	彔白䧹𣪘	用乍朕皇考釐王寶尊𣪘
2817	師類𣪘	用乍朕文考尹白尊𣪘
2818	此𣪘一	用乍朕皇考癸公尊𣪘
2819	此𣪘二	用乍朕皇考癸公尊𣪘
2820	此𣪘三	用乍朕皇考癸公尊𣪘
2821	此𣪘四	用乍朕皇考癸公尊𣪘
2822	此𣪘五	用乍朕皇考癸公尊𣪘
2823	此𣪘六	用乍朕皇考癸公尊𣪘
2824	此𣪘七	用乍朕皇考癸公尊𣪘
2825	此𣪘八	用乍朕皇考癸公尊𣪘
2826	師寰𣪘一	余用乍朕後男巤尊𣪘
2826	師寰𣪘一	余用乍朕後男巤尊𣪘
2827	師寰𣪘二	余用乍朕後男巤尊𣪘
2828	宜侯夨𣪘	乍虞公父丁尊彝
2829	師虎𣪘	用乍朕剌考日庚尊𣪘
2835	訇𣪘	用乍文且乙白同姬尊𣪘
2836	䧹𣪘	用乍文母日庚寶尊𣪘
2836	䧹𣪘	用夙夜尊亯孝于氒文母
2837	敔𣪘一	用乍尊𣪘
2838	師𠭘𣪘一	用乍朕皇考輔白尊𣪘
2838	師𠭘𣪘一	用乍朕皇考輔白尊𣪘
2839	師𠭘𣪘二	用乍朕皇考輔白尊𣪘
2839	師𠭘𣪘二	用乍朕皇考輔白尊𣪘
2841	㚤白𣪘	用乍朕皇考武㚤幾王尊𣪘
2842	卯𣪘	用乍寶尊𣪘
2844	頌𣪘一	皇母龏姒(始)寶尊𣪘
2845	頌𣪘二	皇母龏姒(始)寶尊𣪘
2845	頌𣪘二	皇母龏姒(始)寶尊𣪘
2846	頌𣪘三	皇母龏姒(始)寶尊𣪘

2847	頌𣪘四	皇母韓姒(始)寶尊𣪘
2848	頌𣪘五	皇母韓姒(始)寶尊𣪘
2849	頌𣪘六	皇母韓姒(始)寶尊𣪘
2850	頌𣪘七	皇母韓姒(始)寶尊𣪘
2851	頌𣪘八	皇母韓姒(始)寶尊𣪘
2852	不嬰𣪘一	用乍朕皇且公白孟姬尊𣪘
2853	不嬰𣪘二	用作朕皇且公白孟姬尊𣪘
2853.	__弔𣪘	用乍且考寶尊彝
2853.	尹𣪘	口口乍父口尊彝
2854	蔡𣪘	用乍寶尊𣪘
2857	牧𣪘	用乍朕皇文考益白尊𣪘
2874	虢弔匿一	虢弔乍弔𣪘穀尊匿
2874.	虢弔匿二	虢弔乍弔𣪘穀尊匿
2878	西替鈷	西替乍其妹靳尊鈷(匿)
2921	__弔乍吳姬匿	qi弔乍吳姬尊匿(匡)
2970	考弔腊父尊匿一	考弔訊父自乍尊匿
2971	考弔腊父尊匿二	考弔訊父自乍尊匿
3051	兮白吉父旅盨(蒞)	兮白吉父乍旅尊盨
3057	仲自父鎵(盨)	中自父乍季恭□寶尊盨
3077	弔專父乍奠季盨一	弔專父乍奠季寶鐘六、金尊盨四、鼎十
3078	弔專父乍奠季盨二	弔專父乍奠季寶鐘六、金尊盨四、鼎十
3079	弔專父乍奠季盨三	弔專父乍奠季寶鐘六、金尊盨四、鼎十
3080	弔專父乍奠季盨四	弔專父乍奠季寶鐘六、金尊盨四、鼎十
3109	周生豆一	周生乍尊豆用亯于宗室
3110	周生豆二	周生乍尊豆用亯于宗室
3111	大師虘豆	大師虘乍葉尊豆
3116	劉公鋪	劉公乍杜嬭尊盥永寶用
3646	乍障爵一	乍尊
4128.	登爵	登乍尊彝
4142	父戊舟乍弸爵一	父戊舟乍尊
4143	父戊舟乍弸爵二	父戊舟乍尊
4146	□父癸尊彝爵一	□父癸尊彝
4147	□父癸尊彝爵二	□父癸尊彝
4153	聞乍寶障彝爵	聞(虍?)乍寶尊彝
4156	剛乍寶障彝爵	剛乍寶尊彝
4163	立乍寶障彝爵	立乍寶尊彝
4169	乍甫丁爵	乍甫丁寶尊彝
4175	能乍父庚爵	能乍父庚尊彝
4181	__乍且己爵	im乍且己尊寶彝
4186	攸乍上父爵	攸乍上父寶尊彝
4187	效爵	效乍且戊寶尊彝
4188	又乍㪤父爵	又乍㪤父寶尊彝
4189	癲乍父丁爵	癲乍父丁乍尊彝
4190	牆乍父乙爵	牆乍父乙寶尊彝
4191	牆乍父乙爵二	牆乍父乙寶尊彝
4191.	父丁爵	乍父丁寶尊彝[天ab]
4192	美乍㪤且可公爵一	美乍㪤且可公尊彝
4193	美乍㪤且可公爵二	美乍㪤且可公尊彝
4194	冊壴/乍父丁爵	乍父丁尊彝[冊壴(衛)]
4195	𢍏乍父辛爵	𢍏大乍父辛寶尊彝

尊

尊

4197	亞醜方爵	[亞醜]者(諸)始目大子尊彝
4199	穌乍白父辛爵	穌乍召白父辛寶尊彝
4200	呂仲僕乍毓子爵	呂中僕乍毓子寶尊彝或
4202	魯侯爵	用尊v9盟
4202.	＿爵	用乍尊彝
4203	御正良爵	用乍父辛尊彝[＿]
4204	盂爵	用乍父寶尊彝
4236	王乍母癸角	王乍母癸尊
4237	史逹角	史逹乍寶尊彝
4239	天黿宔乍父癸角	用乍父癸尊彝[天黽]
4242	膚冊宰桄乍父丁角	用乍父丁尊彝
4333.	登乍尊彝斝	登(鄧)乍尊彝
4334	冓斝	冓乍寶尊彝
4337	般乍兄癸斝	[般]乍兄癸尊彝
4338	般兄癸乍斝	[般]兄癸乍尊彝
4339	乍婦姑黽斝	乍婦姑黽尊彝
4340.	虎白斝	犬白乍父寶尊彝
4340.	＿斝	＿乍康公寶尊彝
4341	𦊓䇂折乍父乙斝	折乍父乙寶尊彝[𦊓䇂]
4342	𡚬婦闕斝	婦闕乍文姑日癸尊彝[𡚬]
4343	亞吳小臣邑斝	用乍母癸尊彝
4344	嘉仲父斝	自乍寶尊彝
4414	卿乍父乙盉	卿乍父乙尊彝
4418	白矩盉	白矩乍寶尊彝
4423	陖白盉	陖白乍寶尊彝
4423.	陖白鎣	陖白乍寶尊彝
4427	柀冊洑乍父乙盉一	洑乍父乙尊彝[柀冊]
4428	柀冊洑乍父乙盉二	洑乍父乙尊彝[柀冊]
4429	㠯吳乍孚考盉	[㠯]吳乍孚考寶尊彝
4432	白寏乍召白父辛盉	白寏乍召白父辛寶尊彝
4433	甲盉	甲乍寶尊彝
4438	亞㠱侯吳盉	乍父乙寶尊彝
4447	臣辰冊冊彡乍冊父癸盉	用乍父癸寶尊彝
4448	長甶盉	用肇乍尊彝
4556.	尊彝尊	尊彝
4682	乍寶尊彝尊一	乍寶尊彝
4683	乍寶尊彝尊二	乍寶尊彝
4684	乍寶尊彝尊三	乍寶尊彝
4685	乍寶尊彝尊四	乍寶尊彝
4686	乍寶尊彝尊六	乍寶尊彝
4687	乍寶尊彝尊七	乍寶尊彝
4688	乍寶尊彝尊八	乍寶尊彝
4699	乍且丁尊	乍且丁尊彝
4705	乍父辛尊	乍父辛寶尊
4710	乍彭史從尊	乍彭史从尊
4712	大史尊	大史乍尊彝
4713	矩尊一	矩乍寶尊彝
4714	矩尊二	矩乍寶尊彝
4716	＿尊一	h7乍寶尊彝
4717	＿尊二	h7乍寶尊彝

4720	見尊	見乍寶尊彝
4723	㚔顯乍尊彝尊	顯乍尊彝[㚔]
4724	舀尊	舀乍寶尊彝
4726	商乍父丁吾尊	商乍父丁吾尊
4727	乍且乙尊	乍且乙寶尊彝
4730	乍父丁尊	乍父丁寶彝尊
4731	乍父戊尊	乍父戊寶尊彝
4732	乍父辛尊	__乍父辛寶尊彝
4735	__乍父辛尊	__乍父辛尊彝
4736	朕乍父癸尊	朕乍父癸尊彝
4737	□乍父辛尊	□乍父辛寶尊彝
4738	鮽白尊	鮽白乍寶尊彝
4739	白矩尊一	白矩乍寶尊彝
4740	白矩尊二	白矩乍寶尊彝
4741	白矩尊三	白矩乍寶尊彝
4742	白貉尊	白貉乍寶尊彝
4743	戒弔尊	戒弔乍寶尊彝
4744	白旟尊一	白旟乍寶尊彝
4745	白旟尊二	白旟乍寶尊彝
4746	白旟尊三	白旟乍寶尊彝
4747	𦣻季尊	𦣻季乍寶尊彝
4749	員父尊	員父乍寶尊彝
4751	雁公尊	雁公乍寶尊彝
4755	榮子尊	榮子乍寶尊彝
4756	仲𢼸尊	中𢼸乍寶尊
4758	濕白尊	濕白乍寶彝尊
4759	隥白尊	隥白乍寶尊彝
4760	亞耳乍且丁尊	亞耳乍且丁尊彝
4761	乍且己尊	乍且己寶尊彝[舟]
4762	竟乍且癸尊	竟乍且癸寶尊彝
4763	辟東乍父乙尊	辟東乍父乙尊彝
4764	__白乍父乙尊	qc白乍父乙寶尊
4765	對乍父乙尊	對乍父乙[亞夫]寶尊彝
4766	乍父丁尊	乍父丁[𩡧]寶尊彝
4767	乍父丁尊	乍父丁寶尊彝[𩡧]
4768	戈車乍父己尊	戈車乍父丁寶尊彝
4769	逆乍父丁尊	逆乍父丁寶尊彝
4770	□子乍父丁尊	□子乍父丁尊彝
4771	乍父丁尊	乍父丁寶尊彝[aw]
4772	奘秖乍乍父丁尊	[奘]秖乍父丁尊彝
4773	魚乍父己尊	魚乍父乙寶尊彝
4775	史見尊	史見乍父甲尊彝
4776	此尊	此乍父辛寶尊彝
4777	𢽎乍父辛尊	𢽎乍父辛寶尊彝
4778	賫乍父辛尊	賫乍父辛寶尊彝
4779	詠乍夙尊彝日戊尊	詠乍J4尊彝、日戊
4780	北白滅尊一	北白滅乍寶尊彝
4781	北白滅尊二	北白滅乍寶尊彝
4782	北白滅尊三	北白滅乍寶尊彝
4785	卿乍㫐考尊	卿乍㫐考寶尊彝

尊

尊

4788	亞醜酉乍父乙尊	[亞醜]酉乍父乙尊彝
4791	屯乍兄辛尊	屯乍兄辛寶尊彝[驧]
4795	叡乍父戊尊	叡乍父戊寶尊彝[誂]
4796	獸乍父庚尊	獸乍父庚寶尊彝[弓]
4797	□□乍父庚尊	□□乍父庚寶尊彝
4798	厥子乍父辛尊	氒子乍父辛寶尊彝
4799	___乍父癸尊	貍乍父癸寶尊彝[單]
4800	宿父乍父癸尊	宿父乍父癸寶尊彝
4801	單異乍父癸尊	單異乍父癸寶尊彝
4802	__尊	__乍父乙寶尊彝[歺]
4803	虢弔尊	虢弔乍弔殷穀尊朕
4804	衛乍季衛父尊	衛乍季衛父寶尊彝
4805	□乍氒皇考尊	__乍氒皇考寶尊彝
4806	亞醜方尊	[亞醜]者始以大子尊彝
4810	子叜乍母辛尊	子叜乍母辛尊彝[奘]
4812	冊𢼸乍父乙尊	冊𢼸乍父乙寶尊彝[婞]
4814	偺乍父癸尊	偺乍父癸寶尊彝用旅
4815	白乁辥乍日癸尊	[白乁]辥乍日癸公寶尊彝
4816	亞__傳乍父戊尊	傳乍父戊寶尊彝[亞Jc]
4817	智尊	智乍文考日庚寶尊器
4818	季盄尊	季盄乍寶尊彝用㮚__
4819	述乍兄日乙尊	述乍兄日乙寶尊彝[钔]
4820	__何乍兄日壬尊	qn乍兄日壬寶尊彝[dk]
4821	蔡侯𨭬乍大孟姬尊	蔡侯𨭬乍大孟姬賸尊
4822.	衛𢘅尊	衛𢘅乍父辛彝尊[亞𣶒]
4822.	__尊	q6乍宗尊氒孫子永寶
4823	懭季遽父尊	懭季遽父乍豐姬寶尊彝
4824	引為恖𤔲尊	引為恖𤔲寶尊彝用永孝
4825	夰者君乍父乙尊	夰者君乍父乙寶尊彝[cu]
4826	呂仲僕尊	呂仲僕乍毓子寶尊彝[或]
4827	兀乍高啓日乙__尊	兀乍高啓日乙__尊[臣辰歺冊]
4828	__焱乍父丁尊一	王占攸田𦾔乍父丁尊[qw]
4829	__焱乍父丁尊二	王占攸田𦾔乍父丁尊[qw]
4829	__焱乍父丁尊二	王占攸田𦾔乍父丁尊[qw]
4830	犀肇其乍父己尊	犀肇乍父己寶尊彝[篝__]
4831	倗乍氒考尊	倗乍氒考寶尊彝用萬年吏
4832	䀠湆白逘尊一	[䀠]湆白逘乍氒彝考寶旅尊
4833	䀠湆白逘尊二	[䀠]湆白逘乍氒彝考寶旅尊
4834	白乍氒文考尊	白乍氒文考尊彝其子孫永寶
4835	鄦仲尊	鄦中__乍氒文考寶尊彝、日辛
4836	__𦊆乍父乙尊	𦊆𦊆吏□用乍父乙旅尊彝[冊ap]
4837	鬲乍父甲尊	鬲易貝于王、用乍父甲寶尊彝
4838	執乍父□尊	易聿𠃷用乍父□尊彝
4840	弔𪓑方尊	弔𪓑易貝于王始用乍寶尊彝
4841	守宮乍父辛雞形尊	乍父辛尊
4842	啟乍文父辛尊	用乍文父辛尊彝[奘]
4843	𠕁員父壬尊	員乍父壬寶尊彝
4844	□乍父癸尊	□□父癸寶尊彝
4845	服方尊	乍文考日辛寶尊彝
4847	小子夫尊	用乍父己尊彝[𢪔]

4720	見尊	見乍寶尊彝
4723	𠬝顯乍尊彝尊	顯乍尊彝[𠬝]
4724	舀尊	舀乍寶尊彝
4726	商乍父丁吾尊	商乍父丁吾尊
4727	乍且乙尊	乍且乙寶尊彝
4730	乍父丁尊	乍父丁寶彝尊
4731	乍父戊尊	乍父戊寶尊彝
4732	乍父辛尊	_乍父辛寶尊彝
4735	_乍父辛尊	_乍父辛尊彝
4736	朕乍父癸尊	朕乍父癸尊彝
4737	□乍父辛尊	□乍父辛寶尊彝
4738	觪白尊	觪白乍寶尊彝
4739	白矩尊一	白矩乍寶尊彝
4740	白矩尊二	白矩乍寶尊彝
4741	白矩尊三	白矩乍寶尊彝
4742	白貉尊	白貉乍寶尊彝
4743	戒弔尊	戒弔乍寶尊彝
4744	白旛尊一	白旛乍寶尊彝
4745	白旛尊二	白旛乍寶尊彝
4746	白旛尊三	白旛乍寶尊彝
4747	矞季尊	矞季乍寶尊彝
4749	員父尊	員父乍寶尊彝
4751	雁公尊	雁公乍寶尊彝
4755	榮子尊	榮子乍寶尊彝
4756	仲𢼸尊	中𢼸乍寶尊
4758	㬎白尊	㬎白乍寶彝尊
4759	隥白尊	隥白乍寶尊彝
4760	亞耳乍且丁尊	亞耳乍且丁尊彝
4761	乍且己尊	乍且己寶尊彝[𠈃]
4762	竟乍且癸尊	竟乍且癸寶尊彝
4763	辟東乍父乙尊	辟東乍父乙尊彝
4764	_白乍父乙尊	qc白乍父乙寶尊
4765	對乍父乙尊	對乍父乙[亞夫]寶尊彝
4766	乍父丁尊	乍父丁[𩣡]寶尊彝
4767	乍父丁尊	乍父丁寶尊彝[𩣡]
4768	戈車乍父己尊	戈車乍父丁寶尊彝
4769	逆乍父丁尊	逆乍父丁寶尊彝
4770	口子乍父丁尊	口子乍父丁尊彝
4771	乍父丁尊	乍父丁寶尊彝[aw]
4772	㚔秖乍乍父丁尊	[㚔]秖乍父丁尊彝
4773	魚乍父己尊	魚乍父乙寶尊彝
4775	史見尊	史見乍父甲尊彝
4776	此尊	此乍父辛寶尊彝
4777	𢿢乍父辛尊	𢿢乍父辛寶尊彝
4778	賁乍父辛尊	賁乍父辛寶尊彝
4779	詠乍夙尊彝日戊尊	詠乍J4尊彝、日戊
4780	北白滅尊一	北白滅乍寶尊彝
4781	北白滅尊二	北白滅乍寶尊彝
4782	北白滅尊三	北白滅乍寶尊彝
4785	卿乍氒考尊	卿乍氒考寶尊彝

尊

4788	亞醜酉作父乙尊	[亞醜]酉作父乙尊彝
4791	屯作兄辛尊	屯作兄辛寶尊彝[騶]
4795	叡作父戊尊	叡作父戊寶尊彝[謊]
4796	獸作父庚尊	獸作父庚寶尊彝[弓]
4797	□□作父庚尊	□□作父庚寶尊彝
4798	厥子作父辛尊	氒子作父辛寶尊彝
4799	___作父癸尊	貍作父癸寶尊彝[單]
4800	宿父作父癸尊	宿父作父癸寶尊彝
4801	單異作父癸尊	單異作父癸寶尊彝
4802	_尊	_作父乙寶尊彝[歺]
4803	虢弔尊	虢弔作弔殷穀尊朕
4804	衛作季衛父尊	衛作季衛父寶尊彝
4805	□作氒皇考尊	_作氒皇考寶尊彝
4806	亞醜方尊	[亞醜]者始以大子尊彝
4810	子妾作母辛尊	子妾作母辛尊彝[奘]
4812	冊物作父乙尊	冊物作父乙寶尊彝[好]
4814	偖作父癸尊	偖作父癸寶尊彝用旅
4815	白乀辪作日癸尊	[白乀]辪作日癸公寶尊彝
4816	亞_傳作父戊尊	傳作父戊寶尊彝[亞Jc]
4817	智尊	智作文考日庚寶尊器
4818	季盅尊	季盅作寶尊彝用柔_
4819	述作兄日乙尊	述作兄日乙寶尊彝[卯]
4820	_何作兄日壬尊	qn作兄日壬寶尊彝[dk]
4821	蔡侯𨚕作大孟姬尊	蔡侯𨚕作大孟姬賸尊
4822.	徙㑗尊	徙㑗作父辛彝尊[亞㡌]
4822.	_尊	q6作宗尊氒孫子永寶
4823	憓季遽父尊	憓季遽父作豐姬寶尊彝
4824	引為慇膚尊	引為慇膚寶尊彝用永孝
4825	奔者君作父乙尊	奔者君作父乙寶尊彝[cu]
4826	呂仲僕尊	呂仲僕作毓子寶尊彝[或]
4827	兀作高㫚日乙_尊	兀作高㫚日乙_尊[臣辰歺冊]
4828	_叒作父丁尊一	王占攸田敪作父丁尊[qw]
4829	_叒作父丁尊二	王占攸田敪作父丁尊[qw]
4829	_叒作父丁尊二	王占攸田敪作父丁尊[qw]
4830	犀肇其作父己尊	犀肇作父己寶尊彝[簺_]
4831	倗作氒考尊	倗作氒考寶尊彝用萬年吏
4832	田淆白遠尊一	[田]淆白遠作氒彝考寶旅尊
4833	田淆白遠尊二	[田]淆白遠作氒彝考寶旅尊
4834	白作氒文考尊	白作氒文考尊彝其子孫永寶
4835	鄦仲尊	鄦中_作氒文考寶尊彝、日辛
4836	_𠬝作父乙尊	𠬝𠬝吏□用作父乙旅尊彝[冊ap]
4837	啇作父甲尊	啇易貝于王、用作父甲寶尊彝
4838	執作父□尊	易聿礼用作父□尊彝
4840	弔䖒方尊	弔䖒易貝于王始用作寶尊彝
4841	守宮作父辛雞形尊	作父辛尊
4842	啟作文父辛尊	用作文父辛尊彝[奘]
4843	舟員父壬尊	員作父壬寶尊彝
4844	□作父癸尊	□□父癸寶尊彝
4845	服方尊	作文考日辛寶尊彝
4847	小子夫尊	用作父己尊彝[𢍁]

4848	𠂤宍𢦏乍父乙尊	用乍父乙寶尊彝[𠂤宍]
4849	䣄啟方尊	𨚔(䣄)啟乍父庚尊彝
4850	犅劫尊	用乍□□且缶尊彝
4851	黃尊	黃肇乍文考宋白旅尊彝
4853	復尊	用乍父乙寶尊彝[㠱]
4855	弔夾父乍𪈐白尊	弔夾父乍文考𪈐白尊彝
4856	季受尊	用乍考＿父尊彝
4857	乍文考日己尊	乍文考日己寶尊宗彝
4861	𠭯士卿尊	用乍父戊尊彝
4862	㠱能匋尊	能匋用乍文父日乙寶尊彝[㠱]
4863	𢍰乍父乙尊	用乍父乙寶尊彝
4864	乍冊𦣞尊	用乍父乙寶尊彝
4865	𡴂方尊	乍𡴂穆文且考寶尊彝
4870	㠱商尊	用乍文辟日丁寶尊彝[㠱]
4871	𣪕幸豐尊	用乍父辛寶尊彝
4872	古白尊	古白曰p7卯乍尊彝
4873	臣辰冊𠂤冊乍父癸尊	用乍父寶尊彝
4875	𣂔折尊	用乍父乙尊
4876	保尊	用乍文父癸宗寶尊彝
4877	小子生尊	用乍𣪘寶尊彝
4879	彔㦰尊	用乍文考乙公寶尊彝
4880	免尊	用乍尊彝
4881	𩰫方尊	用乍辛公寶尊彝
4883	耳尊	肇乍京公寶尊彝
4884	䡒尊	用乍父乙寶尊彝
4885	效尊	效對公休、用乍寶尊彝
4886	趩尊	趩蔑曆、用乍寶尊彝
4888	盠駒尊一	余用乍朕文考大中寶尊彝
4890	盠方尊	用乍朕文祖益公寶尊彝
4891	何尊	用乍叀公寶尊彝
4892	麥尊	麥揚、用乍寶尊彝
4893	夨令尊	用乍父丁寶尊彝、敢追明公賞于父丁[鳥冊]
4914	𧶠引觥	[𧶠引]乍尊彝
4915	𠂤父辛觥	[𠂤]父辛寶尊彝
4916	乍母戊觥(蓋)	乍母戊寶尊彝
4917	旃觥	乍父乙寶尊彝[旃]
4918	幸䰻乍父辛觥	[䰻]乍父辛寶尊彝[幸]
4919	亞醜者姛觥一	[亞醜]者始大子尊彝
4920	亞醜者姛觥二	[亞醜]者始大子尊彝
4923	守宮乍父辛觥	守宮乍父辛尊彝其永寶
4924	㠱婦𨷶乍文姑日癸觥	[㠱]婦𨷶乍文姑日癸尊彝
4925	䡒仲子引觥	中子㠱引乍文父丁尊彝[鑊]
4926	吳𢦚䡒觥(蓋)	用乍父戊寶尊彝
4927	乍文考日己觥	乍文考日己寶尊宗彝
4928	折觥	用乍父乙尊
4961	滎子方彝	滎子乍寶尊彝
4965	幸䰻乍父辛方彝一	幸䰻乍父辛寶尊彝
4966	幸䰻乍父辛方彝二(器)	幸䰻乍父辛寶尊彝
4967	弔𩰫方彝	用乍寶尊彝
4968	𨚔方彝一	𨚔啟乍父庚尊彝

尊

尊

4969	㝬方彝二	㝬䢅乍父庚尊彝
4972	過从父彝	過从父乍_白尊彝
4973	乍文考日工夫方彝	乍文考日己寶尊宗彝
4974	_方彝	用乍高文考父癸寶尊彝
4975	麥方彝	用乍尊彝
4976	折方彝	用乍父乙尊
4977	師遽方彝	用乍文且它公寶尊彝
4978	吳方彝	用乍青尹寶尊彝
4979	盠方彝一	用乍朕文祖益公寶尊彝
4980	盠方彝二	用乍朕文祖益公寶尊彝
4981	爲冊令方彝	用乍父丁寶尊彝
5250	闌乍尊彝卣	闌乍尊彝
5251	乍戲尊彝卣	乍戲尊彝
5263	乍寶尊彝卣一	乍寶尊彝
5264	乍寶尊彝卣二	乍寶尊彝
5265	乍寶尊彝卣三	乍寶尊彝
5266	乍寶尊彝卣四	乍寶尊彝
5267	乍寶尊彝卣五	乍寶尊彝
5268	乍寶尊彝卣六	乍寶尊彝
5269	乍寶尊彝卣七	乍寶尊彝
5270	乍寶尊彝卣八	乍寶尊彝
5271	乍寶尊彝卣九	乍寶尊彝
5272	乍寶尊彝卣十	乍寶尊彝
5273	乍寶尊彝卣十一	乍寶尊彝
5274	乍寶尊彝卣十二	乍寶尊彝
5275	乍寶尊彝卣十三	乍寶尊彝
5286	白乍尊彝卣	白乍尊彝
5287	白乍尊彝卣	白乍尊彝
5288	登乍尊彝卣	登乍尊彝
5301	仲卣（蓋）	中乍寶尊彝
5305	_乍寶尊彝卣	h7乍寶尊彝
5306	頮卣	頮乍寶尊彝
5307	韝卣	[韝]乍寶尊彝
5310	皇_乍尊彝卣（蓋）	[皇r8]乍尊彝
5311	弔乍寶尊彝卣	弔乍寶尊彝
5312	師隻卣（蓋）	師隻乍尊彝
5315	曶卣（蓋）	曶乍寶尊彝
5323	考乍父辛卣	考乍父辛尊彝
5324	賒白卣	賒白乍寶尊彝
5326	乍父癸卣	乍父癸尊彝[集]
5330	錀白卣	錀白乍寶尊彝
5331	白魚卣	白魚乍寶尊彝
5332	竟卣	[竟]乍𠂤寶尊彝
5333	白矩卣一（蓋）	白矩乍寶尊彝
5334	白矩卣二	白矩乍寶尊彝
5335	白矩卣三	白矩乍寶尊彝
5336	白矩卣四	白矩乍寶尊彝
5337	白貉卣	白貉乍寶尊彝
5338	仲𢼸卣	中𢼸乍寶尊彝
5339	弔𩰫卣	弔𩰫乍寶尊彝

5341	嬴季卣	嬴季乍寶尊彝
5342	衛父卣	衛父乍寶尊彝
5344	卿乍氒考卣一	卿乍氒考尊彝
5345	卿乍氒考卣二	卿乍氒考尊彝
5346	𤔲向卣	向氒乍尊彝[𤔲]
5347	貙卣	貙乍寶尊彝[网]
5348	𠨘嗌卣	𠨘嗌乍寶尊彝
5350	買王罘尊彝卣	買王罘尊彝
5351	嫠𢢎卣	𢢎乍□寶尊彝[𤔲]
5353	乍公尊彝卣	乍公尊彝[𤔲]
5356	乍父庚卣	乍父庚尊彝[cf]
5361	隧白卣一	隧白乍寶尊彝
5362	濕白卣一	濕白乍寶尊彝
5363	濕白卣二	濕白乍寶尊彝
5366	齊乍父乙尊彝卣	齊乍父乙尊彝
5370	遣乍且乙卣	遣乍且乙寶尊彝
5371	_乍且丁卣	h5乍且丁寶尊彝
5373	史見乍父甲卣	史見乍父甲尊彝
5374	羊乍父乙卣	羊乍父乙寶尊彝
5375	天乍父乙卣	乍父乙寶尊彝[天]
5377	車乍父丁卣	車乍父丁寶尊彝
5378	叀乍父戊旅卣二	叀乍父戊寶尊彝
5380	狽人乍父戊卣	[狽]兀乍父戊尊彝
5380	狽人乍父戊卣	[狽]兀乍父戊尊彝
5381	臾人乍父己卣	[臾]人乍父己尊彝
5381	臾人乍父己卣	[臾]人乍父己尊
5383	𤔲父己卣	[𤔲]父己乍寶尊彝
5384	𧶠乍父辛卣	𧶠乍父辛寶尊彝
5385	𩰫乍父辛卣	𩰫乍父辛寶尊彝
5386	___乍父辛卣	[uutt]乍父辛尊彝
5387	亞_夾乍父辛卣	夾乍父辛尊彝[亞b3]
5388	亞俞𤔲乍父辛卣	𤔲乍父辛尊彝[亞俞]
5390	北白殁卣	北白殁乍寶尊彝
5391	閔乍宄白卣	閔乍宄白寶尊彝
5392	散白乍__父卣一	散白乍ot父尊彝
5392	散白乍__父卣一	散白乍ot父尊彝
5393	散白乍__父卣二	散白乍ot父尊彝
5394	史戍乍父壬卣	史戍乍父壬尊彝
5395	戣弔卣	戣弔乍氒寶尊彝
5396	季卣	季乍父辛寶尊彝
5400	_𦿷乍匕癸卣	𦿷乍父癸尊彝[fn]
5401	_乍父丁卣	[ep]乍父丁寶尊彝
5402	𨕖乍且乙卣	𨕖乍且乙寶尊彝
5403	_解乍父乙卣	解乍父乙尊彝[_]
5406	衛卣	衛乍季衛父寶尊彝
5407	單𥂕乍父甲卣	𥂕乍父甲寶尊彝[單]
5408	𠂤丞乍文父丁卣	𠂤丞乍文父丁尊彝[▪]
5409	㗊_乍且癸卣	_乍且癸寶尊彝[㗊]
5410	枚家乍父戊卣	枚家乍父戊寶尊彝
5411	𩵦𩵦乍父戊卣	𩵦乍父戊寶尊彝[𩵦]

尊

尊

5412	𩣑屯乍兄辛卣	屯乍兄辛寶尊彝[𩣑]
5413	魚狦白罰卣	狦白罰乍尊彝[魚]
5414	𩛥乍父戊卣	𩛥乍父戊尊彝[戈]
5415	白乍文公旅卣	白乍文公寶尊旅彝
5415	白乍文公旅卣	白乍文公寶尊旅彝
5416	𨷻卣	𨷻乍皇陽日辛尊彝
5417	白睘卣一	白睘乍𠭯室寶尊彝
5418	白睘卣二	白睘乍𠭯室寶尊彝
5418	白睘卣二	白睘乍室尊寶彝[网]
5421	亞__對乍父乙卣	對乍父乙寶尊彝[亞b2]
5423	亞__中__乍父丁卣	va乍父丁尊彝[亞bt中]
5425	何乍兄日壬卣	qn乍兄日壬寶尊彝[dk]
5426	亞𣄰剌乍兄日辛卣	剌乍兄日辛尊彝[亞𣄰]
5427	偖乍父癸卣	偖乍父癸寶尊彝、用旅
5428	____乍父考癸卣	uv乍文考癸寶尊彝[ev]
5431	白__乍西宮白卣	白rz乍西宮白寶尊彝
5433	𠍮亞束𡨦𢽾乍父癸卣	[亞束]𡨦𢽾乍父癸寶尊彝[𠍮]
5434	亞集𢍏乍文考父丁卣	亞集乍文老父丁寶尊彝
5435	婦𤔲𡚬乍文姑日癸卣一	婦𤔲乍文姑日癸尊彝[𠍮]
5436	婦𤔲𡚬乍文姑日癸卣二	婦𤔲乍文姑日癸尊彝[𠍮]
5437	𠍮女子小臣兒乍己卣	女子{ 小臣 }兒乍己尊彝[𠍮]
5440	__白日__乍父丙卣	ha白日m4乍父丙寶尊彝
5441	懬季遽父卣一	懬季遽父乍豐姬寶尊彝
5442	懬季遽父卣二	懬季遽父乍豐姬寶尊彝
5444	守宮卣	守宮乍父辛尊彝
5446	䀠溍白遚旅卣一	[䀠]溍白遚乍𠭯考寶旅尊
5447	王占卣	乍父丁尊[qw]
5448	天黽𩰫乍父癸卣	子易𩰫用乍父癸尊彝[天黽]
5449	𠈈乍𠭯考卣	𠈈乍𠭯考寶尊彝
5450	天黽盄乍父辛卣	用乍父辛尊彝[天黽]
5451	無仲奔乍文考日辛卣	無中奔乍𠭯文考寶尊彝、日辛
5454	孛卣	孛乍寶尊彝
5457	小臣系乍且乙卣一	用乍且乙尊
5458	小臣系乍且乙卣二	用乍且乙尊
5460	㪤御乍父己卣	用乍父己尊彝
5460	㪤御乍父己卣	用乍父己尊彝
5461	寓乍幽尹卣	用乍幽尹寶尊彝
5462	宲白乍父乙卣一	用乍父乙寶尊彝
5463	宲白乍父乙卣二	用乍父乙寶尊彝
5464	刀耳乍父乙卣	用乍父乙寶尊彝[刀]
5466	𩕳乍母辛卣一	𩕳乍母辛尊彝
5467	𩕳乍母辛卣二	𩕳乍母辛尊彝
5469	白ns卣	用乍寶尊彝
5470	__盂乍父丁卣	用乍父丁寶尊彝[fk]
5472	乍毓且丁卣	用乍毓且丁尊[𠧟]
5472	乍毓且丁卣	用乍毓且丁尊[𠧟]
5473	同乍父戊卣	用乍父戊寶尊彝
5474	𨟭卣	用乍父乙寶尊彝
5474	𨟭卣	用乍父乙寶尊彝
5475	六祀𠨍其卣	用乍且癸尊彝

5477	單光壴乍父癸簸卣	文考日癸乃__子壴乍父癸旅宗尊彝
5479	奘商乍文辟日丁卣	商用乍文辟日丁寶尊彝[奘]
5480	冊牽冊豐卣	用乍父辛寶尊彝[冊牽]
5480	冊牽冊豐卣	用乍父辛寶尊彝[冊牽]
5481	叔卣一	用乍寶尊彝
5482	叔卣二	用乍寶尊彝
5484	乍冊睘卣	用乍文考癸寶尊器
5484	乍冊睘卣	用乍文考癸寶尊器
5485	貉子卣一	用乍寶尊彝
5486	貉子卣二	用乍寶尊彝
5489	戉箙啟卣	乍且丁寶旅尊彝
5490	戉𥝢卣	用乍文考日乙寶尊彝
5490	戉𥝢卣	用乍文考日乙寶尊彝
5492	亞獏四祀𠨘其卣	尊文武帝乙宜
5495	保卣	用乍文父癸宗寶尊彝
5495	保卣	用乍文父癸宗寶尊彝
5498	彔𢦚卣	用乍文考乙公寶尊彝
5499	彔𢦚卣二	用乍文考乙公寶尊彝
5500	免卣	用乍尊彝
5501	臣辰冊冊𡉚卣一	用乍父癸寶尊彝[臣辰冊𡉚]
5502	臣辰冊冊𡉚卣二	用乍父癸寶尊彝[臣辰冊𡉚]
5503	競卣	用乍父乙寶尊彝
5504	庚嬴卣一	用乍厥文姑寶尊彝
5505	庚嬴卣二	用乍厥文姑寶尊彝
5507	乍冊𦣞卣	用乍日己旅尊彝
5509	麸卣	高對乍父丙寶尊彝
5510	乍冊嗌卣	乍冊嗌乍父辛尊
5511	效卣一	用乍寶尊彝
5561	白罍	白乍厥寶尊彝
5562	皿父己罍	[皿]乍父己尊彝
5563	再乍日父丁罍	[再]乍日父丁尊彝
5565	乍父乙罍	乍父乙寶中尊䍃(罍)[ba]
5568	亞醜者姛方罍一	[亞醜]者姛(始)以大子尊彝
5569	亞醜者姛方罍二	[亞醜]者姛(始)以大子尊彝
5574	女姬罍	女姬乍厥姑夕母(姼?)寶尊彝
5575	奘婦䦟乍文姑日癸罍	婦䦟文姑日癸尊彝[奘]
5577	__䜌乍父丁罍	王占攸田𦧟乍父丁尊[qw]
5578	戈蘇乍且乙罍	蘇乍且己尊彝
5580	㳄___罍	㳄td__乍尊䍃(罍)
5582	對罍	對乍文考日癸寶尊䍃(罍)
5583	不白夏子罍一	不白夏子自乍尊䍃(罍)
5584	不白夏子罍二	不白夏子自乍尊䍃(罍)
5644	友乍尊壺	友乍尊壺
5664	__乍尊彝壺	[dj]乍尊彝
5670	遅子壺	遅子䙴尊壺
5675	雍公壺	雍公乍寶尊彝
5676	伯矩壺一	白矩乍寶尊彝
5677	伯矩壺二	白矩乍寶尊彝
5685	䙴匕乍父己壺	[䙴]匕乍父己尊彝
5687	孟姬媘壺	孟姬媘之尊缶

尊

5690	白到方壺	白到乍寶尊彝
5695	內白攸乍釐公壺	內白攸乍釐公尊彝
5699	䶂奪乍父丁壺	奪乍父丁寶尊彝[䶂]
5706	子弔乍弔姜壺一	子弔乍弔姜尊壺永用
5707	子弔乍弔姜壺二	子弔乍弔姜尊壺永用
5707	子弔乍弔姜壺二	子弔尊
5708	__何乍兄日壬壺	qn乍兄日壬寶尊彝[dk]
5712	白山父方壺	白山父乍尊壺
5713	孟上父尊壺	孟上父乍尊壺
5718	曾仲斿父壺	自乍寶尊壺(蓋左行)
5718	曾仲斿父壺	自乍寶尊壺(器右行)
5722	白庶父醴壺	白庶父乍尊壺
5723	王白姜壺一	王白姜乍尊壺
5724	王白姜壺二	王白姜乍尊壺
5725	呂王__乍內姬壺	呂王np乍內姬尊壺
5732	鄧孟乍監曼壺	鄧孟乍監曼尊壺
5744	仲南父壺一	中南父乍尊壺
5745	仲南父壺二	中南父乍尊壺
5746	史僕壺一	史僕乍尊壺
5747	史僕壺二	史僕乍尊壺
5749	矩弔乍仲姜壺一	矩弔乍中姜寶尊壺
5750	矩弔乍仲姜壺二	矩弔乍中姜寶尊壺
5755	散氏車父壺一	氏車父乍ro姜□尊壺
5761	兮熬壺	兮熬乍尊壺
5762	吕行壺	用乍寶尊彝
5766	周䜌壺一	周䜌乍公日己尊壺
5767	周䜌壺二	周䜌乍公日己尊壺
5773	陳喜壺	JG客敢為尊壺九
5775	蔡公子壺	蔡公子□□乍尊壺
5781	曾姬無卹壺一	甬(用)乍宗彝尊壺
5782	曾姬無卹壺二	甬(用)乍宗彝尊壺
5786	㚤季良父壺	㚤季良父乍kh姒(始)尊壺
5787	汈其壺一	汈其乍尊壺
5788	汈其壺二	汈其乍尊壺
5789	命瓜君厚子壺一	命瓜君厚子乍鑄尊壺
5790	命瓜君厚子壺二	命瓜君厚子乍尊壺
5793	幾父壺一	用乍朕剌考尊壺
5794	幾父壺二	用乍朕剌考尊壺
5795	白克壺	用乍朕穆考後中尊壺
5796	三年㾓壺一	用乍皇且文考尊壺
5797	三年㾓壺二	用乍皇且文考尊壺
5798	曶壺	用乍朕文考釐公尊壺
5799	頌壺一	皇母龏姒(始)寶尊壺
5800	頌壺二	皇母龏姒(始)寶尊壺
5814	白夏父𦉜一	白夏父乍畢姬尊𩁹
5815	白夏父𦉜二	白夏父乍畢姬尊𩁹
5818	倗缶	倗之尊缶
5820	蔡侯䜭尊缶	蔡侯䜭之尊缶
5821	蔡侯䜭尊缶	蔡侯䜭之尊缶
6249	登觚	登乍尊彝

6251	医王罘尊彝觚一	医王罘尊彝
6252	医王罘尊彝觚二	医王罘尊彝
6258	賣引乍尊彝觚	賣引乍尊彝
6262	亞旛妏_觚	[亞旛]妏e6尊彝
6263	亞__皿觚	[亞竉犬]皿白乍尊彝
6264	卿乍父乙觚	[鄉]乍父乙寶尊彝
6265	亞吴乍父辛尊觚	乍父辛尊[亞吴]
6268	亞乍父乙觚一	亞乍父乙尊寶彝
6269	亞乍父乙觚二	亞乍父乙寶尊彝
6270	戠叡乍父戊觚一	[戠]叡乍父戊尊彝
6271	戠叡乍父戊觚二	[戠]叡乍父戊尊彝
6273	__乍且己觚	[夙]乍且己尊彝[ar]
6276	㞢趞乍日癸觚	趞乍日癸寶尊彝[㞢]
6277	貝隹乍父乙觚	貝鳥易用乍父乙尊彝[天黽]
6278	䢅娥用__日義觚	用乍pd日乙尊彝[䢅]
6281	天口逐攺宁觚	天口逐攺宁用乍父辛寶尊彝
6282	召乍父戊觚	召乍氒文考父戊寶尊彝
6525	天尊彝觶	[天]尊彝
6600	邑觶	邑乍寶尊彝
6607	丰乍父乙觶	tJ乍父乙尊彝
6609	田疑__觶	疑乍寶尊彝[田]
6610	乍父丙觶	乍父丙尊彝
6614	句乍父丁觶	[句]乍父丁尊彝
6616	者兒觶	者兒乍寶尊彝
6620	亞示乍父己觶	[亞示]乍父己尊彝
6621	冊木工乍母甲觶	[冊杠]乍母甲尊彝
6622	吉偕乍氒觶	吉偕乍氒寶尊彝
6623	白乍氒且觶	白乍氒且寶尊彝
6627	鼓𩐈乍父辛觶	[鼓𩐈]乍父辛寶尊彝
6628	鳥冊何般貝宁父乙觶	[何般貝宁]用乍父乙寶尊彝[鳥]
6631	小臣單觶一	用乍寶尊彝
6633	斱乍文考觶	用乍文考尊彝、永寶
6635	中觶	用乍父乙寶尊彝
6696	曆盤	曆乍寶尊彝
6699	鄧父盤	鄧父乍寶尊彝
6700	蔡侯𩰫盤	蔡侯𩰫之尊盤
6704	縈子盤	縈子乍寶尊彝
6705	征乍周公盤	征乍周公尊彝
6709	癸白矩盤	癸白矩乍寶尊彝
6711	田遣乍氒考盤	[田]遣乍氒考寶尊彝
6716	京隣仲__盤	[京]隣中wb乍父辛寶尊彝
6722	彭生盤	彭生乍氒文考辛寶尊彝[冊光白尹]
6732	陶子盤	用乍寶尊彝
6753	仲叡父盤	中叡父乍rG姬尊般(盤)
6754	楚季苟盤	楚季苟乍嬭尊賸盥般
6773	__湯弔盤	林匋湯弔obG1鑄其尊
6775	__仲乍父丁盤	用乍父丁寶尊彝
6783	函皇父盤	函皇父乍琱娟般盉、尊器
6785	守宮盤	用乍且乙尊
6787	走馬休盤	用乍朕文考日丁尊般

尊

6792	史墻盤	用乍寶尊彝
6797	父丁尊匜	父丁尊
6811	乍父乙匜	乍父乙寶尊彝[㕣]
6813	蔡子□自乍會匜	蔡子□自乍會尊匜
6815	亞醜者姛匜	[亞醜]者始㠯大子尊匜
6820	冊㔿匜	㔿乍父乙寶尊彝[冊妗]
6824	曾子白匜	隹曾子白及父自乍尊匜
6897	永盂	永乍寶尊彝[oc]
6899	__乍康公盂	__乍康公寶尊彝
6901	白盂	白乍寶尊盂
6909	遡盂	用乍文且己公尊盂
6910	師永盂	永用乍朕文考乙白尊盂
7868	商鞅方升	爰積十六尊五分尊壹為升
7996	陶範二	央乍父乙寶尊彝
M030	剛劫卣	用乍□嵩□且缶尊彝
M126	圂卣	用乍寶尊彝
M143	顯壺	顯乍母辛尊彝
M151	北子宋盤	北子宋乍文父乙寶尊彝
M171	小臣靜卣	用乍父□寶尊彝
M177.	㦰毁	㦰乍且庚尊毁
M191	繁卣	用乍文考辛公寶尊彝
M361	井伯南毁	井南白乍鄭季姚好尊毁
M379	夆伯鬲	夆白乍郙孟姬尊鬲
M466	鄦男鼎	鄦男乍成姜趄母賸尊鼎
M596	蔡侯匜	蔡侯𩰫之尊匜
M695	曾伯宮父鬲	自乍寶尊鬲

小計：共 1294 筆

酯 2418+

0872	鑄客為集酯鼎	鑄客為集酯為之

小計：共 1 筆

戌 2419

1205.	遹鼎	唯七月初吉甲戌
1263	呂方鼎	唯五月既死霸辰才壬戌
1280	康鼎	唯三月初吉甲戌
1306	無叀鼎	隹九月既望甲戌
1311	師晨鼎	隹三年三月初吉甲戌
1315	善鼎	令女左足纍侯、監𤔲師戌
1317	善夫山鼎	隹卅又七年正月初吉庚戌
1319	頌鼎一	隹三年五月既死霸甲戌
1320	頌鼎二	隹三年五月既死霸甲戌
1321	頌鼎三	隹三年五月既死霸甲戌
1325	五祀衛鼎	隹正月初吉庚戌
2595	奠虢仲毁一	隹十又一月既生霸庚戌
2596	奠虢仲毁二	隹十又一月既生霸庚戌

2597	奠虢仲毁三	隹十又一月既生霸庚戌
2639	遣毁	唯七月初吉甲戌
2684	__寵乎毁	隹正二月既死霸壬戌
2722	逹弔乍豐姞旅毁	唯王五月辰才丙戌
2725	師毛父毁	隹六月既生霸戊戌
2771	弭弔師求毁一	隹五月初吉甲戌
2772	弭弔師求毁二	隹五月初吉甲戌
2774.	南宮弔毁	迺召夾死嗣 ??戌
2774.	南宮弔毁	用戌 ??用政
2775	裘衛毁	隹廿又七年三月既生霸戊戌
2787	望毁	隹王十又三年六月初吉戊戌
2792	師俞毁	唯三年三月初吉甲戌
2814	鳥冊夨令毁一	公尹白丁父兄(貺)于戌
2814	鳥冊夨令毁一	戌冀、嗣气
2814.	夨令毁二	公尹白丁父兄(貺)于戌
2814.	夨令毁二	戌冀、嗣气
2829	師虎毁	隹六年六月既望甲戌
2844	頌毁一	隹三年五月既死霸甲戌
2845	頌毁二	隹三年五月既死霸甲戌
2845	頌毁二	隹三年五月既死霸甲戌
2846	頌毁三	隹三年五月既死霸甲戌
2847	頌毁四	隹三年五月既死霸甲戌
2848	頌毁五	隹三年五月既死霸甲戌
2849	頌毁六	隹三年五月既死霸甲戌
2850	頌毁七	隹三年五月既死霸甲戌
2851	頌毁八	隹三年五月既死霸甲戌
2855	班毁一	隹八月初吉才宗周甲戌
2855.	班毁二	甲戌
2920.	白多父匿	白多父乍戌姬多母霝𣪕器
3039	白多父盨	白多父乍戌姬多母霝𣪕器
3083	𤸫毁(盨)一	隹四年二月既生霸戊戌
3084	𤸫毁(盨)二	隹四年二月既生霸戊戌
4891	何尊	才四月丙戌
5777	孫弔師父行具	隹王正月初吉甲戌
5799	頌壺一	隹三年五月既死霸甲戌
5800	頌壺二	隹三年五月既死霸甲戌
6787	走馬休盤	隹廿年正月既望甲戌
6972	宋公鐘	宋公戌之訶鐘
7195	宋公戌鎛一	宋公戌之訶鐘
7196	宋公戌鎛二	宋公戌之訶鐘
7197	宋公戌鎛三	宋公戌之訶鐘
7198	宋公戌鎛四	宋公戌之訶鐘
7199	宋公戌鎛五	宋公戌之訶鐘
7200	宋公戌鎛六	宋公戌之訶鐘
M508	虞侯政壺	隹王二月初吉壬戌

小計：共 58 筆

2420

亥

2668	散季𣪘	隹王四年八月初吉丁亥
2687	敔𣪘	隹四月初吉丁亥
2690.	相侯𣪘	隹五月乙亥
2698	陳肪𣪘	隹王五月元日丁亥
2705	君夫𣪘	唯正月初吉乙亥
2710	緈自乍寶器一	唯十又二月既生霸丁亥
2711	緈自乍寶器二	唯十又二月既生霸丁亥
2725.	榮星𣪘	隹一月既望丁亥
2738	衛𣪘	隹八月初吉丁亥
2768	楚𣪘	隹正月初吉丁亥
2777	天亡𣪘	乙亥、王又大豐
2800	伊𣪘	隹王廿又七年正月既望丁亥
2807	鄙𣪘一	丁亥、王各于宣𢎫
2808	鄙𣪘二	丁亥、王各于宣𢎫
2809	鄙𣪘三	丁亥、王各于宣𢎫
2812	大𣪘一	隹十又二年三月既生霸丁亥
2813	大𣪘二	隹十又二年三月既生霸丁亥
2815	師毁𣪘	隹王元年正月初吉丁亥
2817	師穎𣪘	隹王元年九月既望丁亥
2830	三年師兌𣪘	隹三年二月初吉丁亥
2838	師嫠𣪘一	隹十又一年九月初吉丁亥
2838	師嫠𣪘一	隹十又一年九月初吉丁亥
2839	師嫠𣪘二	隹十又一年九月初吉丁亥
2839	師嫠𣪘二	隹十又一年九月初吉丁亥
2842	卯𣪘	隹王十又一月既生霸丁亥
2854	蔡𣪘	隹元年既望丁亥
2946	曾子□𠤳	隹正月初吉丁亥
2961	隞侯乍媵𠤳一	隹正月初吉丁亥
2962	隞侯乍媵𠤳二	隹正月初吉丁亥
2963	陳侯𠤳	隹正月初吉丁亥
2964	曾□□鉃𠤳	隹正吉乙亥
2967	隞侯乍孟姜朕𠤳	隹正月初吉丁亥
2970	考弔脂父尊𠤳一	隹正月初吉丁亥
2971	考弔脂父尊𠤳二	隹正月初吉丁亥
2973	楚屈子𠤳	隹正月初吉丁亥
2974	上鄀府𠤳	隹正六月初吉丁亥
2975	鄦子妝𠤳	隹正月初吉丁亥
2976	盅公𠤳	隹王正月初吉丁亥
2977	□孫弔左鉃𠤳	隹正月初吉丁亥
2978	樂子敬豧飤𠤳	隹正月初吉丁亥
2982	長子□臣乍媵𠤳	隹正月初吉丁亥
2982	長子□臣乍媵𠤳	隹正月初吉丁亥
2985	陳逆𠤳一	隹王正月初吉丁亥
2985.	陳逆𠤳二	隹王正月初吉丁亥
2985.	陳逆𠤳三	隹王正月初吉丁亥
2985.	陳逆𠤳四	隹王正月初吉丁亥
2985.	陳逆𠤳五	隹王正月初吉丁亥
2985.	陳逆𠤳六	隹王正月初吉丁亥
2985.	陳逆𠤳七	隹王正月初吉丁亥
2985.	陳逆𠤳八	隹王正月初吉丁亥

亥

2985.	陳逆簠九	隹王正月初吉丁亥
2985.	陳逆簠十	隹王正月初吉丁亥
3077	弔專父乍奠季盨一	六月初吉丁亥
3078	弔專父乍奠季盨二	六月初吉丁亥
3079	弔專父乍奠季盨三	六月初吉丁亥
3080	弔專父乍奠季盨四	六月初吉丁亥
3121.	大宰歸父鑪	隹王八月丁亥
4089	大辛父辛爵	[大亥]父辛
4203	御正良爵	隹四月既望丁亥
4344	嘉仲父斝	隹元年正月初吉丁亥
4448	長甶盉	隹三月初吉丁亥
4535	亞亥尊	[亞亥]
4863	寏乍父乙尊	寏從公亥ry洛于官
4870	䢅商尊	隹五月辰才丁亥
4880	免尊	王才奠、丁亥
4887	蔡侯𨊠尊	元年正月初吉辛亥
4893	矢令尊	丁亥、令矢告于周公宮
4971	__乍父癸方彝(蓋)	癸亥王才圃雚京
4975	麥方彝	才八月乙亥、辟井侯光氒正吏
4978	吳方彝	隹二月初吉丁亥
4981	鳥冊令方彝	丁亥、令矢告于周公宮
5238	舟亥父丁卣	[舟亥]父丁
5472	乍毓且丁卣	辛亥、王才廙
5472	乍毓且丁卣	辛亥、王才廙
5475	六祀切其卣	乙亥、切其易乍冊擊C0珏
5479	䢅商乍文辟日丁卣	隹五月辰才丁亥
5483	周乎卣	隹九月既生霸乙亥
5483	周乎卣	隹九月既生霸乙亥
5500	免卣	隹六月初吉、王才鄭、丁亥
5507	乍冊𪀁卣	十二月既望乙亥
5583	不白夏子罍一	隹正月初吉丁亥
5584	不白夏子罍二	隹正月初吉丁亥
5798	曶壺	隹正月初吉丁亥
5804	齊侯壺	隹王正月初吉丁亥
5816.	伯亞臣𦉜	隹正月初吉丁亥
5824	孟縢姬賸缶	隹正月初吉丁亥
5826	國差𦉜	丁亥
6274	宊亥召乍父辛觚	宊亥召乍父辛彝
6768	齊大宰歸父盤一	隹王八月丁亥
6769	齊大宰歸父盤二	隹王八月丁亥
6777	邛仲之孫白戔盤	隹王月初吉丁亥
6780	黃大子白克盤	隹王正月初吉丁亥
6781	夆弔盤	隹王正月初吉丁亥
6782	者尚余卑盤	隹王正月初吉丁亥
6788	蔡侯𨊠盤	元年正月初吉辛亥
6790	虢季子白盤	隹十又二年正月初吉丁亥
6871	敶子匜	隹正月初吉丁亥
6876	夆弔乍季妃盥盤(匜)	隹王正月初吉丁亥
6921	鄧子仲盆	隹八月初吉丁亥
6925	晉邦盦	隹王正月初吉丁亥